Fernande

Les Portes de Québec

de Québec

Faubourg Saint-Roch

Un viol sans importance, roman, Sillery, Septentrion, 1998.
La Souris et le Rat, roman, Gatineau, Vents d'Ouest, 2004.
Un pays pour un autre, roman, Sillery, Septentrion, 2005.
L'été de 1939, avant l'orage, roman, Montréal, Hurtubise HMH, 2006.
La Rose et l'Irlande, roman, Montréal, Hurtubise HMH, 2007.
Haute-Ville, Basse-Ville, roman, Montréal, Hurtubise, 2009
(réédition de *Un viol sans importance*).

SAGA LES PORTES DE QUÉBEC

Tome 1, *Faubourg Saint-Roch*, roman, Montréal, Hurtubise HMH, 2007.
Tome 2, *La Belle Époque*, roman, Montréal, Hurtubise HMH, 2008.
Tome 3, *Le prix du sang*, roman, Montréal, Hurtubise HMH, 2008.
Tome 4, *La mort bleue*, roman, Montréal, Hurtubise, 2009.

SAGA LES FOLLES ANNÉES

Tome 1, *Les héritiers*, roman, Montréal, Hurtubise, 2010.
Tome 2, *Mathieu et l'affaire Aurore*, roman, Montréal, Hurtubise, 2010.
Tome 3, *Thalie et les âmes d'élite*, roman, Montréal, Hurtubise, 2011.
Tome 4, *Eugénie et l'enfant retrouvé*, roman, Montréal, Hurtubise, 2011.

Jean-Pierre Charland

Les Portes de Québec

Faubourg Saint-Roch

Tome 1

Hurtubise

Catalogage avant publication de Bibliothèque et Archives nationales du Québec et Bibliothèque et Archives Canada

Charland, Jean-Pierre, 1954-

Les portes de Québec

(Hurtubise compact)
Sommaire: t. 1. Faubourg Saint-Roch – t. 2. La belle époque – t. 3. Le prix du sang – t. 4. La mort bleue.

ISBN 978-2-89647-509-4 (v. 1)
ISBN 978-2-89647-510-0 (v. 2)
ISBN 978-2-89647-511-7 (v. 3)
ISBN 978-2-89647-512-4 (v. 4)

I. Titre. II. Titre: Faubourg Saint-Roch. III. Titre: La belle époque. IV. Titre: Le prix du sang. V. Titre: La mort bleue. VI. Collection: Hurtubise compact.

PS8555.H415P67 2011   C843'.54   C2010-942650-9
PS9555.H415P67 2011

Les Éditions Hurtubise bénéficient du soutien financier des institutions suivantes pour leurs activités d'édition:

– Conseil des Arts du Canada;
– Gouvernement du Canada par l'entremise du Programme d'aide au développement de l'industrie de l'édition (PADIÉ);
– Société de développement des entreprises culturelles du Québec (SODEC);
– Gouvernement du Québec par l'entremise du programme de crédit d'impôt pour l'édition de livres.

Conception graphique de la couverture: René St-Amand
Illustration de la couverture: Luc Normandin
Maquette intérieure et mise en pages: Andréa Joseph [pagexpress@videotron.ca]

Copyright © 2011, Éditions Hurtubise inc.
ISBN version imprimée: 978-2-89647-509-4
ISBN version numérique (PDF): 978-2-89647-383-0

Dépôt légal: 2ᵉ trimestre 2011
Bibliothèque et Archives nationales du Québec
Bibliothèque et Archives du Canada

Diffusion-distribution au Canada: Diffusion-distribution en Europe:
Distribution HMH   Librairie du Québec/DNM
1815, avenue De Lorimier   30, rue Gay-Lussac
Montréal (Québec) H2K 3W6   75005 Paris FRANCE
Téléphone: 514 523-1523   www.librairieduquebec.fr
Télécopieur: 514 523-9969
www.distributionhmh.com

Imprimé au Canada
www.editionshurtubise.com

Note de l'auteur

Au moment où Québec célébrait le quatrième centenaire de sa fondation, il m'avait paru intéressant de parcourir le dernier siècle de l'histoire de la ville sous le mode romanesque. Foncièrement, il s'agit d'un ouvrage de fiction dont le cadre, lui, est autant que possible fidèle à la réalité historique.

Certains voudront peut-être reconnaître des personnes réelles sous les personnages inventés. Je n'ai pourtant pas voulu raconter la vie de qui que ce soit. Cependant, l'architecture m'a inspiré. L'immeuble du grand magasin Picard ressemble clairement à l'édifice de l'établissement Paquet, rue Saint-Joseph. Parfois les noms des lieux, des rues, des places diffèrent de ceux qu'ils portent aujourd'hui, ou alors ils se dressent à des endroits qui surprendront. J'ai écrit ce roman avec, sous les yeux, une grande carte de Québec datant de 1896.

Si les principaux protagonistes de ce récit sont nés de mon imagination, d'autres, secondaires, furent bien réels. Vous trouverez dans les pages suivantes quelques mots sur les uns et les autres.

Liste des personnages principaux

Bellavance, Marcel : Ouvrier de la cordonnerie Marsh.

Buteau, Émile : Frère de Marie, étudiant en dernière année au Grand Séminaire.

Buteau, Marie : Jeune fille du quartier Saint-Roch, employée au magasin Picard sous les ordres d'Alfred.

Couture, Docteur : Médecin de Saint-Roch ; médecin de la famille Picard.

Gertrude : Servante de Mme veuve Théodule Picard.

Grosjean, Napoléon : Homme de peine de Thomas, à la fois cocher et employé au commerce.

Létourneau, Fulgence : Secrétaire de Thomas Picard.

Picard, Alfred : Frère aîné de Thomas, directeur d'un rayon du magasin Picard. Sans ambition, dilettante, il a été supplanté auprès de son père par son cadet, au point de ne pas avoir hérité de l'entreprise.

Picard, Alice : Épouse de Thomas. Encore jeune mais malade, elle est alitée depuis la naissance de son deuxième enfant, cinq ans plus tôt.

Picard, Édouard : Fils d'Alice et de Thomas Picard.

Picard, Eugénie : Fille d'Alice et de Thomas Picard.

Picard, Madame veuve Théodule, Euphrosine : Mère de Thomas et d'Alfred.

Picard, Thomas: Propriétaire d'un magasin à rayons, marié à Alice Picard, père d'Eugénie et d'Édouard. Il est notamment organisateur politique pour sir Wilfrid Laurier lors des élections fédérales de 1896.

Tardif, Joséphine: Cuisinière et bonne à tout faire chez Thomas Picard.

Trudel, Élisabeth: Élève chez les ursulines, cette jeune fille est choisie par Thomas Picard pour être la préceptrice de ses deux enfants, Eugénie et Édouard.

Yvonne: Ouvrière de la Dominion Corset. Elle partage une chambre avec Marie Buteau.

Personnages historiques

David, Laurent-Olivier (1840-1926): Avocat de formation, journaliste et écrivain, il afficha d'abord des sympathies conservatrices avant de s'engager avec les libéraux. Ami de Wilfrid Laurier à partir de 1867, celui-ci le nomma sénateur en 1903.

Laurier, Wilfrid (1841-1919): Avocat de formation, journaliste et homme politique, il fut député libéral du comté de Québec-Est de 1877 jusqu'à sa mort. Chef du Parti libéral du Canada depuis 1887, il occupa le poste de premier ministre de 1896 à 1911.

Marchand, Félix-Gabriel (1832-1900): Notaire, cultivateur, journaliste et écrivain, il fut élu député libéral de Saint-Jean-sur-Richelieu à l'Assemblée provinciale en 1867. Premier ministre du Québec en 1897, il mourra en poste en 1900.

Parent, Simon-Napoléon (1855-1920): Avocat ayant son bureau rue Saint-Vallier, dans Saint-Sauveur. Au moment de l'annexion de cette municipalité à Québec en 1890, il devint échevin, puis maire en 1894. Député de Saint-Sauveur à l'Assemblée provinciale en 1897, il occupera le poste de premier ministre à la mort de Félix-Gabriel Marchand tout en demeurant le maire de Québec. Élu en 1900 et 1904, les contestations au sein de son propre parti le forceront à démissionner de son poste de premier ministre et de maire de Québec en 1905.

Tarte, Israël (1848-1907): Avocat, journaliste, après des années de militantisme chez les conservateurs, il rejoignit le Parti libéral au début des années 1890. Ministre dans le cabinet de Laurier en 1896, il en fut chassé en 1902. Il tenta un retour chez les conservateurs en 1905, puis se retira de la vie politique.

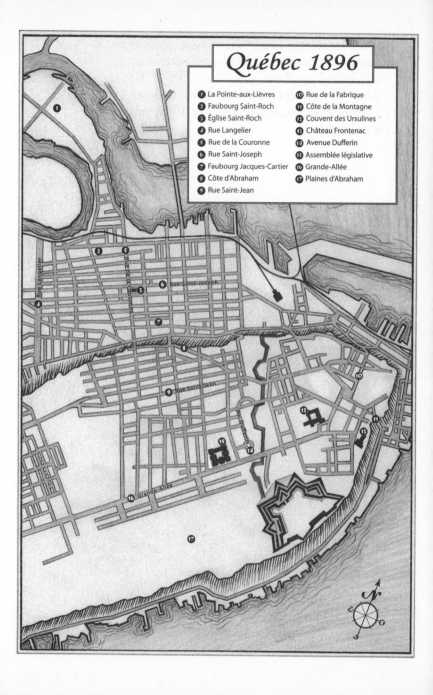

Québec 1896

1. La Pointe-aux-Lièvres
2. Faubourg Saint-Roch
3. Église Saint-Roch
4. Rue Langelier
5. Rue de la Couronne
6. Rue Saint-Joseph
7. Faubourg Jacques-Cartier
8. Côte d'Abraham
9. Rue Saint-Jean
10. Rue de la Fabrique
11. Côte de la Montagne
12. Couvent des Ursulines
13. Château Frontenac
14. Avenue Dufferin
15. Assemblée législative
16. Grande-Allée
17. Plaines d'Abraham

1

« Cla-clang, cla-clang. »

La cloche résonnait à l'autre extrémité de la grande salle. Le message fut souligné bientôt par une voix autoritaire :

— Mesdemoiselles, debout, il est cinq heures quarante !

Lentement, des formes commencèrent à bouger, une trentaine en tout, dans autant de lits étroits. Près du mur tout au fond du dortoir, à l'endroit le plus froid, Élisabeth commença par resserrer la couverture contre son cou. Tout son corps se trouvait recroquevillé en position fœtale, dans l'espoir un peu illusoire d'emprisonner la chaleur.

Autour d'elle, les bruits légers de pieds nus sur les madriers de pin, de mains agiles tirant les draps des lits, n'arrivaient pas à couvrir quelques murmures étouffés.

— Silence, mesdemoiselles, et dépêchons, ordonna de nouveau la voix devenue impatiente.

Impossible d'attendre plus longtemps. D'un mouvement, Élisabeth sauta du lit, replaça ses couvertures en essayant d'oublier le plancher glacial. À tâtons dans l'obscurité, elle chercha sa robe dans une petite armoire, passa son uniforme en vitesse puis entreprit d'attacher la multitude de petits boutons. Un instant lui suffit pour enfiler bas et chaussures. Comme ses compagnes, après s'être agenouillée au bout de son lit, elle s'absorba dans ses prières pendant un petit moment.

Ensuite, la dernière du petit peloton de couventines, la jeune fille se dirigea vers les lavabos situés dans la pièce attenante. Chacune versa l'eau d'un broc dans un plat de faïence, puis entreprit de se débarbouiller la figure à l'aide d'une pièce de toile rugueuse. L'opération permettait de faire disparaître des visages les dernières traces de sommeil. Quelques coups de brosse dans les cheveux complétaient cette toilette sommaire.

Certaines infortunées devaient courir vers les latrines, dans la cour, afin de se soulager. La plupart préféraient serrer les dents et les cuisses, et se retenir jusqu'après la messe. À six heures, vingt minutes après s'être extirpées du lit, les élèves affichaient la mine la plus recueillie, se préparant à recevoir la communion. L'âme recevait sa nourriture avant le corps.

À sept heures, alors que la voix grêle d'une postulante progressait avec difficulté dans une lecture pieuse, Élisabeth plongea sa cuillère dans un bol de gruau un peu figé. La personne assise en face d'elle à la longue table, une brune un peu malingre dont un œil semblait vouloir fuir l'autre, murmura, d'une voix à peine audible :

— Dis donc, si tu ne changes pas bientôt de robe, elle va éclater !

Un fou rire étouffé se manifesta de part et d'autre de l'insolente. Il fut tout de suite réprimé par un «Silence, mesdemoiselles» souligné par le claquement sec d'un signal de bois contre la surface d'une table.

Élisabeth, rougissante, baissa les yeux sur sa poitrine. Deux demi-pommes à l'arrondi parfait faisaient béer un peu le devant de sa robe et le tissu tirait légèrement sur les boutons de corne.

❧

Même en mai, les longs couloirs demeuraient plutôt froids. Heureusement, la robe de laine bien fermée du cou jusqu'à mi-jambe, avec des manches allant aux poignets, offrait une protection suffisante. Toutefois, dans un instant il faudrait s'en défaire.

Au moment où les élèves se livraient à des travaux manuels, chacune pouvait sacrifier quelques minutes à l'hygiène. Élisabeth Trudel se tenait debout, maintenant première de la file. Quand une jeune fille de seize ans à l'air d'un chat mouillé sortit de la petite salle, sa robe noire boutonnée de travers, sœur Saint-Jean de l'Eucharistie tendit à la suivante une serviette de toile rêche en disant:

— Vous avez cinq minutes… Et gardez votre chemise.

— Oui, ma mère.

Une voix douce, soumise, trois mots murmurés, comme si le moindre éclat risquait de faire éclater ce monde clos. Parce qu'elle avait laissé ses souliers près de l'entrée, les madriers de pin du plancher se révélaient désagréablement froids. Un moment plus tard, elle détachait les boutons du cou à la taille, sortait ses bras des manches et faisait glisser le vêtement sur ses hanches plutôt étroites, soulevait les pieds l'un après l'autre, pour enfin le poser sur une chaise. Une culotte écrue, taillée dans un sac de farine par des religieuses attentives à la moindre économie, suivit le même chemin.

Un instant plus tard, Élisabeth se tenait debout dans une cuve de tôle, de l'eau à peine tiède à mi-mollet, un gros morceau de savon du pays à la main, un carré de toile dans l'autre. Les trois utilisatrices précédentes avaient laissé un cerne, la jeune fille discerna quelques poils flottant parmi les résidus de savon. Sans tarder, elle entreprit de savonner ses jambes, ses cuisses. Très vite, elle frotta le morceau de tissu rugueux sur la touffe de poils entre ses jambes, entre ses fesses. Dieu soulignait les fonctions honteuses de la femme par cette toison animale. Elle prit garde de ne pas trop insister. Heureusement, la grande chemise de lin permettait de masquer ces « endroits », afin que son regard, même accidentellement, ne se pose pas sur eux.

Que ce vêtement rende difficile de bien se laver le ventre, le dos, la poitrine, lui paraissait un bien petit inconvénient, du moment que la pudeur était sauve. À force de se tortiller,

Élisabeth réussit même à faire passer la pièce de toile savonneuse sous ses aisselles.

La jeune fille arriva à s'en tenir au délai de cinq minutes. Sans perdre un instant, elle sortit de la cuve. Malgré sa chemise, elle trouva tant bien que mal le moyen de se sécher avec la serviette de toile apportée à cette fin. Enfiler la culotte de coton, en attacher le cordon à sa taille, remettre la robe et la boutonner jusqu'au cou ne prit qu'un peu de temps supplémentaire.

Un peu frissonnante à cause de la chemise mouillée qui mettrait plus d'une heure à sécher sur son corps, la jeune fille céda sa place à l'une de ses camarades. La dernière à profiter du privilège du bain hebdomadaire mettrait les pieds dans une eau froide et crasseuse.

❦

— Je veux une jeune fille pour s'occuper de l'éducation de mes enfants, dit l'homme, un peu agacé de devoir répéter une explication déjà donnée dans sa lettre.

— Mais vous habitez à quelques centaines de pieds du couvent Notre-Dame, où vous pourriez faire étudier votre fille.

La supérieure des ursulines jetait un regard méfiant sur son visiteur. Seuls les Anglais les plus prospères avaient recours à des gouvernantes pour apprendre les rudiments de la lecture et de l'écriture à leurs enfants. Pareille fantaisie lui paraissait bien suspecte.

— Je vous l'ai déjà écrit. Il y a dix ans à peine, toute la province a connu une épidémie de variole. La grippe apporte son lot de cadavres tous les hivers, sans compter que la tuberculose fait des ravages dans le quartier Saint-Roch.

— Nous avons aussi des classes pour les petites, continua la religieuse comme si elle n'avait rien entendu. Vous pourriez certainement faire conduire votre fille ici en août prochain. Quel âge a-t-elle, déjà?

— ... Sept ans, finit par répondre Thomas Picard après une hésitation.

L'homme présentait un visage maussade. Cette femme revêche lui faisait perdre son temps : tous ses motifs, ainsi que l'âge de ses enfants, se trouvaient exposés dans une missive. S'il se trouvait là, c'était justement à la demande de la supérieure. Le mot reçu d'elle la veille laissait d'ailleurs entendre que la religieuse avait une candidate à lui proposer.

— Alice ne va pas mieux ? Je n'ai pas reçu de ses nouvelles depuis un long moment.

Sœur Saint-Gabriel avait adopté un ton plus amène au moment d'évoquer l'amie très proche de ses années d'études, au temps de son adolescence.

— Le médecin se montre plutôt pessimiste. Depuis Noël, elle reste confinée dans sa chambre. C'est pour cela que je veux embaucher quelqu'un. Vous avez un nom à me proposer ?

— ... Oui, je peux vous faire rencontrer une jeune fille intelligente, très pieuse, qui serait capable d'enseigner les lettres et les chiffres aux enfants de cette chère Alice.

— Elle se destine à la vie religieuse ?

Son interlocutrice se troubla un peu, son regard s'attarda à un dossier scolaire posé sur son bureau.

— Elle affirme avoir entendu l'appel de Dieu.

— Alors pourquoi voulez-vous la laisser partir ?

La réponse à cette question ne semblait pas facile à donner. Cette couventine affichait toutes les qualités d'une postulante. Pourtant, la supérieure ajouta après une nouvelle pause :

— Je ne suis pas certaine de la profondeur de sa vocation. Une personne ne peut choisir de porter le voile si elle n'a jamais connu autre chose. Je désire qu'elle voie le monde en dehors de ces murs. Si cette jeune fille désire toujours se faire religieuse dans un an ou deux, je serai heureuse de la recevoir à bras ouverts.

Avant de permettre à une adolescente d'engager le reste de sa vie, la prudence semblait de mise. L'homme indiqua d'un signe de tête qu'il comprenait. En réalité, seul un curieux malaise devant la jeune fille, un inconfort indéfinissable, conduisait la religieuse à désirer se départir d'une candidate prometteuse.

— Elle est compétente ? demanda Picard. Je veux dire, elle saura enseigner les éléments à deux jeunes enfants ?

— Certainement, certainement. C'est une première de classe. Je vais la chercher.

La supérieure quitta son siège derrière le meuble de chêne. Laissé seul, Thomas Picard examina de nouveau la petite pièce où il se trouvait. Une fenêtre donnait sur les jardins murés du couvent des ursulines : une oasis de verdure située dans la Haute-Ville de Québec, totalement coupée du monde. Au moment de sa construction, les murs intérieurs de cet édifice devaient être peints à la chaux. Maintenant, modernité obligeait, un papier peint orné de fleurs assombrissait les lieux. Une fougère, dans un grand pot de cuivre, ajoutait une touche de verdure. Les gros madriers du plancher, devenus jaune clair à force d'être frottés, rappelaient seuls l'ancienneté de l'édifice.

Après de longues minutes, la supérieure du couvent revint avec une jeune fille élancée. Ses cheveux d'un blond un peu foncé, ondulés, noués sur la nuque, paraissaient lourds, encore humides, et pas très propres. Pourtant, le tissu de laine de la robe noire était mouillé par endroits. L'homme devina qu'elle sortait du bain. De grands yeux bleus éclairaient un visage très pâle, où des lèvres pleines, bien ourlées, ajoutaient une touche cerise.

— Mademoiselle Élisabeth Trudel, commença la religieuse en indiquant à la couventine la chaise libre à côté du visiteur.

Poliment, Thomas Picard se leva pour serrer la main de la nouvelle venue en donnant son nom, reprit sa place après que la jeune fille se fut assise.

— Élisabeth, je vous ai parlé du désir de monsieur Picard de recourir aux services de l'une de nos élèves pour s'occuper de ses enfants.

— … Mais je vous ai dit que je voulais rester ici.

— Mon enfant, je vous ai expliqué que cela ne se pouvait pas. Vous avez terminé le cours normal. Vous n'avez plus de bourse.

La jeune fille offrit un visage buté, un peu enfantin, fixa les yeux au sol avant de prononcer d'une voix blanche :

— Je veux devenir religieuse.

— Alors profitez de l'occasion qui vous est offerte pour économiser un peu, prier et réfléchir. Si, dans un an, vous êtes toujours certaine de votre vocation, nous vous recevrons parmi nous avec plaisir.

— Dans un an ?

— En mai 1897. Je vous l'assure, un mot suffira alors à vous ouvrir nos portes.

Élisabeth se mordit la lèvre inférieure, les yeux toujours fixés vers le plancher. Thomas Picard remarqua une larme, une seule, qui roulait sur sa joue.

— Monsieur, cette jeune personne fera-t-elle l'affaire ?

— Vous m'avez assuré de sa compétence. Alors si mademoiselle…

— Trudel, rappela la jeune fille en le regardant pour la première fois. Oui, j'accepte.

— Vous ne voulez pas savoir à quel salaire ? interrogea la religieuse.

La couventine eut un geste vague de la main, comme si cette question ne la concernait pas vraiment. En réalité, de toute sa vie, elle avait manipulé quelques sous tout au plus. Chassée pour ainsi dire des murs de ce sanctuaire, elle accepterait ce qu'on lui donnerait. De toute façon, cela ne durerait qu'un an !

— Vous avez préparé vos bagages ? demanda la mère supérieure après une courte pause.

— … Oui.

— Allez les chercher. Monsieur Picard vous attendra à la sortie.

～～

De très courtes minutes suffirent à Élisabeth pour récupérer l'ensemble de ses possessions dans la petite armoire qui voisinait son lit. Puis ses yeux firent le tour du dortoir. Depuis trois ans, il abritait ses heures de sommeil comme ses insomnies. Elle sortit en essuyant une larme du dos de sa main gauche.

Un moment plus tard, elle traversait une grande cour où l'herbe reprenait ses droits après les mois d'hiver. Quelques arbres fruitiers offraient de petites feuilles d'un vert tendre, tout comme les buissons. Quand reviendrait le beau temps, les jeunes pensionnaires retrouveraient ces lieux avec plaisir. Quelques-unes s'affronteraient dans d'interminables parties de croquet, les autres deviseraient en marchant, bras dessus, bras dessous. Les religieuses, attentives au danger des amitiés particulières, feraient en sorte de séparer celles qui se promèneraient trop régulièrement ensemble.

Des murs hauts de dix pieds protégeaient ce petit univers du monde extérieur. Très vite, Élisabeth s'était imaginé que ce serait son havre de paix, pour le restant de ses jours. Sans famille, les bonnes religieuses deviendraient la sienne. Une vie calme, toute de piété et de murmures, consacrée à Dieu, qui se terminerait par sa mort pleurée par ses sœurs. Ensuite, pendant des générations, des élèves viendraient se recueillir sur sa tombe, creusée dans un coin de cette cour, comme elle-même l'avait fait sur les sépultures de ses devancières.

Pourtant, après trois ans en ces lieux, elle partait dans la plus absolue discrétion. De cette famille nouvelle, idéalisée, aucun membre ne la pressait dans ses bras ni ne lui faisait un petit signe de la main. Ses épaules frémirent. Après avoir pris une grande respiration, elle se dirigea vers la lourde porte.

Dix minutes plus tard, debout près du grand monastère de pierres grises, l'homme vit la jeune fille sortir de l'édifice à contrecœur, les yeux enflés, les joues un peu barbouillées de larmes. Au prix d'un effort surhumain, elle arrivait à réprimer ses sanglots devant cet inconnu. De la main droite, elle tenait un minuscule baluchon.

— Ce sont vos seuls bagages? questionna-t-il.

— Je n'ai rien d'autre.

Une pointe de honte marquait sa voix. Normalement, une jeune fille arrivait au couvent avec un jeu complet de vêtements. Celle-là n'entrait plus dans ceux qu'elle portait, et personne ne lui en avait offert d'autres. Sa fortune se résumait à l'uniforme trop petit que les religieuses lui faisaient la charité de lui abandonner, quelques mouchoirs, deux ouvrages pieux et un missel reçus du vieux curé de sa paroisse, un peigne et deux rubans. Le petit chapeau qu'elle portait sur la tête paraissait si ridicule qu'il devait venir d'une camarade de classe cachant, sous l'apparence d'un geste charitable, un sens de l'humour cruel.

— Allez, montez, fit l'homme en lui ouvrant la porte du fiacre et en tendant la main pour l'aider.

Élisabeth hésita un moment, se résolut à prendre la main offerte afin de grimper dans la voiture. Thomas Picard remarqua un trou dans les gants de sa nouvelle employée. Avant de prendre place à côté d'elle, il dit à l'intention du cocher:

— Avant de rentrer à la maison, nous ferons un crochet par le magasin.

— Pas trop tôt. Il y a une heure que je me gèle le cul.

— Tu préférerais décharger de la marchandise? Et puis tu te chauffes plutôt au soleil.

Un moment plus tard, le commerçant prenait place sur la banquette du fiacre, aux côtés de la jeune fille, alors que le gros homme faisait claquer son fouet. Plutôt que de s'engager dans la rue du Parloir, toute proche, la voiture emprunta la rue Donnacona jusqu'à la rue Desjardins.

Alors que le pas du cheval claquait sur les pavés, Thomas Picard demanda à sa passagère :

— Cette histoire de bourse, cela rime à quoi ?

— Mes parents sont morts. Je suis venue au couvent grâce à une bourse du Département de l'instruction publique. Comme j'ai terminé le cours normal depuis quelques mois, je n'y avais plus droit.

— Ce cours, c'est pour devenir institutrice. Pourquoi n'êtes-vous pas allée enseigner ?

— Je veux devenir religieuse, affirma-t-elle d'un ton buté.

Cela, son nouvel employeur l'avait déjà compris. Autant changer de sujet pour éviter les jérémiades.

— Vous ne désirez pas savoir combien je vous paierai pour vous occuper de mes enfants ?

— Je souhaite faire vœu de pauvreté.

«Petite niaise», songea l'homme. Pendant quelques instants, le silence s'installa entre eux. À la fin, la jeune fille reprit d'une voix timide :

— Combien ?

— Quatre-vingts dollars pour l'année, nourrie, logée, blanchie... Cependant, je retrancherai le prix de vêtements décents, ajouta l'homme après une pause, le temps de la détailler des pieds à la tête.

Un certain dépit pointait dans la voix de Picard. Cet uniforme usé de couventine, tellement porté que le tissu luisait par endroits, ne l'avantageait guère. Surtout, quoique la jeune fille fût plutôt frêle, ses formes menaçaient de faire éclater les coutures du vêtement. Cela lui donnait un air si pitoyable qu'il ne l'aurait pas embauchée pour répondre à la clientèle de son commerce. Et voilà qu'il entendait lui confier ses enfants !

Les joues en feu à cause de l'examen auquel elle se trouvait soumise, Élisabeth sentait des émotions diverses l'assaillir. La honte d'abord pour son piètre accoutrement, car l'homme ne pouvait dissimuler le mépris que sa vue lui inspirait. Puis la perspective de toucher autant d'argent, malgré son indifférence affichée, la rendait fébrile. Les jeunes institutrices recevaient cette somme pour s'occuper d'une classe peuplée de plus de trente enfants. Avec cette pitance, logées, elles devaient réussir à se vêtir et se nourrir. Encore un peu, et elle se serait trouvée riche.

Après tout, ce purgatoire d'une année ne serait peut-être pas si difficile.

Des pavés inégaux de la Haute-Ville, la voiture était passée aux rues sans revêtement, poussiéreuses par beau temps, rapidement boueuses les jours de pluie, de la Basse-Ville. Au coin de la rue de la Couronne, Grosjean tira sur les guides pour engager le cheval dans la rue Saint-Joseph. Par la fenêtre découpée dans la portière, Élisabeth regardait l'alignement des commerces, dont quelques-uns s'élevaient sur plusieurs étages. Les plus modestes offraient des devantures de brique, les plus cossus, de pierre.

Quelques instants plus tard, la voiture s'arrêta devant l'établissement le plus imposant, avec ses six étages généreusement éclairés de grandes fenêtres découpées dans la pierre. Tout en haut, sculptés dans ce revêtement, les chiffres 1890 indiquaient l'année de la construction de l'édifice. Autour du toit, une balustrade de fonte ajoutait une touche décorative. Cette grande bâtisse jetait son ombre sur l'immense église Saint-Roch, située de l'autre côté de la rue plutôt étroite.

— Venez, c'est ici, dit Thomas Picard.

La jeune fille n'aurait pas pu se tromper, de toute façon. Le patronyme s'étalait en grandes lettres noires sur fond blanc au-dessus de la porte, empiétant de chaque côté de celle-ci au-dessus de grandes vitrines.

Docilement, Élisabeth suivit le maître des lieux. De chaque côté d'une allée centrale, la marchandise s'amoncelait sur des présentoirs. Chaque rayon proposait un type particulier de biens, des meubles à la vaisselle, en passant par les chaussures et le tissu vendu à la verge. La grande innovation cependant consistait en vêtements de confection, proposés en différentes tailles, afin que tous les clients y trouvent leur compte. À la tête de chacun des rayons, ou «départements», se trouvait un gérant. Celui-ci dirigeait une petite équipe de vendeuses, la très grande majorité d'entre elles âgées de moins de vingt ans. Seul le rayon des vêtements et des chaussures pour hommes embauchait des vendeurs, de même que ceux des meubles et des articles pour fumeurs. Tout le long du trajet jusqu'aux portes de l'ascenseur, les employés murmuraient un «Bonjour monsieur Picard» à la fois respectueux et craintif. Les plus soumises parmi les femmes esquissaient même une mauvaise imitation de révérence. Le commerçant répondit aux premières d'un signe de tête, puis il se lassa; les autres ne profitèrent pas de cet honneur.

Élisabeth ouvrait de grands yeux sur cette abondance de marchandises. Surtout, elle levait un regard à demi effrayé vers le plafond, d'où pendaient des ampoules à incandescence. Pour la première fois, la magie de la fée électricité s'imposait à elle. Dans cet édifice relativement étroit et profond d'au moins quatre-vingts pieds, même en plein jour, les vitrines donnant à l'avant sur la rue Saint-Joseph, et à l'arrière sur la rue DesFossés, ne suffisaient pas à chasser la pénombre. Son nouvel employeur, pour des raisons pratiques mais aussi pour signifier à tous qu'il entendait plonger sans hésiter tête première dans le vingtième siècle bientôt là, clamait sa modernité avec ces douzaines de lumières électriques!

La jeune fille n'était pas encore au bout de ses surprises: un garçon d'une douzaine d'années, affublé d'un uniforme d'un rouge criard, ouvrit une porte couverte d'une feuille de cuivre en saluant, lui aussi, le grand patron. Un moment plus tard, dans un petit cagibi aux parois métalliques soigneusement polies, Picard précisa :

— Au troisième.

— Oui, monsieur.

Le garçon actionna un levier, la petite cage s'éleva dans un cliquetis métallique. Élisabeth sursauta, posa la main sur le mur en murmurant un «Oh!» un peu effrayé.

— C'est le premier ascenseur à avoir été installé dans la ville de Québec. On ne peut pas avoir un commerce de six étages et espérer que les clients se rendent tout en haut par les escaliers, précisa le propriétaire avec fierté.

Avec une brusquerie qui valut au garçon un regard agacé, la cage s'immobilisa au troisième étage. La porte s'ouvrit sur quelques mannequins vêtus de robes élégantes. Picard se dirigea vers un comptoir derrière lequel une toute jeune fille se tenait au garde-à-vous. Brune, élancée, ses cheveux ramassés en un chignon sur sa nuque, elle présentait un joli visage souriant aux personnes désireuses de garnir leur garde-robe.

— Marie, est-ce que mon frère se trouve là ?

— … Non, répondit-elle après une brève hésitation. Monsieur Alfred est parti depuis une heure environ.

Thomas Picard tira sa montre de son gousset pour regarder l'heure en soupirant. Abandonner son poste un samedi au milieu de l'après-midi lui paraissait tout à fait irresponsable, une attitude susceptible d'encourager un certain relâchement chez le personnel.

— Tant pis ! J'aimerais que vous procuriez à cette jeune personne des vêtements convenables…

Tout en parlant, Thomas Picard regarda une nouvelle fois Élisabeth des pieds à la tête, puis il précisa :

— Des chaussures au chapeau, en passant par les sous-vêtements. Il faudrait ajouter un paletot aussi. Comme elle vivra chez moi, je ne voudrais pas qu'elle fasse tache… Et des habits en quantité suffisante pour qu'elle ait quelque chose à se mettre sur le dos les jours de lessive. Quant à ce qu'elle porte maintenant, cela peut aller au chiffonnier : je doute que même les ursulines osent en affubler encore l'une de leurs futures protégées ! Après, vous la reconduirez à mon bureau.

— … Et pour… la qualité ?

La vendeuse souhaitait en fait savoir si cette couventine à l'air emprunté devait sortir du magasin Picard avec l'allure d'une fille de la Haute-Ville, ou d'une paysanne à peine débarquée de son village de Charlevoix.

— Elle devra s'occuper de mes enfants… Tenez, donnez-lui l'allure de la fille Thibodeau.

La référence à l'aînée d'un épicier voisin valait mieux qu'une longue explication : la vendeuse devait transformer la couventine trop grande pour son uniforme en une jeune femme jouissant d'une petite aisance.

Sans un mot de plus, l'homme tourna les talons, laissant seules les deux jeunes filles. Au bord des larmes pour s'être fait rappeler aussi brutalement la pauvreté de sa mise, Élisabeth Trudel se mordait la lèvre inférieure.

— Je m'appelle Marie Buteau, commença la vendeuse.

L'autre se présenta après une hésitation, soucieuse de se donner une contenance plutôt que d'éclater en sanglots.

— Passez derrière, il y a une salle d'essayage.

Derrière le comptoir, une porte s'ouvrait sur une pièce étroite. Un grand miroir encombrait l'une de ses extrémités. Deux petites alcôves fermées d'un rideau permettaient de se changer.

— Je vais commencer par prendre vos mesures, expliqua la vendeuse en récupérant le ruban qu'elle portait autour de son cou.

Avec des gestes vifs et précis, elle commença par mesurer le tour du cou, la longueur des bras, des jambes, le tour de la taille, et même la longueur des pieds. Une fois les nombres pris en note dans un petit carnet, elle précisa avant de s'esquiver :

— Allez vous dévêtir derrière le rideau, je vais vous passer un grand sac pour mettre ce que vous portez. Je commence par vous apporter des sous-vêtements.

Un moment plus tard, à toute vitesse comme pour éviter des regards indiscrets, Élisabeth revêtait un pantalon de coton noué à la taille et au bas des cuisses par un ruban rose, une brassière et un jupon du même tissu. Quand la jeune vendeuse écarta le rideau afin de jeter un coup d'œil, elle put juger que le tout convenait parfaitement. Elle disparut encore, puis revint les bras chargés.

— Il vous faut au moins quatre paires de bas. J'ai pris deux jupes. Essayez la bleue, pour voir si elle est à votre taille.

Alors que la jeune femme enfilait le vêtement, l'autre demanda, curieuse :

— Vous allez vous occuper des enfants du patron ? Ils sont un peu âgés pour nécessiter les services d'une gouvernante.

— Il veut que je leur fasse la classe... expliqua Élisabeth en s'assoyant pour enfiler les bas.

— Comme c'est curieux, le couvent Notre-Dame se trouve juste de l'autre côté, au coin de la rue de la Couronne.

— Je sais, nous sommes passés devant en arrivant. Il a expliqué à la mère supérieure qu'il craignait les maladies.

— Oh ! Avec sa femme toujours alitée, je comprends...

Dans une petite ville comme Québec, personne ne devait ignorer les aléas de la vie conjugale du plus important commerçant de détail. Peut-être à cause de l'assurance que lui conférait une belle jupe d'un bleu sombre lui tombant jusqu'aux chevilles, Élisabeth Trudel s'enhardit jusqu'à demander :

— De quoi souffre-t-elle, exactement ?

— Du cœur, selon ce que l'on raconte. Après la naissance de son petit garçon, elle ne s'est jamais remise. En fait, d'après ce que j'ai entendu, depuis quatre ans elle n'a jamais mis les pieds dans le magasin, et on ne l'a pas vue à l'église plus d'une demi-douzaine de fois.

Après une pause, la vendeuse continua :

— Je vais revenir dans une minute avec trois chemisiers. Comme cela, vous pourrez en changer régulièrement... Le patron vous a dit quel montant il vous autorisait à dépenser?

— Non. Il a juste précisé que le coût des vêtements sera pris sur mon salaire.

— Comment se fait-il que je ne sois même pas surprise?

La minute s'allongea jusqu'à en faire quarante, car des clientes interrompirent la recherche de Marie Buteau. Quand elle rouvrit la porte de la salle d'essayage, ce fut pour découvrir une jeune préceptrice commettant un péché d'orgueil: elle admirait la silhouette renvoyée par le grand miroir.

— Je n'ai jamais rien porté d'aussi beau, expliqua-t-elle en guise d'excuse, toute rougissante.

— Moi non plus, répondit la jeune employée, un peu dépitée. Je pense que ceci complétera bien l'ensemble.

Du néant, la garde-robe d'Élisabeth Trudel devenait étonnamment riche: trois corsages, deux jupons en plus de celui qu'elle portait déjà, une veste et un paletot qui serait très bientôt hors saison et un petit chapeau qui devançait un peu l'été. Une paire de bottines de cuir souple, boutonnées haut sur la jambe, complétait le tout.

Quelques minutes plus tard, deux sacs de papier brun dans les bras, la jeune fille regardait les vêtements qui avaient accompagné sa vie de couventine toutes ces dernières années, hésitant sur le sort à leur réserver.

— Monsieur Picard a raison: autant jeter tout cela. Vous ne ressemblez plus à une élève.

D'un regard vers le grand miroir, Élisabeth s'en assura, puis consentit dans un soupir:

— Autant les laisser là, dans ce cas... Mais mes chaussures...

— Elles ne valent pas mieux que le reste. Suivez-moi, je vais vous montrer où se trouve le bureau du directeur.

À la suite de la jeune vendeuse, Élisabeth retraversa le rayon des vêtements pour dame, ceux des chaussures et des chapeaux, pour déboucher sur un passage percé à même le mur de l'édifice.

— Cela donne sur l'ancien magasin, juste à côté. Jusqu'à il y a cinq ou six ans, toutes les affaires se faisaient là. Mon père me racontait que dans l'ancien temps, l'établissement Picard se limitait à un gros magasin général. Depuis plus de trente ans, le commerce grandit avec la ville, plus vite même.

De l'autre côté du passage, elles entrèrent au dernier étage de la bâtisse construite en 1875, où se trouvaient maintenant les locaux de l'administration de l'entreprise. Marie Buteau frappa légèrement à la porte d'une pièce puis ouvrit en entendant un « Oui, qu'est-ce que c'est ? » sonore.

— Mademoiselle Trudel est prête, déclara-t-elle en s'avançant jusqu'au lourd bureau pour remettre à Thomas Picard une feuille de papier.

L'homme la parcourut rapidement, examina ensuite sa nouvelle employée des pieds à la tête d'un œil inquisiteur, avant de conclure :

— Mademoiselle, vous venez de dépenser vos gages jusqu'en août, même en vous débitant ces vêtements au prix coûtant… Cependant, vous pouvez considérer cela comme un investissement profitable. Veuillez vous asseoir sur cette chaise près de la porte, je suis à vous dans un instant. Mademoiselle Buteau, vous pouvez retourner derrière votre comptoir.

L'employée sortit après un hochement de la tête. Élisabeth Trudel occupa le siège qu'on lui avait indiqué. Pendant plusieurs minutes, Thomas Picard s'absorba dans un grand registre de comptes. Toutefois, régulièrement il levait les yeux afin de contempler le résultat de la métamorphose vestimentaire de sa nouvelle recrue. Du bout des bottines vernies qui émergeait du froufrou d'un jupon blanc et d'une jupe de serge bleue jusqu'à la taille fine, de la ceinture de cuir au corsage blanc ivoire boutonné jusqu'au cou, la couventine honteuse avait cédé la place à une jeune femme timide, élancée. Le visage demeurait immobile, les yeux rivés sur le tapis qui ornait le centre de la pièce. Les cheveux blonds, noués sur la nuque avec un ruban de velours, le petit chapeau de paille un peu trop estival pour un jour de mai, complétaient le tout. Maintenant, elle aurait pu passer sans mal pour la fille d'un marchand du quartier Saint-Roch.

Si Élisabeth gardait les yeux baissés, elle sentait néanmoins le regard de son patron. Après un moment, le rose aux joues, elle se surprit à raidir le dos et à cambrer les reins.

2

Au moment de sortir rue Saint-Joseph avec ses achats, Élisabeth Trudel constata que les ombres des passants s'allongeaient sur les trottoirs. Il devait être dix-sept heures. Les magasins, grands et petits, demeureraient ouverts au moins une bonne heure encore, peut-être deux ou trois si les clients se révélaient nombreux. La jeune femme emboîta le pas à Thomas Picard. L'homme traversa la rue en diagonale, longea les murs gris de l'église Saint-Roch jusqu'au coin de la rue de la Chapelle, pour emprunter celle-ci vers le nord. Après un pâté de maisons, il s'engagea dans la rue Saint-François pour se diriger vers une grande bâtisse de brique rouge, un cube sans élégance aucune.

Le commerçant gravit quelques marches, ouvrit la porte et s'effaça pour laisser passer la jeune femme devant lui. Élisabeth se retrouva dans un couloir sombre et poussiéreux. Sur la droite, des portes françaises s'ouvraient sur un salon bourgeois.

— Laissez vos affaires ici, nous montons à l'étage…

— Oh! Monsieur, c'est vous!

Ces paroles venaient d'une femme obèse débouchant d'un pas rapide dans le couloir pour se diriger vers eux.

— Qui voulez-vous que ce soit, Joséphine? Beaucoup de visiteurs entrent comme cela dans la maison, sans frapper, quand je suis absent?

— … Non, monsieur. Bien sûr que non!

Thomas Picard avait posé sa canne dans un étroit cylindre fabriqué d'une feuille de cuivre, réservé à cet effet, et accroché son chapeau melon au mur. Il continua :

— Savez-vous si ma femme est réveillée?

— Je suppose, je lui ai monté du thé il y a quelques minutes à peine.

Cette fois, ce fut en se tournant vers sa nouvelle employée que le commerçant répéta:

— Montez avec moi.

Alors qu'ils s'engageaient dans l'escalier donnant juste devant la porte d'entrée, la grosse femme s'avança, s'assura que personne ne la regardait puis se pencha sur les deux grands sacs de papier brun laissés sur le plancher.

— Eh bien, ma poule, grommela-t-elle, tu ne te prives de rien: habillée des pieds à la tête par le patron!

~

À l'étage, Thomas Picard se dirigea vers une porte au fond du couloir, frappa un coup léger et attendit le mot «Entrez» avant d'ouvrir. Un instant plus tard, la jeune fille pénétrait la première dans une chambre confortable. Un lit défait encombrait la moitié de la pièce. L'occupante des lieux prenait place dans un fauteuil recouvert de tissu pastel. À ses côtés, une petite table ronde recevait un plateau où une théière et une tasse achevaient doucement de refroidir. À côté, un biscuit à moitié rongé témoignait du manque d'appétit de cette femme.

— Alice, voici la jeune personne que ton amie, chez les ursulines, nous recommande. Élisabeth Trudel.

— ... Madame, je suis enchantée... commença cette dernière en esquissant une révérence maladroite pour s'interrompre bientôt, car ses cours de bienséance la laissaient complètement perdue dans une situation de ce genre.

Alice Picard examinait la nouvelle venue en se mordant la lèvre inférieure. La chaleur, surtout pour une personne toujours revêtue de son paletot, était difficile à supporter. Dans la cheminée, quelques gros morceaux de charbon brûlaient en rougeoyant.

— Tu crois que c'est nécessaire? murmura la malade.

Âgée d'une trentaine d'années, elle offrait un visage très pâle, presque émacié. Entre ses doigts, Élisabeth reconnut un petit livre écorné pour avoir été trop souvent feuilleté: *L'Imitation de Jésus-Christ*. Ses cheveux d'un blond éteint paraissaient secs et cassants. Malgré l'heure, sur sa chemise de nuit, elle portait un peignoir de velours bleu soigneusement attaché à la taille.

— Je te rappelle que c'était ton idée! rétorqua l'homme, une pointe d'impatience dans la voix.

— Je sais, je sais.

— Tu n'es pas vraiment en mesure de t'occuper des enfants, et Joséphine…

— C'est bon… Je suis fatiguée, admit la malade pour mettre fin à l'échange.

Alice Picard ferma les yeux, comme si le sommeil s'emparait d'elle. Son mari ouvrit la bouche pour parler, s'arrêta en laissant échapper un long soupir. Après une pause, il recommença:

— Comme prévu, demain tu te joindras à nous pour le dîner?

— … Oui, si tu y tiens.

— Ma mère et mon frère seront là.

— Si je le peux, je descendrai.

La jeune femme avait murmuré, sans ouvrir les yeux. Le rose montait aux joues de son époux, pas seulement à cause de la chaleur étouffante. Après une nouvelle hésitation, il résolut de quitter la chambre. Élisabeth fit de même et au moment de sortir de la pièce, elle se tourna pour murmurer d'une voix timide:

— Au revoir, madame.

Aucune réponse ne lui parvint de la forme affalée dans le fauteuil. Dans le couloir, Thomas Picard demeura un moment hésitant, puis il dit:

— Je vais vous présenter aux enfants.

Successivement, il ouvrit les portes de deux chambres, qui se révélèrent vides.

— Ils sont dans le grenier, je suppose. Passez devant moi.

Élisabeth Trudel s'engagea dans un escalier étroit qui conduisait sous les combles de la maison, soulevant sa jupe et son jupon pour ne pas s'accrocher les pieds. Derrière, Thomas, appréciant la rondeur du jeune postérieur qui ondulait à la hauteur de ses yeux, se força à baisser le regard. Ce fut pour apercevoir les fines chevilles enfermées dans des bottines de cuir souple.

L'escalier conduisait dans une grande pièce qui occupait tout le dernier étage de la maison. À gauche et à droite, les murs s'inclinaient en suivant la pente du toit. À chacune des extrémités, un œil-de-bœuf permettait à la lumière d'entrer.

À peine atteignaient-ils le palier qu'un jeune garçon se précipitait vers Thomas en criant d'un ton joyeux :

— Papa, papa !

Il tendait les bras afin de se faire prendre. Le père, un peu gêné, le souleva du sol pour le poser sur sa hanche. Une petite fille s'approcha aussi, plus timide, consciente d'une présence inconnue.

— Mademoiselle Trudel, je vous présente ce jeune homme, Édouard.

Le garçon n'avait pas détaché ses yeux de la nouvelle venue. Après une courte hésitation, il se retourna à demi en tendant de nouveau les bras. Le mouvement se montrait à la fois si spontané et affectueux que la jeune femme le prit contre elle à son tour.

— Et cette adorable jeune personne est ma fille, Eugénie.

Elle demeurait devant eux, un peu interdite. À la fin, Élisabeth choisit de s'accroupir, posant le garçon sur le sol pour tendre sa main gantée de dentelle vers la fillette en disant :

— Je suis très heureuse de te connaître, Eugénie. Tu as un joli prénom, celui de l'impératrice française. Un joli prénom pour une jolie jeune fille.

À la fin, la gamine prit la main tendue. Tout de suite, le garçon tendit la sienne, afin de ne pas être en reste et d'échanger, lui aussi, un salut de grande personne.

— Quel âge as-tu ? questionna Élisabeth en gardant ses yeux dans ceux de la petite fille.

— Sept ans, madame.

— Mademoiselle, précisa la jeune femme en riant. Je ne suis pas mariée. Et ton frère ?

— Cinq ans.

Désireux de confirmer l'information, celui-ci tendait la main, cinq doigts levés. Élisabeth se releva au moment où son employeur expliquait :

— J'ai pensé que cet espace serait parfait pour les leçons. J'ai fait monter ces quelques meubles...

De la main, il désignait deux tables basses, parfaites pour des enfants encore petits, et un bureau étroit adapté à la taille d'une préceptrice. Élisabeth s'approcha, examina une boîte où se trouvaient quelques jouets de bois, ainsi que des blocs dont trois faces portaient le dessin d'un animal, et l'autre la première lettre du nom de celui-ci. Elle en prit un représentant un chat et un « C » sur l'avers, pour le poser sur l'une des petites tables.

— Vous avez pensé aussi à un tableau. Ce sera parfait, remarqua-t-elle en s'assurant que les craies ne manqueraient pas.

— C'est l'avantage d'avoir été commissaire d'école : je connais tous les fournisseurs.

Bien sûr, comme les autres notables, ce commerçant prospère avait siégé, ou se retrouverait tôt ou tard, à toutes les institutions un peu significatives, de la fabrique au conseil de ville, en passant par la commission scolaire et les Ligues du Sacré-Cœur.

— Vous avez prévu des livres de classe ?

— Oui et non. J'ai quelques livres de lecture, des petits romans dont je ne suis pas certain de l'intérêt, mais pour le reste, le mieux serait que vous alliez à la librairie Garneau lundi. Je ne connais pas très bien les livres convenant à des personnes ne sachant pas lire.

Ces derniers mots s'accompagnèrent d'un sourire, puis il continua après une pause :

— Alors, vous acceptez de rendre ces deux petites personnes savantes ?

— Ce sera avec plaisir.

Des yeux, Élisabeth parcourait ce grand grenier qui deviendrait sa classe. Ses deux élèves fixaient sur elle un regard timide. Bientôt, le commerçant tira sa montre de son gousset, l'ouvrit avant de dire :

— Les enfants, dans une demi-heure, vous pourrez descendre manger dans la cuisine. Mademoiselle Trudel vous accompagnera. Cela vous laisse le temps de faire une petite toilette.

En se tournant vers la jeune femme, il continua :

— Je vais vous montrer votre chambre. Vous avez tout juste le temps de vous installer.

Un moment plus tard, à l'étage, le maître de maison ouvrait la porte d'une chambre donnant sur la rue Saint-François. Juste en face se trouvait celle d'Édouard, contiguë à celle de sa sœur.

Il s'agissait d'une pièce confortable, éclairée par une grande fenêtre. Un lit assez large se trouvait contre un mur. Une commode, une table et une chaise s'alignaient de l'autre côté de la pièce. Enfin, un fauteuil lui permettrait de se reposer dans l'intimité.

— La salle de bain se trouve dans la pièce voisine. Les enfants se couchent vers sept heures. Vous vous chargerez de les mettre au lit.

— Bien, monsieur.

— Elle avait l'air d'une pauvresse, avec sa robe usée et trop petite, commentait Napoléon Grosjean en essuyant sur sa manche la mousse que la bière avait laissée dans sa moustache.

— Maintenant, elle ressemble à une petite bourgeoise. Y a pas à dire, le patron s'est mis en frais pour cette petite volaille.

Joséphine Tardif, la cuisinière de la maisonnée Picard, s'agitait devant un gros poêle à charbon, les joues rendues rouges à la fois par la colère et la chaleur.

— Comme si je n'étais pas capable de m'occuper des enfants… Cela fait quatre ans que je me charge de tout dans cette maison.

— C'est certain, pour leur apprendre à lire, tu serais championne !

Le cocher se trouvait assis derrière une petite table de chêne, une bouteille de Boswell et un grand verre à demi vide devant lui.

— L'école se trouve juste là… clama la grosse femme en pointant à peu près vers l'ouest avec sa louche dégoulinante de sauce.

Elle s'arrêta juste avant d'en avoir trop dit, se pencha de nouveau sur son chaudron. Le patron venait de pénétrer dans la pièce. Sa mine suffisait seule à exprimer sa réprobation face à ce genre de discours.

— Napoléon, je ne savais pas que je te payais pour boire ma bière. Tu n'as rien trouvé à faire au magasin ?

— … Non. Ils vont fermer dans quelques minutes, de toute façon.

— Dans une heure, tu me conduiras au Château.

— Je devrai vous attendre ?

— Non. Je prendrai un fiacre pour revenir, il sera sans doute tard.

Le cocher trouva préférable de vider le reste de sa bière d'un trait avant de s'esquiver par une porte dans un coin de la cuisine. Elle donnait sur un jardin mal entretenu. Au fond de celui-ci, une petite écurie permettait d'abriter les deux chevaux de Picard. Le gros homme habitait dans une petite chambre aménagée juste au-dessus des animaux, dont il profitait de la chaleur. Pareil arrangement domestique signifiait aussi qu'il embaumait sans cesse le crottin.

Quand le cocher se fut esquivé, le commerçant continua à l'intention de la cuisinière :

— Dans quelques minutes, mademoiselle Trudel descendra souper avec les enfants. Il en ira ainsi tous les jours. Je compte sur vous pour lui faire le meilleur accueil.

Un silence obstiné lui répondit, alors que la grosse femme agitait la sauce dans son grand chaudron de fonte.

— Je suis certain que je n'aurai jamais à revenir sur le sujet.

Ces mots constituaient son dernier avertissement. Une récidive après cela, et ce serait la porte. Joséphine acquiesça d'un signe de tête.

Un moment plus tard, Thomas Picard revenait vers l'entrée de la maison. Les deux sacs contenant les vêtements d'Élisabeth Trudel avaient disparu. Celle-ci devait maintenant prendre ses aises dans la petite pièce juste au-dessus.

Dans le couloir, en face de la porte donnant sur le salon, se trouvait la pièce de travail du commerçant, qui pénétra dans sa « bibliothèque ». Des livres et deux fauteuils confortables se trouvaient là, bien sûr. Mais c'étaient un large bureau et un siège capitonné de cuir qui attiraient surtout le regard. Picard y poursuivait parfois ses journées de travail jusque tard dans la nuit. Au fond de la pièce, une porte s'ouvrait sur un petit cagibi. En ce lieu, l'homme avait installé un lit étroit et une commode. Un miroir accroché au mur lui permettait de revoir le nœud de sa cravate et de donner quelques coups de brosse à ses cheveux.

Il y avait quelques années, le médecin de la famille avait suggéré qu'il déserte le lit conjugal, car sa seule présence nuisait au sommeil de son épouse. Maintenant, il passait souvent directement de ses livres de comptes à la couchette de ce réduit sans fenêtre. Depuis la naissance difficile d'Édouard, la vie conjugale avait abandonné tous ses droits à la maladie.

~

Dans les usines et les manufactures de la Basse-Ville de Québec, les travailleurs des deux sexes terminaient leur quart à six heures, les samedis comme les autres jours de la semaine. Comme la plupart recevaient leur paie ce jour-là, de nombreuses personnes s'arrêtaient dans les magasins avant de rentrer chez eux. Aussi Marie Buteau, les jambes douloureuses d'avoir passé une dizaine d'heures debout, s'efforçait de sourire au moment de répondre aux retardataires. Des sociétés charitables réclamaient que les vendeuses puissent s'asseoir derrière leur comptoir quand aucun client ne se trouvait sur les lieux. Dans son état de fatigue actuel, la jeune fille trouvait leur revendication très séduisante. Malheureusement, Thomas Picard demeurait réfractaire à ce genre de demande.

Un peu après sept heures, son patron immédiat, Alfred Picard, daigna se matérialiser devant elle.

— Tout s'est bien passé? s'enquit-il en la rejoignant derrière le comptoir où se trouvait la caisse enregistreuse.

— Rien à signaler qui sorte de l'ordinaire. Votre frère a demandé à vous voir cet après-midi.

Prononcés avec le sourire, ces mots contenaient le reproche le plus explicite que la jeune fille oserait exprimer pour avoir été laissée seule près de la caisse enregistreuse. Son interlocuteur ne s'en formalisa guère.

— Je suppose que notre Alexandre le Grand de la Basse-Ville, le conquérant du commerce de détail, a dû afficher une mine bien déçue en ne me trouvant pas.

Le ton chargé d'ironie trahissait des relations familiales pas toujours au beau fixe.

Engoncé dans un habit élégant, le cou serré par un col en celluloïd aux pointes droites, Alfred Picard faisait un peu trop dandy pour un chef de rayon, même si les clientes appréciaient son allure d'esthète. Aîné de la famille Picard, à trente-cinq ans il demeurait mince, plutôt grand. Ressemblant à son frère quant aux traits du visage, un observateur attentif aurait toutefois constaté qu'il affichait une expression bien différente. L'énergie confinait à la dureté chez Thomas. Alfred offrait plutôt un sourire toujours aimable et une langueur certaine. Son attitude laissait deviner de la mollesse de caractère. Théodule, le fondateur de la maison de commerce, avait dû tirer les mêmes conclusions, au point d'avoir confié les rênes de son entreprise à son cadet, quand la maladie l'avait contraint à abandonner les affaires.

— Par le plus grand des hasards, reprit le chef de rayon après une pause pour encaisser le prix d'une paire de gants, le patron n'a pas indiqué que le dîner familial des Picard prévu pour demain a été remis à la semaine des quatre jeudis?

— … Non, il n'a fait aucune allusion de ce genre.

— Dommage. J'en serai quitte pour ruiner mon dimanche. Passer trois heures à entendre évoquer de nouvelles stratégies pour devenir encore plus riche gâche toujours ma digestion. Je suis d'une nature délicate.

Marie répondit par un sourire, quoique la richesse, tout comme la pauvreté d'ailleurs, lui paraissait un sujet trop sérieux pour devenir un objet d'humour.

Une demi-heure plus tard, alors que les clients se faisaient rares, Alfred Picard se résolut à jouer un peu son rôle de frère aîné du patron:

— Je monte au sixième pour donner le signal de la fermeture. Nous ne vendons plus rien maintenant. Le coût de l'électricité, pour éclairer tout ce bazar, est sans doute plus élevé que les profits que nous encaissons depuis une heure.

Le chef de rayon ne se souciait guère de la main-d'œuvre: que les vendeuses terminent à six ou à neuf heures, elles ne touchaient pas un cent de plus. Quant aux hommes qui dirigeaient la douzaine de départements que comptait le magasin, leur sort différait un peu. Ils devaient gérer ceux-ci comme autant de petits commerces indépendants, de façon à générer leur part de profit. Leur revenu annuel dépendait de leur succès. Ceux-là pouvaient désirer encore allonger la journée de travail, pour améliorer leur pitance.

Après avoir entendu une sonnerie indiquant que les portes fermeraient dans quinze minutes, les derniers clients commencèrent à se retirer vers la sortie. Alfred Picard passa sur les différents étages afin de presser le personnel de ranger la marchandise et d'éteindre les lampes électriques.

Au moment de passer la porte l'un des derniers, l'homme remarqua Marie Buteau qui se tenait un peu à l'écart, un sac de papier brun à la main. Elle avança, intimidée, pour déclarer :

— Monsieur, une cliente a laissé des vêtements pour repartir avec ses achats sur le dos. Votre frère a dit de tout laisser au chiffonnier, mais j'aimerais les garder pour moi.

La pauvreté faisait mauvais ménage avec la fierté. La jeune fille en était réduite à demander la charité, résolue à essayer de tirer parti des hardes abandonnées par Élisabeth Trudel dans l'après-midi.

— Mon frère semble oublier que l'on fabrique maintenant le papier avec de la pâte de bois. Les vieux chiffons ne servent plus à rien, et les chiffonniers réduits au chômage sont disparus de nos rues… Si vous trouvez votre bonheur dans ces vêtements, tant mieux pour vous.

— … Merci !

En sortant de l'édifice, Alfred Picard s'écarta un peu pour laisser passer la vendeuse devant, tout en posant une main légère sur sa taille. Sur le trottoir, il lança un « Bonsoir, Marie. À lundi matin », sur un ton joyeux, puis sortit de sa poche une lourde clé pour verrouiller à double tour. Un autre chef de rayon prenait la même précaution avec la sortie arrière, rue DesFossés.

— Bonsoir, monsieur Alfred, murmura la jeune fille.

Les réverbères au gaz jetaient des halos jaunâtres dans le jour déclinant. L'employé municipal achevait de les allumer dans la rue Saint-Joseph, avant de faire de même rue de la Couronne. Toutes les autres artères de la Basse-Ville demeureraient dans l'obscurité, alors que la lumière ne ferait pas défaut aux gens de la Haute-Ville.

Marie Buteau marcha vers l'est jusqu'à la rue du Pont, emprunta celle-ci en direction de la rivière Saint-Charles jusqu'à l'intersection de la rue de la Reine. À cause du nombre des bâtisses construites en bois, des incendies dévastaient régulièrement les faubourgs de Québec. Malgré tout, certaines demeures survivaient depuis le début du siècle. Elles se reconnaissaient facilement à leur toit à larmiers, percé de lucarnes. Les édifices plus récents présentaient des toits plats et des revêtements de brique. Hauts de deux ou trois étages, ils comptaient quelques appartements où s'entassaient des familles nombreuses.

La jeune vendeuse pénétra par une porte basse dans l'une de ces vieilles maisons aux murs extérieurs un peu ventrus. Elle se retrouva directement dans une cuisine enfumée où régnait une lourde odeur de chou et de sueur.

— Pauvre petite, c'est indécent de vous faire travailler si tard, grommela une femme crasseuse qui s'agitait devant son poêle à bois.

— Nous fermons quand il ne reste plus aucun client, expliqua Marie pour la millième fois à sa logeuse.

— Tu devrais venir à la manufacture! Nous arrêtons de travailler à heure fixe.

La remarque venait d'une grande fille brune, Yvonne, assise à la lourde table qui encombrait le centre de la pièce. Les coudes sur la surface de bois, elle tenait son visage blême entre ses mains, exténuée, un bol de soupe vide sous ses yeux cernés. Pour échapper à l'ennui et à la misère qui régnaient dans son village de la Beauce, cette femme était venue chercher fortune dans les manufactures de la ville. Pour une personne de sa condition, la fortune pouvait prendre la forme d'un mari travailleur qualifié. La chance ne lui avait pas souri encore. Recrutée par une entreprise spécialisée dans la fabrication de corsets, astreinte à soixante-douze heures d'un travail éreintant toutes les semaines, elle ne côtoyait depuis deux ans que d'autres femmes, souvent plus jolies, à la recherche du même preux chevalier susceptible de leur permettre d'échapper à ce monde.

— C'est parce que vous utilisez encore l'éclairage au gaz, répliqua la vendeuse. Avec la lumière électrique, n'aie crainte, ils vont allonger les heures sans redouter que les coutures ne partent dans tous les sens.

— Je sers la soupe, assieds-toi, interrompit la maîtresse des lieux, elle aussi désireuse de terminer bientôt sa journée de travail.

— Je vais monter cela dans la chambre, et je reviens.

Sans tarder, Marie Buteau grimpa l'escalier plutôt raide, pénétra dans une chambre tout juste assez grande pour contenir deux lits rangés contre les murs opposés de la pièce. Sauf à l'endroit où une lucarne brisait la ligne inclinée du toit, on ne pouvait s'y tenir debout.

La jeune femme rangea sous le lit le sac de papier brun, s'assit sur sa paillasse afin d'enlever ses chaussures et de les examiner soigneusement. Avant lundi matin, elle devrait trouver le temps de les cirer et de les polir. Pour aller souper, une vieille paire de godasses éculées ferait l'affaire. Elle prit aussi le temps d'accrocher sa jupe et son corsage dans un minuscule placard afin de mettre des vêtements usés jusqu'à la trame. Impossible d'être vendeuse dans un grand magasin sans montrer une élégance minimale, afin de ne pas répugner les clientes. Impossible de demeurer élégante avec le misérable salaire d'une vendeuse. Pour résoudre ce dilemme, les habits décents devaient être utilisés avec parcimonie, afin de les faire durer le plus longtemps possible.

Un moment plus tard, éclairée par une lampe à pétrole fumante, Marie avala la soupe préparée par sa logeuse en échangeant de menus propos avec sa compagne. Avant de remonter, elle prendrait la précaution de se rendre à la petite cabane dressée au fond de la cour arrière. Mieux valait satisfaire tous ses besoins avant de se coucher : un voyage à la bécosse en pleine nuit, à cause d'une envie pressante, ne présentait aucun agrément.

Thomas Picard avait spécifié que les enfants devaient aller au lit vers sept heures. Cela ne signifiait pas qu'ils dormiraient si tôt, surtout qu'en mai on y voyait encore très bien. Aussi, après avoir mangé dans la cuisine, Édouard et Eugénie passèrent par la salle de bain avant de se retrouver dans la chambre de la petite fille. À sept heures, Élisabeth Trudel les rejoignit, un livre à la main qu'elle était allée chercher dans le grenier.

— Je pense que cela fera l'affaire, mais lundi, nous verrons si nous pouvons trouver mieux.

Eugénie, vêtue d'une chemise de nuit blanche ornée de dentelles, se trouvait déjà blottie sous les couvertures. Son frère, un peignoir un peu trop grand sur le dos, s'était installé de son mieux, la tête orientée vers le pied du lit.

Élisabeth approcha une chaise près de la couche afin de s'asseoir, puis commença d'une voix douce :

La poupée de cire.

Ma bonne, ma bonne, dit un jour Sophie en accourant dans sa chambre, venez vite ouvrir une caisse que papa m'a envoyée de Paris ; je crois que c'est une poupée de cire, car il m'en a promis une.

La bonne. — Où est la caisse ?

Sophie. — Dans l'antichambre : venez vite, ma bonne, je vous en supplie.

La bonne posa son ouvrage et suivit Sophie à l'antichambre. Une caisse de bois blanc était posée sur une chaise ; la bonne l'ouvrit. Sophie aperçut la tête blonde et frisée d'une jolie poupée de cire ;

46

elle poussa un cri de joie et voulut saisir la poupée, qui était encore
couverte d'un papier d'emballage.

Ce soir-là, le premier des nombreux *Malheurs de Sophie*
conduisit rapidement Édouard vers un sommeil profond – la
fonte d'une poupée de cire ne pouvait émouvoir un gaillard
comme lui – alors qu'il intéressa la petite fille au plus haut
point. Au terme du premier chapitre, Élisabeth rangea la
chaise contre le mur, hésita un moment sur l'attitude à
adopter, puis se pencha pour déposer ses lèvres sur le front
de la gamine.

Ensuite, elle prit Édouard dans ses bras pour le mener
dans sa chambre. Au moment où la jeune femme ouvrait la
porte, une petite voix venue du lit prononça :

— Merci.

— Ce n'est rien, répondit Élisabeth en se tournant vers
elle. Nous continuerons demain soir. Tu sais, dans un an, tu
pourras lire ce livre toute seule.

— C'est bien mieux quand tu lis.

— Dans ce cas, je continuerai. Bonne nuit.

Elle tendit la main pour fermer l'arrivée du gaz, puis elle
sortit. Quelques minutes suffirent pour mettre Édouard au
lit, lui faire la bise et lui souhaiter bonne nuit.

Dans sa chambre, elle prit place dans son fauteuil et
continua la lecture des *Malheurs de Sophie*. L'œuvre de la
comtesse de Ségur allait lui en apprendre beaucoup, en
particulier sur les rôles des domestiques, des gouvernantes et
des préceptrices dans les maisons bourgeoises ou aristocra-
tiques de France. Et son instinct suffisait seul à lui faire
comprendre que sa place, dans la demeure de Thomas Picard,
tenait d'abord au degré de satisfaction d'enfants de cinq et
sept ans !

À la fin, elle ferma le livre et regarda autour d'elle. La
lampe à gaz accrochée au mur, fixée au bout d'un tuyau de
cuivre, donnait une lumière suffisante pour lire. Le papier
peint fleuri, les meubles, peu coûteux mais tout de même
convenables, lui procuraient un confort inconnu, que ce soit

dans la maison paternelle ou au couvent. Alors que ce dernier lieu avait incarné jusque-là pour elle une douce sécurité, elle découvrait un nouvel univers chaud et moelleux.

Élisabeth se leva pour se planter un moment devant la fenêtre. Le presbytère découpait sa masse grise juste devant la maison. À droite, l'église Saint-Roch ressemblait à un énorme navire prêt à appareiller vers les cieux avec sa fournée de paroissiens. Après un bâillement silencieux, la jeune préceptrice marcha jusqu'à la salle de bain. Au moment de s'asseoir au-dessus de la cuvette de porcelaine, elle se souvint avec un sourire de ses camarades du couvent. Celles qui la raillaient encore ce matin se déplaceraient jusqu'aux latrines, dans la cour, avant de se coucher. Les plus frileuses provoqueraient des fous rires étouffés en utilisant les pots de chambre rangés sous leur paillasse.

De retour dans sa chambre, au moment de replonger dans son livre, si la jeune femme avait été moins fatiguée par toutes les émotions de cette journée éreintante, elle se serait rendu compte que l'espoir d'une vie de religieuse enseignante s'estompait très vite dans son esprit.

~

Le Château Frontenac, sur le bord du cap Diamant, dominait la ville de Québec. Vieille d'une dizaine d'années seulement, la grande bâtisse au revêtement de brique marquait le paysage et donnait déjà sa signature architecturale à la «vieille capitale». Le succès de l'établissement était tel que l'on discutait d'ériger un complément à celui-ci, dans la vaste cour intérieure: un donjon, en quelque sorte, pour poursuivre la métaphore médiévale.

Le restaurant de l'hôtel proposait une excellente cuisine. En cette saison, les touristes demeuraient plutôt rares. Des notables de la ville occupaient la plupart des tables. Les couples ou les familles dominaient la clientèle. Le dépit marqua le visage de Thomas Picard. Ce genre d'activité se dérobait devant lui. Plutôt qu'avec une femme, la sienne ou une autre, il soupa en tête-à-tête avec un tanneur de cuir particulièrement malodorant.

Comme celui-ci passa la moitié du repas à lui révéler les secrets de son métier, à la fin le commerçant dut convenir que cette puanteur tenait moins à une hygiène déficiente qu'aux produits utilisés quotidiennement. Au contraire, le plus étonnant demeurait que le quidam puisse manger dans un endroit public sans être entouré d'un essaim de mouches. Cette concession ne rendait pourtant pas l'expérience plus agréable.

Nul besoin d'allonger éternellement ce genre de rencontre : à neuf heures trente, Thomas serrait la main de son nouveau partenaire à la sortie de l'hôtel. Il décida ensuite de rentrer à pied, afin de se débarrasser le nez des effluves de la soirée. Le trajet était court, de toute façon, et tout le long du chemin la pente serait descendante, et le trottoir, assez bien éclairé.

Au moment d'entrer dans Saint-Roch, il s'immobilisa un moment, songea aux maisons closes de la rue Saint-Paul, puis se résolut à chasser les tentations.

À dix heures, l'homme arrivait rue Saint-François. Dans sa demeure, la lumière brillait toujours à l'étage, dans la pièce au-dessus de la bibliothèque. La jeune préceptrice était encore debout. Après avoir pénétré dans la maison, il monta, frappa doucement et déclara à la jeune femme qui, après un long moment, entrouvrit la porte :

— Je suis désolé de vous déranger à cette heure tardive. Je voulais juste vous dire que demain matin, vous viendrez à la grand-messe avec moi et les enfants.

— Madame…

— … ne se déplacera vraisemblablement pas. Elle ne l'a pas fait depuis longtemps. Vous préparerez les enfants pour neuf heures quarante. Bonne nuit.

— … Bonne nuit, monsieur.

La porte se referma doucement. Un moment, Thomas Picard regarda vers la chambre de sa femme. Aucune lumière ne filtrait sous l'huis, sauf une petite lueur rougeâtre. Le charbon brûlait dans la cheminée.

« Si elle cessait de s'enfermer dans cette étuve, pour sortir prendre un peu l'air, je parie qu'elle irait mieux. »

Après avoir ouvert la porte de la chambre de chacun des enfants pour aller replacer les couvertures sous leur cou et leur faire la bise, l'homme descendit. À la suite d'un bref passage à la salle de bain du rez-de-chaussée – luxe rarissime, la maison en comptait deux –, il regagna le petit cagibi aveugle situé à l'arrière de son bureau pour s'étendre. Alors que le sommeil tardait à venir, il entendit les bruits des robinets à l'étage, et ceux, à peine perceptibles dans la grande maison silencieuse, des ressorts d'un lit. Les yeux grands ouverts, le commerçant attendit longuement le sommeil.

3

Pour une personne sans aucune ressource, les œuvres et les pompes de l'Église catholique procuraient un loisir à peu près gratuit. Cela permettait d'échapper à la monotonie du quotidien. Marie Buteau y consacrait deux soirées par semaine, dans la mesure où le commerce Picard fermait assez tôt, bien sûr, et une partie de son dimanche, comme membre de la chorale de la paroisse Saint-Roch. Cela lui donnait l'insigne privilège d'assister aux offices religieux depuis le jubé, où elle pouvait se consacrer à ses feuilles de musique plutôt que s'ennuyer à suivre les répons dans un missel.

Ce poste d'observation lui procurait aussi l'occasion de se passionner pour l'étrange représentation du théâtre social qui se déroulait dans la nef, sous ses pieds. Pas très grande, debout au premier rang, son point de vue demeurait incomparable.

Les uns après les autres, les paroissiens arrivaient pour prendre place sur les bancs de bois d'un brun sale. Les consciences les plus alourdies de péchés, ou alors les âmes les plus scrupuleuses, se manifestaient les premières afin de pouvoir passer par le confessionnal avant le début de la messe. Une petite lessive de l'âme les autoriserait à se présenter au banquet de la communion dans une heure, à moins que de mauvaises pensées les assaillent pendant l'office. Dix minutes avant le début de la cérémonie, la jeune femme aperçut la silhouette familière de Thomas Picard remonter l'allée centrale jusqu'à son banc placé tout en avant, son chapeau melon gris à la main, une redingote parfaitement assortie sur le dos.

Un marchand de vêtements se devait de toujours présenter une mise impeccable afin d'attirer la clientèle. La messe dominicale offrait la meilleure vitrine à cet égard, car aucun habitant de la paroisse ne pouvait omettre de s'y présenter, sans risquer le salut de son âme et un complet ostracisme social.

«Dommage que sa femme ne soit pas là, songea Marie, car la couventine n'est pas à la hauteur.»

Au fond, le dépit de la jeune vendeuse couvrait une pointe de jalousie : elle aurait dû elle-même faire un petit crochet au confessionnal. Derrière Thomas Picard venait Élisabeth Trudel, tenant les enfants par la main, Édouard à gauche, Eugénie à droite. La préceptrice faisait plutôt bonne figure, mince et élancée, ses lourds cheveux blonds réunis à l'arrière de la tête et attachés d'un ruban, son petit chapeau de paille un peu incliné sur les yeux.

D'ailleurs, les autres paroissiens ne s'y trompaient pas. Sur son passage, toutes les têtes se tournaient vers l'étrangère. Les murmures interrogatifs sur son identité se poursuivirent jusqu'à ce que le curé, précédé d'un petit peloton de servants de messe, apparaisse dans le chœur.

Marie Buteau réfréna aussitôt sa curiosité pour fixer les yeux sur le petit homme qui dirigeait la chorale. Pendant l'heure suivante, son regard revint souvent au banc des Picard, à l'avant, parmi les notables. L'absence d'une épouse susceptible de montrer les plus beaux vêtements du grand magasin se trouvait en partie compensée par la tenue des deux enfants, une incarnation parfaite de la mode édouardienne. Eugénie jouait très bien son rôle de petite fille sage, un missel relié de cuir blanc dans ses mains gantées de dentelle fine. Même si elle ne savait pas lire, elle affectait de suivre la cérémonie. Son frère déguisait plus difficilement son ennui, tournant le regard dans toutes les directions, en particulier vers les zouaves pontificaux. Ces soldats d'opérette se trouvaient affublés d'un ridicule uniforme gris à pantalons bouffants. Réunis sur un banc de fonction à l'arrière du temple, ils devaient assurer l'ordre par leur présence martiale.

Régulièrement, Élisabeth ramenait le garçon à l'ordre, lui murmurant parfois quelques mots à l'oreille. À la fin, pour qu'il cesse de regarder vers l'arrière, elle posa la main gauche sur la nuque de l'enfant. Plutôt que de se rebiffer, celui-ci s'appuya légèrement contre le corps de la jeune femme, posant la tête sur sa hanche quand ils étaient debout, contre son épaule en position assise.

Du coin de l'œil, le père appréciait la scène, heureux de ne pas avoir à s'en mêler.

—✦—

— Tu devais te joindre à nous.

En disant cela, Thomas Picard passait le doigt entre son col de celluloïd et son cou, agacé par la chaleur de la chambre de sa femme.

— Tu vois bien que c'est impossible.

Alice se trouvait recroquevillée dans son fauteuil, son peignoir soigneusement fermé jusqu'au cou. Sur la petite table, à portée de la main, se trouvait un plat contenant de l'eau. La malade y trempait un morceau de tissu pour le poser ensuite sur son front.

— J'ai mal à la tête, ajouta-t-elle encore pour se justifier.

L'homme fit mine de dire quelque chose, puis choisit de se taire. Il se retira, ferma la porte un peu plus fort que nécessaire. Alors qu'il s'engageait dans l'escalier, il s'arrêta puis revint sur ses pas pour frapper à la porte d'Élisabeth.

— Vous vous joindrez à nous pour le dîner.

— … Je ne sais pas si je puis… Vous avez des invités.

— Je désire que les enfants mangent en compagnie de leur grand-mère sans avoir à m'occuper d'eux sans cesse. Je dois parler affaires.

— Très bien, je serai là.

— Merci.

Madame veuve Théodule Picard ne devait pas avoir plus de soixante ans, mais elle en affichait vingt de plus, au moins. Cela tenait en partie à ses vêtements. Veuve depuis cinq ans, elle s'était vouée au deuil perpétuel. Sa robe ample ressemblait à une cascade de dentelles noires. Son collier de jais ajoutait une dureté minérale à l'ensemble. Surtout, un curieux bonnet de même couleur, passé de mode depuis au moins cinquante ans, couvrait ses cheveux blancs.

— D'où venez-vous, exactement? demanda-t-elle en guise de tout salut à Élisabeth, en l'examinant de ses yeux bleus très durs.

— … Du couvent des ursulines.

— Vous n'êtes certainement pas née là!

La répartie était venue après un rire bref qui sonnait comme une menace.

— De Saint-Prosper.

— De Beauce?

— De Champlain.

— Il en faut du temps pour obtenir une information toute simple! Êtes-vous sotte à ce point, ou faites-vous semblant?

Les deux femmes se faisaient face dans le salon. La préceptrice avait cru bien faire en amenant les enfants rencontrer leur grand-mère, avant de passer à table. Ces derniers demeuraient peureusement contre sa jupe, alors que la question sur ses origines avait servi d'entrée en matière.

— Et vous croyez que quelques années au couvent vous rendent compétente pour vous occuper des enfants des autres? continua la visiteuse, sans attendre une réponse à la question précédente.

— J'ai terminé le cours normal.

— Dans ce cas, je présume que mon fils se croit autorisé à vous faire confiance.

Personne ne pouvait douter, dans la pièce, que la vieille dame ne partageait en rien pareille naïveté! Quant aux enfants, le soin qu'ils mettaient à se tenir loin de l'aïeule et près de la préceptrice traduisait bien leur appréciation de la question.

— La mère supérieure m'a assuré de la compétence de mademoiselle Trudel, intervint Thomas avec l'espoir de mettre fin à l'échange.

— Bien sûr, ces ventres secs, enfermés dans un cloître, s'y entendent pour l'éducation des gamins. J'aimerais bien voir l'une d'elles en fabriquer un.

La vieille dame se trouvait dans l'un de ses mauvais jours, son rhumatisme devait la tenailler. Afin de réduire les dégâts, car l'action de mastiquer limiterait le nombre de paroles méchantes prononcées, le maître de la maison suggéra :

— Nous pourrions passer à table tout de suite.

— Nous n'attendons pas ta femme ?

— … Elle ne descendra pas.

Madame veuve Picard gardait encore un atome de bien-séance, aussi elle ne parla pas. Mais son regard sur Élisabeth Trudel, qu'elle examina de nouveau des pieds à la tête, fut on ne peut plus éloquent.

Thomas se dirigea vers la salle à manger en tenant sa mère par le bras. Alfred choisit ce moment pour s'extirper de son grand fauteuil. Parce qu'il lui tournait le dos, la jeune femme n'avait pas encore remarqué sa présence.

— Comme les usages de cette maison laissent à désirer, je vais devoir me présenter moi-même : Alfred, le fils du dragon femelle, le frère de votre patron.

Il tendait la main, un large sourire sur le visage. La jeune femme la serra en disant son nom. Son air trahissait encore le désarroi que lui avait inspiré l'accueil de la veuve.

— Ne vous en faites pas, elle ne vient pas souvent ici. Ce genre d'attaque ne se répétera pas tous les dimanches. Sa santé n'est plus très bonne. Voyez-vous, je suis bien informé sur le sujet, elle vit avec moi… ou moi avec elle, selon son point de vue. Je n'ai pas encore quitté le nid familial.

L'homme avait prononcé ces mots en laissant poindre son ironie habituelle. Il s'accroupit pour être à la hauteur des enfants, toujours empêtrés dans les jupes de leur préceptrice, puis commença sur un ton joyeux :

— Impératrice Eugénie, venez me faire la bise.

La fillette consentit de bon cœur, posa les lèvres sur la joue de son oncle.

— Montre-moi ta robe, demanda-t-il encore en lui faisant signe du doigt de tourner sur elle-même.

Elle obtempéra, montrant sa robe blanc ivoire, ceinturée d'un ruban bleu. Comme il convenait pour une personne de son âge, le vêtement atteignait tout juste les genoux. Au moindre mouvement, il révélait un pantalon blanc orné d'un foisonnement de dentelles.

— Adorable, commenta Alfred. Tu deviens une très jolie jeune fille. Et toi, jeune homme, tu seras bientôt aussi grand que moi. Viens ici.

Édouard ne se fit pas prier pour se précipiter dans les bras de son oncle. En se relevant, celui-ci murmura :

— Allons les rejoindre avant que l'ogresse ne revienne pour nous dévorer.

Élisabeth mettait les pieds pour la première fois dans la salle à manger. Au milieu de cette pièce sans âme se trouvait une grande table de bois sombre pouvant accueillir huit convives. Madame veuve Théodule se trouvait assise à une extrémité, son fils cadet à sa droite. Le couvert à sa gauche indiquait que l'aîné ne pourrait pas prendre ses distances. Il s'assit en laissant échapper un soupir un peu las.

Un moment, la jeune employée se demanda où prendre place. Trois couverts avaient été placés à l'autre extrémité de la table, mais occuper l'endroit qui revenait à l'épouse lui paraissait de la dernière inconvenance.

— Au bout, indiqua Thomas. De toute façon, vous devrez découper la nourriture des enfants. Comme cela, les assiettes seront à votre portée.

L'aïeule examinait la scène. Pour la première fois, ses yeux trahissaient un certain amusement. Un moment plus tard, Joséphine, affublée de sa robe du dimanche, servit la soupe. Au moment où le rôti arriva sur la table, Thomas Picard révéla ses plans :

— Nous pourrions fabriquer nous-mêmes certains vêtements, plutôt que de donner des profits à des manufacturiers.

Alfred cessa un moment de mastiquer, puis rétorqua :

— Avoir nos propres ateliers de confection ?

— Pourquoi pas ? Les entrepreneurs avec qui nous faisons affaire doivent se réserver une marge de vingt pour cent. Autant la mettre dans notre poche.

— Mais cela veut aussi dire multiplier le personnel, acheter des immeubles, des machines. Tu ne pourras pas veiller à tout toi-même. Tu embaucheras un gérant qui mangera au moins la moitié de cette économie.

— Ce qui nous laissera tout de même dix pour cent !

Thomas espérait maîtriser à la fois la confection et la distribution des biens offerts dans son grand magasin, pour contrôler l'ensemble des coûts.

— Mais tu ne peux pas t'occuper en même temps du magasin et diriger les ateliers.

— Toi, tu le pourrais. Nous devrions tout simplement embaucher un autre chef du rayon des vêtements féminins. Bien sûr, cela voudrait dire que tu y mettrais tout ton temps. Je suis passé hier à ton département pour te parler, en vain.

Alfred savait, depuis que Marie Buteau avait évoqué la visite de son frère la veille, que le sujet de son absence en plein après-midi viendrait dans la conversation.

— J'ai eu une course à faire.

Pendant ce temps, la vieille dame jetait un coup d'œil désapprobateur sur Élisabeth. Celle-ci se trouvait penchée sur l'assiette d'Édouard, occupée à couper la viande. Dans cette position, personne ne voyait ses joues cramoisies.

L'attention de l'aïeule se porta enfin sur la conversation entre les deux frères :

— On ne peut pas laisser son commerce une seule minute, décréta-t-elle d'une voix cassante. Si un client ne voit personne derrière le comptoir, il va ailleurs, souvent en glissant un menu objet dans sa poche.

— Marie Buteau peut très bien s'occuper du département.

— Une autre donzelle pour s'occuper des tâches de mes fils ? Cela devient une manie.

Au moins pour la moitié de l'énoncé, Thomas se révéla d'accord avec sa mère en précisant :

— Une gamine que tu as embauchée avant les fêtes ! Sois un peu sérieux. Mais ce n'est pas ce dont je veux discuter aujourd'hui. Je songe à lancer une manufacture de gants cet été, une petite entreprise, quarante filles tout au plus, quatre contremaîtres et un mécanicien. Veux-tu gérer cette boutique ?

— … Il faut un approvisionnement de cuir, de tissu, des machines spécialisées.

— J'ai rencontré quelques tanneurs. Une société américaine est prête à envoyer des spécialistes pour installer les machines et former les contremaîtres.

— Un projet bien mûri déjà ! Je parie que tu as déniché un local.

Dans ce genre de situation, Alfred préférait se dérober, jouer l'admirateur des initiatives de son frère, sans se compromettre. Rien ne lui répugnait autant que de voir son cadet décider du cours de sa vie.

— Une bâtisse de bois un peu branlante, à la Pointe-aux-Lièvres, fera très bien l'affaire pendant quatre ou cinq ans. Après, on verra.

— Tu ne vas pas t'endetter ? questionna la vieille dame.

— Non, maman. Nous avons généré assez de profits avec le nouveau magasin pour lancer cette petite manufacture.

— Tu sais que ton père a construit ce magasin en payant comptant ?

C'était une curieuse façon de faire des affaires, mais Théodule Picard n'avait jamais demandé une avance à un banquier. Quarante ans plus tôt, son épouse Euphrosine avait commencé à vendre des tissus dans le magasin général de la famille. À force de travail, l'entreprise avait grandi sous sa direction prudente. Au fond, le rôle de son mari avait été accessoire.

— Je sais tout cela ! répondit Thomas, un peu agacé. Dans mes vieux jours, j'écrirai l'histoire héroïque du grand homme et de son admirable épouse. En attendant, je veux une réponse : Alfred, acceptes-tu de t'occuper de cette nouvelle manufacture ? Si cela va bien avec les gants, nous verrons pour les robes, les manteaux…

— Je vais te décevoir une nouvelle fois : notre père m'a laissé un sixième des actions et la responsabilité du rayon des vêtements pour femmes. Alors je continuerai à toucher un sixième des profits et mon traitement. Cela me suffit.

— C'est parce que tu manquais de sérieux que ton père a préféré ne pas te laisser à la tête de l'affaire, jugea bon de rappeler la mère. Mais si tu t'occupes de cette manufacture, Thomas voudra certainement te rétribuer en actions. Avec le temps…

Alfred regarda son frère un moment, se fit la remarque que celui-ci ne ferait jamais un geste susceptible de réduire son emprise sur les affaires de la famille, encore moins pour avantager son frère aîné.

— Mais maman, je suis tout à fait content de mon sixième et de mon rayon au magasin. Cela me permet de bien vivre. En plus, cela me laisse du temps pour bien m'occuper de toi. Pourquoi modifier un arrangement qui convient à tout le monde ? Thomas préférera sans doute laisser toute l'entreprise au jeune monsieur du bout de la table.

De sa fourchette, Alfred désigna Édouard qui, à ce moment, attendait patiemment qu'Élisabeth finisse de découper sa viande. Cette façon de présenter les choses avait l'heur de satisfaire tous les membres de la famille. Pour prouver sa bonne volonté, il ajouta encore :

— Dans vingt-cinq ans, quand je serai un chef de rayon tout décrépit, Édouard achètera mes actions afin de me procurer une retraite confortable. À ce moment, chère maman, j'irai au Vatican avec toi.

— Quel idiot tu fais !

Toutefois, la vieille dame avait abandonné son ton de mégère. La perspective d'avoir encore son fils près d'elle dans vingt-cinq ans ne pouvait que la rassurer. Ce dilettante avait ses bons côtés. Thomas, quant à lui, préféra ne pas souligner que son frère lui attribuait une espérance de vie bien courte si Édouard devait diriger l'entreprise dans si peu d'années.

~

De nombreux trajets permettaient de passer de la Basse-Ville à la Haute-Ville. Marie Buteau adopta le plus long peut-être, mais elle croyait que c'était le moins abrupt. Après la rue de la Reine, elle longea les rues Saint-Roch, Saint-Paul et Saint-Pierre, de manière à contourner le cap, pour atteindre la rue de la Montagne et la gravir à pas lents. À la hauteur du monumental bureau de poste, elle bifurqua à droite pour suivre le sommet de l'escarpement, passer devant les antiques canons de la Batterie royale, jusqu'à rejoindre la rue des Remparts.

Le vaste édifice de pierre grise de l'Université Laval se dressait là, majestueux avec sa toiture de fer blanc et son clocheton. Près de l'entrée principale, la jeune fille reconnut de loin la silhouette longue et sombre d'Émile, son frère aîné.

— Bonjour, dit-elle en arrivant à sa hauteur, un peu essoufflée par la pente raide qu'elle venait de gravir.

— Bonjour. Comment vas-tu ?

Tous les deux demeuraient embarrassés, incapables des gestes d'affection les plus simples, comme des étrangers. Et au fond, c'était bien cela. Marie avait quatre ans quand son aîné avait quitté la maison familiale pour poursuivre des études au Petit Séminaire de Québec, grâce surtout à la générosité du curé de leur paroisse. Depuis ce moment, d'abord le garçon vêtu d'un étrange uniforme, résolu à devenir savant, puis l'homme engoncé dans une soutane noire, avait fait naître un grand malaise chez elle.

Quant à lui, en plus de la gêne attribuable au fait que pendant la moitié de sa vie, il n'avait plus côtoyé que des garçons ou des hommes, il était maintenant habité par la crainte du scandale. Des témoins se seraient inquiétés de le voir faire la bise à une femme, fût-elle très jeune, et sa sœur de surcroît. Quant à se serrer la main, cela aurait été franchement ridicule ! Aussi gardèrent-ils finalement chacun pour soi et les lèvres, et les mains.

— Nous entrons ? demanda-t-elle, mal à l'aise après un moment de silence.

— Comme il fait beau, nous pourrions nous asseoir près de la batterie.

Ils revinrent ensemble vers la rue des Remparts.

— Tu comprends, se justifia-t-il en marchant, je passe mes semaines dans les livres de théologie, ou à faire la classe aux élèves de première année, au Petit Séminaire. Les occasions de respirer l'air frais demeurent rares.

Marie comprenait surtout que les étudiants se destinant à la prêtrise se trouvaient isolés du monde. Les contacts avec les parents s'estompaient au point que les prêtres représentaient leur seule vraie famille. Les conversations au parloir avec une sœur cadette devenaient difficiles à justifier, même quand celle-ci demeurait la seule autre survivante de la lignée. La discrétion lui éviterait d'avoir à se justifier à son directeur de conscience.

Entre deux canons peints en noir pour limiter les dégâts de la rouille, ils trouvèrent un banc de bois. Sous leurs yeux, le panorama spectaculaire du fleuve et des côtes verdoyantes de Lévis, de l'île d'Orléans et de Beauport retenait leur attention.

— Comment va le travail chez Picard ?

— Je suppose que je n'ai pas à me plaindre. Les heures sont interminables, mais l'effort physique peu important.

— Tu n'as aucun ennui avec le contremaître ? On me dit que ceux-ci, parfois…

Le séminariste ne savait comment évoquer les mains baladeuses devant une jeune fille qu'il considérait comme totalement ignorante des turpitudes de l'existence. Son éloignement des vicissitudes de la vie en société déformait sa perception des choses. Heureusement que les confessions se déroulaient dans la pénombre, car cet homme rougirait souvent au cours des prochaines années.

— D'abord, fit la jeune fille en souriant, on ne parle pas de contremaître, mais de chef de rayon. Ensuite, sois sans crainte, les postérieurs féminins sont en sûreté avec Alfred Picard… Enfin, si ce qu'on murmure est vrai.

Le mot «postérieur», dans la bouche de sa sœur, fit rougir Émile Buteau jusqu'au bout des oreilles. Qu'une jeune fille de cet âge l'utilise ainsi le laissait pantois. Mieux valait ne pas s'enquérir des motifs qui lui procuraient la certitude que ses charmes ne se trouvaient pas menacés. À la fin, il murmura :

— Tu te retrouves toute seule à un âge dangereux. Je m'inquiète pour toi. Quelle pitié ! Nos deux parents morts en moins de deux semaines…

— Ne parle pas de cela…

— Une simple grippe…

— Arrête !

Marie Buteau se leva pour aller s'appuyer contre l'affût d'un canon, tournant le dos au séminariste. Sous ses yeux, le fleuve s'estompa derrière un rideau de larmes. Quel imbécile son frère était devenu, enfermé dans son petit monde de soutanes. Si la grippe pouvait être un mauvais moment à passer dans la Haute-Ville, au pied de la pente abrupte elle tuait régulièrement des corps affaiblis par les privations et une vie de travail épuisant.

Au fond, cette maladie avait eu le dessus sur sa mère. Son père, rendu infirme par l'arthrite depuis deux ans, avait tout simplement renoncé. Le couple avait laissé à peine de quoi payer les funérailles.

La jeune vendeuse étouffa un sanglot qui agita brièvement ses épaules, essuya les larmes sur la manche de son vieux manteau d'un mouvement vif puis revint vers le banc. Afin de ne pas susciter une nouvelle débâcle d'émotions, le séminariste chercha un sujet plus neutre :

— Tu n'es pas trop mal lotie, chez ta logeuse? demanda-t-il d'une voix un peu plus douce.

— Moins bien que si je vivais chez mes parents, pas plus mal que toutes les filles qui viennent de la campagne pour décrocher un emploi dans une manufacture. Beaucoup de soupe et de pain, rarement de la viande, une petite chambre partagée avec une travailleuse de la Dominion Corset. Cela doit se situer quelque part entre le paradis et l'enfer... Tiens, je dois me trouver au purgatoire.

Les derniers mots furent accompagnés d'un rire bref. Émile songea que la misère rendait sa sœur cynique. En se retrouvant seule à seize ans, sans personne pour la guider, ne perdrait-elle pas son âme?

— Si tu avais pu devenir novice, chez les religieuses...

— Pour me cacher des difficultés de la vie derrière une robe noire, comme toi?

Cette fois, sa voix trahissait un curieux mélange de sentiments, de la jalousie au mépris. Ensuite, décidément inquiet, il répondit avec une certaine brutalité :

— Pour recevoir un repas chaud trois fois par jour et assurer le salut de ton âme. Crois-moi, ce n'est pas un si mauvais choix.

Marie secoua son visage mince de droite à gauche, se souvenant que les choses n'avaient pas été si simples. Toutes ses camarades, à l'école, caressaient plus ou moins ce rêve, pour les raisons évoquées par son frère. Les religieuses avaient le privilège de choisir leurs recrues. Voir des yeux d'un bleu presque noir inquiétait ces saintes femmes : fillette, la vendeuse avait entendu l'une d'elles qualifier son regard de « sale » ! Après avoir tenté de les laver avec du savon, l'irritation avait duré quelques jours, la méfiance demeurait toujours aussi vive.

— Et les cours de clavigraphie que tu as suivis... reprit le séminariste après un moment. Ils ne te permettraient pas de travailler dans un bureau ?

Même si toutes les remarques de son frère trahissaient son inquiétude pour elle, Marie entendait dans sa voix moins la tendresse que des reproches implicites, comme si elle décevait ses attentes. Il la soumettait à une sorte d'inquisition bienveillante.

— Cela non plus ne va pas de soi. Tu te souviens, j'ai quitté le couvent au moment des décès, pour me chercher un emploi. Je n'ai pas terminé le cours académique. Même sans cet événement, j'aurais tout de même dû abandonner, pour gagner ma vie. Nos parents ne possédaient plus rien. Papa vendait ses meubles pour payer les derniers mois de ma scolarité.

Le diplôme académique couronnait un séjour de huit ans dans une école de jeunes filles, dirigée par les religieuses de la congrégation Notre-Dame, ou par toute autre communauté. Celles-ci recevaient des externes à leur établissement situé au coin des rues Saint-Joseph et de la Couronne. Avec ce bagage presque complété, Marie pouvait passer pour instruite : la majorité de ses collègues vendeuses n'en possédaient pas la moitié. Parmi les femmes de sa génération, plusieurs ne savaient ni lire ni écrire.

— Cela ne fait rien, tu pourrais demander encore à ton patron.

— Je le ferai, formula-t-elle, d'une voix lasse.

— Je sais que des cours de clavigraphie sont offerts le soir.

Depuis une trentaine d'année, le Conseil des arts et manufactures dispensait des formations susceptibles de permettre à des travailleurs d'améliorer leur sort. Bien sûr, après plus de dix heures de travail, il fallait un courage et une résistance à toute épreuve pour se résoudre à deux heures d'apprentissage. Pendant un long moment, le frère et la sœur demeurèrent silencieux, ayant épuisé les sujets habituels de conversation. À la fin, la jeune fille risqua :

— Tu savais, toi, que des domestiques sont engagés pour s'occuper des enfants ?

— … Je n'y ai jamais pensé, mais je suppose que oui. Pourquoi ?

— Une idée comme ça. Ce serait moins dur que le magasin.

Le souvenir d'Élisabeth à l'église, ce matin, passa devant les yeux de Marie.

— Si tu patientes, tu pourras devenir ma ménagère. Tu imagines, jouer le rôle de madame Curé ?

Le ton se voulait humoristique, ce qui ajoutait à la cruauté de la situation : elle cherchait une solution à sa misère tout de suite, pas un hypothétique refuge dans un presbytère et dans dix ans. La vendeuse tenta en vain d'adopter le même ton pour répondre :

— À Québec, ce sont des religieuses qui jouent le rôle de ménagères. On revient à ta première idée.

Après un nouveau silence un peu plus long que le précédent, Émile Buteau commença à s'agiter sur le banc. Le temps de replonger dans son bréviaire approchait, mais il ne savait pas trop comment la quitter. Elle se résolut à l'aider :

— Je vais rentrer. Demain, je dois me lever tôt.

Formulé à trois heures de l'après-midi, le prétexte sonnait terriblement faux. Debout près du banc, la jeune fille fouilla dans son manteau, sortit sa main fermée.

— J'ai pu mettre cela de côté, pour toi.

Le séminariste eut un moment d'hésitation, rougit, puis en posant sa main sur celle de sa sœur, le premier contact physique entre eux depuis son arrivée, laissa tomber :

— Ce n'est pas nécessaire.

— Le prix de tes études…

— Comme la plupart de mes collègues, je les paie en enseignant aux jeunes élèves du Petit Séminaire. Il paraît que cela nous prépare à prêcher dans une église, en plus. Puis cet été, je deviendrai vicaire d'une paroisse de la ville. J'espère que ce sera Saint-Roch. Cela représentera une sorte d'apprentissage, en fait. Ensuite, c'est moi qui pourrai t'aider un peu.

Marie Buteau empocha ses quelques pièces, demeura un moment immobile, ses yeux de nouveau pleins de larmes dans ceux de son frère. À la fin, pour dissiper le malaise qui s'installait, il déclara :

— Je dois rentrer.

— … Oui, bien sûr.

— À dimanche prochain.

— C'est cela, à dimanche.

Sans se toucher, sans s'embrasser, chacun tourna les talons. Cette fois, la jeune fille décida de descendre la Côte-de-la-Canoterie. Elle arriverait un peu plus vite à la maison, là où elle s'ennuierait au point d'avoir hâte de rentrer au magasin le lendemain.

~

Le Club de la garnison, un grand édifice de pierre situé à l'intérieur des murs de la ville, se dressait près de la porte Saint-Louis. Il accueillait les officiers de la milice ou les membres de l'armée régulière désireux de prendre un verre, revêtus d'un uniforme de parade, en se remémorant leur dernier exploit militaire. Quelques-uns d'entre eux étaient allés aussi loin que la Saskatchewan pour réprimer la rébellion conduite par Louis Riel en 1885.

Cette fois, ce genre de clientèle avait fait place à des hommes à la tenue plus sobre et au discours moins martial. Le maire de Québec, Simon-Napoléon Parent, avait convoqué les membres les plus influents du Parti libéral à une rencontre discrète. Même si aucune annonce n'avait été faite, chacun devinait le motif de la réunion. Le gouvernement conservateur siégeait à Ottawa depuis cinq ans, les élections ne pouvaient tarder.

Dans la grande salle, deux groupes se formaient spontanément. D'un côté, les membres des professions libérales, médecins, notaires, avocats – ces derniers se trouvaient particulièrement nombreux parmi eux – se regroupaient pour évoquer des souvenirs de collège ou des anecdotes de voisinage. Ils affichaient la prétention des personnes qui gagnaient leur vie en vendant à leurs compatriotes des services dont ils avaient le monopole. Les plus prospères participaient aux affaires en achetant des actions, ou plus souvent en spéculant sur des terrains ou des propriétés.

De l'autre, les « négociants » parlaient boutique et manifestaient une certaine déférence envers le premier groupe. Pour les Canadiens français, le travail manuel et le commerce demeuraient des activités méprisables. Pourtant, dans cette salle se trouvaient réunis des manufacturiers actifs dans les domaines de la chaussure, du cuir, du vêtement et du tabac, et de nombreux marchands, petits et grands.

Assis à une grande table circulaire, Thomas Picard avait rejoint des voisins immédiats de la rue Saint-Joseph, comme le marchand de meubles Légaré, le pharmacien Brunet, le fourreur Laliberté. Ce dernier possédait certainement le plus bel édifice commercial de la Basse-Ville, avec ses grandes fenêtres en ogives placées en quinconce et des œils-de-bœuf sur tout un côté de l'édifice.

Après une demi-heure d'attente, le maire Parent pénétra dans la pièce, accompagné du grand homme, Wilfrid Laurier, le député de Québec-Est depuis près de vingt ans. Grand, mince, très élégant avec son plastron amidonné et son col de celluloïd aux coins cassés, engoncé dans une redingote grise, le chef du Parti libéral du Canada en imposait. Tout de suite, debout au milieu de la salle, il commença :

— Messieurs, un événement imminent justifie notre présence ici : les élections fédérales seront déclenchées demain. La population se rendra aux urnes dans cinq semaines, très précisément le 23 juin.

Autour de lui, chacun se mit à applaudir. Laurier avait fait bonne figure lors du suffrage tenu cinq ans plus tôt. Cette fois, chez les libéraux, on avait le sentiment d'être à la veille d'un changement de régime. Le nouveau siècle serait là dans quatre ans, les innovations techniques se multipliaient à une vitesse accélérée et des idées nouvelles, des choses impensables dix ans plus tôt, paraissaient maintenant naturelles. Tout laissait croire que l'on enterrerait bientôt un monde ancien au profit du nouveau. L'idée que des conservateurs dirigent encore les destinées du pays semblait ridicule.

— Je compterai de nouveau sur votre aide, continua le chef de l'opposition. Tous ensemble, nous pourrons faire en sorte qu'il ne reste plus un conservateur dans la région.

— Êtes-vous certain du déclenchement des élections ? questionna quelqu'un. Le privilège de choisir la date revient au premier ministre Charles Tupper.

— Cela fait déjà plus de cinq ans que les conservateurs sévissent à Ottawa, ils écorchent la Constitution en s'accrochant encore. Croyez-moi, mes sources sont fiables. Leurs imprimeurs sont déjà au travail pour produire des affiches.

Les sources d'information de Laurier se révélaient d'autant plus fiables que des conservateurs de langue française avaient fait défection récemment pour se joindre à lui. Pendant quelques minutes, le chef du Parti évoqua le programme libéral, insistant sur l'autonomie des provinces, la nécessité de favoriser le commerce avec les États-Unis. Quand il évoqua la recherche d'une voie « ensoleillée » pour régler la question des écoles françaises et catholiques du Manitoba, l'assistance commença à s'ennuyer. Les droits de coreligionnaires habitant à des centaines de milles les laissaient plutôt froids.

À la fin, le chef libéral conclut :

— Les candidats de notre parti à la prochaine élection se trouvent dans cette salle, de même que nos principaux appuis. Autant commencer tout de suite à préparer la campagne.

Comme on les invitait à le faire, les personnes présentes se regroupèrent selon les circonscriptions où ils résidaient. La plupart des occupants de la table où se trouvait Thomas Picard gardèrent leur place, alors que Wilfrid Laurier vint se joindre à eux.

— Monsieur Picard, pourrai-je encore une fois compter sur vos services à titre de responsable de mon comité d'organisation, dans Québec-Est ?

— Naturellement. Si cela se passe comme la dernière fois, je n'aurai rien à faire.

En 1891, le Parti conservateur avait préféré ne présenter personne contre le chef de l'opposition, ce qui avait conduit à une élection par acclamation.

— Cette fois, le vieux Charles Tupper ne me fera pas ce plaisir. Mon adversaire sera Cléophas Leclerc.

— Donc, vous n'avez rien à craindre. Ce gars est aussi populaire qu'un mal de dents, remarqua l'une des personnes à la table, un tanneur.

— Mais les conservateurs sont au pouvoir à Québec. Ils peuvent faire pleuvoir des largesses dans le comté, juste pour me nuire. Cela sans compter que les évêques paraissent encore penser que je représente un danger pour le salut de l'âme de mes compatriotes.

Vingt ans plus tôt, au moment où il se préparait à se présenter pour la première fois dans la circonscription de Québec-Est, la grande réalisation de Wilfrid Laurier avait été de convaincre la population que le libéralisme à la canadienne ne faisait peser aucune menace sur la religion catholique et la paix sociale. Cette conviction n'avait pas encore pénétré dans les esprits de tous les membres du clergé.

— Nous ferons en sorte que ce monsieur Leclerc n'ait pas trop la possibilité de gruger le vote, fit Thomas Picard avec assurance. Votre majorité sera sans doute très confortable, ce qui aura un plus bel effet que de gagner sans opposition.

— Confortable jusqu'à quel point, cette majorité ? interrogea le politicien.

— Avec une bonne campagne, vous pouvez tripler les votes de votre opposant. Mais pour cela, vous devrez vous montrer un peu.

— Vous savez que je devrai le faire de l'Atlantique au Pacifique. Le trajet en train prend une semaine.

Les exigences d'une campagne électorale dans un pays aussi vaste se révélaient exténuantes. La légende prétendait que John A. Macdonald était mort d'épuisement à la suite du suffrage de 1891, mené en plein hiver. Le chef de l'opposition vivrait littéralement dans un wagon de chemin de fer au cours des cinq prochaines semaines.

— Tout de même, Québec se trouve sur votre itinéraire entre Halifax et Vancouver. Vous vous arrêterez certainement pour dire un mot à vos électeurs.

— Vous me préparerez quelques grandes rencontres. Puis mon ami, le journaliste Laurent-Olivier David, sera sur les lieux. Vous planifierez ces manifestations avec lui.

Le politicien échangea encore quelques mots avec les négociants de la Basse-Ville, puis il entreprit la tournée des tables afin de fouetter les ardeurs de tous les candidats et de ceux qui les supportaient.

— Comme je n'ai rien à dire aux gloires du barreau de la Haute-Ville, déclara Picard à ses collègues en se levant, je vais rentrer. Contrairement à ces grands esprits, je dois être à la boutique très tôt demain matin.

— Si tu permets, je vais me joindre à toi, déclara Jean-Baptiste Laliberté. Nous partagerons un fiacre.

4

Élisabeth Trudel se leva de bon matin, afin d'être fin prête au moment où ses protégés descendraient déjeuner dans la salle à manger. Alors qu'elle pénétrait dans la pièce, son employeur en sortait justement.

— Mademoiselle, comptez-vous vous rendre à la librairie Garneau ce matin, afin d'acheter des livres de classe?

— Oui. Si vous n'y voyez pas d'inconvénient, je pensais emmener les enfants avec moi. Ce sera une occasion de leur permettre de prendre l'air.

— Pourquoi pas? Cela leur fera certainement du bien, après des mois dans la maison. Je vais vous donner un peu d'argent. Vous me rendrez des comptes, cependant.

Le commerçant chercha son portefeuille, en sortit deux billets d'un dollar et un de deux, puis trouva de la monnaie pour compléter le tout. Les cinq dollars, que la jeune femme fit disparaître dans une poche intérieure de sa veste, représentaient le salaire de quatre jours de travail, cinq pour les moins bien rémunérés, des travailleurs du quartier Saint-Roch.

— Vous croyez que ce sera suffisant? questionna-t-il.

— Certainement, monsieur.

Une heure et demie plus tard, après que les enfants aient mangé et se soient débarbouillés, Élisabeth marchait dans la rue Saint-François en les tenant par la main. À l'intersection de la rue de la Couronne, elle attendit patiemment l'arrivée d'un tramway tiré par deux chevaux.

— Bientôt, il y aura l'électricité, commenta Édouard alors que la préceptrice payait les trois passages.

— C'est vrai, observa le conducteur. L'année prochaine, plus besoin d'esquinter des animaux dans ces côtes. Les voitures seront mues par des moteurs électriques, comme à Montréal.

Élisabeth acquiesça d'un signe de tête, pas trop certaine de comprendre ce dont il était question. Afin de ne pas laisser l'impression qu'un gamin de cinq ans en savait plus qu'elle, désormais elle s'efforcerait de parcourir le journal chaque jour avant que la cuisinière, Joséphine, s'en serve pour recueillir ses épluchures de pommes de terre.

Elle se retrouva sur un banc de bois, le garçon assis près de la fenêtre avec elle, la petite fille sur celui immédiatement devant. Quand le véhicule s'engagea sur la Côte-d'Abraham, la remarque du conducteur prit tout son sens. Les chevaux avaient du mal à progresser, même si le véhicule roulait sur les rails d'acier fixés dans le sol.

Après une brève distance dans la rue d'Youville, le tramway s'arrêta à l'intersection de la rue Saint-Jean. La jeune femme monta dans une autre voiture, passa la porte monumentale percée dans les remparts de la ville, remonta bientôt la pente de la rue de la Fabrique pour descendre devant la basilique de Québec. Les enfants devaient être prudemment tenus par la main, car dans cette section de l'agglomération, la circulation demeurait dense toute la journée. Un flot incessant de voitures et de piétons empressés risquait de faire des victimes.

Du parvis de la grande église, ils passèrent de l'autre côté de la rue Buade pour se trouver devant le magasin Holt & Renfrew, *The furriers of the Royal Family*, clamaient les propriétaires en lettres d'or dans la grande vitrine.

— Ce sont des concurrents de papa, décréta Eugénie avec autorité, en pointant l'index en direction du magasin Simon's, avant de préciser : comme ceux-là, de l'autre côté de la rue. Mais il n'y a que des Anglais qui vont là.

— Tu en sais, des choses. Qui t'a expliqué cela ?

— Papa. Parfois le dimanche, nous faisons le tour de la ville en voiture.

Pourtant, Eugénie se trompait. Des Canadiens français n'hésitaient pas à utiliser les quelques mots anglais de leur vocabulaire pour faire leurs achats dans les commerces les plus prestigieux de la ville.

La librairie Garneau se trouvait tout près, en direction du chantier du nouvel hôtel de ville, dont l'inauguration devait avoir lieu au mois de septembre de l'année suivante. La façade du commerce offrait de grandes vitrines où des livres nombreux attiraient l'attention des passants. Élisabeth franchit la porte pour se retrouver dans une grande pièce à l'atmosphère feutrée, silencieuse, où les clients, comme à l'église, chuchotaient. Le long des murs, des rayonnages de chêne ployaient sous le poids des volumes entassés en rangs serrés.

— Mademoiselle, que puis-je faire pour vous? demanda le commis d'une voix onctueuse, tout en jetant sur elle un regard appréciateur.

— Je cherche des livres de classe... pour des personnes qui commencent tout juste à apprendre leurs lettres, ajouta-t-elle en désignant les enfants des yeux.

— Je vois. Ils ont de la chance, j'aimerais me trouver à leur place.

Ces derniers mots, murmurés, lui valurent un froncement de sourcils que contredisait un sourire esquissé. Il continua, amusé :

— Je vais vous montrer ce que nous avons.

Un moment plus tard, le jeune homme lui tendait un manuel des Frères des écoles chrétiennes. Alors que la cliente le feuilletait rapidement, le commis précisait :

— C'est notre meilleur vendeur, approuvé par le Département de l'instruction publique.

— Je désire quelque chose de ce genre, c'est-à-dire un livre touchant à la fois la lecture, l'écriture, le calcul, les leçons de choses... Mais celui-là me paraît un peu... austère.

Pour des enfants, il me semble que quelques illustrations rendraient les choses plus faciles.

— J'ai des livres publiés en France, avec des dessins à toutes les pages. Mais en plus de faire sourciller les prêtres, ils sont plus chers.

— Tant pis, je me ruinerai pour les acheter, répondit-elle avec une petite moue charmante.

Finalement, se faire manger des yeux ne lui apparaissait pas si désagréable. Après une nouvelle recherche dans les longs rayonnages, le commis lui présenta un ouvrage en deux tomes intitulé *Mon premier livre*. Pendant quelques secondes, Élisabeth parcourut les deux bouquins, puis commenta :

— Ils sont parfaits, sauf le titre. *Mes deux premiers livres* conviendrait mieux.

L'humour échappa totalement à l'employé, qui demanda simplement :

— Autre chose ?

— J'aimerais avoir un ou deux livres de contes. Ce jeune homme sera totalement dégoûté de la lecture si je continue à lui proposer la comtesse de Ségur.

Édouard exprima son assentiment par un grand sourire. Bientôt, deux recueils de contes, l'un présentant une version édulcorée des travaux de Charles Perrault, l'autre de ceux des frères Grimm, se matérialisèrent sous ses yeux. Les traditions françaises et allemandes devraient satisfaire les attentes de deux enfants de Québec.

— Et… ? interrogea le vendeur en levant les sourcils.

— Un petit livre de bienséance, afin que tous les trois nous sachions désormais nous tenir à table, et ajoutez quelques cahiers d'écriture. Avec cela, ce sera tout.

Malgré le sourire, elle était tout à fait sincère : moins de deux jours dans une maison bourgeoise lui avaient suffi pour lui donner la mesure de son incompétence. Les bons usages appris chez les ursulines la laissaient un peu démunie devant une épouse grabataire et méfiante, un époux emprunté et une reine mère qui se serait qualifiée pour jouer la sorcière de *Hansel et Gretel*.

Un instant plus tard, elle tirait de la poche de sa veste un billet de deux dollars, encaissa la monnaie et reçut ses achats dans un sac de papier. Au moment de revenir sur le trottoir, Édouard demanda :

— Nous pouvons aller jusqu'au marché que nous avons vu là-bas ? Il y avait des animaux.

Le garçon parlait du marché Montcalm, à proximité duquel ils étaient passés tout de suite après avoir changé de tramway.

— C'est un peu loin, et tu as de petites jambes.

— Non, je suis grand.

Élisabeth échangea un regard avec Eugénie, qui levait les yeux au ciel pour signifier combien la prétention de son frère d'être grand lui paraissait ridicule.

— D'accord, mais si tu es fatigué tu m'avertiras, et nous prendrons le tramway. Tiens bien ma main.

Comme la jeune femme devait aussi porter le sac contenant les livres, Eugénie se trouva en liberté surveillée, en quelque sorte : elle marchait devant les deux autres. Au moment de traverser la rue en diagonale, Élisabeth demanda :

— Tu veux m'aider et prendre l'autre main de ton frère ?

Elle obtempéra, le temps que le trio arrive devant la vitrine de chez Simon's. La fillette se perdit un moment dans la contemplation de la mode de la saison prochaine, puis reprit son chemin. Régulièrement, les devantures des commerces retenaient son attention, tellement qu'Édouard risquait de se lasser d'attendre.

Au moment de passer devant l'atelier du photographe Livernois, Eugénie pointa du doigt la douzaine de portraits, offerts à la vente, du même homme, en questionnant :

— Qui est cet homme ?

— Wilfrid Laurier. Ce matin, *Le Soleil* annonçait que des élections auront lieu bientôt. Il dirige le Parti libéral. Il se présente dans le comté dont Saint-Roch fait partie.

Exacte, la réponse eut l'heur d'être incompréhensible pour la petite fille, qui préféra abandonner le sujet. Le portrait de Wilfrid Laurier, une vedette charismatique, se trouvait sur le mur du salon de bien des Québécois, à la place d'honneur parmi les photographies des aïeuls. Ceux que proposait Livernois se présentaient en diverses grandeurs, les plus petits de la taille d'une carte professionnelle, les plus grands, encadrés, susceptibles de s'imposer au regard. Seul un autre personnage public se méritait de figurer dans la vitrine du photographe, le mentor des grenouilles de bénitier : monseigneur Elzéar-Alexandre Taschereau, archevêque de Québec. Des deux côtés de la rue Saint-Jean, des commerces se dressaient aussi, nombreux, mais la petite fille se montrait désormais lassée du lèche-vitrine. Bientôt, le trio arriva à la porte du même nom, un vestige de l'époque où de solides murs de pierre offraient une protection contre les armées ennemies. Quatre arches se trouvaient côte à côte. Celles des deux extrémités, plutôt étroites, suffisaient pour permettre aux piétons de passer. Celles du centre, sur la voie publique, étaient dotées d'ouvertures tout juste assez larges pour autoriser la circulation des tramways, des fiacres et des charrettes. Cette porte monumentale tomberait bientôt sous le pic des démolisseurs, au nom de la modernité, car elle faisait obstacle au transport des marchandises.

Tout contre le mur de la vieille enceinte, du côté nord de la rue Saint-Jean, se trouvait l'Auditorium de musique, une salle de spectacle qui tirait son architecture particulière du fait qu'elle était imbriquée dans les remparts. Juste à côté se dressaient les locaux du YMCA, un vaste édifice offrant aux jeunes hommes un logement abordable et des activités de loisir. L'institution avait été fondée par des âmes généreuses, des bonnes gens qui se souciaient de ce que la nouvelle génération ne s'expose pas au péché en fréquentant de «mauvais lieux». Tous les établissements hôteliers bon marché se classaient, selon elles, plus ou moins dans cette catégorie.

— Je suis fatigué, prononça Édouard en tirant soudainement sur la main d'Élisabeth.

— Mais nous sommes rendus. Regarde, le marché se trouve juste de l'autre côté de la rue.

Cette réponse ne satisfit pas l'enfant, qui leva les bras vers la préceptrice.

— Tu es encore un bébé, décréta Eugénie en reniflant.

La jeune femme prit l'enfant sous les aisselles, l'installa sur sa hanche droite dans un geste instinctif, encerclant son corps de son bras tout en gardant son sac de livres à la main. Édouard s'arrangea pour poser son bras sur les épaules d'Élisabeth, sa main gauche dans les cheveux blonds.

La préceptrice demanda, en tendant sa main gauche à la petite fille :

— Tu n'aurais pas envie de te moucher ?

— Non.

— Donne-moi la main, le temps de traverser la rue.

Cette précaution était d'autant plus nécessaire que les véhicules des agriculteurs venus offrir des victuailles aux citadins, et ceux des clients désireux de faire des provisions, représentaient un réel danger.

Le marché Montcalm comptait un seul bâtiment de pierre, où des boulangers et des bouchers recevaient des chalands tous les jours de la semaine. Des espaces en plein air permettaient à des cultivateurs d'offrir leurs produits directement aux consommateurs. Ceux-ci avaient intérêt à se lever tôt, car les restaurants, les hôtels, mais aussi les établissements de services publics comme les couvents, les collèges et les hôpitaux, envoyaient leurs employés avec des charrettes pour négocier de meilleurs prix en achetant de grandes quantités.

— Ça sent mauvais, commenta Eugénie avec raison au moment où ils arrivaient entre les rangées de voitures.

L'odeur du crottin de cheval flottait en permanence sur la ville de Québec, à cause de l'abondance des véhicules. En juillet et en août, les jours de grande chaleur, la puanteur deviendrait intolérable alors que les employés municipaux n'arriveraient pas à tout ramasser.

Sur la place du marché, la concentration de chevaux de trait, sans compter le bétail sur pied à vendre, rendait les choses plus difficiles encore. Heureusement, des trottoirs de bois permettaient aux citadins de passer d'un étal à l'autre sans s'enfoncer dans la fange jusqu'aux chevilles.

— Élisabeth, regarde les poules. Laisse-moi descendre.

Édouard toucha les madriers pour se précipiter vers trois poules attachées par une patte avec une solide ficelle. Une ménagère négociait justement l'achat d'une volaille. Pour être sûre de la fraîcheur du produit, rien de plus efficace que de ramener un oiseau vivant à la maison pour lui couper le cou soi-même. Après un examen attentif des gallinacés, Édouard passa aux lapins.

En cette saison, les produits offerts, peu nombreux, semblaient d'une qualité médiocre. Les patates ou les pommes cueillies l'automne précédent se révélaient flétries après tout un hiver dans un caveau. Quant aux quartiers de porc et de bœuf, ils étaient enveloppés d'une couche de gras bien mince.

— Élisabeth, j'en veux un.

Du doigt, le garçon montrait trois chatons, des boules de poils ronronnantes pressées les unes contre les autres pour se rassurer.

— Voyons, tu sais bien que je ne peux pas.

— C'est faux, tu as des sous. Il en restait après avoir acheté les livres.

Pour la première fois, la préceptrice risquait d'affronter une crise de larmes de l'un de ses protégés.

— Vous avez de beaux enfants, madame, risqua la paysanne avec un sourire édenté.

Avec un peu de flatterie, elle espérait tirer quelques sous des chatons. Son mari, à quatre heures du matin, au moment de quitter la ferme de l'île d'Orléans, avait proposé de les noyer plutôt que d'endurer leurs miaulements pendant tout le trajet.

— Ce n'est pas notre mère! clama quelqu'un.

Eugénie avait prononcé ces mots d'une voix résolue, un peu vexée.

— C'est vrai, je suis leur préceptrice…

— Je veux un petit chat! insista le garçon d'un ton criard.

Le mot «préceptrice» ne figurait pas au vocabulaire de l'agricultrice, mais elle comprit sans mal que les relations, au sein de ce petit trio, n'étaient pas aussi simples que dans sa famille.

— Alors tu devras demander à ton père. S'il donne son accord, cela me fera plaisir de revenir en chercher un.

Des larmes pouvaient succéder à la moue boudeuse de l'enfant. Très vite, Élisabeth cherchant une solution, improvisa:

— Regarde ce que je vois: du sucre d'érable. Tu en veux un morceau?

— … Oui, un gros.

La jeune femme paya, le garçon enfourna la friandise dans sa bouche. En le reprenant dans ses bras, elle proposa, soucieuse d'éviter tout nouvel orage:

— Nous allons rentrer, maintenant. Nous devons commencer les leçons, si vous voulez écrire un mot à votre mère pour son anniversaire.

La veille, avant de leur lire le second chapitre des *Malheurs de Sophie*, Élisabeth avait proposé cet objectif pour les motiver.

— Eugénie, tu veux me donner la main? Nous devons retraverser la rue pour aller prendre le tramway.

Elle n'hésita qu'une seconde, puis saisit la main gantée en esquissant un timide sourire.

~

Même s'il était le frère du patron, ou peut-être justement à cause de cela, Alfred Picard traitait l'équipe de vendeuses de son rayon avec un paternalisme bienveillant. À midi, chaque jeune fille avait droit à quelques minutes pour avaler un sandwich. La plupart se rendaient à l'arrière du commerce, rue DesFossés. Là se trouvaient quelques voitures portant le nom de l'établissement sur les côtés, chargées de livrer les marchandises trop lourdes pour que les clients les rapportent avec eux à la maison, ou alors de chercher celles qui arrivaient à la gare du Canadien Pacifique, située à peu de distance. En plus de prendre l'air frais, cela leur permettait de bavarder avec les employés de ce service, tous des hommes.

Ce jour-là, Marie Buteau se réfugia dans une salle d'essayage pour avaler le morceau de fromage un peu rance entre deux tranches de pain qui constituait son repas. Au moment de revenir derrière le comptoir, elle profita du fait que personne ne se trouvait à portée de voix pour déclarer :

— Monsieur, vous souvenez-vous, au moment où vous m'avez embauchée, je vous ai dit que je savais utiliser un clavigraphe ?

— Oui, en effet. Les bonnes religieuses vous auraient enseigné à écrire avec ces affreuses petites machines. Pourquoi en veut-on aux jolis porte-plumes qui font si bien le travail ?

— … Sans doute parce que ce n'est pas tout le monde qui possède une aussi jolie main d'écriture que vous. Puis cela va plus vite.

— Petite flatteuse.

Plus pâle de teint, Marie aurait rougi. Une cliente vint payer quelques mouchoirs. Après son départ, le chef de rayon demanda doucement :

— Vous tenez à vous attacher derrière l'une de ces machines à écrire ?

— Au moins, je travaillerais assise…

Alfred Picard s'éloigna un peu pour examiner la jeune fille des pieds à la tête.

— Vous ne paraissez pas très robuste. Rappelez-moi votre âge.

— Seize ans.

Son interlocuteur grimaça. Saint-Roch n'était pas assez grand pour qu'il ignore les malheurs de la petite orpheline. Plus talentueux, il en aurait fait le sujet d'un roman larmoyant, un peu comme *La Porteuse de pain*, une œuvre française publiée quelques années auparavant en feuilleton à Québec.

— J'ai bien quelques lettres à envoyer, puis des rapports.

Les chefs de rayon entretenaient des relations directes avec les fournisseurs, puis ils rendaient compte de leurs opérations hebdomadaires au grand patron.

— Mais cela doit représenter tout au plus une heure de travail par jour, précisa-t-il.

— Je serais heureuse de faire cette heure-là.

— Il n'y a pas de machine ici.

De la main, l'homme fit un geste ample, pour désigner sa section du magasin.

— Mais vous pourriez passer du côté de l'administration en fin de journée. Disons à cinq heures tous les soirs.

— Ce serait parfait.

L'espoir, mêlé à la crainte que ce projet ne se réalise pas, la laissait interdite, les lèvres entrouvertes sur de petites dents blanches.

— Je vais en toucher un mot à mon frère. Et fermez cela, pour ne rien avaler de répugnant, comme ces petites choses avec des ailes et plein de pattes.

Du bout de l'index, il lui souleva le menton pour fermer sa bouche.

— Tu ne me diras pas que tu es entiché de ses yeux noirs.

— Bleus.

— Pardon?

— Ses yeux sont d'un bleu sombre, comme le ciel un soir d'été, après le coucher du soleil.

Thomas Picard, assis derrière le grand meuble qui occupait la moitié de son bureau, regardait son frère avec des yeux intrigués. Se pouvait-il qu'après toutes ces années?...

— Tous les chefs de rayon s'occupent eux-mêmes de leur correspondance. Aucun ne profite des services d'une secrétaire particulière.

L'homme avait accentué le dernier mot, avec un sourire complice, d'homme à homme.

— Hier, tu me proposais de devenir le gérant d'une manufacture. Si tu souhaites que j'accepte un jour, laisse-moi profiter de quelques prérogatives de patron, histoire de me mettre l'eau à la bouche.

Thomas demeura un moment songeur, puis dit dans un soupir :

— Une machine à écrire se trouvera sans doute libre tous les jours en fin de journée. Si jamais ce n'était pas le cas, elle pourra rattraper le temps perdu à l'heure du lunch. Nous allons prendre bien soin de ta petite protégée.

— Je te remercie pour elle. Infiniment. Et toi, tu es satisfait de la tienne ?

— Pardon?

— Cette jolie demoiselle Trudel, ta protégée : tu es satisfait de ses services?

Le commerçant présenta une mine agacée, puis finit par dire avec impatience :

— Après deux jours, je ne saurais avoir déjà une opinion. Elle semble cependant bien compétente, les enfants se montrent déjà attachés à elle.

— Maman m'a rebattu les oreilles toute la soirée, hier. Elle est effrayée par le qu'en-dira-t-on.

— Mais qui dira quoi ?

— Tout le monde murmurera dans ton dos ce que tu as dit tout à l'heure de moi et de Marie Buteau, avec les mêmes yeux égrillards et le même sourire entendu.

Thomas refoula les gros mots qui lui venaient aux lèvres, puis réussit à répondre d'un ton posé :

— Je blaguais, tout simplement. Tu pourras rappeler à l'auteure de nos jours que je suis un homme marié, sans aucune inclination pour les amours ancillaires.

— Oh ! Cela la rassurerait certainement si seulement elle connaissait ce mot, répondit son interlocuteur en se levant de sa chaise.

Le chef de rayon quitta la pièce en sifflotant un air d'Offenbach.

❧

Certaines informations préviennent favorablement le lecteur. Ainsi, un ouvrage intitulé *Usages du monde – Règles de savoir-vivre dans la société moderne*, rendu à sa vingt-quatrième édition, avait de quoi impressionner une préceptrice dont l'expérience de travail cumulée durant toute son existence ne donnait pas tout à fait deux jours. Que le petit traité de bienséance émane de la baronne de Staffe l'incitait à le considérer avec le même respect que le petit catéchisme.

Aussi, au moment de descendre à la cuisine un peu après cinq heures, à la suite d'un après-midi passé à enseigner l'alphabet à Eugénie et Édouard, elle commença par déclarer à la cuisinière :

— Plutôt que de placer le couvert de façon informelle, mieux vaudrait s'en tenir aux usages.

— Ah ça ! Tu veux jouer à la demoiselle, maintenant !

Les joues de la grosse femme étaient habituellement rouges par l'effet combiné de la chaleur de ses fourneaux et de sa pression sanguine un peu haute. L'émotion les fit passer au cramoisi.

— Mais personne ne joue. Vous avez devant vous mademoiselle Eugénie et monsieur Édouard. Quant à moi, je suis mademoiselle Trudel.

— Ces enfants ne sont pas des étrangers… Je leur ai enseigné à parler.

— Cela s'entend. Désormais, je suis là pour voir à leur éducation. Cela comprend l'apprentissage des usages de la vie en société.

Jusque-là, jamais dans la maison Picard on n'était passé aussi près d'assister à un assassinat perpétré avec des ustensiles de cuisine.

— Ça va, ça va… bougonna-t-elle après un moment. Est-ce que môssieur Édouard et mâdame Eugénie veulent prendre place à table ?

Les deux enfants suivaient les échanges, conscients que se jouait devant leurs yeux une lutte de pouvoir entre la prêtresse des chaudrons et celle qui tenait à se faire reconnaître comme la gardienne des lettres et des bons usages.

— "Mademoiselle Eugénie" fera l'affaire, en attendant son mariage. Merci, Joséphine, vous pouvez servir, maintenant. Je me chargerai de placer le couvert comme il se doit. Vous savez où je peux trouver des serviettes de table ?

— … Dans le tiroir du buffet, dans la salle à manger.

Un moment plus tard, Élisabeth revenait avec trois pièces rectangulaires d'un beau tissu de lin. Elle les posa sur un coin de la table, commença par disposer soigneusement le couvert, puis un bol au milieu d'une grande assiette. Après s'être assise, elle tendit une serviette à Eugénie en disant :

— Regarde, tu dois la plier en trois, puis tu la poses sur tes genoux, comme cela, afin de protéger ta robe.

La jeune femme répéta à la fois l'opération du pliage et les explications pour Édouard qui, contrairement à sa sœur, ne prêtait qu'une attention peu soutenue à cette petite leçon sur les manières de la table. Le grand chaudron où fumait la soupe exerçait sur lui une attirance irrésistible.

— Joséphine, vous pouvez nous servir.

Offrant une mine maussade, la cuisinière obtempéra néanmoins.

— Bon appétit, les enfants, dit la préceptrice en prenant sa cuillère.

— Bon appétit, répondirent-ils en chœur.

Après trois cuillerées de soupe, Édouard prouva à Élisabeth que l'ustensile, dans son poing fermé, n'était pas assez stable pour garder la serviette sur ses genoux. Une généreuse goutte poisseuse atterrit sur sa veste de matelot.

— Dans une année ou deux, nous essaierons de nouveau. Mais pour le moment, je crois que mieux vaut garder nos vieilles habitudes, observa la jeune femme qui abdiquait et prit donc la serviette pour passer un coin du tissu dans le col de l'enfant.

— Quel bébé tu fais! décréta Eugénie.

Si la fillette arrivait à ne faire aucun dégât, c'était au prix d'un effort continuel. Elle se tenait bien droite, tout à fait séduite par ce nouveau jeu : mimer les grandes personnes. De sa voix la plus douce, Élisabeth commenta :

— À table, mieux vaut éviter toutes les paroles désagréables, y compris les commentaires sur l'âge des voisins. Cela permet de mieux digérer.

Le garçon, quant à lui, répliqua en tirant la langue.

— Cela aussi est tout à fait déplacé, remarqua la jeune femme en tendant la main pour lui caresser doucement la joue. Il faut garder un climat très serein afin que tous apprécient le repas.

«Non mais pour qui elle se prend, cette pimbêche, avec ses grands mots et ses grands airs», marmonna Joséphine à sa poêle à frire. Pourtant, déjà elle comprenait que son rôle auprès des enfants de la maison ne serait plus jamais le même.

— Serein, cela veut dire calme? questionna Eugénie.

— Oui, à peu près. Un climat où tout le monde se sent bien.

— Quand grand-maman est là, ce n'est pas très serein.

Élisabeth sourit à la fillette, pour lui signifier que cette analyse de la situation lui paraissait bien raisonnable, et précisa ensuite :

— Parfois, les grandes personnes ont des ennuis. Dans ce cas, autant demeurer bien sage pour ne pas les énerver davantage.

L'enfant acquiesça. À la soupe succéda un morceau de poisson. Déjà, la préceptrice entrait dans son rôle, se félicitant d'avoir accepté deux jours plus tôt l'offre incongrue du marchand. Aucune de ses camarades du cours normal ne devait se trouver devant une classe à la fois si peu nombreuse et si bien disposée.

5

Le mardi 26 mai 1896, Élisabeth Trudel achevait sa dixième journée de travail auprès des enfants Picard. De tout ce temps, excepté pour la brève rencontre le jour de son embauche, elle n'avait jamais eu une véritable conversation avec la mère de ses protégés. Tout au plus l'avait-elle croisée dans le corridor, au moment où la malade entrait ou sortait de la salle de bain. Une ou deux fois tous les jours, les enfants prenaient sur eux de pénétrer dans la pièce surchauffée : la conversation ne durait jamais bien longtemps.

Dans les arrangements domestiques de cette famille, le plus troublant concernait les repas. Le père se levait tôt, déjeunait seul, rencontrait ses enfants en quittant les lieux, au moment où ceux-ci se présentaient à la salle à manger. Si une obligation quelconque le conduisait à se rendre au magasin un peu plus tôt, ce rendez-vous matinal devait être remis. Un midi sur deux, il revenait à la maison pour un lunch rapidement avalé. Le temps mis à se sustenter était si bref que les conversations se limitaient à des monosyllabes. Enfin, les deux enfants soupaient tôt, dans la cuisine. Dans le meilleur des cas, ils conversaient un moment avec leur père avant de regagner leur chambre. Cependant, le plus souvent, le commerçant s'attardait au magasin afin de procéder lui-même à la fermeture.

Quant à la mère, jamais elle ne prenait un repas à l'extérieur de sa chambre. Au fond, le bon accueil que les enfants avaient réservé à leur préceptrice tenait avant tout à leur isolement : laissés à eux-mêmes, ils partageaient leurs journées entre les jeux dans le grenier et les heures passées dans la cuisine avec Joséphine. De bonne grâce, ils avaient laissé Élisabeth occuper le grand vide de leur existence, fort impressionnés qu'une grande personne leur accorde toute son attention.

Ce jour-là, profitant du fait que ses protégés devaient remplir trois pages de leur cahier d'écriture de « a », de « b » et de « c » soigneusement tracés, la jeune femme descendit à la cuisine afin de boire un verre d'eau. Joséphine préparait un plateau à l'intention de sa patronne.

— Elle mange tôt. Elle ne descend jamais prendre un repas avec ses enfants ?

La cuisinière jeta un regard peu amène sur la préceptrice. Heureuse de jouer à la maîtresse de la maison pendant l'absence d'Alice Picard, elle souffrait de se voir évincer par cette jeune intrigante en rupture de couvent. À la fin, elle consentit à expliquer, maussade :

— Enfermée dans sa chambre, elle obéit à son propre horaire, sans se préoccuper de celui du monde des vivants. Il y a un an ou deux, elle partageait encore le dîner et le souper des enfants. Puis cela s'est produit de moins en moins souvent, puis plus du tout. C'est pourquoi vous êtes là.

— Vous devez donc lui monter à manger trois fois par jour ?

La pointe de sollicitude dans la voix d'Élisabeth amena la cuisinière à confier :

— Oui. Mais compte tenu de ce qu'elle consent à avaler, je pourrais sauter sans mal un repas sur deux.

Le pas pesant de Joséphine dans l'escalier ne passait pas inaperçu. Élisabeth n'apprenait rien là qu'elle n'avait déjà deviné.

— La pauvre, continuait la vieille dame, elle ne doit pas peser plus de quatre-vingt-dix livres.

— … Le médecin vient souvent la voir ?

— Toutes les deux semaines, parfois plus souvent. Ses potions ne donnent rien.

— Aujourd'hui, je vais monter son plateau. J'aimerais lui parler des progrès de ses enfants.

Le premier mouvement de Joséphine fut de protester, de défendre bec et ongles le bout de territoire qui lui restait. Pourtant, il lui apparut bientôt que la patronne risquait peu de s'enticher d'une jolie jeune femme dont ses enfants paraissaient déjà incapables de se passer. Autant ne pas contrecarrer ses plans et la laisser se placer toute seule en difficulté.

— Je préfère monter avec vous, accepta-t-elle à la fin.

Tout en parlant, Joséphine avait complété le plateau de sa maîtresse : une petite théière et une tasse de porcelaine, une cuisse de poulet et un peu de riz dans une assiette, sous un couvercle de métal pour conserver la chaleur plus longtemps, deux petits biscuits.

— Vous porterez le plateau, comme vous l'avez proposé…

Tout de même, la cuisinière savait tirer avantage de la présence de cette jeune femme. Un moment plus tard, à l'étage, elle frappait à la porte, ouvrait en entendant un « Entrez » à peine audible.

— Madame, mademoiselle Trudel aimerait vous parler. Peut-elle vous tenir compagnie pendant votre repas ?

Alice Picard se trouvait assise dans son fauteuil, près du feu de cheminée. Après un moment d'hésitation, elle répondit d'une voix lasse :

— Je suppose qu'il le faut. Il y a une chaise contre le mur.

Joséphine prit sur elle de la rapprocher tout en disant :

— Placez le plateau sur la petite table, et approchez-la de madame.

Amusée par le ton anormalement onctueux de la cuisinière, Élisabeth fit comme on le lui disait. Elle prit la précaution d'enlever le couvercle métallique sur l'assiette, plaça celle-ci de façon à ce que la malade y ait accès.

— Voulez-vous que je vous verse du thé ?

— … Non, pas tout de suite.

Joséphine regardait la scène. À la fin, elle quitta la chambre en murmurant :

— Je reviendrai chercher le plateau dans une heure.

Après un moment debout au milieu de la pièce, un air emprunté sur le visage, Élisabeth finit par s'asseoir sur la chaise, en face de sa patronne. Alors que cette dernière commençait à manger un peu de riz, elle déclara :

— Madame Picard, je tiens à vous dire combien je suis heureuse de travailler dans votre maison.

— Vous devriez plutôt adresser ces paroles à mon mari.

La voix de la malade demeurait bien faible, mais en même temps son ton trahissait une certaine dureté. Très pâle, son visage émacié exprimait une grande lassitude. Un moment interdite à cause de la rebuffade, la préceptrice enchaîna, un peu hésitante :

— Vos enfants sont très attachants. De plus, je pense qu'ils apprendront très vite. Eugénie reconnaît déjà une bonne moitié des lettres de l'alphabet. C'est un peu plus difficile pour Édouard, mais il est encore si jeune…

— Le mieux serait d'entretenir mon mari de tout cela… Vous savez, je suis si fatiguée, continua la jeune femme après une brève hésitation.

Elle avait certainement été très jolie, la peau rose, les cheveux d'un blond très pâle, tout comme ceux de sa fille. Maintenant ternes et cassants, ils pendaient des deux côtés de son visage émacié. Les yeux éteints ressemblaient à deux billes de verre au milieu de grands cernes. Quant au teint, malgré la chaleur ambiante, il demeurait blanc, sinon gris.

— … Oui, bien sûr, fit la préceptrice. Toutefois, j'aimerais tout de même recevoir quelques indications. Par exemple, je remarque que vos enfants tutoient spontanément tout le monde. Comme ils commencent à être grands…

Élisabeth s'arrêta quand son interlocutrice ferma les yeux devant elle. Alice Picard avait posé sa main droite sur la surface de la table, la fourchette toujours dans les doigts. La préceptrice attendit un court moment, ne sachant trop que faire, puis se leva en s'excusant à voix basse :

— Je suis désolée de vous avoir dérangée pendant votre repas.

Au moment où elle posait la main sur la poignée de la porte, la malade demanda dans un murmure :

— Avant de les mettre au lit, pourriez-vous demander aux enfants de passer me voir ?

— Oui, bien sûr.

Elle sortit, referma tout doucement la porte dans son dos.

◆

Thomas Picard alignait des chiffres sur deux colonnes dans un grand registre. Les affaires demeuraient prospères : avec la belle saison qui arrivait, les citadines penseraient à acquérir de jolies robes de coton (les plus riches, de mousseline). Leurs compagnons ne voudraient pas être en reste, achetant des complets de lin et des chapeaux de paille, du genre canotier. Puis les deux gares, celle du chemin de fer allant vers le Saguenay et le lac Saint-Jean, puis l'autre du Canadien Pacifique, déverseraient tous les jours des ruraux désireux de se vêtir de pied en cap pour un mariage prochain. Le magasin serait fréquenté sans discontinuer. Si la taille de la ville ne permettait pas d'agrandir encore celui-ci, la rentabilité de l'entreprise familiale s'améliorerait en produisant une partie des biens vendus.

Ces bonnes pensées avaient toujours le don de lui donner l'énergie de terminer une journée de travail plutôt longue. Pour tromper la fatigue, comme tous les jours en fin d'après-midi, il quitta son bureau pour aller chercher une tasse de thé. Un petit réchaud à alcool permettait de profiter d'une provision de boisson chaude à toute heure de la journée.

Au moment de revenir, une grande tasse fumante à la main, l'attention de Thomas fut attirée par le cliquetis d'une machine à écrire. La silhouette d'une jeune femme retint son attention. Mince au point d'être gracile, elle arborait une lourde tresse de cheveux très foncés, qui lui atteignait le haut du dos.

Dans un coin, face à un mur, Marie Buteau déchiffrait l'écriture manuscrite d'Alfred Picard pour en faire un texte bien net, au rythme des marteaux d'acier frappant une feuille de papier blanche. Elle sentit une présence derrière elle. Intimidée, le dos rigide, elle tenta de conserver sa cadence sans faire de faute. Parfois, le bout de son doigt heurtait deux touches à la fois, ce qui avait pour effet d'emmêler les lettres.

— Je constate que vous avez commencé à remplir vos nouvelles fonctions, mademoiselle.

Marie cessa de frapper les touches pour se retourner à demi vers son employeur et répondre :

— Cela fait huit jours aujourd'hui, monsieur Picard.

— Et qu'est-ce que mon frère confie à vos doigts agiles ?

— J'écris à un manufacturier pour lui demander de nous envoyer une plus grande quantité de jupons, dans un plus grand éventail de tailles.

Le commerçant eut un sourire satisfait, profita de l'occasion pour vérifier si les yeux de la jeune fille étaient bien bleus, comme l'en avait assuré son frère, ou noirs. Le chef de rayon avait raison, convint-il pour lui-même après un moment.

— Je vois que vous êtes allé faire du thé, commenta la jeune fille pour rompre le silence devenu lourd. Si vous le voulez, je pourrais le préparer tous les après-midi et vous porter une tasse à votre bureau.

Après quelques jours de cette routine, Marie appréciait le fait de terminer sa journée seule devant une machine à écrire plutôt que d'accueillir les clients pressés qui passaient par le magasin en rentrant chez eux. Pour continuer de profiter de ce privilège, le mieux était de se rendre utile.

— Ma foi, ce serait une excellente idée. Je vous remercie.

De son côté, Thomas devait convenir que son secrétaire n'avait jamais eu cette attention. Le jeune homme se nommait Fulgence Létourneau. Récemment sorti de l'Académie commerciale de Québec, il tentait désespérément, depuis un an, de se faire pousser une moustache sous le nez. S'il y arrivait bientôt, peut-être le considérerait-on comme un adulte.

Une demi-heure plus tard, alors qu'elle rangeait ses papiers, Marie eut de nouveau l'occasion de se faire bien voir de son supérieur. La sonnerie du téléphone retentit une première fois, puis une seconde. À la troisième, elle prit sur elle de répondre : jamais auparavant elle n'avait posé la main sur un appareil de ce genre. Heureusement, avoir déjà vu quelqu'un en utiliser un lui évita de confondre le récepteur et l'émetteur !

— Oui ? prononça-t-elle beaucoup trop fort.

— … J'aimerais parler à Thomas Picard, fit une voix étonnée à l'autre bout du fil.

— Je vais le lui dire.

La jeune fille posa l'écouteur sur la surface d'un bureau, près du pied de l'étrange appareil, et alla frapper à la porte de son patron.

— Oui, qui est-ce ? demanda celui-ci.

Elle ouvrit, passa la tête dans l'embrasure de la porte pour dire :

— Un homme veut vous parler. Au téléphone.

— De qui s'agit-il ?

— … Je ne le lui ai pas demandé.

La jeune fille parut si désemparée que Thomas éclata de rire, puis expliqua sur un ton amusé, en tendant la main vers son propre appareil pour l'approcher de lui :

— Si cela se produit de nouveau, vous demanderez le nom de la personne qui appelle, pour me le dire ensuite. Comme cela, je saurai si je suis là, ou si je viens tout juste de partir. Je vais prendre l'appel ici. Raccrochez l'écouteur dans le bureau de mon secrétaire.

Après avoir refermé la porte, Marie mit un moment avant de comprendre le sens de la remarque du commerçant. Sans connaître l'identité de son correspondant, comment pouvait-il décider s'il répondrait ou non ?

Alors qu'il mettait fin à sa conversation avec un membre éminent du Parti libéral, Thomas Picard se dit que rien, dans la tâche de son secrétaire, ne semblait très difficile. En confiant ce poste à une femme, il pourrait économiser la moitié du salaire. Au cours des vingt années suivantes, la plupart des patrons du monde occidental feraient le même constat.

~

Un peu avant sept heures, des coups légers à la porte attirèrent l'attention d'Alice Picard. Elle tenta de se redresser un peu dans son fauteuil avant de répondre « Entrez ». La poignée tourna lentement, Eugénie glissa un visage timide dans l'embrasure.

— Entre, entre, dit la jeune femme d'un ton presque enjoué. Ton frère est avec toi ?

— Oui, je suis là, annonça le gamin.

Les enfants affichaient un air si intimidé que leur mère insista :

— Venez près de moi. Eugénie, ferme la porte et approche la chaise.

La fillette obéit. Un moment plus tard, assise, son frère à demi appuyé sur le siège assez large pour deux, elle attendait, intimidée par cette femme qui lentement s'effaçait de sa vie, devenait une étrangère.

— Apprenez-vous beaucoup de nouvelles choses ?

— Bientôt nous saurons lire, clama Eugénie.

— Tout de même, c'est bien ennuyant, tracer des lettres.

En disant ces mots, le garçon regardait ses doigts, encore tachés d'encre. Le métier d'écolier présentait des inconvénients.

— Mais tu dois penser à tout ce que tu pourras lire bientôt, le consola sa mère. Au moins, cette Élisabeth est gentille avec toi?

— Oh oui, très gentille! Puis elle est très jolie.

Alice encaissa la réponse comme un choc, puis fixa des yeux sa fille, sollicitant une confirmation.

— Elle est très gentille avec nous.

— C'est son travail, être gentille avec les enfants qu'on lui confie... Elle est payée pour cela. Si jamais il se passe quelque chose, tu viendras me le dire, n'est-ce pas?

Elle acquiesça d'un signe de la tête, ne sachant trop cependant quel genre d'événement pouvait mériter de faire l'objet d'un rapport à sa mère.

— Et papa, vous le voyez beaucoup?

— Il n'est jamais là, décréta Édouard, un peu dépité.

— Il a beaucoup de travail, le défendit Eugénie. Puis parfois il s'absente à cause des élections.

Une semaine plut tôt, le portrait de Wilfrid Laurier dans la vitrine du photographe Livernois avait intrigué la petite fille. Très vite elle l'avait reconnu dans les gravures qui ornaient *La Patrie* et *Le Soleil*, les deux journaux farouchement libéraux qui entraient dans la maison tous les jours. Bien qu'elle n'y comprenait rien, elle savait que son père trempait dans un grand événement.

— Cette fameuse politique! Thomas est convaincu qu'un changement du parti au pouvoir sera bon pour ses affaires...

Cet intérêt était apparu en 1891, l'année de la naissance d'Édouard, pour ne plus le lâcher ensuite. Un moment plus tard, la malade ferma les yeux, laissa échapper un long soupir puis murmura:

— Ton père voit beaucoup Élisabeth, depuis qu'elle est dans la maison?

Soudainement, Eugénie réalisa quel genre d'événement était digne d'un compte rendu attentif, sans trop comprendre les motifs de sa mère.

— Non. Nous le rencontrons tôt le matin. Parfois à midi nous mangeons tous les quatre ensemble.

Le «nous» arracha un soupir à la malade. Pendant des années, malgré son absence de la plupart des événements significatifs pour le reste de la famille, ou peut-être justement à cause de cette absence, elle avait pesé d'un poids immense sur la maisonnée. La porte close de la chambre amenait tout le monde à adopter une retenue de tous les instants. Tous les jeux se déroulaient dans un murmure, le moindre éclat de voix de l'un valait un «Chut, tu vas déranger maman» de l'autre. Un vague sentiment de culpabilité habitait les bien-portants. Les paroles non entendues, les caresses non reçues prenaient toute la place.

Une autre présence venait maintenant gruger le vide insupportable…

— Et le soir? Tu sais si le soir cette fille se trouve avec ton père?

— Je ne sais pas… Nous nous couchons tôt.

Édouard étouffa un bâillement, ennuyé par cette conversation dont il ne comprenait rien. Encore un peu de temps, et l'heure passée à tracer des «b» si compliqués lui paraîtrait un heureux divertissement.

— Mais tu ne dois pas t'endormir tout de suite. À ton âge, je restais des heures les yeux grands ouverts, à écouter les moindres craquements dans la maison.

Eugénie fit un signe d'assentiment. La malade tenait à ce que vide dans l'existence de son mari, créé par son absence, demeurât intact! Instinctivement, la petite fille s'inquiétait déjà que ce ne soit pas elle qui l'occupe tout entier.

~

Quelques minutes plus tard, la routine qui s'était déjà installée depuis l'arrivée de la préceptrice reprenait ses droits. Pourtant, un changement subtil s'opérait. Alors que les mésaventures de *Peau d'âne* amenaient irrévocablement

Édouard au sommeil, Eugénie se demandait quelle méta-morphose un peu magique lui permettrait de devenir le foyer de l'attention.

Ce ne serait pas facile : alors que la voix douce d'Élisabeth progressait dans le conte de Charles Perrault, la petite fille la soumettait à un examen attentif. La jupe de serge bleue drapait de longues jambes fines. Le chemisier soulignait une taille mince, une poitrine à l'arrondi invitant. Les manches gigot donnaient une largeur artificielle aux épaules, mais sans exagération. Un peu penchée vers l'avant, ses cheveux blonds, attachés sur sa nuque, venaient se poser sur son épaule gauche.

Aucune bonne fée n'apporterait une robe à la couleur capable de rivaliser avec le soleil, pour attirer les regards sur Eugénie. Au moment où la préceptrice posa ses lèvres sur le front de la petite fille, celle-ci se raidit un peu, en un mou-vement trop discret pour être perceptible.

∼

Le jeudi, Élisabeth rassembla tout son courage et des-cendit au rez-de-chaussée après avoir couché les enfants. Au pire, elle en serait quitte pour une heure ou deux à attendre en vain. Parfois, le patron rentrait tard : depuis le début de la campagne électorale, cela se produisait un peu plus souvent.

Assise bien droite sur un fauteuil du salon, mal à l'aise de se trouver ainsi seule dans un lieu de la maison réservé à la famille Picard, elle attendit. Un peu avant huit heures, Thomas ouvrit la porte d'entrée. La préceptrice le rejoignit immédiatement dans le hall, avec un empressement dont l'homme s'inquiéta :

— Il est arrivé quelque chose ?

— Non, non, je suis désolée de vous avoir donné cette impression. Je désirerais juste un moment de votre temps afin de discuter de l'éducation de vos enfants. J'ai besoin de votre éclairage, en quelque sorte.

— Oh! Très bien. Compte tenu de l'heure, le mieux est de m'accompagner dans la salle à manger. Nous serons plus à notre aise.

En entendant son employeur entrer dans la maison, Joséphine avait pris sur elle de tirer du réchaud placé au-dessus du poêle la pièce de viande qui lui servirait de souper. Sur un plateau, elle plaça aussi un verre de bière fraîche et un couvert. Un moment plus tard, la cuisinière arrivait à la salle à manger en même temps que lui. Son visage exprima un certain agacement de le voir en compagnie de la jeune femme.

— Merci, Joséphine. Mademoiselle Trudel, vous désirez quelque chose?

— J'ai mangé il y a peu de temps… Une tasse de thé, si cela ne vous dérange pas trop.

— Vous vous en occupez?

La forme interrogative était de convenance. La cuisinière supprima la grimace qui, en l'absence de témoins, aurait marqué son visage, puis retourna à son poêle, sur lequel une bouilloire chauffait en permanence.

Plutôt que d'occuper le bout de la table, Thomas Picard plaça son plateau au milieu de celle-ci, puis indiqua à Élisabeth la chaise située juste en face de lui.

— Vous voulez me parler d'éducation. Ne serait-il pas plus convenable d'en discuter avec mon épouse? Ces questions relèvent des femmes, d'habitude.

— J'ai bien essayé, il y a deux jours. Sans beaucoup de succès, je dois dire…

En disant ces mots, le rouge marqua les joues de la jeune femme, sensible au reproche implicite que contenait sa remarque.

— Le pire, c'est que je ne suis même pas surpris, commenta l'homme après avoir avalé une gorgée de bière.

Il commença à couper sa viande. La préceptrice se résolut à attendre un peu afin de le laisser entamer son repas. Après un moment, Joséphine revint avec une théière, une soucoupe et une tasse. Le temps de se verser un peu de thé et de le porter à ses lèvres pour se donner une contenance, elle osa enfin commencer :

— Dites-le-moi, si je suis trop indiscrète. J'aimerais savoir de quoi souffre votre femme. Je ne l'entends jamais tousser…

— Non, ce n'est pas la consomption. Vous n'avez pas à craindre la contagion. L'explication la plus simple, c'est qu'elle souffre d'une maladie cardiaque. C'est vrai, elle a un souffle au cœur. Le médecin m'a même invité à écouter dans son stéthoscope. On entend comme un petit chuintement. Tout le monde, à Saint-Roch, connaît ce diagnostic.

— … Il y a une explication plus complexe ?

L'homme avait pris une nouvelle bouchée. Un moment, il contempla sa vis-à-vis, songeur, puis poursuivit :

— Comme vous habitez dans la maison, autant vous le dire. Je m'attends cependant à la plus grande discrétion. Après la naissance d'Édouard, elle a fait de la neurasthénie. Selon le médecin, cela arrive assez souvent. Il s'agit d'entourer la jeune mère d'attention, le temps que les choses aillent mieux. Généralement, cela donne des relevailles un peu plus longues, sans plus…

Même à la ville, ces traditions se conservaient intactes. La nouvelle accouchée comptait sur une proche parente pour l'aider à se « relever ».

— Sa mère est venue l'aider, je suppose ?

— Sa mère est morte au moment de l'épidémie de variole, en 1885. Et vous avez rencontré la mienne. Mettre Alice entre ses mains aurait été une condamnation à mort.

Élisabeth répondit par un sourire à celui de son patron. Madame veuve Théodule Picard, affublée du délicat prénom d'Euphrosine, aurait fait des ravages dans la maison d'une nouvelle maman.

— Non seulement cette dépression ne s'est pas estompée, mais la situation me paraît se détériorer sans cesse. Pendant un certain temps, nous avons eu une jeune bonne avec nous. Au départ de celle-ci, j'ai préféré avoir recours à vous.

Bien sûr, Thomas Picard choisit de ne pas préciser qu'au moment de la naissance de son jeune fils, il venait, à vingt-cinq ans, de prendre le relais de son père à la tête de l'entreprise familiale. Cette même année, le grand magasin de six étages qui avait engouffré toutes ses économies recevait ses premiers clients. Cela signifiait des journées de dix-huit heures parfois, et toujours une humeur désagréable causée par le manque de sommeil et l'inquiétude. Alice n'avait eu aucune chance de trouver chez lui l'attention dont elle avait besoin.

— Mais quelles sont vos questions pressantes sur l'éducation de ma progéniture ? demanda Thomas après un moment, heureux d'en venir à un sujet moins compromettant.

— J'essaie de leur enseigner les bons usages de la vie en société. Compte tenu de leur position à Québec…

Elle voulait dire que les enfants du marchand le plus en vue de la ville attiraient nécessairement les regards.

— J'ai vu cela à table, ces derniers jours. Vous avez beaucoup de succès : même Édouard se comporte en monsieur.

— C'est un petit homme, déjà.

Un peu plus, et Élisabeth aurait ajouté « comme vous ». Elle continua :

— Vous avez sans doute remarqué, ils tutoient tout le monde. Je me demande même s'ils soupçonnent que le mot "vous" existe.

— Il vous faudra le leur enseigner, bien sûr.

— Cela, je l'avais deviné, commenta-t-elle dans un sourire. Désirez-vous qu'ils vouvoient leurs parents ?

La question laissa un moment Thomas Picard songeur. Bien sûr, comme tout le monde à Saint-Roch, il avait tutoyé

Théodule. Mais la préceptrice avait raison. Ses enfants ne passeraient pas leur vie dans la Basse-Ville. Le fait qu'il demeure encore rue Saint-François, plutôt que dans Grande Allée, représentait une anomalie qui serait éventuellement corrigée.

— Qu'en diraient les ursulines? questionna enfin le commerçant.

— Elles pencheraient certainement pour l'usage du "vous", mais comme madame votre mère l'a fait remarquer, elles n'ont pas donné naissance à beaucoup d'héritiers.

— Mais à ce sujet, je leur ferai confiance. Elles ont élevé toutes les filles de la Haute-Ville depuis plus de deux siècles.

Thomas avala les dernières bouchées de son repas alors que sa compagne buvait son thé à petites gorgées. Bientôt, il demanda :

— Venez avec moi dans mon bureau pour prendre un digestif. Nous serons plus à l'aise.

— Je n'ai jamais avalé une goutte d'alcool.

— Je m'en voudrais de rompre une si belle habitude. En conséquence, amenez la théière avec vous.

Le commerçant la laissa passer devant lui dans le corridor. Rendu dans la grande pièce donnant sur la rue, il lui désigna un fauteuil recouvert de cuir. Elle put poser la théière et sa tasse sur un guéridon placé tout près. Thomas commença par allumer une lampe au gaz suspendue au-dessus du bureau, car la pénombre envahissait déjà la pièce. Ensuite, il chercha une bouteille et un verre dans un petit meuble de bois foncé, se versa une rasade de cognac et vint s'asseoir dans l'autre fauteuil.

— Avez-vous d'autres préoccupations pédagogiques à me soumettre?

— Indirectement, oui. La semaine dernière, je me suis rendu compte qu'Édouard savait que nous aurions bientôt des tramways électriques, alors que moi je l'ignorais. Voyez-vous, chez les ursulines, nous ne lisions aucun journal…

— Même pas *L'Événement*, la feuille catholique au service du Parti conservateur ?

— Même pas *La Vérité*...

Élisabeth avait dit cela avec un sourire en coin, prouvant qu'elle n'ignorait pas totalement quels débats secouaient la petite société de Québec. Jules-Paul Tardivel publiait *La Vérité*, un petit journal d'un catholicisme imbécile et d'un conservatisme dangereux.

— Voilà qui est tout à leur honneur. Juste à cause de cela, je n'hésiterai pas à leur confier Eugénie, un jour prochain. Mais en quoi cela concerne-t-il l'éducation de mes enfants ?

— Pourrais-je lire les journaux que vous recevez, afin de mieux répondre à leurs questions ? Édouard ne se contentera pas encore longtemps des fées et des sorcières. Après que vous en aurez terminé, évidemment. J'essaierai de leur mettre la main dessus avant que Joséphine ne les utilise à d'autres fins.

— Y compris dans les cabinets de toilette, je suppose. Vous pouvez même les lire avant moi, si cela vous chante. Vous les trouverez dans cette pièce. Afin de voir comment la mode évolue, je suis même abonné à la *Revue moderne*. Je suis certain que vous apprécierez...

Pendant un long moment encore, ils évoquèrent divers sujets d'actualité. Au moment où elle quitta la pièce, un peu avant dix heures, Thomas réalisa qu'il n'avait passé aucune soirée en tête-à-tête avec une femme valide depuis... 1891.

Quand Élisabeth atteignit le palier du premier étage, elle se retrouva face à face avec Eugénie.

— Mais qu'est-ce que tu fais debout aussi tard ? demanda-t-elle doucement. As-tu du mal à dormir ?

— ... Oui, c'est cela. J'allais à la toilette.

La fillette tourna les talons pour entrer dans la petite pièce, entre les chambres de sa mère et de sa préceptrice.

Le dernier jour de mai tombait un dimanche. Au moment de la messe, le curé avait fait allusion à l'obligation de sanctifier le jour du Seigneur en prenant congé du travail, naturellement, mais aussi de la politique, sans succès aucun. Les libéraux, largement majoritaires dans la paroisse Saint-Roch, interprétèrent les commentaires de l'ecclésiastique comme une intervention hypocrite et grossière en faveur des conservateurs, et une tentative de nuire à la visite du grand homme dans la paroisse.

Élisabeth Trudel et les enfants, toujours endimanchés, avalèrent un lunch en vitesse, puis quittèrent la grande maison de la rue Saint-François. Ils rejoignirent la rue Saint-Joseph et marchèrent vers l'ouest jusqu'au boulevard Langelier. Leur trajet passait devant le marché Jacques-Cartier, désert ce jour-là. De nombreuses personnes y laissaient leur voiture, pour continuer à pied.

Le boulevard courait sur une brève distance. Au nord, il conduisait jusqu'à l'Hôpital général. Depuis l'époque de la Nouvelle-France, les vieillards, les infirmes et les déficients mentaux avaient trouvé refuge dans cet hospice. En direction sud, l'artère atteignait le pied du cap. De là, une pente raide en diagonale donnait accès au quartier Saint-Jean-Baptiste.

De toutes les parties de la ville, et même des campagnes environnantes, des hommes de toutes les classes sociales convergeaient par milliers vers cette rue. Une petite minorité d'entre eux était accompagnée d'une femme. Des ouvriers avaient travaillé pendant plusieurs jours à l'érection d'une plate-forme à l'extrémité sud du boulevard. La construction, faite de poutres et de madriers, s'élevait à une hauteur d'une douzaine de pieds. Au-dessus, une espèce de dais décoré de feuilles d'érable encore petites, d'un vert très tendre, et de sapinage plus foncé, ajoutait une touche de couleur en plus de protéger les notables du soleil.

Les éléments décoratifs ne se limitaient pas à cela. Devant l'échafaudage, pendue à la verticale, se trouvait une rangée de drapeaux. On voyait celui du Royaume-Uni, composé de croix superposées, placé en alternance avec celui de la France, fait de bandes de couleur. Le premier rappelait à chacun que le Canada représentait ce que ses habitants aimaient à considérer comme le joyau de l'Empire britannique ; le second clamait que le Québec demeurait peuplé d'une large majorité de Canadiens français.

— Nous ne verrons rien, commenta Eugénie, déçue.

Même Élisabeth distinguait mal la plate-forme. Ses yeux arrivaient à la hauteur d'une rangée d'épaules, pressées les unes contre les autres. Pour des enfants, le spectacle se limitait à une forêt de jambes.

— Nous allons essayer de trouver une solution à ce problème. Venez avec moi.

Avec ses deux voies pavées, séparées par un large espace gazonné où se trouvaient quelques bancs, le boulevard Langelier avait fière allure. En suivant le trottoir, et même en marchant sur les pelouses des maisons riveraines, Élisabeth réussit à s'approcher de l'estrade en tenant chacun des enfants par la main. À la fin, apercevant un perron où trois personnes se trouvaient déjà, elle se blinda d'audace et demanda à un vieil homme aux larges moustaches poivre et sel :

— Monsieur, nous permettez-vous de monter ? Nous nous ferons tout petits sur votre balcon. Les enfants aimeraient voir leur papa, sur cette plate-forme.

Une loi de la nature veut qu'un homme vieillissant ait bien du mal à dire non à une jeune femme de dix-huit ans, surtout si elle offre de grands yeux bleus et un sourire désarmant sous un charmant chapeau de paille. Il demanda tout de même :

— Leur papa ? Ce ne sont tout de même pas les enfants de Wilfrid Laurier ?

Au Canada, chacun savait que le politicien, n'ayant pas eu d'enfant, portait une affection particulière à l'un de ses neveux. Toutefois, de mauvaises langues murmuraient en secret que le grand homme avait donné naissance à au moins un fils, Armand. La mère, on en était certain, se trouvait être l'épouse de son partenaire d'affaires, Lavergne, avec qui il possédait un cabinet d'avocat.

— Non, bien sûr que non, ce ne sont pas les enfants de Laurier, répondit Élisabeth avec son sourire des grands jours, comme si l'idée l'amusait au plus haut point. Ce sont ceux de Thomas Picard.

Le nom était connu dans tout Québec. Ce genre de personnage se méritait quelques prévenances. Aussi, le vieil homme consentit :

— Montez, nous avons de la place.

L'épouse du bonhomme accueillit les nouveaux venus avec un sourire contraint. Le fils de la maison, dans la vingtaine, indiqua l'espace près de lui, sur le perron. Un moment plus tard, Élisabeth prenait Édouard sous les bras, puis elle le soulevait pour le placer debout sur la balustrade, entourant ses cuisses de son bras pour l'empêcher de tomber tête première. Comme cela, le gamin la dépassait d'une tête. De ce point d'observation, même Eugénie, quoique petite, profitait d'une bonne vue sur la plate-forme dressée à une centaine de pieds. Justement, son père s'avançait, le chapeau melon sous le bras, pour déclarer :

— Mesdames, Messieurs, merci d'être venus en si grand nombre entendre notre député. Ce sera bientôt notre premier ministre. Laurent-Olivier David, le journaliste bien connu, va d'abord vous dire quelques mots.

Le commerçant remit son chapeau avant de retourner vers l'arrière de l'estrade. Un moment plus tard, il rejoignait un homme élégant, coiffé d'un haut-de-forme.

— C'est déjà fini ? questionna Édouard.

L'enfant se montrait déçu de voir son père s'effacer aussi vite.

— Mais non, cela commence, soupira Eugénie, un peu lasse de devoir tout lui expliquer.

David, un petit homme élégant au visage barré d'une moustache, avait accumulé divers emplois depuis trente ans. Ancien traducteur au gouvernement fédéral lors du bref passage des libéraux au pouvoir dans les années 1870, un moment député à l'assemblée provinciale, auteur de nombreux ouvrages historiques, il jouissait d'une certaine réputation dans les milieux nationalistes du Québec. Il clama d'une voix forte :

— Il y a près de soixante ans, nos grands-pères prenaient les armes pour défendre leurs droits face à l'oligarchie. Ces hommes protestaient devant les exactions d'une bande de ploutocrates qui utilisaient le gouvernement pour servir leurs intérêts personnels. Les patriotes se trouvent aujourd'hui au sein du Parti libéral. Ils défendent toujours les mêmes idées. En face, nous trouvons le même petit groupe de profiteurs, une cohorte de voleurs qui se drapent derrière les oripeaux de la religion pour mieux se garnir les poches. Mais le règne des conservateurs se termine enfin. Voici Wilfrid Laurier. Il sera le premier Canadien français à occuper le siège de premier ministre du Canada !

Pareille entrée en matière sentait la réclame. Laurent-Olivier David venait tout juste de publier un livre intitulé *Les Deux Papineau*, sur le chef de la rébellion de 1837. Les élections auraient lieu dans un peu plus de trois semaines. En plus de vendre la peau de l'ours avant de l'avoir tué, cet homme n'hésitait pas à attaquer ses adversaires qui faisaient parade de leurs liens avec l'Église catholique. Aussi, le chef du Parti libéral, prenant la parole juste après lui, paraîtrait raisonnablement modéré.

Mince dans sa grande redingote noire, rendu plus grand encore par son haut-de-forme, Wilfrid Laurier s'avança à son tour à l'avant de l'estrade. Il enleva son couvre-chef avec des gestes calculés, replaça derrière son oreille gauche ses cheveux châtains marqués de gris. Les femmes ne votaient pas. Les séduire par cette coquetterie affectée, sa prestance extraordinaire, influerait peut-être sur le choix de leur mari.

À la fin du dix-neuvième siècle, tout bon politicien devait être capable de s'adresser à une vaste foule réunie en plein air. Le geste théâtral et la voix tonitruante devenaient des compétences essentielles.

— Mesdames, Messieurs, bonjour. L'an dernier, vous avez payé vingt-cinq mille dollars pour enterrer le malheureux premier ministre Thompson. Son remplaçant à ce poste, Charles Tupper, a jugé utile d'organiser des funérailles extravagantes, dignes de notre souveraine Victoria. Cela pour un homme qui avait occupé son poste à peine quelques mois, sans laisser aucun souvenir de son passage !

Un murmure excédé accueillit ces paroles. Pour la majorité des personnes présentes, une somme pareille aurait suffi à vivre toute une existence dans une honnête aisance. Pendant de longues minutes encore, Wilfrid Laurier énuméra patiemment toutes les folles dépenses des conservateurs, clamant des chiffres astronomiques pour des gens qui, le plus souvent, gagnaient environ un dollar par jour.

Une demi-heure du récit des turpitudes conservatrices suffit à étourdir les auditeurs. Laurier conclut par un constat cruel :

— Nos adversaires ont mis trente ans à détruire notre économie. Tous les dix ans, le Bureau de la statistique nous apprend que plus de personnes quittent le Canada pour aller vivre aux États-Unis qu'il y a d'Européens qui viennent s'établir ici. Dans toutes vos familles, des jeunes se démènent dans les manufactures américaines, parce qu'ils ne trouvent aucun emploi ici !

Cela ne méritait pas une longue explication. Chaque année, dix mille Canadiens français prenaient le chemin de l'exil. Dans toutes les familles, il se trouvait des personnes qui n'avaient pu échapper à l'émigration de la misère.

— Les conservateurs nous promettent depuis trente ans que l'Ouest deviendra le grenier à blé de l'Europe. Cette immense région est encore vide, et des milliers des nôtres se dirigent vers le pays voisin.

Personne ne pouvait nier cette situation affligeante. La foule attendait la suite, silencieuse. Le candidat évoqua le programme de son propre parti :

— La politique commerciale des conservateurs provoque notre ruine. Quand nous achetons un produit étranger, il nous coûte très cher, à cause des taxes empochées par le gouvernement du Canada. Quand nous tentons de vendre nos produits à l'étranger, les clients s'en détournent, à cause des taxes que les autres pays nous imposent en représailles.

Présentés comme cela, les tarifs douaniers protecteurs apparaissaient comme une catastrophe. Quelqu'un dans la foule, peut-être un homme à la solde du candidat du parti au pouvoir, cria, les mains en porte-voix :

— Cela permet de protéger nos manufactures de la concurrence américaine. Nous préservons notre marché. Sans eux, nous serions au chômage.

— Dans quel domaine travaillez-vous ? demanda Laurier sans s'émouvoir outre mesure de l'interruption.

— Je fabrique des chaussures.

Ce secteur d'activité dominait l'économie de la Basse-Ville de Québec depuis une vingtaine d'années.

— De bien bonnes chaussures, je suppose. J'achète toujours les miennes ici, rétorqua le candidat en regardant ses pieds. Pourquoi avez-vous peur de la concurrence ? Vous avez les meilleurs ouvriers d'Amérique. Regardez-les, tout autour de vous. Si le commerce avec les États-Unis était plus facile, vous pourriez inonder le marché du pays voisin. La population, là-bas, est quinze fois plus nombreuse qu'ici. Cela signifie quinze fois plus de pieds à chausser. Les hommes de Chicago et de Philadelphie pourraient porter les excellents souliers fabriqués à Québec. Les femmes de Boston et de Sacramento, se parer des corsets produits à quelques rues d'ici, à la Dominion Corset !

La remarque souleva quelques rires un peu égrillards. Le lendemain, *L'Événement* reprocherait peut-être au candidat d'avoir évoqué les sous-vêtements féminins sur les *hustings*. De telles allusions se murmuraient habituellement dans l'intimité.

Pendant un moment, Wilfrid Laurier précisa son projet de réciprocité commerciale limitée avec le pays voisin. Selon celle-ci, certains produits passeraient la frontière sans aucun prélèvement de taxe, alors que d'autres, dans des secteurs plus fragiles, continueraient d'être protégés.

Pendant toute l'heure que dura le discours, la foule exprima régulièrement son appréciation par des éclats de rires et des applaudissements. Bientôt, Édouard se tortilla sur sa balustrade, lassé. Pour tromper son ennui, sa main chercha les cheveux blonds d'Élisabeth pour y enfouir les doigts, tout en s'appuyant contre elle. Très femme du monde déjà, Eugénie dissimulait ses bâillements derrière sa main gantée de dentelles.

Puis le politicien descendit de l'estrade pour se soumettre à un bain de foule. Tout admiratifs qu'ils fussent pour le chef canadien-français, conscients de leur rang dans la société, les citoyens les plus humbles de la Basse-Ville s'effaçaient pour regagner leurs foyers. Les notables, ou ceux qui aimaient à se considérer comme tels, se pressaient plutôt pour lui tendre la main. Thomas Picard présentait les plus respectables d'entre eux au grand homme. Attentif à lui éviter les désagréments, il faisait aussi en sorte de faire un mur de son corps devant ceux qu'il soupçonnait de vouloir quêter un emploi ou un privilège quelconque.

Le chef libéral avançait en direction du balcon où se tenaient toujours Élisabeth et les enfants. Leurs hôtes, rassasiés de bonnes paroles libérales, s'étaient quant à eux retirés dans leur demeure dès la fin du discours. Édouard hurla à pleins poumons de sa voix haut perchée, tout en faisant un grand geste de la main :

— Papa, nous sommes là !

Ce fut Laurier, amusé, qui répondit d'un salut de la main. Bon politicien, le candidat connaissait tout le profit à tirer d'une attitude affectueuse à l'égard des enfants. Il s'approcha en demandant à son compagnon :

— Ce gaillard est un parent à vous?

— Mon fils, Édouard. Ma fille est à côté de lui.

— Il possède une voix de politicien. Peut-être sera-t-il la "langue d'or" de demain.

Autour d'eux, les hommes eurent un sourire amusé. Depuis des années, les journaux de langue anglaise qualifiaient Laurier de «langue d'argent». Ses discours séduisaient tous les auditoires.

Rendu près du balcon, le politicien tendit la main pour prendre celle de la fillette en disant:

— Je suis enchanté de vous rencontrer, mademoiselle…

— … Eugénie, monsieur.

La gamine serra la main en rougissant, esquissa une petite révérence, fière de montrer ses apprentissages récents. Un instant plus tard, ce fut au tour du jeune garçon d'avoir droit à des salutations.

— Enchanté, monsieur Édouard.

Laurier regretta qu'aucun appareil photo ne permette de croquer sur le vif une scène aussi charmante. L'image aurait fait les délices des lectrices des journaux.

Avant de poursuivre son chemin, le politicien toucha son chapeau haut-de-forme en adressant un salut de la tête à Élisabeth. Quand la foule se fut à peu près dispersée, la préceptrice prit la main des enfants en proposant:

— Si nous allions boire un chocolat chaud, maintenant que vous avez vu votre père faire de la politique?

— Ce n'est pas très amusant, la politique, décréta Édouard en prenant la main de la jeune femme.

— Les grandes personnes adorent cela. Surtout les hommes.

Sur ces paroles, elle descendit les trois marches pour rejoindre le trottoir.

6

Selon la tradition, un candidat devait attendre le dévoilement des résultats d'une élection dans sa circonscription, parmi les principaux militants de son parti. Le statut de chef du Parti libéral forçait Wilfrid Laurier à se multiplier pour signifier son appui à ses collègues. Le plus simple était de regrouper ses principaux collaborateurs en un même lieu. Le Château Frontenac étant à la fois le plus grand et le plus prestigieux hôtel de la ville de Québec, la salle de bal accueillait les candidats de la région et leurs principaux alliés.

Thomas Picard, paré d'un habit de soirée noir, un nœud papillon au cou, tenait sa flûte de champagne à la main. Le commerçant évitait toutefois d'en boire une goutte, car cette boisson lui tombait sur l'estomac. À compter de huit heures, des adolescents à bicyclette commencèrent à apporter les premiers résultats enregistrés dans les divers bureaux de scrutin de la ville. Le premier à se présenter, un garçon livreur du grand magasin, se dirigea sans hésiter vers son patron pour lui murmurer à l'oreille :

— Nous avons cinquante voix contre douze dans la paroisse Saint-Roch. Cela pour une seule boîte.

— Tout se déroule sans difficulté ?

— Les conservateurs ont nommé scrutateurs tous leurs amis. Mais la foule qui attend les résultats dans la rue va leur casser la gueule s'ils essaient de paqueter les boîtes. Nous les gardons à l'œil.

— Très bien, retournes-y tout de suite.

Le parti au pouvoir découpait la carte électorale à sa guise, choisissait la date de l'élection et nommait le personnel de tous les bureaux de scrutin. Tout cela lui donnait un avantage certain. Mais dans les circonscriptions où un candidat s'imposait de façon nette, les magouilles devenaient difficiles, sinon impossibles.

Dès neuf heures, tout indiquait que Laurier l'emporterait dans Québec-Est.

— Dans quelle proportion ? demanda le politicien à Picard, son principal organisateur.

— Cela se passe comme prévu : vous aurez les trois quarts des votes.

— Vous êtes devin.

— Je sais combien il reste de grenouilles de bénitiers dans le comté, tout simplement. Ces gens votent comme le leur demandent les curés.

Le chef libéral grimaça au souvenir des dernières semaines. Le clergé n'avait pas cessé de proposer des solutions impraticables à la crise scolaire du Manitoba. Comme s'il était possible de maintenir un enseignement catholique et français dans une province à majorité anglaise !

La position de Laurier à la tête des libéraux se révélait délicate. Il pouvait demeurer le candidat défait, comme lors des deux dernières élections où il avait agi comme chef. Il préférait se montrer disposé à des compromis que même certains de ses partisans de langue française trouvaient trop généreux. Quant à Picard, la situation à Winnipeg le laissait totalement froid, du moment que les libéraux rendaient la poursuite des affaires plus facile à Québec.

En plus des messagers recrutés par les organisateurs de chaque circonscription, affectés à chacun des bureaux de scrutin, d'autres se tenaient à l'affût dans les locaux du télégraphe du Canadien Pacifique. Laurent-Olivier David compilait dans un grand registre les chiffres que ceux-ci lui communiquaient régulièrement. Vers minuit, il vint faire rapport à son chef :

— Dans les Maritimes, les sièges seront partagés.

— C'est mieux ou pire que ce à quoi nous nous attendions ?

— À peine meilleur, mais ce n'est pas une surprise.

Le chef du Parti conservateur, Charles Tupper, venait de la Nouvelle-Écosse. La région atlantique lui resterait fidèle, avec l'espoir de profiter ensuite de la générosité du gouvernement fédéral.

— Nous avons l'assurance d'une large majorité des sièges au Québec, continua le journaliste.

— Assez pour compenser la situation en Ontario ?

— Probablement.

— Ai-je gagné ? insista Laurier.

— Probablement.

La mine déçue de son chef amena l'organisateur à préciser :

— Cela ressemble à nos projections. Toutefois, nous n'aurons l'ensemble des résultats que demain. Je commence à peine à avoir des nouvelles de la Colombie-Britannique, à cause du décalage horaire. Je ne vous ferai pas de déclarations optimistes ce soir si je ne suis pas absolument certain de pouvoir les confirmer au moment du déjeuner demain.

Cette attitude prudente s'imposait. Le gagnant serait celui qui aurait le plus de sièges, pas celui qui recevrait le plus grand appui populaire. Le sort de Wilfrid Laurier tiendrait au résultat d'innombrables luttes locales, aux enjeux souvent triviaux. Le jeu de la prédiction pouvait se montrer très décevant.

— Dans ce cas, autant remercier tout de suite mes partisans, féliciter les gagnants, consoler les perdants et aller me coucher.

— Quant à moi, je resterai debout toute la nuit. Vous saurez tout au moment de vous asseoir à table dans huit heures, tout au plus.

Un instant plus tard, debout sur une petite scène, dans un coin de la salle de bal, Laurier commença par faire un petit discours de remerciement aux électeurs de Québec-Est. Le journaliste du *Soleil* le reproduirait fidèlement, en soulignant l'excellent travail de Thomas Picard. Il invita ensuite tous les candidats présents à le rejoindre. À l'aide d'une liste préparée par David, le politicien donna des chiffres, adressa de bonnes paroles aux vainqueurs, de meilleures encore aux vaincus.

Élisabeth et les enfants mangeaient leur petit-déjeuner de bon appétit. Elle avait prévu passer ce mercredi à leur révéler les mystères des mathématiques. Le mieux serait de procéder à l'aide de longs bâtonnets de bois. Elle les laisserait tomber au centre d'une table, pour leur proposer de les ramasser un à un sans faire bouger les autres. L'émulation ferait le reste : chacun tiendrait à bien compter les points afin de savoir qui l'emporterait.

À sa grande surprise, Thomas Picard pénétra dans la salle à manger un peu après huit heures. Au « Bonjour, monsieur » étonné, il répondit en s'asseyant :

— Bonjour. Je suis rentré un peu tard hier soir, aussi je fais presque la grasse matinée. Heureusement que la campagne est terminée, car elle m'a amené à négliger le magasin.

— Vous savez qui a gagné ?

— Quand j'ai quitté l'hôtel, le climat était à l'optimisme, mais nous serons fixés ce matin, quand tous les résultats auront été additionnés.

— Je souhaite que tu gagnes, papa, prononça Eugénie, très sérieuse.

— Merci, ma belle. C'est gentil.

Pendant quelques minutes, le commerçant partagea son attention entre ses œufs, son bacon et le babillage des enfants. Entendant un bruit contre la porte d'entrée, il se précipita dans le couloir, lançant à voix haute :

— Laissez, Joséphine, je vais y aller.

Le son d'un conciliabule dans le hall se rendit jusqu'à la salle à manger. Après quelques minutes, rayonnant, Thomas revenait dans la pièce, une feuille de papier à la main.

— Voilà, c'est fait. Même si Laurier a une minorité des voix, il remporte une confortable majorité de sièges.

— Comment cela se peut-il ? interrogea Élisabeth.

— Des comtés ont plus d'habitants que d'autres. Cela signifie que Wilfrid Laurier a remporté plusieurs de ceux dont la population est plus faible et Charles Tupper, beaucoup de ceux qui sont les plus populeux.

Pendant un moment, l'homme illustra son propos en évoquant les résultats des diverses circonscriptions de la région de Québec, s'aidant de la feuille que le messager lui avait remise. Si la préceptrice considérait que la politique demeurait un jeu essentiellement masculin, elle posait les bonnes questions, écoutait les réponses avec une attention réelle. Une bonne heure s'écoula avant que le commerçant s'exclame, tirant sa montre de son gousset :

— Mais je suis en train de faire l'école buissonnière ! Cela vous tente-t-il de vous joindre à moi ce soir… avec les enfants, bien sûr ?

— Je ne sais trop. Pourquoi ?

— C'est la Saint-Jean, aujourd'hui. Les célébrations prendront une couleur particulière, avec cette grande victoire pour notre nation. Je vais donner congé au personnel du magasin à compter de cinq heures pour leur permettre de participer aux diverses activités. Je sais que des compétitions sportives seront tenues sur les plaines d'Abraham.

— C'est là que vous voulez nous amener ? À quelle heure cela se terminera-t-il ? Les enfants sont jeunes…

Ceux-ci suivaient la conversation, curieux de connaître les projets de leur père. En se levant, celui-ci expliqua :

— Je suis enclin à me rendre au Pavillon des patineurs. Nous aurons certainement droit à quelques discours, puis un orchestre permettra de danser. Laurier sera certainement là pour célébrer sa victoire.

— Vous croyez que ce sera… convenable pour eux ?

— Nous reviendrons tôt. Au pire, vos protégés auront congé demain matin, et vous aussi par la même occasion. L'événement est important, ils s'en souviendront toute leur vie.

La jeune femme acquiesça d'un signe de tête en prenant sa tasse de thé pour la porter à ses lèvres.

❧

Les Québécois se plaisaient à appeler cette vieille institution le Pavillon des patineurs pour mieux se l'approprier quand l'envie leur prenait de donner un visage plus familier et français à leur ville. Le Skating Rink se trouvait juste à l'extérieur des murs d'enceinte, rue Grande Allée, à côté du Manège militaire et à peu près en face du parlement.

Vers sept heures, Napoléon Grosjean arrêta la voiture de son patron devant la grande bâtisse aux murs de brique, au toit arrondi. Pendant tout le trajet, dans l'espace exigu du véhicule, Élisabeth avait tenu Édouard sur ses genoux alors que sa sœur préférait ceux de son père.

Dans la bâtisse un peu sombre et poussiéreuse, les militants de la Société Saint-Jean-Baptiste de Québec avaient accroché des bouquets de feuilles d'érable un peu partout, de même que de nombreux drapeaux tricolores. Bien sûr, quelques *Red Enseign* britanniques rappelaient que les Canadiens français ne reniaient pas encore leur appartenance à l'Empire.

— Comme c'est grand, murmura Eugénie en levant les yeux vers le plafond.

L'immeuble s'étendait sur plus de cent pieds de profondeur et une cinquantaine de largeur. Tout l'hiver, une couche de glace sur le plancher permettait aux patineurs de tourner en rond au son de la musique de quelques artistes qui compensaient la modestie de leur talent par un enthousiasme communicatif. En été, les planches nues étaient plutôt propices à la danse, des valses aux quadrilles.

Au moment de l'entrée des Picard, les musiciens se tenaient un peu à l'écart de la scène, leurs instruments à la main, alors que Laurent-Olivier David, l'inévitable maître de cérémonie, commençait :

— Mesdames, Messieurs, cette année, en ce jour de la fête nationale des Canadiens français, nous avons une raison supplémentaire de nous réjouir. Voici le nouveau premier ministre du Canada, Wilfrid Laurier.

Une salve d'applaudissements accueillit le héros sur la scène. Celui-ci commença :

— Trois cent soixante-deux ans après que Jacques Cartier eut exploré le golfe du Saint-Laurent et donné à la France un continent entier, je suis heureux que pour la première fois un Canadien français atteigne enfin la plus haute fonction de ce pays. Je souhaite être à la hauteur de la confiance que vous m'avez accordée. J'arriverai à en être digne…

Aucun politicien digne de ce nom n'hésitait à chanter ses propres louanges. Laurier se livrait à l'exercice avec un réel talent même si, ce faisant, il truquait un peu la réalité. Des décennies plus tôt, les Lafontaine, Morin et Cartier avaient aussi occupé le poste de premier ministre. Bien sûr, ce n'était pas encore dans le cadre de la fédération canadienne…

Bientôt, le politicien invitait tous les candidats libéraux de la région, élus ou défaits la veille, à le rejoindre sur la scène pour recevoir une véritable ovation. L'initiative eut l'heur de déplaire aux conservateurs présents sur les lieux, écœurés de voir un politicien pervertir la fête nationale à des fins partisanes.

Un moment plus tard, le groupe quittait l'estrade sous les applaudissements, les musiciens reprenaient leur place. Après que les cuivres eurent lancé des sons un peu cacophoniques, le chef d'orchestre guida les premières mesures de la pièce de Calixa Lavallée. De multiples voix sans aucune unité, la plupart sonnant horriblement faux, entonnèrent l'*Ô Canada*. Le poème composé en 1880 par le juge Adolphe-Basile Routhier ouvrait et fermait depuis ce temps toutes les activités de la Société Saint-Jean-Baptiste, comme celles de toutes les associations nationalistes des francophones.

— Picard, heureux de vous voir de nouveau, commença Laurier en s'approchant, la main tendue.

— Tout le plaisir est pour moi, monsieur le premier ministre.

Ils durent attendre que les dernières strophes criardes de l'hymne s'éteignent avant que le politicien puisse murmurer :

— Je ne me ferai jamais à ces affreux couplets.

— Moi non plus. Ce "Sous l'œil de Dieu, Près du fleuve géant" me tombe sur les nerfs. Les yeux de nos seigneurs les évêques sont un peu trop inquisiteurs à mon goût.

— Ils se pensent encore dans la France de l'Ancien Régime. Je suis certain que le cardinal Taschereau entend la voix du Très-Haut lui susurrer des conseils au creux de l'oreille.

Tous les deux adoptaient si bien le ton de la conspiration, qu'Élisabeth, à deux pas tout au plus, ne les entendait pas. Prendre le pouvoir était une chose, mais le garder, une autre. Pour cela, le politicien devrait trouver le moyen de rogner les crocs des porteurs de soutane les plus hostiles à son endroit, ou à tout le moins de s'entendre avec eux sur une espèce de concordat.

À la fin, Laurier se souvint de sa maîtrise parfaite des usages de la vie en société.

— Mademoiselle Eugénie, vous êtes encore plus ravissante que la première fois que je vous ai rencontrée, déclara-t-il en lui tendant la main.

Elle la serra en rougissant de plaisir. Un moment plus tard il se tournait à demi et répétait le même cérémonial en disant :

— Bien sûr, je suis heureux de vous revoir aussi, monsieur Édouard.

En se relevant, le chef libéral continua :

— Et vous aussi, mademoiselle...

— Élisabeth Trudel, intervint Thomas Picard. Elle s'occupe de mes enfants. Comme vous le savez, la santé de ma femme…

Inutile de donner plus de précisions, le sujet était familier pour le politicien. Celui-ci suivait déjà des yeux d'autres notables, dont Simon-Napoléon Parent, le maire de Québec. Avant de s'esquiver, il glissa :

— Picard, je vais prendre un train tout à l'heure en direction d'Ottawa. J'aurai un million de choses à organiser au cours des prochaines semaines. Pourrez-vous me rendre une petite visite dans la capitale ?

— Je suppose que cela peut se faire, mais pas avant une semaine. D'ici là, je mettrai les bouchées doubles dans mon commerce, que j'ai un peu négligé…

— Je comprends très bien les sacrifices que vous avez consentis, et je les apprécie. Nous en reparlerons au moment de votre visite à mon bureau.

Une poignée de main scella ce rendez-vous. Quelques minutes plus tard, alors que le premier ministre amorçait une conversation animée avec Parent, le petit orchestre composé de musiciens de la milice commença à jouer une valse. Lentement, quelques couples se dirigèrent au centre de la grande salle pour danser.

Pendant toute la première pièce, Thomas Picard demeura immobile en bordure du grand ovale recouvert de planches, puis, alors que résonnaient les premières mesures de la seconde, il risqua :

— Mademoiselle Trudel, acceptez-vous de danser avec moi ?

Élisabeth demeura un moment interdite, puis murmura doucement :

— Je suis désolée, ce serait tout à fait inconvenant.

Afin de ne pas en rester sur ces mots, elle ajouta :

— Puis j'avais promis la première danse de ma vie au plus joli garçon de cette assemblée… Tu veux bien, Édouard ? continua-t-elle en tendant les bras vers lui.

Le gamin ne demandait pas mieux. En le tenant accroché sur sa hanche, un moment plus tard la préceptrice tournait sur elle-même sur la piste de danse. Édouard penchait la tête vers l'arrière en riant aux éclats. Thomas observa un instant la jupe de serge bleue qui se soulevait en corolle, révélant les bottines de cuir, le début d'une jambe très fine et plusieurs pouces de jupon blanc.

— Mademoiselle Eugénie, m'accordez-vous cette danse? proposa-t-il bientôt.

Bien sûr, elle ne demandait pas mieux. Son plaisir se trouvait toutefois considérablement amoindri parce qu'elle tenait cet honneur du refus d'une première femme.

Jamais la dignité de cette jeune personne n'aurait souffert d'être soulevée de terre. Avec le père plié en deux, la main gauche sur l'épaule de sa fille, la droite tenant une menotte, la prestation demeura gauche, malhabile.

Quand la musique prit fin, Élisabeth revint, rieuse, les joues rosies par l'effort, avec le petit garçon aux anges, un bras passé autour de son cou.

— Je pense qu'il est grandement temps de mettre ces jeunes enfants au lit, déclara-t-elle à son employeur.

— Non, je veux valser encore, clama Édouard.

— Regarde, tous les enfants s'en vont. Puis à cinq ans, pour ton premier bal, je pense qu'il est assez tard. Si on ne se presse pas, la voiture de monsieur Grosjean va se changer en citrouille.

— Avec des souris pour la tirer?

Il présentait maintenant une mine réjouie. Bientôt, les contes de fées n'auraient plus aucun secret pour lui.

— Je lui ai demandé d'attendre le long de l'avenue Dufferin, précisa son employeur. Quant à moi, je vais rester encore un peu.

Elle acquiesça, le père fit la bise à ses enfants en leur souhaitant bonne nuit. À la fin, Élisabeth s'en alla en disant «Bonne soirée, monsieur».

Pendant une heure, Thomas Picard demeura sur les lieux, engageant la conversation avec les libéraux présents, heureux de répéter à l'infini les félicitations aux députés nouvellement élus, assurant aux candidats qui n'avaient pas eu cette chance que ce serait pour la prochaine fois. À la fin, il s'enhardit au point de demander aux épouses de quelques-uns de ses collègues de la Basse-Ville de danser avec lui. Elles acceptèrent, un peu par pitié pour le pauvre homme que la maladie privait de sa femme depuis si longtemps, beaucoup parce qu'il demeurait très séduisant.

━◆━

Même si Édouard avait demandé à rester encore un peu au Pavillon des patineurs, il demeura paresseusement dans les bras de sa préceptrice pendant tout le temps nécessaire pour trouver le fiacre de la famille Picard. Le cocher secoua sa somnolence, grommela entre ses dents quelque chose comme «Ce n'est pas trop tôt», puis fouetta son cheval dès que la porte se fut refermée sur ses passagers.

Une demi-heure plus tard, Élisabeth aidait Édouard à quitter son habit de matelot pour revêtir une chemise de nuit légère, et le mettait au lit.

— Je veux un autre conte, pour m'endormir, plaida-t-il.

Du fait qu'il se trouvait déjà dans son lit, il se doutait bien que l'œuvre de Charles Perrault ne précéderait pas son sommeil. Toutefois, le gamin aimait tenter sa chance.

— Pas ce soir. De toute façon, tu ronflerais à la première ligne. Bonne nuit.

Un baiser sur le front accompagna ces derniers mots. Un moment plus tard, la jeune femme pénétrait dans la chambre d'Eugénie. Celle-ci avait laissé sa robe sur la chaise placée contre le mur, de même que ses bas, et elle enfilait sa chemise de nuit. Élisabeth rangea le vêtement sur un cintre avant de l'accrocher dans le garde-robe, puis vint vers le lit afin de border l'enfant.

— C'était un joli bal. Ton premier.

— Nous ne sommes pas restés longtemps.

— Mais tu en connaîtras d'autres, beaucoup d'autres. Bonne nuit.

Un autre baiser sur un front d'enfant fut suivi par une porte fermée doucement. Eugénie ferma les yeux, se remémora la musique, son père qui la faisait tourner. Quelques minutes plus tard, lui semblait-il – en réalité, une heure –, la porte s'ouvrit, une faible lueur vint du couloir.

— … Maman ? dit-elle, surprise.

L'ombre pâle posa son index sur ses lèvres pour lui intimer le silence, ferma la porte derrière elle, vint poser les fesses sur le lit, avant de murmurer :

— Tu as aimé le bal ?

— … Oui, beaucoup.

Parce que sa mère ne lui avait pas rendu visite ainsi depuis une bonne année, ne quittant sa chambre que pour aller jusqu'à la salle de bain, quand elle ne préférait pas tout simplement utiliser le pot de porcelaine glissé sous le lit, la fillette demeurait interdite, se demandant si elle ne rêvait pas.

— Ton père a dansé avec elle ?

— Non, elle a dit que ce serait inconvenant.

Les leçons de bienséance reçues depuis quelques semaines lui avaient appris le sens de ce mot.

— Mais il le lui a demandé.

— Il a dansé avec moi.

La malade savait ce qu'elle désirait savoir, plus rien ne l'intéressait. D'un pas chancelant, l'ombre éthérée regagna la porte, sortit sans bruit. Le lendemain, Eugénie aurait l'impression d'avoir fait un mauvais rêve.

❦

Vers onze heures, Thomas Picard quitta le Pavillon des patineurs à son tour. Son collègue Jean-Baptiste Laliberté s'accrocha à ses pas, plaidant encore une fois pour le partage du fiacre de son voisin. Ce souci d'économie lui permettait de profiter des dernières rumeurs. La politique retenait le plus souvent son attention, mais le commérage ordinaire ne lui répugnait pas.

— J'avais l'intention de marcher, précisa Picard. Il fait très beau, puis après une soirée à respirer la fumée de tous ces cigares…

— Tant pis, je vais user mes semelles aussi.

La mauvaise habitude de tirer sur un cigare, ou sur une pipe, ne séduisait guère le marchand, même si les fumeurs trouvaient dans son magasin tous les articles pour satisfaire leur vice. Alors qu'ils descendaient l'avenue Dufferin, Laliberté risqua :

— Cette jeune fille semble avoir un réel talent avec les enfants.

— Pardon ? Ah ! Vous voulez dire la jeune Trudel. En effet, je suis même un peu surpris de sa performance. Je ne pensais pas que les ursulines les formaient si bien. Édouard est littéralement fou d'elle.

Bien sûr, tôt ou tard quelqu'un devait lui parler de la jeune beauté qui vivait sous son toit. Avant d'en arriver là, Laliberté avait dû se livrer à bien des échanges à mi-voix soulignés par des sourires entendus avec des voisins ou des amis.

— Il a du goût, ce garnement. Elle semble si bien s'y entendre que cela donne des idées à ma femme.

— Que voulez-vous dire ?

— L'idée d'une préceptrice commence à faire son chemin dans quelques familles de la paroisse Saint-Roch. Cela fait terriblement chic.

Cette remarque ne méritait aucune réponse. La compétition entre notables prenait plusieurs formes, de celui qui avait le plus bel attelage à celui qui embauchait la plus abondante domesticité.

— Bien sûr, la mienne devrait être borgne, bossue et frôler les cinquante ans, pour que ma femme la laisse entrer dans la maison, ajouta le marchand de fourrures en ricanant.

Thomas Picard commença par serrer les dents, puis murmura d'un ton impatient :

— Si vous avez un moyen de redonner la santé à ma femme, cela me fera plaisir de vous payer les services de mademoiselle Trudel en échange. Alice saurait très bien s'occuper de ses propres enfants si elle le pouvait.

Pendant un long moment, jusqu'à ce qu'ils s'engagent dans la Côte-d'Abraham, Jean-Baptiste Laliberté choisit de demeurer silencieux. Quand le commerçant ouvrit de nouveau la bouche, ce fut pour s'engager sur un terrain moins dangereux :

— Pensez-vous que nous aurons des élections provinciales bientôt ?

— L'an prochain, sans aucun doute.

— Les libéraux auront des chances de l'emporter ?

— D'excellentes chances.

Les deux hommes parcoururent le reste du chemin jusqu'à la rue Saint-François en silence.

7

Le 24 juin 1896 tombant un mercredi, la plupart des activités de la fête nationale devaient être remises au dimanche suivant, puisque aucun employeur ne songeait à donner congé ce jour-là. En l'absence d'un État, et même d'un drapeau – au point que les Canadiens français utilisaient le tricolore pour marquer leur distinction –, ceux-ci profitaient au moins d'une institution à la fois rassembleuse et omniprésente : l'Église catholique. Aussi dans Saint-Roch, la grande activité proposée pour satisfaire l'appétit national des ouailles était l'ordination de trois des fils de la paroisse.

En conséquence, la grand-messe se drapa d'une majesté exceptionnelle, avec la présence de Sa Grandeur l'évêque coadjuteur du diocèse de Québec, monseigneur Louis-Nazaire Bégin. Le titulaire du siège épiscopal, monseigneur Taschereau, âgé et perclus, ne se déplaçait plus guère, même pour des cérémonies de cette envergure. Les fidèles ne perdaient pas vraiment au change, l'ecclésiastique présidait à l'office religieux de main de maître, parvenant à faire un amalgame réussi de la farouche résistance nationale et religieuse du petit peuple des rives du Saint-Laurent, sous la houlette de pasteurs sages et éclairés par Dieu. À l'entendre, dans cette épopée les politiciens s'étaient révélés au mieux inutiles, au pire, dangereux. Sans l'évoquer nommément, le vainqueur de l'élection du mardi précédent se trouvait remis à sa juste place.

Du jubé où, comme d'habitude, elle retrouvait les membres de la chorale, Marie Buteau se sentait émue à plus d'un titre. D'abord, l'événement avait obligé la tenue de nombreuses répétitions qui lui avaient coûté la plupart de ses soirées depuis deux semaines. En quelque sorte, la cérémonie faisait office de première pour ces artistes de la voix, des ouvriers et des ouvrières endimanchés pour la plupart. Surtout, son propre frère comptait parmi les ordinants. Déjà, aux yeux de ses camarades, sa petite personne méritait une considération nouvelle, un peu comme si la noire soutane du jeune homme lui conférait une certaine sainteté. Sortie de l'utérus qui donnait à titre posthume un nouveau berger au grand troupeau catholique, elle méritait par association une dose de respect supplémentaire. Puis l'annonce que le jeune homme devenait l'un des deux vicaires de la paroisse ajoutait au symbole !

Bien sûr, tout dans les pompes cléricales cultivait le sentiment de pieuse soumission envers les hommes choisis par Dieu. Quand monseigneur Bégin clama « Voulez-vous devenir prêtre, collaborateur des évêques dans le sacerdoce, pour servir et guider sans relâche le peuple de Dieu sous la conduite de l'Esprit saint ? », Émile Buteau répondit d'une voix ferme « Oui, je le veux ». Sa résolution était telle que les fidèles pouvaient penser que ce croisé n'hésiterait pas à aller souffrir le martyre chez les Infidèles pour la plus grande gloire de son Créateur !

L'imposition des mains sur la tête de son frère, au moment de la prière de l'ordination, tira une larme à Marie. Elle renifla un peu plus fort quand le jeune homme reçut sa chasuble et son étole – des ornements achetés à crédit. D'autres moments de l'interminable cérémonie se révélèrent tout aussi poignants, comme celui où les ordinants étendus de tout leur long sur le plancher montrèrent leur plus parfaite soumission, ou encore celui où, les mains jointes dans celles de monseigneur Bégin, ils jurèrent obéissance à leur évêque.

Finalement, après deux bonnes heures, les fidèles purent quitter les lieux, convaincus de se trouver infiniment plus proches du royaume des cieux.

Marie Buteau, plutôt que de regagner sa maison de chambres, choisit de s'asseoir sur un banc de la petite place située juste devant l'église paroissiale. Les autres prêtres nouvellement ordonnés avaient invité leur famille à un repas au presbytère, pour célébrer leur récente dignité. Émile l'avait invitée sans trop insister, elle avait refusé avec fermeté. D'abord, même dans une paroisse ouvrière, une hiérarchie sociale aussi rigide que celle de la Haute-Ville présidait aux rapports entre les individus. La jeune fille se figurait bien que, petite vendeuse du grand magasin Picard, elle aurait fait un bien modeste bout de table. Plutôt que de se sentir obligée de justifier sa présence parmi les notables, mieux valait s'abstenir.

Ce faisant, Marie avait pesé sur la conscience de son aîné. Finalement, de mauvaise grâce, celui-ci se contenta de tremper ses lèvres dans un verre de mauvais vin blanc avec la joyeuse compagnie réunie dans le grand salon du presbytère, pour s'excuser au moment de passer à table et rejoindre sa seule parente demeurée à l'extérieur. Ce fut avec un visage maussade qu'il la rejoignit, largement après midi.

— Tu devrais plutôt te joindre à eux, dit-elle en guise d'accueil. Il n'est pas nécessaire de me tenir compagnie, je t'assure.

— Nous en avons déjà discuté. Tu es ma seule famille. Allons-y.

L'homme se dressait devant elle, un peu lugubre dans son froc noir, le cou prisonnier d'un carcan de celluloïd blanc. Peut-être sincères, ses paroles n'en étaient pas moins fausses. Cet accoutrement prouvait que sa famille, désormais, ne se trouvait plus du côté des laïcs. Prétendre le contraire tenait de la naïveté.

Ils empruntèrent la rue Saint-Joseph pour se diriger jusqu'au boulevard Langelier. Le Conseil central de la Ville de Québec, une fédération des différents syndicats, organisait diverses activités de concert avec la Société Saint-Jean-Baptiste, afin de souligner le mieux possible la fête nationale des Canadiens français. L'espace gazonné entre les deux allées pavées s'encombrait de nombreux kiosques où les badauds trouvaient de quoi manger et boire. L'estrade où, peu de temps auparavant, Wilfrid Laurier haranguait ses électeurs se dressait toujours à l'extrémité sud de la voie de circulation. Un orchestre composé de musiciens amateurs égayait de ses flonflons les personnes présentes.

— Nous pourrions manger ici, proposa le jeune abbé.

Un cantinier entreprenant avait dressé une vieille tente militaire pour abriter une cuisine improvisée. Quelques tables branlantes, de chaque côté desquelles des planches posées sur des caisses de bois faisaient office de bancs, permettaient de prendre un repas dans un confort relatif.

Émile Buteau put apprécier tout de suite l'effet de son nouveau statut : la file d'attente s'ouvrit devant lui comme la mer Rouge devant Moïse, avec des « Après vous, monsieur le curé » empreints de respect. Le miracle se produisit une nouvelle fois quand, un plateau chargé de deux pâtés à la viande et deux tasses de thé fumantes dans les mains, il vint vers une table placée près de la chaussée. Alors que peu de temps auparavant les clients, épaule contre épaule, parais-saient former un mur, deux places apparurent soudainement libres, l'une en face de l'autre. Les « merci » de l'ecclésias-tique résonnaient comme autant d'indulgences plénières.

Une fois assise, sa fourchette en main, Marie commenta :

— Te voilà enfin arrivé à destination. Ce fut un long trajet.

— Plus de la moitié de mon existence, depuis l'entrée au Petit Séminaire.

— Cela en valait la peine ?

La question trahissait un scepticisme un peu inquiétant. Émile préféra avaler une bouchée avant de rétorquer :

— Sans hésiter un instant, j'aurais investi deux fois plus d'efforts pour y arriver.

— Tu as de la chance. Peu de personnes peuvent se vanter d'avoir réalisé leurs rêves. Du moins, pas dans ce quartier.

D'un regard circulaire, elle désignait les personnes autour d'eux, des hommes aux mains calleuses, accoutrés de vêtements disparates ayant connu de meilleurs jours, des femmes à la mine fatiguée, la taille rendue informe par les naissances se succédant tous les quinze mois avec une régularité infaillible.

— Je n'ai tout de même pas réalisé tous mes rêves, fit-il en esquissant un sourire contraint.

— Souhaites-tu recevoir un jour la responsabilité d'une paroisse de la Haute-Ville, où les dîmes bien généreuses entreront avec régularité ?

— Ces cures-là reviennent aux garçons de la Haute-Ville, qui savent bien se tenir à table et qui boivent leur thé dans des tasses de porcelaine anglaise.

En disant cela, il levait sa propre tasse de fer-blanc. Après une gorgée, il continua :

— Je me contenterai d'une paroisse ouvrière.

Marie préféra garder ses réflexions pour elle. Le presbytère de Saint-Roch, une grande bâtisse de pierre grise attenante à l'église, se comparait à certaines résidences de la Grande Allée.

— À l'évêché, on parle d'ailleurs de créer une nouvelle paroisse à l'ouest de cette rue.

— Tu ne voudrais pas aller à la campagne, dans un village blotti autour de l'église, peuplé d'agriculteurs craignant Dieu et leur confesseur ?

Encore une fois, l'ironie teintait la voix de la jeune fille, au plus grand agacement de son aîné.

— Dans ces endroits aussi, on préfère recruter des enfants du lieu.

En réalité, si les fils de la campagne devenaient souvent curés dans des paroisses ouvrières, l'inverse ne se produisait que rarement. L'appel de Dieu se faisait moins souvent entendre au creux des oreilles prolétariennes des quartiers populaires que dans celles des fils de cultivateurs.

— De ton côté, tu remplis toujours le rôle de secrétaire ? questionna Émile, désireux d'orienter la conversation vers d'autres sujets que la carrière ecclésiastique.

— Une heure par jour, depuis quelques semaines.

— C'est un début. Si tu fais l'affaire…

Marie préférait ne pas mettre d'espoir dans une affectation plus régulière afin de ne pas appeler sur elle le mauvais sort. Toutefois, cette heure quotidienne s'allongeait parfois. Thomas Picard lui confiait quelques tâches supplémentaires alors que son propre secrétaire se dirigeait de plus en plus souvent vers la Pointe-aux-Lièvres en affichant des airs de conspirateur.

— Cela te vaut-il un meilleur salaire ?

— Non, et je n'oserais jamais le demander. Déjà que le travail est moins difficile…

Surtout, elle sentait avoir encore tellement à apprendre avant de bien accomplir ses nouvelles tâches.

— Et à la maison de chambres, tout se passe bien ?

— Ce n'est ni mieux ni pire qu'auparavant. Si je pouvais obtenir quelques sous de plus par jour, mon premier souci serait de me trouver un autre logis, pour ne pas avoir à partager un tout petit réduit avec une inconnue.

— Au moins, tu n'es pas seule.

Comment faire comprendre à Émile que la cohabitation dans un espace minuscule, avec une personne que le hasard avait mise sur sa route, ne changeait rien à son isolement ? Au contraire, les mêmes paroles convenues répétées tous les soirs sur le même ton la lassaient tout autant que la longue journée passée au magasin.

— Nous marchons un peu ? demanda-t-elle après un long silence.

Ils avaient terminé le pâté et le thé, la file d'attente devant le comptoir du cantinier demeurait longue. Mieux valait permettre à d'autres de profiter d'une place assise pour manger. Sans se concerter, ils s'engagèrent vers le nord, en direction de l'Hôpital général. Ils s'arrêtèrent un moment pour regarder une parade organisée par la Société Saint-Jean-Baptiste. Des chars allégoriques présentaient les moments glorieux du passé des Canadiens français. Seule une bonne dose de patriotisme permettait d'ignorer la modestie des moyens mis en œuvre. Sur des charrettes tirées par des chevaux, des figurants personnifiaient des personnages tirés des manuels des Frères des écoles chrétiennes, au milieu de décors très brièvement esquissés.

Le plus réussi de ces chars, l'œuvre d'un fabricant de meubles de la rue Saint-Paul, représentait la *Grande Hermine*. L'entrepreneur portait un costume vaguement inspiré des tenues du seizième siècle, trois ou quatre de ses enfants également déguisés jouaient le rôle de son valeureux équipage.

Près de la rivière Saint-Charles, partageant un pré avec quelques vaches, deux équipes disputaient chaudement une partie de baseball, l'une défendant les couleurs de la manufacture de chaussures Duchesne et l'autre, celle de son compétiteur Marsh. Si les cris d'excitation des spectateurs encourageaient les prouesses sportives, les manifestations les plus bruyantes retentirent quand la balle roula dans une bouse bien fraîche.

— Je pense que je devrais les rejoindre, murmura bientôt l'abbé Buteau.

Il faisait allusion à sa petite coterie d'ecclésiastiques.

— Oui, bien sûr, répondit la jeune fille. De mon côté, je comptais réviser un peu ma grammaire. Alfred Picard se montre intraitable sur les fautes d'orthographe.

Lentement, le frère et la sœur revinrent vers l'intersection des rues Saint-Joseph et de la Chapelle. Sur le perron du presbytère, un peu empruntés, ils se donnèrent rendez-vous pour le dimanche suivant, juste avant les vêpres.

～

Le cliquetis des marteaux contre le rouleau du clavigraphe témoignait de la dextérité grandissante de Marie Buteau.

Derrière elle, un peu de biais, Thomas Picard dictait les mots tout en observant les doigts agiles sur les touches :

— Je vous prie de recevoir, monsieur Breton, l'expression…

Un bruit d'instruments à vent et de voix humaines monta de la rue Saint-Joseph, trois étages plus bas, et envahit les bureaux du magasin par les fenêtres, grandes ouvertes, de la façade.

— Pourtant, les activités de la Saint-Jean se sont terminées il y a deux jours, remarqua la jeune femme en tournant la tête à demi pour voir son employeur.

Celui-ci s'était rapproché d'une fenêtre. Après un moment, il fit un geste de la main en disant :

— Venez voir. On dirait un carnaval en plein été.

Marie vint le rejoindre, pencha la tête vers l'extérieur. Sous leurs yeux, dans la rue, un étonnant véhicule tiré par deux chevaux passait justement. On y avait construit une curieuse estrade qui permettait à quatre longs sièges placés en parallèle d'accueillir une trentaine de musiciens. Ceux-ci, placés en quinconce, pouvaient jouer du trombone ou de la trompette sans nuire à une personne assise directement devant eux. Chacun portait un uniforme chamarré, rouge et vert, souligné d'une abondance de galons d'or.

Derrière la curieuse voiture, des dizaines de personnes montées sur des bicyclettes suivaient en chantant en anglais.

— Cela me revient. Hier soir commençait le congrès de l'Association canadienne des bicyclistes. Les amoureux de cette petite machine de fer sont venus de partout au Canada pour festoyer dans notre ville.

— Grands dieux, quelle curieuse idée, remarqua Marie en riant.

Plutôt petite, elle arrivait tout juste à l'épaule de son patron. Ainsi, en pleine lumière, celui-ci appréciait la curieuse couleur de ses yeux sombres, la masse de cheveux d'un brun très foncé, presque noir, réunis comme d'habitude en une lourde tresse. Sa gracilité ne la privait pas d'un postérieur joliment arrondi, d'une poitrine qui, pour être menue, demeurait charmante. Si sa mise avait paru moins pauvre, les regards des hommes auraient eu du mal à se détacher d'elle. Enfin, ceux des hommes qui levaient le nez sur les beautés des faubourgs.

— Vous savez, expliqua finalement le commerçant avec condescendance, vous habitez une très jolie ville. Un jour peut-être, vous verrez plus de personnes embauchées dans les hôtels et les restaurants que dans les manufactures de chaussures.

— Il n'y aura jamais assez de clients pour les occuper.

— Ne croyez pas cela. Ces bicyclistes viennent passer leur semaine de vacances à Québec. Si de plus en plus de gens font la même chose, cela pourra représenter beaucoup de touristes… Mais comme nous ne sommes pas nous-mêmes en congé, reprenons notre correspondance.

En retrouvant sa chaise devant la machine à écrire, Marie cacha son scepticisme sous un sourire amusé. Comme elle ne pouvait espérer, dans un futur prévisible, profiter elle-même de vacances, l'idée qu'une proportion significative de ses contemporains jouisse un jour d'un semblable privilège lui paraissait absurde.

Une demi-heure plus tard, alors que Thomas Picard signait les quelques lettres qu'elle avait écrites pour lui, il déclara :

— Vous pouvez rentrer. Je vous donne un petit congé. En passant, pouvez-vous dire à mon frère de venir me voir à mon bureau ?

— Oui, certainement.

Après avoir placé une housse de tissu sur le clavigraphe, Marie traversa tout le rayon des vêtements féminins pour transmettre le message.

— Vous allez me remplacer derrière le comptoir ? demanda Alfred.

— Le patron vient de me dire de rentrer à la maison. Mais si vous insistez…

La jeune fille posait sur lui des yeux rieurs, convaincue qu'elle venait de perdre les quinze petites minutes de vacances que son employeur lui accordait.

— Ah! Mais si le patron a dit que vous pouviez rentrer, rentrez. Je m'en voudrais de vous retenir. Je vais confier cette caisse enregistreuse à quelqu'un d'autre, ou alors le grand homme m'attendra. Bonne soirée.

— … Bonne soirée, monsieur Alfred.

Finalement, le chef de rayon se montra au bureau de son frère largement après six heures. Celui-ci leva la tête de son grand registre pour demander:

— Tu avais prévu de faire quelque chose, dimanche prochain?

— … Je ne sais trop… Une sortie à la campagne…

— Ne prends pas cet air désemparé, je n'ai nulle envie de rassembler notre minuscule tribu autour d'une volaille. Je voulais juste te prier de sortir mes enfants.

Alfred retrouva son sourire habituel, puis s'affala sur la chaise placée devant le grand bureau du patron.

— Je pense pouvoir jouer de façon passable le rôle de l'oncle gâteau pendant un moment, une heure ou deux. Mais toute une journée…

— D'abord, leur préceptrice sera là: tu ne devrais pas risquer de les voir se mettre à hurler dans un endroit public, ou jeter des aliments dans le cou des passants. Je leur ai promis de les conduire sur la terrasse Dufferin dimanche. Tu as certainement vu la publicité pour le spectacle africain. Mais notre ami Wilfrid tient à me voir à Ottawa.

— Il s'agit de ton ami. Moi, je suis simplement l'un de ses nombreux électeurs du comté de Québec-Est… Soit, consentit-il après une pause, je veux bien escorter ta jeune beauté afin d'éviter qu'un Nègre de la Caroline ne se sauve avec elle en travers de son épaule. Tu peux même leur annoncer que je les prendrai sur le perron de l'église après la messe, pour les emmener manger au Château.

Finalement, l'expédition pouvait devenir fort agréable. Cela le changerait certainement de la poule bouillie mangée en tête-à-tête avec madame veuve Théodule Picard.

— Merci. Tu m'évites de faire face pendant une semaine à deux petits visages rendus maussades par la déception. Ne t'inquiète pas, les enfants deviennent des experts des usages à table. J'en suis venu à me passer le plus souvent de mon verre de bière avec le repas, car cela fait un peu trop commun. Ce serait une pitié s'ils en venaient à avoir honte de leur père.

— Tout cela à cause de la couventine ?

— Elle paraît convaincue que mes rejetons se hisseront au sommet de l'échelle sociale de Québec. Alors elle les prépare à briller dans les salons, et les salles à manger bien sûr, de la Haute-Ville.

Le chef de rayon s'esclaffa franchement avant de dire :

— Quelle redoutable faculté d'adaptation pour une demoiselle née dans le comté de Champlain, qui doit son séjour chez les ursulines à la générosité du Département de l'instruction publique.

Un peu plus, et il disait « à la charité publique ». Seul son air amusé rendait son jugement moins cruel. Après une pause, il demanda :

— Je suppose que je pourrai compter sur les bons services du cerbère qui te sert de cocher ?

— Grosjean ? Évidemment. Je lui dirai de vous attendre près de l'église.

Thomas Picard fit une pause, puis changea soudainement de sujet :

— Tu crois que ta petite protégée, Marie Buteau, saurait tenir des livres ?

— Mon Dieu, pourquoi pas ! Aligner une colonne pour les dépenses, une autre pour les revenus, ce n'est pas bien sorcier. Moi-même, j'y arrive. Au pire, elle pourrait prendre un cours du soir. Ceux-ci reprendront en septembre, à deux pas d'ici, d'ailleurs. Pourquoi ?

— Oh! Une idée comme cela, sans plus. Je lui confie de plus en plus de travail.

Alfred lui adressa un sourire amusé, changea de position sur sa chaise avant de répondre :

— J'ai remarqué. Si elle passe ses journées ici, je devrai embaucher une autre fille dans mon rayon.

— Tout de même, nous n'en sommes pas là. Elle joue le rôle de ta secrétaire pendant une heure tous les jours. Tout au plus, je lui demande une heure supplémentaire.

— Veux-tu bien me dire quelles tâches aussi secrètes que discrètes tu confies à Fulgence Létourneau, ton ineffable secrétaire ? Il s'absente régulièrement pendant plusieurs heures d'affilée.

Ce fut au tour de Thomas de paraître amusé de la situation. Il rétorqua d'un ton chargé de mystère :

— Tu ne le sauras pas avant que tout soit en place.

— Encore une magouille politique ?

— Peut-être que je le ferai nommer sénateur !

Alfred Picard quitta sa chaise pour se diriger vers la porte. Au moment où il allait l'ouvrir, il se retourna pour dire, une pointe d'agacement dans la voix :

— Pas moyen de parler sérieusement avec toi.

— Je me suis si souvent dit la même chose à ton sujet.

Au moment où le chef de rayon quittait la pièce, un grand rire lui parvint de derrière l'imposant bureau.

❧

Après un souper rapidement avalé, Marie Buteau et Yvonne, la jeune ouvrière avec qui elle partageait sa chambre depuis six mois, consentirent à dépenser cinq cents chacune afin de se rendre à la Haute-Ville. Une coupure du journal leur avait permis d'en apprendre plus sur le séjour des bicyclistes canadiens dans la capitale provinciale. L'espoir d'entendre un concert gratuit justifiait le coût du trajet.

Une fois arrivées à destination, les jeunes femmes purent apprécier la fraîcheur de la brise qui balayait la Grande Allée. Fin juin, les manufactures et les commerces de Saint-Roch se révélaient parfois chauds et humides. Cela expliquait d'ailleurs pourquoi, au gré des décennies, les élites avaient jeté leur dévolu sur le long plateau longeant le fleuve Saint-Laurent.

La grande pelouse située devant le manège militaire accueillait parfois les exercices de l'armée régulière et de la milice. Ce jour-là, un spectacle moins martial s'offrait aux yeux de centaines de badauds. Dans un coin, une petite scène, en réalité un assemblage sommaire de poutres et de planches, permettait à l'orchestre bigarré qui avait parcouru plus tôt les rues de la Basse-Ville de proposer des airs entraînants, des valses aux mazurkas.

Les épreuves d'habileté représentaient cependant le clou du spectacle. Des cyclistes formaient la base d'une pyramide humaine se déplaçant rapidement. Chacun s'attendait à ce que les hommes se tenant debout sur leurs épaules chutent sur le sol, récoltant des bleus et des bosses. Ce fut en vain, ils arrivèrent indemnes à l'autre extrémité de l'espace gazonné. D'autres, moins audacieux, réussissaient pourtant à progresser vivement en maintenant la roue avant de leur véhicule dans les airs.

L'entrée en scène de vieux vélocipèdes, ces montures composées d'une immense roue avant et d'une minuscule roue arrière, firent rire les deux jeunes femmes aux éclats. Que d'aussi ridicules machines, une génération plus tôt, aient pu être considérées comme un moyen de transport témoignait de la naïveté technique de ces «anciens temps». Il fallait un petit escabeau pour y monter. Les cavaliers de ces étranges appareils devaient faire preuve d'un grand sens de l'équilibre pour ne pas s'écraser au sol. D'ailleurs, le clou du spectacle survint quand une demi-douzaine de clowns multiplièrent les chutes spectaculaires, savamment chorégraphiées, prélude à d'interminables culbutes.

— Qu'est-ce que deux jolies filles comme vous font toutes seules? questionna une voix derrière Marie.

Elle se retourna pour voir un grand jeune homme dégingandé, une casquette rejetée à l'arrière de la tête. La prononciation trahissait l'ouvrier de la Basse-Ville.

— Nous regardons. Pour cela, nous n'avons besoin de la compagnie de personne.

La jeune vendeuse avait répondu sur un ton ironique, habituée à ce genre d'entrée en matière. À ses côtés, Yvonne présenta une figure un peu dépitée et adressa un sourire contraint aux garçons. La scène obéissait à un scénario ancien, immuable: deux jeunes filles, l'une véritablement jolie, l'autre tout à fait quelconque, deux jeunes garçons, l'un séduisant, ou se croyant tel, l'autre affligé de boutons, d'une calvitie ou d'un embonpoint précoce. Chacun des déshérités savait, en se collant aux basques d'une personne avantagée par la nature, augmenter ses chances de retenir l'attention de l'autre laissé-pour-compte. Sur un autre terrain, cela aurait pu être un loup boiteux accompagnant le meilleur chasseur de la meute pour obtenir les restes.

La difficulté, pour Yvonne, était de se trouver avec quelqu'un qui rejetait systématiquement toutes les avances des garçons: pareille attitude ruinait toutes ses chances. Heureusement, le don Juan de la Basse-Ville n'était pas homme à se décourager à la première rebuffade:

— Voyons… Tout ce monde, deux jolies filles: vous avez besoin d'une escorte, et nous sommes là. Je m'appelle Marcel Bellavance.

Son interlocutrice pouffa de rire en entendant le patronyme.

— Je pense que Ridiculavance conviendrait mieux. Merci de m'avoir divertie, mais je n'ai besoin de personne, je vous assure, affirma Marie.

Elle jeta un regard à la mine renfrognée de sa compagne avant d'enchaîner:

— Évidemment, je ne peux pas vous empêcher d'écouter la musique près de nous.

Sans se formaliser de la froide réception, le garçon répondit par un sourire, se rangea près de la jolie brune pour avoir une meilleure vue de l'orchestre, alors que son compagnon, prénommé Georges, se rapprochait d'Yvonne. Au gré des pauses entre les pièces musicales, Marie apprit que son chevalier servant travaillait à la manufacture de chaussures de William Marsh, la plus imposante du quartier Saint-Roch avec son bel édifice de brique rouge.

Un peu après neuf heures, alors que la pénombre commençait à se répandre sur la ville, la vendeuse exprima le désir de rentrer.

— Déjà ? La musique va continuer encore pendant une heure, plaida son voisin.

— Mais aucun de ces musiciens n'aura à se présenter au magasin Picard demain matin.

— Dans ce cas, nous allons vous raccompagner.

— Ce n'est pas nécessaire.

— Mais je ne l'offre pas par nécessité, protesta Marcel, mais juste pour avoir le plaisir de marcher avec vous pendant un moment.

Pour la première fois, Marie lui adressa un sourire sans la moindre trace d'agacement.

— J'ai l'intention de me rendre à la maison sans m'arrêter en chemin. Surtout pas dans un coin sombre.

— C'est bien ce que j'avais compris. Vous vous souvenez, je suis là pour vous permettre de rentrer en toute sécurité.

Bien sûr, une pause dans un endroit discret, protégé par une ombre complice, afin de se livrer à des jeux de main fripons, lui aurait plu au plus haut point. Toutefois, dès le premier mot sorti de la bouche de Marie, il avait compris que cela ne figurerait pas au programme. Tant pis, celle-là se tiendrait en réserve pour le bon motif.

En regagnant la Grande Allée, le garçon proposa néanmoins :

— Nous faisons un bout de chemin dans cette direction, histoire de voir les maisons des bourgeois?

— … Pourquoi pas? Mais quelques minutes seulement.

Avec Yvonne et son Georges bedonnant en remorque trois pas derrière eux, ils s'engagèrent dans la plus belle artère de Québec. Après avoir longé l'Assemblée législative, ils atteignirent les résidences majestueuses des élites politiques ou des hommes d'affaires les plus prospères. Au bout d'un moment, le jeune homme s'arrêta pour montrer une magnifique demeure de brique flanquée d'une tourelle à l'avant.

— Voilà le château de mon patron. Le cochon, il ne doit pas s'ennuyer, là-dedans. Chaque fois que je couds une empeigne à une semelle de chaussure, je paie une de ces briques.

— Ne te vante pas, protesta son collègue : au nombre de chaussures qui te passent entre les mains en un mois, tu serais le seul à avoir construit cette maison. Nous sommes plus de trois cents à la manufacture.

L'autre lui adressa une grimace, pensa un moment à lui répondre. Le petit groupe réuni dans le halo de lumière d'un réverbère ressemblait à un quatuor de conspirateurs. Mieux valait continuer leur chemin, sinon un domestique risquait d'appeler la police. Les forces de l'ordre se montraient particulièrement soucieuses de préserver la quiétude des riches et des puissants.

Au fond, cette excursion sur l'allée magnifique avait un effet plutôt déprimant sur les quatre travailleurs. À l'intersection suivante, ils s'engagèrent vers le nord, pour rejoindre la rue Saint-Jean et revenir jusqu'à la Côte-d'Abraham. Comme le temps demeurait doux, le ciel plaisamment étoilé et les rues en pente descendante jusqu'à ce qu'ils arrivent à destination, personne n'évoqua la possibilité de prendre un tramway.

Les jeunes gens se séparèrent au coin des rues Saint-Joseph et du Pont. Les jeunes femmes, Marie surtout, se montraient peu désireuses d'amener leurs chevaliers servants jusqu'au pas de leur porte. De toute façon, dans une paroisse où tout le monde se regroupait sur le parvis de l'église le dimanche matin, l'un ou l'autre de ces hommes pouvait décider de renouer le contact. L'initiative de le faire leur revenait exclusivement. Aucune jeune célibataire voulant conserver un atome de respectabilité ne se risquerait à en faire autant.

~

Avec ses quelques milliers d'habitants, Ottawa faisait piètre figure dans la liste des capitales nationales. La décision de la reine Victoria en faveur de ce site avait d'ailleurs suscité la consternation chez les politiciens, quelques décennies plus tôt. À la décharge de la gracieuse souveraine, les critères qui avaient pesé sur son choix ne lui laissaient guère de marge de manœuvre : à la frontière du Québec et de l'Ontario pour n'offusquer personne, et suffisamment loin de la frontière américaine pour éviter les attaques surprises. Cela ne laissait guère d'autre choix que le petit village de Bytown.

Le 4 juillet 1896, la victoire de Wilfrid Laurier était encore trop récente pour que celui-ci ait déménagé ses pénates dans la petite ville. Le grand homme logeait au dernier étage de l'hôtel Dominion, au coin des rues Slater et Metcalfe, à deux pas du petit opéra.

Au moment de s'asseoir sur un fauteuil élimé, en face du politicien, Thomas Picard remarqua :

— Je suis étonné de ne pas vous rencontrer dans les bureaux du parlement.

— Ce sera pour votre prochaine visite. Actuellement, les conservateurs sont occupés à détruire tous les documents qui pourraient servir de pièce à conviction contre eux. Après quarante ans de pouvoir presque ininterrompu, il leur faudra encore quelques jours.

— N'auriez-vous pas intérêt à tout récupérer pour leur régler leur compte ?

— D'abord, ils ne seraient pas d'accord. Ensuite, la politique obéit à certains usages. C'est un peu comme la parole de Notre-Seigneur : ne pas faire aux autres ce qu'on n'aimerait pas qu'ils nous fassent.

Le commerçant se fit la remarque que vendre des vêtements au détail demandait moins de compromissions que le jeu politique.

— Outre le plaisir de vous revoir, je tenais à ce que vous rencontriez mon futur ministre des Travaux publics. Vous savez que ce ministère est important pour asseoir notre parti au pouvoir.

— En distribuant les largesses de l'État.

— Exactement.

Cela revenait à dire que pendant les quatre ou cinq prochaines années, toutes les dépenses pour doter le pays en pleine expansion d'infrastructures nouvelles récompenseraient les membres loyaux du Parti libéral.

— Qui donc devrai-je rencontrer ? demanda Thomas.

— Israël Tarte.

— Pas cette vieille grenouille de bénitier ! De toute façon, il a été battu dans son comté de Beauharnois, il y a moins de deux semaines.

Laurier leva la main pour calmer son interlocuteur, devenu subitement véhément, avant de préciser :

— Il sera bientôt le député de Saint-Jean.

— Et le type élu il y a deux semaines ?

— Il deviendra sénateur.

— Vous savez pourtant toutes les insultes que ce salaud a fait pleuvoir sur nous…

Pendant des années, Israël Tarte avait utilisé des journaux de Québec, comme *Le Canadien*, *L'Événement* et *Le Cultivateur*, pour livrer une lutte sans merci à la moindre idée libérale, se drapant derrière les soutanes.

— Depuis cinq ans, il débite les mêmes insanités contre les conservateurs. Bientôt, il achètera *La Patrie* afin de poursuivre son entreprise de salissage.

Sa récompense pour avoir trahi ses anciens alliés, songea le commerçant, prendrait la forme d'une nomination au ministère où le patronage pouvait s'exercer de façon éhontée. Le politicien le conforta dans ce jugement sévère:

— J'ai été élu grâce à un appui massif du Québec. Tarte fera en sorte que le Parti conservateur ne retrouve jamais la majorité des sièges dans notre province. Il prendra les moyens nécessaires pour arriver à ce résultat. En plus de diriger un ministère, il sera mon principal organisateur politique.

— … Je vois.

La politique donnait parfois d'étranges compagnons de lit. La seule latitude de Thomas était de décider s'il y coucherait ou non.

— Je compte donc sur vous pour guider son action dans la région de Québec. Vous connaissez suffisamment le monde des affaires de cette ville pour faire en sorte que nos largesses, comme vous dites, aillent dans de bonnes mains.

« "Dans les bons goussets" serait une formule plus appropriée », songea Thomas Picard. Cela signifiait aussi que ses propres intérêts bénéficieraient de la situation.

— Je peux compter sur vous? insista le politicien.

— … Oui, bien sûr.

Afin que sa brève hésitation ne lui porte pas préjudice, il s'efforça de prendre un ton plus enjoué pour continuer:

— Où puis-je trouver votre organisateur?

— Au bar de l'hôtel. La file des personnes désireuses de le rencontrer s'allonge très vite, mais ne craignez pas de passer devant: Israël vous attend.

Laurier pouvait bien appeler son nouveau complice par son prénom: tous deux avaient effectué ensemble leur cours classique au Collège de l'Assomption. Après de nouveaux remerciements pour le magnifique travail effectué pendant la campagne électorale, le premier ministre congédia son organisateur de Québec-Est avec délicatesse. À sa porte aussi, la file des quémandeurs de privilèges divers s'allongeait.

Quelques minutes plus tard, malgré les «J'étais là avant vous» offusqués, Thomas prenait place sur une chaise en face du nouveau pontife du patronage au Canada. Israël Tarte tirait sur un gros cigare en consommant café après café. Au théâtre, avec sa barbe de bouc et ses cheveux en désordre, ce curieux personnage aurait incarné un Méphistophélès convaincant. Poli, l'homme souleva les fesses de sa chaise pour serrer la main du nouveau venu.

— Je suis enchanté d'avoir l'occasion de travailler avec vous. Pendant des années à Québec, j'ai admiré la ténacité avec laquelle votre père montait son affaire. Même si j'ai quitté cette ville depuis quelques années, je crois savoir que vous poursuivez son œuvre avec brio.

Le commentaire ne demandait aucune réponse. Thomas attendit la suite avec un sourire contraint. Prenant un rouleau de papier près de lui, le futur ministre continua :

— Nous allons devoir doter Québec de nouveaux équipements, commença-t-il en déroulant la carte sur la petite table. D'abord, le port demande à être agrandi.

Du doigt, Tarte désignait la zone où des travaux seraient entrepris.

— Puis nous comptons améliorer les locaux où descendent les immigrants : des dortoirs pour les loger, de meilleurs moyens pour détecter et soigner les malades…

— Le Canada en accueille bien peu…

— Croyez-moi, cela va changer. Nous ferons donc appel à des médecins de la ville. Vous nous direz lesquels. Puis il y a ce grand espace…

De la main, il montrait les plaines d'Abraham, là où les batailles de Québec et de Sainte-Foy s'étaient déroulées en 1759 et 1760.

— De plus en plus de gens réclament qu'on en fasse un grand parc. Mais je me demande si nous ne ferions pas mieux d'y construire une manufacture d'armes. Dépendre des États-Unis et de l'Europe à cet égard est un peu gênant. Puis créer des centaines d'emplois se montrera très utile dans quatre ans.

En trois minutes, mine de rien, Israël Tarte venait de lui indiquer que les entrepreneurs en construction trouveraient des contrats juteux. En s'aidant de la carte, cela lui permettait de préciser les endroits où les terrains gagneraient bientôt de la valeur.

— Je compte sur vous, le moment venu, pour me dire lesquels de nos amis de Québec pourront effectuer ces travaux, et aussi les endroits précis où nous devrions procéder.

Autrement dit, Thomas Picard se voyait offrir un fief où exercer le patronage, pour le bien du parti et le sien propre.

— Ce sera avec plaisir.

Sans hésitation, il scella son pacte avec le diable par une poignée de main.

— Je suis désolé de vous avoir imposé toutes ces heures de train pour une conversation aussi courte, mais certains échanges gagnent à se dérouler de vive voix, l'un en face de l'autre.

— Je comprends.

Après une pause, les yeux du commerçant allèrent vers la petite foule qui se pressait près de la porte.

— Le temps est venu de nous quitter... D'autres organisateurs essentiels se désespèrent de vous voir.

En disant ces mots, il se leva. Son interlocuteur conclut :

— Malheureusement, ce ne sont pas tous des organisateurs. Ceux-là, je m'efforce de les recevoir sur-le-champ. Ces personnes viennent sans doute au secours de la victoire... Au plaisir de vous revoir bientôt.

— D'ici là, j'aurai fait mes devoirs.

Peu après, dans la rue Metcalfe, Thomas Picard se demanda un moment si les charmes d'Ottawa méritaient qu'il s'attarde jusqu'au lendemain.

— Autant prendre le train pour Montréal tout de suite, jugea-t-il.

8

Élisabeth Trudel assista à la cérémonie religieuse seule avec les enfants, sur le banc des Picard, situé à l'endroit le plus noble de la nef. Pour tous ceux qui ne connaissaient pas sa situation réelle, la jeune femme affichait l'image d'une mère à l'air étonnamment jeune, très jolie, et attentive au bien-être et à la bonne tenue de sa progéniture.

Peu après le *Ite Missa Est*, les paroissiens des deux sexes sortirent sans se presser, s'attardèrent sur le parvis, oubliant parfois l'heure en s'absorbant dans des conversations où le temps radieux le disputait aux derniers événements politiques. Cela ne risquait pas d'arriver à la jeune préceptrice. À peine sortie du temple, Édouard tira sur sa main en disant :

— Il est là, il est là !

Remorquées par le jeune garçon, Élisabeth et Eugénie se dirigèrent vers la rue Saint-François, où le fiacre des Picard avait été stationné. Alfred ouvrit la portière, un grand sourire sur les lèvres. Le gamin s'y engouffra comme s'il cherchait à échapper à un danger mortel.

— Édouard, tu devrais au moins prendre le temps de saluer, commenta Élisabeth en adressant un sourire à son escorte pour l'après-midi.

— Bonjour, oncle Alfred, fit une voix rieuse du fond de la voiture.

— Bonjour, monsieur, continua la jeune préceptrice. Malgré de réels progrès avec les leçons de bienséance, nous connaissons parfois de petits reculs.

Alfred Picard s'inclina en tendant la main, affirmant :

— Ce n'est rien. Bonjour, mademoiselle Trudel. C'est un plaisir de vous revoir.

Puis, en tournant son attention vers Eugénie, il continua :

— Mademoiselle l'impératrice, vous êtes… magnifique. Allez, faites-moi la bise.

La fillette, rougissante, ne se fit pas prier. Après les effusions, Alfred se releva, tendit la main pour aider ses compagnes à monter dans la voiture. Peu après, Napoléon Grosjean incitait son cheval à se mettre en route d'un claquement de la langue.

Quelques minutes suffirent pour atteindre le Château Frontenac. Attentionné, Alfred aida les demoiselles à descendre. Édouard tint absolument à sauter directement du plancher de la voiture sur les pavés. Malgré l'atterrissage un peu brutal, il s'efforça de ne rien laisser paraître de la douleur que son petit exploit provoqua dans ses jambes.

— Napoléon, expliqua l'homme en lui tendant quelques pièces de monnaie, trouvez-vous une taverne où aller manger. Vous nous prendrez vers quatre heures, à cet endroit.

Le cocher acquiesça d'un signe de tête, empocha l'obole et se mit en route. Alfred Picard retrouva son petit groupe et le conduisit dans l'hôtel. Pour Élisabeth et les enfants, il s'agissait d'une première visite. Tous les trois ouvraient de grands yeux sur les papiers peints aux motifs floraux de couleur sombre, les décors de plâtre surchargés des plafonds à caissons, les tapis épais, moelleux sous les pieds.

Un moment plus tard, le maître d'hôtel de la salle à manger conduisait le petit groupe à une table située près de grandes fenêtres. Sous leurs yeux, des centaines de badauds endimanchés allaient et venaient sur la terrasse Dufferin.

En prenant sa serviette pour la poser sur ses genoux, Élisabeth examinait discrètement les clients qui occupaient la grande salle à manger. La plupart des tables accueillaient de petites familles, ici et là se trouvaient quelques couples. L'anglais dominait les échanges. En cette saison, des touristes venus du Canada ou des États-Unis occupaient à peu près toutes les chambres de l'établissement.

La jeune femme constata très vite que sa tenue modeste la distinguait de toutes les femmes présentes. Son rôle à cette table n'aurait pas été plus clair si elle avait porté un écriteau pendu à son cou. La fierté qu'elle pouvait éprouver en marchant sur les trottoirs d'un quartier ouvrier se muait ici en une certaine gêne, un profond sentiment d'être de trop en ces lieux; elle n'était qu'une domestique qu'un hasard improbable avait conduite là.

Dans les circonstances, autant assumer son rôle de la meilleure façon possible. Elle apprécia l'habileté avec laquelle Eugénie se débrouillait avec sa serviette, enfonça un coin de celle d'Édouard dans le col du garçon en adressant un regard à Alfred, comme pour excuser l'accroc aux bons usages de son protégé. Puis elle abandonna totalement à cet homme la responsabilité de discuter avec le serveur des choix culinaires de la tablée. Quelques minutes plus tard, alors qu'une salade leur avait été servie, l'oncle ne put s'empêcher de remarquer:

— Mademoiselle Trudel, vous me paraissez faire merveille: ces enfants sont sûrement les plus sages et les mieux éduqués dans cette salle.

— … Merci, monsieur. Nous avons bien travaillé, ces dernières semaines.

— Je suis grand, maintenant, souligna Édouard en se tournant vers son oncle.

Malheureusement, en prononçant ces mots, puis avec les coups de mâchoire qui leur firent suite, le gamin offrait à son oncle une vue imprenable sur sa bouche pleine de salade.

— Quelques notions lui échappent encore, remarqua Élisabeth avec un sourire amusé.

— À tout le moins, vous lui avez communiqué l'importance de bien mastiquer avant d'avaler.

Eugénie laissa échapper un long soupir, exprimant toute la honte que la présence de son jeune frère à cette table lui infligeait. Tout au long d'un excellent repas, la conversation, animée par Alfred Picard, porta sur les apprentissages effectués par les enfants. Ceux-ci faisaient étalage de leurs nouveaux savoirs avec une fierté évidente. Élisabeth écoutait ces échanges, participait lorsqu'on l'invitait à le faire.

Toutefois, son attention se portait fréquemment sur les autres convives dans la salle à manger. Il lui apparut bientôt que les regards masculins se portaient souvent sur elle. La simplicité même de ses vêtements, l'absence de tout ruban et de toutes dentelles sur la longue jupe et sur le corsage, tout comme celle, non moins évidente, d'un corset, permettaient de mieux apprécier sa silhouette, la souplesse de son corps, le galbe de sa poitrine. Son petit chapeau de paille ne payait pas de mine. Mais incliné de cette façon sur son œil droit, placé sur une masse de cheveux blonds lourds et soyeux, fraîchement lavés, coiffés en un assemblage complexe pour l'occasion, il prenait un charme nouveau. En quelque sorte, la modestie de la mise mettait son corps en valeur.

❧

Les escapades de Thomas Picard demeuraient peu nombreuses, car ses obligations familiales et commerciales l'immobilisaient à Québec. Toutefois, il descendait de temps en temps à la gare Windsor, située juste en face du carré Dominion, louait une chambre à l'hôtel du même nom et profitait des plaisirs de la grande ville dans un anonymat relatif.

La veille au soir, son passage au parc Sohmer lui avait valu de profiter d'abord du spectacle étonnant d'une «vue animée». La petite foule réunie dans une bicoque branlante assista avec un certain effroi à l'entrée d'un train en gare de Lyon. L'énorme machine s'arrêta dans un nuage de vapeur blanche. Bien que les images s'agitassent sur une grande pièce de toile, elles gardaient un réalisme étonnant.

Guère rassasié d'émotions fortes, un spectacle égrillard inspiré du french cancan rappela ensuite cruellement à

Thomas que certaines activités demeuraient hors de sa portée à la maison. Au son d'une musique d'Offenbach plutôt criarde, des jeunes filles sautillaient sur un pied, tenant l'autre haut au-dessus de leur tête, offrant un froufrou de jupons de dentelles et de sous-vêtements affriolants à une cinquantaine d'hommes surexcités. Parfois, à la lumière fumeuse de lampes à pétrole, une ombre foncée à la jonction des jambes écartées laissait croire que certaines des artistes portaient un «pantalon ouvert»... Certains sous-vêtements féminins permettaient de faire ses besoins sans les enlever: cela ouvrait de nouvelles perspectives aux voyeurs. Toutefois, les forces policières n'auraient pas toléré qu'elles n'en mettent pas du tout, ce qui arrivait parfois à Paris, selon la rumeur. Après ce spectacle, l'homme connut une nuit de sommeil difficile.

Au lever, Thomas Picard avala ce qui pouvait passer pour un déjeuner tardif ou un dîner précoce, avant de parcourir les rues de la grande ville, la métropole du Canada. Il commença par errer dans les belles allées du carré Dominion, s'arrêta un moment devant la statue érigée depuis peu à la mémoire de John A. Macdonald, résistant mal au plaisir de tirer la langue au vieux chef conservateur.

Puis il remonta à pas lents vers le nord, jusqu'à atteindre la rue Sainte-Catherine. Pendant de longues minutes, le commerçant examina avec un regard envieux le magnifique établissement de pierre du grand magasin Ogilvy. Bien sûr, vendre des produits luxueux à une clientèle cossue de langue anglaise nécessitait un cadre architectural majestueux... Tout comme cela devait procurer une marge bénéficiaire appréciable.

Ensuite, Thomas continua vers l'est sur la grande artère commerciale, passant devant les magnifiques édifices de Birks et de Morgan, situés à peu près en face l'un de l'autre. Le second, avec son revêtement de pierre rougeâtre et ses grandes vitrines en arc de cercle, impressionnait. Puis les larges trottoirs offraient un spectacle sans cesse renouvelé. Sous un soleil magnifique, des couples déambulaient lentement, les femmes dans de jolies robes de coton ou de mousseline leur tombant jusqu'aux talons, les plus élégantes avec une ombrelle à la main. L'homme se retournait parfois sur les plus belles, ce qui lui valait des regards courroucés de leurs compagnons.

Arrivé à la hauteur de la rue Saint-André, Thomas passa un long moment à faire le tour de l'établissement de Dupuis Frères, une grande bâtisse de brique à l'allure un peu terne. Ce commerce ressemblait fort au sien, vendant un peu de tout à une clientèle besogneuse de langue française.

— Mais eux profitent des avantages de la grande ville, grommela le promeneur.

La population de Montréal faisait quatre fois au moins celle de Québec. Les établissements de la ville desservaient des campagnes et des petites villes prospères dans un large rayon, bien pourvues en voies de communication. Les occasions d'affaires se multipliaient en proportion.

Un peu frustré de constater sa situation de gros commerçant d'une petite ville, plutôt que d'une grande, Thomas se résolut à remonter la rue Saint-Hubert jusqu'à la rue Sherbrooke, admirant au passage de belles maisons aux longs escaliers dotés de rampes de fer forgé, où trois ou quatre familles habitaient dans ces logis superposés. Marchant vers l'ouest dans la grande artère, l'homme partagea son intérêt entre les allées boisées du parc Logan et, au-delà de l'intersection de la rue Saint-Laurent, les grandes résidences bourgeoises.

En comparaison, le gros cube de brique qu'il habitait à Québec lui paraissait terriblement modeste. Mieux valait ne pas accroître son dépit en prolongeant sa marche jusqu'au «mille carré doré» puis à Westmount et ses nombreux châteaux de pierre. Autant s'asseoir sur un banc bien protégé par de grands arbres sur le terrain de l'Université McGill, afin de profiter de la douceur de la journée.

Une fois qu'Alfred Picard eut payé l'addition, ce fut avec une assurance nouvelle qu'Élisabeth Trudel traversa de nouveau la grande salle pour sortir. Après un passage préventif au petit coin avec les enfants, elle rejoignit le chef de rayon près d'une porte donnant sur la terrasse Dufferin. Le soleil inondait la grande surface de madriers. Ils commencèrent par s'approcher de la haute balustrade de fonte afin de regarder, beaucoup plus bas, les installations portuaires, les navires à l'ancre le long des quais et, plus loin, le magnifique panorama devant eux. Lévis se trouvait à peu près en face; l'île d'Orléans, à l'est, ressemblait à une immense arche de verdure amarrée au milieu du fleuve. La Côte-de-Beaupré s'allongeait au nord-ouest.

Afin de se protéger les yeux du soleil, Élisabeth plaça sa main en visière sur son front. La lumière lui faisait toutefois plisser le visage.

— Vous auriez dû prendre une ombrelle, commenta son compagnon.

— … Malheureusement, je n'en ai pas.

— Oh! Mon frère se montre négligent. Vous passerez au magasin, nous en avons.

— Mes moyens sont limités. Très limités.

Son interlocuteur eut un sourire amusé, puis déclara :

— Mais mon frère ne laissera pas gâter votre teint superbe par un hâle de paysanne.

La remarque contenait un sous-entendu peu généreux, que la baronne de Staffe, experte des usages du monde, aurait certainement désavoué. Mieux valait faire l'économie d'une réponse. D'ailleurs après un court silence Alfred continua, un peu gêné :

— Juste à gauche du Château, il y a un petit parc tout à fait charmant. Avec un peu de chance, vous trouverez à vous asseoir à l'ombre des arbres, sur le gazon.

Dans une communauté si obnubilée par l'ascétisme moral, le caractère alangui de la station assise à même le sol paraissait suspect. Une population soucieuse des apparences préférait suer à grosses gouttes debout sous un soleil de plomb. En conséquence, ils trouvèrent de la place.

Tout de même, cela n'allait pas de soi. Avec un sens chevaleresque inimitable, Alfred enleva sa veste pour la poser sur l'herbe, sous un vieil érable. Élisabeth y posa les fesses avec précaution, soucieuse de révéler le moins possible de ses bottines, de ses chevilles et de ses jupons dans l'opération. Elle s'asseya les jambes un peu repliées, le dos bien droit, une main posée sur le sol derrière elle pour prendre appui. Grâce à son geste généreux et fort opportun, il se retrouvait en bras de chemise tout en assumant l'image du parfait gentleman. Assis dans l'herbe, Alfred profitait de la brise venue du fleuve. Repoussé un peu vers l'arrière, son canotier lui donnait un air vaguement canaille.

— Moi, je vais tacher ma robe, remarqua Eugénie d'une voix dépitée.

— Malheureusement, ma belle princesse, je me promène rarement avec une seconde veste. Mais tu sais, quelques brindilles ne déparent jamais une jolie fille.

Moins résolue à passer pour une grande personne, la gamine lui aurait tiré la langue. À la fin, elle consentit à s'asseoir à même le sol. Édouard quant à lui ne se posa aucune question et entreprit de montrer à tout le monde qu'il savait déjà faire de belles culbutes. Sur une scène couverte surmontant un petit restaurant érigé pas trop loin, un orchestre distillait une musique légère. Les couples qui allaient bras dessus, bras dessous sur la vaste terrasse trahissaient leur envie de danser en esquissant un mouvement imperceptible des hanches.

Pendant une bonne heure, Élisabeth et Alfred échangèrent des commentaires entrecoupés de très longs silences sur la douceur du climat et la majesté du point de vue. L'orchestre amateur des pompiers de la ville céda sa place à une dizaine d'hommes noirs hilares, tous vêtus d'un habit de soirée impeccable. Le teint de la peau et la couleur du costume soulignaient la blancheur des plastrons empesés. Dans leurs mains, des instruments de cuivre et des banjos promettaient des airs endiablés.

— Ce sont des Nègres de la Caroline, expliqua Alfred à l'intention de sa compagne. Ils parcourent les villes de l'Amérique du Nord pour proposer leur petit spectacle.

— Qui les paie?

— Nous devons leur présence à la générosité de l'Association canadienne des bicyclistes, qui termine aujourd'hui sa semaine de réunions et de promenades. Je suppose que le Château apporte sa contribution. Tout le bon peuple agglutiné pour apercevoir des personnes à la peau noire va se précipiter dans les buvettes de l'hôtel pour se rafraîchir, avec cette chaleur.

— Mais tout le monde peut voir des Africains sans payer un sou. Il n'y a qu'à prendre le train!

Élisabeth évoquait là un ouï-dire, mais elle avait raison. Partout sur le continent nord-américain, le service sur les trains de passagers était assuré par des Noirs.

— Mais les porteurs, les serveurs dans les wagons-restaurants et les préposés aux wagons-lits sont tout de même moins spectaculaires que ceux-là. Écoutez.

Du kiosque venait une musique aigrelette, une valse aux sonorités pourtant étranges. D'une grande porte du Château Frontenac sortait un cortège étonnant, des Noirs, des hommes en habit de soirée, des femmes en robe de bal. Cependant, ils portaient des adaptations un peu excentriques des vêtements des notables. Les nœuds papillon des hommes prenaient des dimensions et des couleurs surprenantes, les robes des femmes offraient des décolletés qui dessillaient les yeux des spectateurs. Même si la nature avait doté ces dernières de postérieurs généreux, des postiches sous les robes leur donnaient des dimensions plus impressionnantes encore.

Cet exhibitionnisme provoquerait des sermons outrés de tous les pasteurs de la ville de Québec, et peut-être même une lettre de l'archevêque condamnant sans appel les manifestations de ce genre. Ces interventions scandalisées vaudraient fort probablement une audience plus large à ces artistes, lors de leur prochain passage.

— Je peux aller voir ? demanda Édouard en se levant sur la pointe des pieds.

— Seulement si Eugénie veut bien t'accompagner, répondit son oncle.

La fillette, tenaillée aussi par la curiosité, accepta de prendre son frère par la main pour se rapprocher de cet étrange spectacle. Les hommes et les femmes marchaient d'un pas lent, presque majestueux. La musique les amenait pourtant à se dandiner un peu. Les spectateurs pouvaient imaginer un mariage dans la meilleure société, ou alors un bal à la cour de la reine Victoria, ou à la Maison-Blanche, à Washington. Tout l'humour de la scène résidait là. Sur un continent où l'esclavage avait été aboli il y avait tout juste trente ans, la majorité des Noirs récoltaient encore le coton ou la canne à sucre, la plupart des autres gagnaient leur pitance à torcher des Blancs, et les bonnes gens de Québec, comme ceux de toutes les villes où des troupes de ce genre se produisaient, riaient à gorge déployée de ce contre-emploi. Ceux qui se situaient sous tous les autres dans l'échelle sociale mimaient les gens qui en occupaient le sommet.

Bien sûr, leur amusement tenait d'une confusion de sens. Tout public afro-américain aurait compris que les esclaves, pour tourner leurs maîtres en dérision, avaient pris l'habitude d'en mimer l'arrogance, la suffisance et la cruauté.

— C'est le cake-walk, commenta Alfred, un sourire amusé aux lèvres. Notre ville endormie a droit à une manifestation de ce genre pour la première fois. Les journaux de Montréal ont présenté la chose comme l'arrivée de Québec dans la modernité.

— La "marche du gâteau" ?

— Cette traduction littérale n'a aucun sens. Certains parlent plutôt de la *chalk line walk*. Ne me demandez pas ce que signifie vraiment l'une ou l'autre de ces expressions, je n'en sais rien.

Très doucement, alors que la vingtaine de Noirs para-daient sur les madriers de la terrasse Dufferin, la musique changea progressivement, le tempo s'accéléra, le rythme s'éloignant de celui de la valse. Finalement, la musique ne ressembla plus à quoi que ce soit de familier aux spectateurs. Au fur et à mesure de la métamorphose sonore, les corps des Afro-Américains s'agitèrent de soubresauts, comme les mou-vements involontaires de personnes épileptiques.

Après quelques minutes de ce qui semblait une lutte impi-toyable entre la civilisation et la sauvagerie, les corps s'aban-donnèrent à leur vraie nature. Ou à tout le moins, c'était ce que les citadins et les touristes massés sous le soleil préfé-rèrent croire. Ce spectacle foncièrement raciste devenait une métaphore : malgré tous ses efforts pour mimer les formes du raffinement, de la culture, de l'humanité en somme, l'Africain revenait de façon irrépressible à sa nature primitive, animale. À la fin, au son d'une musique endiablée, ces hommes et ces femmes s'engagèrent dans une sarabande apparemment désordonnée qui rappelait aux bien-pensants les mouvements spasmodiques de l'accouplement.

— Tout de même, quel sens du rythme ! murmura Alfred, admiratif.

Élisabeth regardait la scène, un profond étonnement sur le visage. Ses années chez les ursulines l'avaient mal préparée aux sonorités du ragtime. Dès le prochain dimanche, elle passerait par le confessionnal, car se trouver là était certainement un péché. Surtout, elle cherchait des yeux les deux enfants, s'in-quiétant de l'effet d'un pareil spectacle sur de jeunes âmes.

Au bout de quinze minutes, les musiciens mirent fin à leur vacarme, les danseurs retournèrent à l'hôtel, toujours hilares, sous des applaudissements à la fois peu nombreux et hési-tants. Plutôt que de revenir vers le petit parc, Eugénie et Édouard, main dans la main, s'éloignèrent vers l'ouest, là où la terrasse s'étendait sur des centaines de pieds.

— Je devrais aller les chercher, s'inquiéta Élisabeth en faisant mine de se lever.

— Laissez-les jouir d'un peu de liberté. Ces dernières années, leur vie n'a pas été rose, vous savez.

L'homme faisait référence à l'étrange climat qui régnait dans la maison de la rue Saint-François depuis le début de la maladie de leur mère.

— S'il leur arrivait quelque chose…

— Des centaines de personnes sont là pour les empêcher de se pencher dangereusement au-dessus de la balustrade.

«Ce qui ne les empêchera pas d'aller se perdre dans la ville», songea Élisabeth. Mais elle devinait que son compagnon, curieux, tenait à ce moment en tête-à-tête, sans témoins.

— Vous avez confié à ma mère venir de Saint-Prosper, dans la région de Champlain.

— Je n'ai pas eu l'impression que j'avais le choix de répondre ou non.

Alfred éclata de rire avant de convenir:

— Elle aurait fait un redoutable confesseur. Sa seule présence sur terre me conduit à me réjouir que le sacerdoce soit interdit aux femmes… Que font vos parents?

— Ils sont morts.

Pareille réponse le décontenança un moment. Il reprit:

— Que faisaient-ils, alors?

— Mon père possédait une petite ferme près du village, sur la route qui conduit à Sainte-Anne. Ma mère est morte en couches alors que j'avais sept ans.

— Vous avez des frères, des sœurs?

— Le bébé qui a provoqué son décès était mort-né, comme les deux autres qui ont suivi ma propre naissance.

Le ton de la jeune femme demeurait monocorde, alors que ses yeux se perdaient dans la contemplation de la rive, de l'autre côté du fleuve.

— Je suis désolé, murmura son compagnon. Je ne savais pas.

Élisabeth haussa les épaules avant de répondre:

— Ce n'est rien, il y a plus de dix ans.

— Que vous est-il arrivé?

— Mon père ne pouvait continuer seul à s'occuper de la terre. Il l'a vendue pour aller travailler dans les chantiers forestiers. Je me suis retrouvée au couvent des sœurs de la congrégation Notre-Dame, à Sainte-Anne.

— Et les ursulines?

Alfred essayait de se faire le moins inquisiteur possible, sans vraiment y arriver. La curiosité effaçait sa délicatesse.

— Comme je voulais devenir maîtresse d'école, le curé a fait les démarches pour que j'obtienne une bourse pour suivre le cours normal. Cela s'imposait d'autant plus qu'après la mort de papa, les sœurs de la congrégation me gardaient par charité.

— … Que lui est-il arrivé?

— La drave.

Cela ne méritait pas de plus amples explications. Chaque année, lors du flottage du bois, des hommes perdaient pied sur les billes mouillées et s'enfonçaient à jamais dans l'eau froide et glauque.

— Vous vouliez devenir religieuse?

— Je suis entrée dans un couvent à sept ans, votre frère m'en a sortie. Je demeurais avec les religieuses tout l'été, car mon père ne quittait pas le chantier. Elles passaient tout leur temps à me montrer ce qu'elles savaient. Très vite, elles m'ont demandé d'aider en m'occupant des plus jeunes.

Comme la fillette ne voyait du monde que ce qui se trouvait dans l'enceinte du couvent, comment aurait-elle pu imaginer faire autre chose de sa vie? Pendant des années, avec le même acharnement qu'elle mettait maintenant à se métamorphoser en préceptrice, Élisabeth avait adopté l'attitude d'une religieuse, désespérée de se faire une place dans un monde où elle demeurait toute seule.

— Ce qui fait que vous vous révélez si habile avec les enfants de Thomas, conclut son compagnon. À moins que ce ne soit votre nature…

Tous les hommes et toutes les femmes partageaient l'intime conviction que le sexe faible naissait avec une compétence innée pour le soin des enfants, et le sexe fort avec une inclination pour les affaires et la politique.

— Bon, prononça Alfred d'un ton résolu, maintenant je me lance à la recherche de nos deux explorateurs.

L'homme se leva, fit tomber de ses mains les brindilles accrochées à son pantalon et partit vers l'extrémité ouest de la terrasse. Songeuse, Élisabeth resta à sa place. Au fond, le plus étonnant jusque-là avait été que personne ne l'interroge vraiment sur son passé. Sans doute que la mère supérieure avait donné à Thomas Picard tous les renseignements susceptibles de le rassurer.

Plusieurs minutes plus tard, l'homme revenait avec les deux enfants en remorque. La préceptrice les rejoignit, tendant sa veste à Alfred après l'avoir secouée de son mieux.

— Je me suis entendu avec ces jeunes personnes pour leur offrir une crème glacée au café du Château, expliqua-t-il en enfilant le vêtement. Vous les accompagnerez si vous voulez mais moi je me réjouis à l'avance de boire un grand verre de thé glacé, compte tenu de la chaleur ambiante.

Encore une fois, un maître d'hôtel leur dénicha une place près des fenêtres. La boisson fraîche rasséréna les adultes, la crème glacée en fit autant des enfants. Quand Édouard exprima le désir d'assister à la représentation suivante du cake-walk, il se vit opposer une fin de non-recevoir par Élisabeth. Pareil intérêt lui paraissait d'ailleurs témoigner d'une concupiscence aussi suspecte que précoce.

À la fin, Alfred Picard reconduisit le trio jusqu'au fiacre stationné près de l'hôtel. La voix pâteuse de Napoléon Grosjean lui indiqua que les quelques sous offerts pour son dîner s'étaient transformés en une succession de bières Boswell. Heureusement, le cheval connaissait son chemin et il pouvait regagner la maison sans la moindre intervention humaine.

Après que la jeune femme et les enfants eurent pris place dans la voiture, Alfred déclara :

— Je vais vous abandonner ici. Je suis certain que vos protégés voudront se reposer un peu, après tout ce temps passé au soleil.

— Alors c'est le moment de vous dire merci, dit la préceptrice en inclinant la tête. Les enfants, vous n'avez rien à dire à votre oncle ?

Tous les deux prononcèrent un « Merci, oncle Alfred » presque à l'unisson. L'homme referma la portière et fit signe au cocher de se mettre en route. Quelques minutes plus tard, cette fois debout près de la balustrade de fonte afin de mieux profiter de la fraîcheur venue du fleuve, plus près du kiosque où se trouvaient juchés les musiciens noirs, l'homme apprécia une nouvelle fois les sonorités qui lui paraissaient venir directement de la jungle africaine.

~

Le tourisme n'amenait pas que des familles prospères dans la ville de Québec. Des hommes de condition relativement modeste, désireux de voir du pays, se joignaient au flot des visiteurs. Certains d'entre eux partageaient avec les jeunes gens venus des campagnes chercher un emploi à la ville les quartiers spartiates offerts par le YMCA. L'institution charitable, vouée à offrir un milieu de vie moral à ces migrants, occupait un vaste édifice sur la rue Saint-Jean, tout près de la porte du même nom, à l'extérieur des murs. Le marché Montcalm se trouvait juste en face. Certains jours de la semaine, les agriculteurs y proposaient leurs victuailles.

En plus de chambres minuscules sous les combles et d'une cafétéria, le « Y », comme on le désignait communément, offrait aussi une multitude de services de loisirs tant aux hommes de passage qu'aux citadins. Alfred Picard venait y passer quelques heures régulièrement afin de se livrer à divers exercices physiques dans le grand gymnase occupant tout l'arrière du rez-de-chaussée. À l'avant, quelques boutiques fournissaient un revenu locatif aux promoteurs de l'œuvre.

Après avoir laissé son chapeau de paille, sa veste et sa cravate dans un casier du vestiaire, il déboutonna à moitié sa chemise, roula ses manches sur ses bras. Bien sûr, mieux aurait valu pour lui de retourner à la maison pour revêtir une tenue plus adéquate, mais le risque était trop grand que madame veuve Théodule Picard arrive à le retenir auprès d'elle. De toute façon, au pire il risquait de mettre à mal quelques coutures.

Arrivé dans la grande salle, l'homme s'accrocha à l'espalier, une curieuse échelle fixée à la verticale contre un pan de mur, afin d'effectuer des exercices d'assouplissement. Ce point de vue lui permettait de faire du «repérage». Deux autres personnes plutôt jeunes, en autant qu'il puisse en juger à cette distance, affublées d'un simple tricot de corps et d'un pantalon de toile, se trouvaient en ces lieux. Le beau temps n'encourageait pas l'affluence. Ils tentèrent d'abord avec un succès très relatif de jongler avec des massues de gymnastes, puis se lancèrent un ballon de cuir suffisamment lourd pour que chacun, au moment de le recevoir, reculât d'un pas.

En nage après avoir passé une demi-heure à relever ses jambes le plus haut possible, pendu au bout de ses bras au barreau le plus haut de l'espalier, Alfred s'approcha d'eux afin de continuer ses efforts sur une petite machine qui permettait de ramer pendant des heures sans avancer d'un pouce. Les jeunes hommes continuaient leurs jeux, échangeant parfois des paroles à voix basse en regardant dans sa direction. Un premier contact avait été établi, la suite des choses leur appartenait: l'un ou l'autre, ou les deux, devrait faire le prochain pas.

Celui-ci se fit quelques minutes plus tard, quand l'un d'eux s'approcha en disant:

— Monsieur, à quoi sert ce panier accroché au mur?

Il devait avoir dix-neuf ou vingt ans, grand, mince, musclé à en juger par la poitrine et les bras bien découpés par le tricot. Son accent anglais le reliait au Royaume-Uni. Sans doute l'un de ces enthousiastes désireux de visiter l'Empire sur lequel le soleil ne se couchait jamais, comme l'enseignaient les manuels de géographie à tous les petits Canadiens. Si le dominion d'Amérique offrait moins d'exotisme que l'Inde ou l'Afrique du Sud, le territoire recelait certainement moins de dangers.

— C'est un jeu, le basket-ball.

— Je n'en ai jamais entendu parler.

— Il a été créé dans un YMCA du nord des États-Unis, il y a cinq ans déjà. Son inventeur est un médecin canadien, Naismith, désireux d'occuper les jeunes gens quand le mauvais temps, l'hiver, les empêche de sortir. Cette activité est devenue très populaire dans les écoles secondaires du pays voisin.

C'était une longue explication. Le jeune homme demanda bientôt :

— Vous nous montrez comment cela se joue ?

— Si vous voulez… Je m'appelle Alfred.

Le chef de rayon tendit la main, l'autre la prit en disant :

— Matthew. Mon camarade s'appelle Andrew.

Les « Comment allez-vous ? » auxquels personne n'attendait de réponse se succédèrent, puis Alfred chercha un ballon dans des boîtes rangées contre le mur. Pendant quelques minutes, il essaya de présenter un résumé des règles, commença à dribbler en les contournant pour lancer en direction du panier. La manœuvre se répéta encore deux fois sans que les autres ne sachent vraiment comment réagir, puis Matthew réussit à s'emparer du ballon qui lui échappa lorsqu'il essaya de le faire rebondir sur le sol, le reprit et le lança à son tour vers la cible accrochée au mur du fond, sans succès.

Après quelques minutes à s'agiter sur le parquet, tous les trois se lassèrent d'un jeu dont aucun ne connaissait vraiment les usages. Le chef de rayon déclara :

— Je ne suis pas vraiment vêtu pour ce genre d'exercice. Je vais prendre une douche.

Les deux jeunes hommes se consultèrent du regard, Andrew haussa les épaules et se dirigea vers les appareils de musculation poussés contre un mur. Matthew regarda vers le sol, planta ses yeux dans ceux de l'homme et murmura:

— Je crois que je vais y aller aussi.

Les douches se trouvaient dans une salle attenante au vestiaire. Les deux hommes quittèrent leurs vêtements en silence, sans se regarder, le premier à l'extrémité de la pièce, le second à l'autre bout. Une serviette autour des reins, ils se dirigèrent vers les cabines individuelles. De toute façon, l'arrivée du vieillard chargé de faire le ménage les empêchait maintenant de se livrer à la moindre privauté.

L'excitation donnait la chair de poule à Alfred, les poils se dressaient sur ses bras, l'air semblait se charger d'électricité. Après quelques minutes sous un jet d'eau froide, les sens apaisés, il revint vers son casier pour remettre ses vêtements toujours moites de sueur. Matthew se trouvait déjà là, de même que le vieux concierge. Vingt ans dans cet établissement lui avaient enseigné qu'il convenait de garder l'œil ouvert. Les messieurs dans la force de l'âge, ou même les plus décrépits, ne fréquentaient habituellement pas l'endroit pour le seul bénéfice de se délier les muscles.

À la fin, sa cravate dans la poche, sa veste posée négligemment sur son épaule droite, le canotier incliné sur l'œil, le chef de rayon s'approcha pour demander:

— Cela te dit de venir prendre une bière?

— Pourquoi pas? Cela me fera du bien, après ce jeu bizarre avec le panier.

9

L'anonymat représentait certainement le plus grand avantage offert par Montréal. À Québec, impossible d'aller où que ce soit sans croiser un voisin, ou le parent d'un voisin. Bien sûr, cela n'était pas un inconvénient en toute circonstance. Par exemple, dans une ville inconnue, comment distinguer les commerces respectables, des autres tenus par le monde interlope ? Finalement, riche des confidences d'un portier à qui il avait glissé vingt-cinq cents au creux de la main, Thomas se dirigea, le soir venu, d'abord vers le port de Montréal, puis bifurqua rue de La Gauchetière et marcha jusqu'à la rue Saint-Laurent.

Dans le jour déclinant, ces parages s'avéraient un peu menaçants. De jeunes hommes, mains dans les poches et casquette rabattue sur les yeux, déambulaient sur les trottoirs et murmuraient « Tu veux sortir ? » aux badauds qui portaient des vêtements bourgeois. Au premier abord, impossible de juger s'ils entendaient payer de leur personne ou s'ils recrutaient des clients pour les services de leur bonne amie. En réalité, ces paroles demeuraient juste assez ambiguës pour n'entraîner aucune conséquence si elles tombaient dans l'oreille d'un policier en civil.

La porte surmontée des chiffres 654, avec sa peinture verte écaillée, ne payait pas de mine. Elle donnait accès à un édifice privé de toute fenêtre en façade. Thomas passa devant sans s'arrêter, traversa la rue Saint-Laurent cent verges plus haut pour revenir sur ses pas. Au moment où il se trouvait de nouveau devant la bâtisse délabrée, la porte s'ouvrit pour laisser sortir un homme d'une cinquantaine d'années, coiffé d'un melon et vêtu d'un complet bien coupé. Surtout, pendant un moment, une faible musique se fit entendre.

Le touriste continua jusqu'à la rue Craig, s'arrêta un moment dans le halo d'un réverbère et murmura :

— Maintenant, cesse de faire l'idiot. Ou tu rentres te coucher ou tu y vas !

Finalement, il y alla. Trois coups sur la porte et celle-ci s'ouvrit. Un homme à la carrure imposante le soupesa du regard.

— Je peux entrer ?

L'autre, satisfait de son examen, s'écarta pour lui permettre de passer, puis il fit jouer le pêne avant de dire en anglais :

— C'est devant.

L'éclairage un peu tremblant d'une lampe à pétrole laissait voir un réseau de cicatrices profondes sur les traits du cerbère. Mieux valait ne pas le contredire.

Thomas se dirigea à l'extrémité du corridor pour se retrouver dans un salon encombré de fauteuils et de divans. Un papier peint d'un rouge sombre, de lourds rideaux tendus sur des murs aveugles donnaient à la pièce un aspect bourgeois un peu suranné. Bien sûr, à la lumière du jour, l'endroit devait apparaître dans toute sa réalité lugubre et déprimante. Mais justement, il ne se révélait jamais autrement qu'à la lueur des quelques lampes posées sur des guéridons.

La vue des consommateurs, plus que le mobilier, rassura le nouveau venu. L'accoutrement de la douzaine d'hommes leur conférait un air plutôt respectable. Sans la présence d'un nombre égal de jeunes femmes, dont la moitié ne portait plus qu'un corset, un sous-vêtement allant à mi-cuisse et des bas, cela aurait fait penser à une réunion d'une chambre de commerce ou d'un parti politique. Dans un coin, un gramophone distillait une musique enjouée, au rythme de la rotation d'un rouleau de cire.

— Monsieur, je ne pense pas vous avoir déjà vu ici.

Une grosse femme affreusement maquillée, dans la quarantaine, fit irruption devant lui.

— En effet, je suis de passage.

Thomas laissa ses yeux s'égarer sur d'interminables seins dont les bouts menaçaient de jaillir du corset à la prochaine respiration.

— Vous pouvez rester ici prendre un verre, annonça-t-elle avec une œillade intéressée, ou alors monter.

— … Monter.

Sortir, monter, que de détours sémantiques pour désigner l'objet de ce commerce. La tenancière tourna les talons en lui faisant signe du doigt de la suivre, pénétra dans la pièce attenante. Une dizaine de femmes, toutes assez jeunes, attendaient, affalées dans des fauteuils élimés. Pour tromper leur ennui, certaines feuilletaient un magazine, d'autres devisaient à voix basse. L'arrivée d'un client provoqua chez elles un changement d'attitude, quelque chose comme le garde-à-vous de la prostituée. Toutes adoptèrent une pose qui se voulait aguichante en le regardant fixement.

— Avec qui voulez-vous passer un moment?

Comment répondre à pareille question? Dans un monde où toutes les femmes respectables défendaient farouchement leur vertu, tout d'un coup Thomas se retrouvait dans une situation inédite d'abondance : choisir, sans avoir à se soucier d'une longue campagne de séduction ni de promesses d'un amour éternel pour arriver à ses fins. Si le cœur lui en disait, il pouvait en choisir trois et du coup tripler le nombre des partenaires que la majorité de ses compatriotes connaissait pendant toute leur vie. Enfin, ceux qui intériorisaient suffisamment bien les enseignements de l'Église pour se priver des amours mercenaires. Bien plus, la disette qu'il subissait depuis des années l'assurait que son corps serait à la hauteur du défi!

— Personne ne vous plaît?

Au fond, il ressemblait à un enfant en décembre, au milieu du rayon des jouets du magasin Picard. Il pouvait pencher pour l'exotisme et choisir une personne à la peau sombre et aux cheveux crépus, ou goûter à l'Asie avec une autre aux yeux en amande. À la fin, il opta pour les saveurs familières et murmura :

— La blonde.

— Pardon ? Je n'ai pas entendu.

— La blonde, là au fond.

Cette fois, ses mots portèrent dans toute la pièce. Toutes les femmes, sauf l'intéressée, retrouvèrent leurs occupations antérieures.

— Fernande vous conduira en haut.

Pareil prénom ramenait le client au terroir québécois. Il emboîta le pas à une femme de vingt ans environ, solidement bâtie, une cascade de cheveux blonds sur les épaules. En montant l'escalier derrière elle, les yeux à la hauteur de ses fesses dissimulées par le tissu léger du sous-vêtement, il songea que la copie ne valait pas l'original, de loin s'en fallait.

～

Après quelques minutes de marche, les deux hommes se trouvaient dans le café situé au rez-de-chaussée de la Salle de quille et de billard de Québec, au coin des rues Hamel et Couillard. Il s'agissait d'un grand édifice de brique et de pierre haut de quatre étages, avec des clochetons aux deux extrémités de la façade. En posant deux bières brunes devant eux, le serveur jeta un regard amusé à Alfred. Celui-ci paya sans y prêter attention. Un endroit de ce genre attirait les mauvais garçons toujours à court d'argent et les hommes d'un certain âge que les quilles ou le billard n'intéressaient que médiocrement. La complicité paraissait si évidente que le touriste remarqua :

— Tu sembles être un habitué.

— En plein hiver, notre petite ville offre peu de distractions. Un endroit comme celui-ci permet de tromper l'ennui.

L'homme avala une généreuse gorgée de bière alors que son compagnon allumait une cigarette, lançait la fumée en direction du plafond en examinant les lieux. Ils se trouvaient dans un coin d'une grande salle sombre, décorée de boiseries, assis sur une banquette qui faisait un arc de cercle près d'une petite table ronde. Devant eux, de jeunes gens discutaient bruyamment de leurs derniers exploits sportifs. Situé dans la Haute-Ville, mais tout près de la Côte-du-Palais, l'endroit semblait l'un des seuls où tant les bourgeois que les prolétaires pouvaient se considérer comme chez eux. Au fond, les premiers venaient s'encanailler là et les seconds jouer les canailles. En marchant d'un pas rapide, Alfred se trouvait à dix minutes de chez lui.

— D'où venez-vous ? questionna-t-il après un moment.

— Coventry. Vous connaissez ?

— De nom seulement. Jusqu'ici, je n'ai jamais ressenti le désir irrépressible de voir la mère patrie.

La maîtrise de l'anglais du commerçant, fort passable, constituait un héritage des frères des écoles chrétiennes d'origine irlandaise qui dispensaient leur savoir non seulement aux garçons du quartier Saint-Roch, mais aussi à ceux de la Haute-Ville dans la majestueuse Académie commerciale située tout près de l'hôtel de ville. Aucune personne désireuse de gagner sa vie dans le commerce ne pouvait ignorer la langue des affaires. La situation devenait franchement ridicule quand le propriétaire du Picard Department Store écrivait en anglais à Ludger Duchesne, Boots and Shoes Manufacturer, pour lui commander soixante paires de chaussure pour homme de tailles diverses !

— Mais de ton côté, est-ce l'envie de voir les colonies qui t'amène de ce côté de l'Atlantique ?

— En quelque sorte. Selon mon père, cela s'impose si je veux prendre sa relève.

— Dans quel domaine ?

— Le commerce de détail.

Alfred ne lui préciserait pas qu'ils étaient collègues, en quelque sorte. Une longue conversation sur la disposition de la marchandise sur des étals ne lui disait rien.

— Tu es descendu dans le port de Québec ?

— À Halifax, il y a une semaine. Avec mon camarade, je compte progresser lentement vers l'ouest. Avec un peu de chance, nous participerons à la récolte du blé au Manitoba. Mon père est convaincu que voyager les poches à peu près vides développe le caractère. Nous devrons travailler ici et là afin de payer un billet de retour en troisième classe.

Des principes pédagogiques de ce genre auraient certainement séduit madame veuve Théodule Picard. Seul son désir d'avoir toujours ses deux fils à portée de regard leur avait évité pareilles péripéties.

— Quelles sont les étapes de ce grand périple, à part les plaines de l'Ouest ?

— Montréal et Toronto. Mais surtout, mon père m'a recommandé de faire un crochet à Chicago afin de contempler l'œuvre de Richard Sears et Alvah Roebuck.

Depuis quelques années, les deux hommes avaient donné une dimension tout à fait nouvelle au commerce de détail en imprimant un catalogue à plusieurs dizaines de milliers d'exemplaires, dans lequel les consommateurs pouvaient trouver de quoi satisfaire la plupart de leurs besoins non alimentaires. Alfred avait parcouru avec fascination le gros volume de 532 pages publié l'année précédente. Le service postal des États-Unis acheminait les commandes au centre de distribution et livrait chez les clients les produits achetés. Le procédé séduisait un nombre grandissant d'entrepreneurs des pays occidentaux, y compris Thomas Picard.

— Cela vaut certainement le détour. À ta place, je passerais aussi par New York. Les grands magasins de la 5e Avenue ne doivent pas avoir leur égal au Royaume-Uni, sans compter que les navires transatlantiques arrivent et partent par centaines tous les jours. Tu trouveras certainement un passage pas trop coûteux pour rentrer à la maison. Si tu as un peu de chance, tu le paieras en pelletant du charbon dans la salle des machines.

Pendant quelques minutes encore, les deux hommes discutèrent de destinations de voyage. Puis Matthew se leva en disant :

— Nous y allons ?

Ils regagnèrent la rue Saint-Jean, marchèrent vers l'est, passèrent la porte monumentale. Devant le YMCA, Alfred s'arrêta sous un réverbère, tendit la main pour un dernier au revoir.

— Je t'accompagne encore un peu, suggéra son compagnon.

❧

Finalement, autant le désir accumulé avait rendu Thomas Picard fébrile, autant sa petite escapade au lit lui laissait un immense sentiment de vide. D'abord, devoir sortir son porte-monnaie d'entrée de jeu le laissa perplexe : le conducteur de fiacre recevait toujours sa rémunération après la course, une fois le client rendu sain et sauf à destination. Toutefois, le souvenir du colosse à l'entrée l'incita à obtempérer sans protester. Puis, la dame possédait un corps un peu lourd, un visage fatigué, un esprit de collaboration qui n'allait pas plus loin que s'étendre sur le dos en écartant les jambes.

Au moment de remettre sa veste, le commerçant se dit qu'il n'avait qu'un seul motif de reconnaissance à l'égard de cette prostituée trop placide : elle lui avait proposé de mettre un *rubber*, la façon usuelle, quoique bien peu élégante, de désigner un condom. Au moins, le sentiment d'avoir été floué dans la transaction ne se doublerait pas d'une sourde inquiétude, celle d'avoir récolté une maladie toujours invalidante, parfois mortelle dans le cas de la syphilis.

— Vous n'êtes pas resté longtemps, observa la tenancière au moment où il revenait au rez-de-chaussée.

— Je n'ai pas eu le sentiment que quelqu'un souhaitait que je m'attarde.

— … Oh! Si vous prenez le temps de boire un verre, peut-être que dans quelques minutes…

— Je trouverai sans doute autant de plaisir à déguster un porto dans le hall de mon hôtel, un journal à la main. Bonsoir, madame.

Sur ces mots, Thomas inclina la tête, puis il se hâta vers la porte en coiffant son melon. Dans ce genre de commerce, sans doute le client devait-il réfréner ses commentaires négatifs sur la qualité de la prestation des services. Un moment plus tard, il marchait en direction de l'intersection de la rue Craig. Prenant à gauche, quelques minutes suffirent pour atteindre le Champs-de-Mars. Chaud et moite, le temps incitait de nombreux citadins à s'attarder à l'extérieur. Pendant quelques minutes, le touriste se mêla aux promeneurs dans le petit parc se trouvant devant le palais de justice. À la fin, il attira l'attention d'un cocher d'un geste de la main, monta dans le fiacre pour retourner à son hôtel.

❦

Le coin de l'édifice du YMCA donnait sur la rue des Glacis. Le chef de rayon tourna vers la droite, le jeune homme sur les talons. Bientôt, l'asile des sœurs grises se dressa devant eux, une masse sombre, compacte, au coin de la rue Richelieu. À l'arrière du vaste édifice, rue Saint-Olivier, un renfoncement du mur fournissait un coin sombre à souhait.

— Viens là.

Dans l'encoignure du mur, les deux hommes s'étreignirent un peu brutalement, leurs deux bouches se joignirent dans un baiser goulu, maladroit au point que leurs dents se frappèrent durement. Alfred goûta le mélange de bière et de cigarette sur sa langue. Tous les deux portaient des vêtements qui exhalaient toujours l'odeur âcre de leur sueur séchée. La main de son compagnon lui palpa l'entrejambe, trouva le sexe bandé bien raide.

À peine quelques minutes plus tard, l'étranger gicla sur ses fesses au moment où Alfred arrosait le mur devant lui. Puis, sans aucune transition, Matthew s'éloigna pour prendre son élan et asséna un coup de poing à la nuque de son amant. Si celui-ci n'avait pas posé le front au creux de son coude appuyé contre le mur, il aurait brutalement donné de la tête sur la brique. Tout de même, ses genoux fléchirent sous son poids jusqu'à atteindre le sol. La douleur lui tarauda le bas du dos quand une solide bottine l'atteignit brutalement.

— Sale enculé, donne-moi ton portefeuille! grogna le jeune homme.

Alfred se laissa glisser sur son flanc gauche, se recroquevilla avec l'espoir risible de se protéger d'un nouvel impact.

— Dépêche-toi, cochon! Ton portefeuille!

Un second coup de pied l'atteignit, cette fois dans les côtes. Le souffle coupé, râlant, le cul à l'air, Alfred fit mine de fouiller dans la poche intérieure de sa veste, mais la douleur le privait de ses moyens. Un bruit dans la rue amena Matthew à interrompre le massacre un moment, le temps de s'accroupir sur Alfred pour chercher lui-même le portefeuille. Pendant ce temps, il tenait un genou sur la tête de sa victime pour l'empêcher de bouger.

Le résultat de sa recherche à la main, le Britannique se releva, asséna un dernier coup de pied au cul de la victime en répétant «Enculé», puis s'enfuit au pas de course en rangeant son sexe flasque dans sa braguette.

Pendant un temps infini, lui sembla-t-il, Alfred, la bouche grande ouverte, chercha à respirer. À la fin, ses poumons purent aspirer une goulée d'air, expirer, en inspirer une nouvelle. Malgré une douleur qui lui faisait monter des larmes aux yeux, ses mains cherchaient à relever son pantalon. Ce ne fut que cinq minutes plus tard qu'il arriva à s'asseoir sur le sol, le dos contre le mur de l'asile des sœurs grises. Puis, après un long moment, il put se redresser en s'aidant de ses mains posées sur les briques rugueuses.

Le premier pas lui arracha une plainte étouffée, à cause du dernier impact dans sa fesse droite. La douleur irradiait toute sa jambe, de la hanche jusqu'au pied. Mais cela ne le préoccupait guère. Selon toute probabilité, certaines de ses côtes avaient été brisées. Si jamais l'une d'elles avait percé un poumon, ce serait la mort en quelques jours.

Au moment de revenir sur le trottoir, il hésita une bonne minute sur la suite des événements. Il se trouvait au coin des rues des Glacis et Saint-Olivier. L'entrée de l'hôpital Jefferey Hale se trouvait à soixante pieds à peine. La peur de la mort se révéla moins forte que la crainte du scandale. Le préposé de faction à la porte de l'établissement de langue anglaise commencerait par téléphoner à un médecin pour lui dire de venir sans tarder. Mais son second coup de fil irait au poste de police. Trop de questions indiscrètes s'ensuivraient.

Si ce Matthew, en admettant qu'il le dénonce, était arrêté, sans doute s'en tirerait-il avec une semonce de la part du juge… À moins que ce fût avec des félicitations pour avoir rossé un pervers. Toutefois, Alfred lui-même pourrait très bien se mériter un an de prison pour sodomie. Pour ses compatriotes, ce crime paraissait autrement plus sérieux que des coups et blessures.

En mettant difficilement un pied devant l'autre, le chef de rayon songea : « Ce salaud n'aura pas à travailler trop fort pour se payer un billet de train jusqu'à Montréal, avec ce qui se trouve dans mon portefeuille. » En répétant son petit jeu de séduction suffisamment souvent, Matthew, en admettant qu'il ait eu la sottise de donner son prénom véritable, arriverait peut-être à faire le tour de l'Amérique aux frais des messieurs qu'il avait brièvement enculés. Aucune de ses victimes n'irait porter plainte à la police. Cependant, en répétant la même violence enragée, tôt ou tard, quelqu'un perdrait la vie.

La rue des Glacis descendait en pente assez raide jusqu'à la Côte-à-Coton. À chacun de ses pas, l'homme devait faire une pause afin de reprendre sa respiration. La douleur lui déchirait la poitrine à chaque goulée d'air. À ce rythme, Alfred mit plus d'une demi-heure à couvrir une distance qui, en d'autres circonstances, prenait tout au plus cinq minutes.

~

Au moment d'arriver sur le pas de la porte de la maison paternelle, une vieille bâtisse au toit mansardé au coin des rues Saint-François et Saint-Dominique, les doigts d'Alfred tremblaient tellement que sa clé lui tomba des mains. Le grattement contre l'huis suffit heureusement à attirer l'attention de sa mère, il n'eut pas besoin de se pencher pour la récupérer.

— Mon Dieu! Que t'est-il arrivé? s'écria celle-ci en ouvrant la porte.

Hébété, Alfred entra, puis se déplaça jusqu'à un salon terriblement démodé. Un instant plus tard, il posa les fesses sur un fauteuil avec d'infinies précautions, indifférent à ses pantalons souillés. Sa nouvelle posture lui causa des élancements déchirants dans la poitrine, au point de ne pouvoir répondre autrement que par un grognement:

— Un cognac!

Le sens commun de madame veuve Théodule Picard la convainquit ne pas faire confiance à une médecine de ce genre. Elle se mit à crier, tout en frappant le plancher de sa canne:

— Gertrude, Gertrude, descends! Vite, descends!

Quelques minutes plus tard, une femme affligée d'une boiterie cruelle arrivait au bas de l'escalier, présentant un visage effaré.

— Va chercher le docteur.

— … Je vais m'habiller.

— Non. Tu vois bien qu'il risque de crever! Va chercher le docteur. Personne ne te verra, à cette heure. Traîne-le de force s'il fait mine d'hésiter.

Les paroles et le ton ne souffraient aucune contradiction. La domestique claudiqua jusqu'à la porte, les cheveux ébouriffés, les yeux gonflés de sommeil. Pendant les longues minutes que dura son absence, la vieille femme ne murmura que ces mots :

— Malheureux, où t'es-tu encore fourré ?

Le blessé ne répondit pas. Les yeux clos, il tentait de respirer lentement, avec application. Bientôt, le médecin entra bruyamment, ne cherchant nullement à dissimuler la colère que lui inspirait le fait d'avoir été sommé en pleine nuit, par une boiteuse en peignoir, de venir voir un blessé. Son visage se radoucit à peine quand il aperçut son client.

— Sortez de cette pièce.

— … C'est mon fils.

— Sortez de cette pièce.

Madame veuve n'aurait jamais obtempéré à un ordre de Théodule, mais elle se retira cette fois dans la cuisine avec la domestique. Le médecin aida Alfred à se mettre debout, fit glisser la veste des épaules avec précaution, détacha les boutons de la chemise pour lui faire suivre le même chemin vers le sol. Le bout de la chaussure de l'agresseur avait laissé une vilaine marque rouge dans ses côtes. Dans une douzaine d'heures, la moitié de son dos porterait des marbrures bleues et noires.

— À quoi jouez-vous, au juste ?

— J'ai voulu prendre un raccourci, j'ai dévalé la Côte-à-Coton.

— Arrêtez de dire des bêtises.

Mais le médecin s'abstint de poser d'autres questions. Une autre trace d'impact apparaissait sous la ceinture du pantalon. Le praticien le détacha pour le laisser tomber. Le sous-vêtement de coton, à moitié remonté, demeurait emmêlé sous les fesses. L'endroit de l'impact, au bas du dos, changeait déjà de couleur ; celui situé sur la fesse droite ne laissait aucune trace visible.

Un moment plus tard, le médecin promenait son stéthoscope sur la poitrine, devant et derrière, afin de capter le
moindre chuintement dans la respiration.

— Il ne semble pas y avoir de dégâts irréversibles.

— Cela fait un mal de chien.

— Vous avez des côtes cassées, mais elles demeurent en
place. La douleur se retirera progressivement. Je vous donnerai un calmant pour vous faire dormir. Il y a une chambre,
à cet étage?

— … Celle de ma mère.

Un sourire amusé effleura les lèvres du blessé, car il
devinait la suite:

— Elle montera. Évitez les escaliers pendant les trois
prochains jours au moins. Le mieux serait que vous ne
bougiez pas du tout. Où se trouve-t-elle?

L'homme désigna une porte laissée entrouverte. Le médecin l'aida à lever les pieds pour les dépêtrer du pantalon sur
le sol, remonta le sous-vêtement, remarquant des traces de
sperme sur les fesses. En le tenant par un coude, il le guida
jusque dans la chambre de la vieille dame. Une bougie brûlait
sur une commode, un lit étroit et surélevé occupait le centre
de la petite pièce. Juste en face de la couche, une croix noire
de grande dimension occupait tout le mur.

— Dans ce décor, fit observer le praticien en aidant le
blessé à s'étendre sur le lit, vous réfléchirez à la possibilité de
réformer vos mœurs, ou alors trouvez-vous un séminariste
inoffensif. Je me fous pas mal de la moralité, je laisse cela aux
curés. La prochaine fois cependant, vous risquez de crever
dans la rue.

Les années à recueillir le dernier souffle des habitants du
quartier Saint-Roch, le plus souvent prématurément à cause
des mauvaises conditions de vie, l'avaient rendu sceptique et
indifférent à la plupart des turpitudes de ses semblables. Un
moment plus tard, il rejoignait les deux femmes dans la
cuisine, assises de part et d'autre d'une table de travail.

— Votre garnement va s'en remettre. Mais ne le laissez pas quitter le lit avant mercredi. Comme la douleur le taraudera sans répit, le mieux est de le faire dormir. Toutes les quatre heures, vous lui donnerez un peu de ce produit.

Le praticien chercha une petite fiole dans son sac de cuir, puis la déposa sur la table en précisant :

— Comptez soigneusement, cet opiacé peut être dangereux. Trois gouttes dans un verre d'eau, pas une de plus. Vous lui direz de passer à mon bureau mercredi après-midi, au plus tôt. Jeudi matin fera tout aussi bien l'affaire. S'il arrive à se rendre chez moi, sa guérison suivra.

L'humour échappa aux dames éplorées. Après des souhaits de bonne nuit chargés d'ironie, le médecin quitta les lieux. Un instant plus tard, la domestique faisait boire une première dose du calmant au blessé, alors que sa mère restait debout dans l'embrasure de la porte. Quoique l'inquiétude la tiraillât, aucun mot de réconfort ne lui montait aux lèvres.

◆

Alfred Picard dormit d'un sommeil hébété pendant plusieurs heures, si profondément que la servante ne réussit pas à lui faire boire l'opiacé au milieu de la nuit. À la fin, madame veuve Théodule Picard grommela :

— Laisse-le, à la fin. Le docteur lui donne cela pour le faire dormir. C'est ridicule de le réveiller pour lui faire avaler la mixture.

Après avoir démontré son sens commun de si belle façon, la vieille dame continua, plus doucement :

— Laisse le verre sur la commode et va te coucher. Tu as été debout toute la nuit. S'il se réveille, je le lui donnerai.

Gertrude s'esquiva sans insister, alors que sa patronne se calait dans sa chaise, résolue à attendre tout le temps nécessaire au chevet du blessé. Quand le jour blanchit la toile à la fenêtre, au moment où à cent cinquante milles de là Thomas s'empressait de prendre le chemin de la gare, Alfred bougea dans son sommeil. La douleur lui traversa la poitrine. Ses yeux s'ouvrirent très grands, alors que le souffle lui manquait.

— Ne bouge pas, j'apporte le médicament.

La vieille dame se leva péniblement, grimaça à cause de ses rhumatismes sévères, revint avec le verre.

— C'est pour dormir, précisa-t-elle.

— Je sais. Hier soir, j'étais là…

L'homme avala le contenu du verre, reposa la tête sur l'oreiller en laissant échapper un soupir douloureux.

— Tu souhaites manger un peu?

— Certainement pas aussi longtemps que le moindre mouvement de mes mâchoires me fera un mal de chien dans tout le corps.

— Tu n'as pas vraiment fait une chute dans la Côte-à-Coton?

— Si on te le demande, réponds que je l'ai descendue tête première, du haut de la falaise jusqu'en bas.

Un long silence embarrassé succéda à ces paroles. Alfred ferma les yeux, désireux de dormir encore. Puis, après un moment, sa mère dit à côté de lui :

— Alfred… Alfred, si jamais tu as des ennuis…

Il ouvrit de nouveau les yeux, intrigué, aperçut le vieux visage tout plissé près du sien.

— … Tu n'auras qu'à regarder ici. C'est pour les coups durs.

Du bout de sa canne, elle frappait sur l'un des madriers du plancher. L'homme referma les yeux pour retrouver son sommeil hébété.

10

Vers midi, Thomas Picard revenait enfin dans son commerce, après le long trajet dans un wagon de première classe. Comme à chacune de ses absences, les dossiers accumulés sur son bureau l'obligeaient à se plonger dans ses affaires sans aucune transition. Heureusement, le repas avalé dans le train lui permettrait de travailler sans discontinuer jusqu'à six heures.

Au moment où il complétait une longue addition, trois coups discrets contre le cadre de la porte laissée ouverte le forcèrent à relever la tête de son grand registre.

— Oh! Mademoiselle Buteau, qu'est-ce qui vous amène?

— Votre frère n'est pas rentré au travail ce matin…

— Ce n'est pas une nouveauté, n'est-ce pas?

L'agacement pointait dans sa voix. Que son frère néglige parfois son travail, surtout les lundis, ne justifiait certainement pas qu'on lui fasse négliger le sien.

— Une dame est venue en matinée pour vous dire qu'il ne viendrait pas de la semaine.

— Une dame? Ma mère?

— Non, pas votre mère, je l'aurais reconnue. Elle boitait fortement, précisa Marie, désolée de ne pas s'être informée de l'identité de la visiteuse.

— Gertrude, sans doute.

Devant les yeux interrogateurs de la jeune femme, il expliqua:

— C'est la servante qui s'occupe de la maison… Elle ne vous a pas dit pourquoi Alfred déserterait son poste aussi longtemps?

— Elle a évoqué un accident.

Le commerçant demeura songeur un moment, puis laissa échapper un long soupir, dépité par le manque de sérieux de son aîné.

— Êtes-vous en mesure de vous éloigner du comptoir de votre rayon sans exposer le commerce à la faillite ?

— … Je suppose que oui, répondit-elle dans un sourire. Nous sommes tout de même une demi-douzaine à savoir comment faire fonctionner une caisse enregistreuse.

— Tant mieux. Dans ce cas, allez aux nouvelles. Vous savez où habite ma mère ?

— Oui, rue Saint-Dominique.

Madame Picard avait occupé la même adresse pendant quarante ans, aussi personne dans Saint-Roch ne pouvait ignorer cette information.

— Faites une petite visite au blessé, et revenez me dire exactement de quoi il retourne.

Sans transition, Thomas se replongea dans son registre. Marie demeura un moment interdite, puis murmura un « Oui, monsieur » discret.

Quelques minutes plus tard, elle marchait dans la rue Saint-Joseph, parmi les badauds qui se livraient au lèche-vitrine. La porte de la vieille maison de la rue Saint-Dominique s'ornait d'un ancien heurtoir de bronze. Après l'avoir agité deux fois, elle attendit, intimidée.

— Oui, que voulez-vous ?

La boiteuse venue un peu plus tôt dans la journée au magasin avait passé la tête dans l'embrasure de la porte, peu accueillante.

— Monsieur Picard m'a demandé de venir m'enquérir de l'état de son frère. Il s'inquiète…

— Qu'est-ce que c'est, Gertrude ?

La voix éraillée venait de l'intérieur de la maison, impatiente.

— Quelqu'un du magasin, madame. Monsieur Thomas désire des nouvelles.

— Fais-la entrer.

Un instant plus tard, Marie pénétrait dans le vieux salon démodé, alors que la servante regagnait la cuisine. Madame veuve Théodule occupait un grand fauteuil placé près d'un foyer à charbon éteint. Le bonnet noir qui lui couvrait la tête descendait suffisamment bas pour cacher la moitié de ses oreilles et sa nuque. Une mèche de cheveux gris s'échappait pour descendre jusqu'au milieu du front.

— Ainsi Thomas veut savoir comment se porte son frère ? Il aurait pu se donner la peine de se déplacer.

— C'est l'affluence au magasin, en cette saison, proposa Marie en guise d'explication.

L'aïeule lui adressa un regard sceptique, comme si elle voulait maintenant critiquer le sérieux au travail qu'elle avait tant admiré jusque-là chez son cadet. De la pièce voisine, dont la porte demeurait grande ouverte, une voix hésitante demanda :

— Maman, qui est là ?

Marie Buteau reconnut Alfred, quoique son ton parût dépourvu de son habituelle ironie joyeuse.

La vieille se leva avec tellement de difficulté que la vendeuse esquissa le geste de l'aider, pour être récompensée par un regard chargé de réprobation. Elle marcha jusqu'à la porte de la chambre avant d'expliquer :

— Une employée du magasin. Ton frère veut savoir comment tu vas.

— Fais-la venir ici.

— Voyons, cela ne se fait pas. Dans ta chambre…

— Dis-lui de venir, sinon je devrai me lever pour me rendre dans le salon.

La vieille dame abandonna la partie devant cet accroc aux usages et s'écarta en faisant signe à Marie d'entrer. Celle-ci commença par jeter un regard surpris sur la grande croix noire, puis examina l'homme dans le lit.

— Dans un décor comme celui-là, commenta le blessé, tout prédispose à bien se préparer pour une bonne mort. On n'est jamais trop prudent.

En disant cela, Alfred essaya de se redresser un peu dans son lit. Le mouvement provoqua une douleur qui le convainquit d'abdiquer. Vers midi, afin de préserver la pudeur de Gertrude, il avait fait l'effort de revêtir une veste de pyjama. Aussi se trouvait-il à peu près présentable.

— Vous allez vous asseoir près de moi, sur cette chaise. Comme cela, je n'aurai pas à me tordre le cou pour vous voir. Sauf les orteils, aucune partie de mon corps ne peut bouger sans que je gémisse de douleur.

La jeune vendeuse prit place sur le siège, près de la tête du lit, en demandant :

— Qu'est-ce qui vous est arrivé ? Un cheval vous a jeté par terre ?

Ce genre d'accident survenait au moins une fois par jour dans une ville de la taille de Québec. Parfois, cela coûtait sa vie à la victime.

— Rien d'aussi terrible. J'ai un peu abusé de la bière, hier soir. En revenant à la maison, je me suis probablement accroché les pieds dans mes lacets de chaussures. J'ai descendu la Côte-à-Coton plus vite que je le voulais.

— Oh ! Elle est très abrupte.

— Surtout si on essaie d'ignorer la chaussée pour piquer à travers la falaise.

Malgré la douleur qui ne lui laissait pas de répit, un sourire amusé passa sur ses lèvres, comme si son propre esprit d'invention le distrayait au plus haut point. Après une pause, le blessé continua :

— Thomas vous a envoyé vous informer de ma santé ?

— Oui.

— Il craint à ce point que le chiffre d'affaires de mon rayon périclite pendant mon absence ?

— Il… paraissait inquiet pour vous.

— Quelle bonne fille vous faites, en lui donnant ainsi le beau rôle. Vous pourrez lui dire que je passerai au magasin jeudi, en sortant du bureau du docteur Couture. Je serai alors en mesure de lui dire si je pourrai un jour reprendre du service.

Sur ces mots, Alfred lui adressa un clin d'œil complice. Un instant plus tard, Marie saluait madame Picard, puis reprenait le chemin du grand magasin de la rue Saint-Joseph.

━━

Un peu après six heures, l'entrée de Thomas dans le domicile de la rue Saint-François fut soulignée par un bruit de cavalcade dans l'escalier et des « Papa, papa, bonne fête » criés à pleins poumons. Édouard se précipita dans les bras paternels avec tellement de force que l'homme passa bien près de tomber à la renverse.

— Merci, mon grand. Maintenant, toute la rue est au courant que je vieillis d'un an aujourd'hui.

Si l'accueil que lui réserva Eugénie se révéla moins bruyant, personne ne pouvait mettre en doute sa joie de revoir l'auteur de ses jours après une courte absence. L'amour irradiait de son visage. Après avoir serré la fillette contre lui, Thomas se releva au moment où Élisabeth arrivait à son tour au bas de l'escalier.

— Bonjour, monsieur. J'espère que votre voyage s'est bien déroulé.

— Oui, très bien, merci.

— En avez-vous tiré tous les résultats escomptés ?

— … Oui, je crois.

La question de son employée troubla un moment le commerçant. L'empressement d'Édouard à entraîner son père vers la salle à manger lui procura une heureuse diversion. En s'engageant dans le couloir, Eugénie expliqua d'une petite voix :

— Je suis allée voir maman tout à l'heure. Elle ne pourra pas descendre.

— Tu sais, ma belle, je ne suis pas vraiment surpris. Tu te souviens de la dernière fois où elle a célébré un anniversaire avec nous?

— ... Non.

Thomas croisa les yeux d'Élisabeth à ce moment, incapable de dissimuler son profond agacement. En entrant dans la salle à manger, il précisa:

— C'est pour cela que j'ai demandé à mademoiselle Trudel de se joindre à nous. Je suis certain qu'il ne convient pas que les convives se trouvent en nombre impair à table, le jour d'un anniversaire.

Si Eugénie ne se souvenait pas d'avoir entendu quoi que ce soit allant en ce sens, elle préféra rester muette sur la question. Un moment plus tard, le quatuor prenait place à une extrémité de la longue table, Thomas au bout, la fillette à sa droite, le garçon à sa gauche. La préceptrice s'assit à côté de ce dernier, certaine d'avoir à prévenir de petits dégâts.

Près de l'assiette du fêté, deux jolies enveloppes portant son nom attirèrent son attention.

— Du courrier pour moi?

Édouard lui adressa un grand signe affirmatif de la tête, alors qu'Eugénie rougissait en posant ses grands yeux sur lui. L'homme ouvrit la première, lut à haute voix: «Très cher papa, bon anniversaire! Votre fille qui vous aime, Eugénie.» Deux «X» précédaient la signature.

— C'est très gentil, ma grande, ajouta Thomas en se penchant pour l'embrasser, et la prochaine fois que j'irai en voyage, je t'écrirai, c'est promis... Et je parie que cette deuxième enveloppe contient une lettre venue d'un homme. Le "papa" est très... masculin.

— "Bonne fête, papa", commença-t-il, puis il enchaîna après une pause, une expression de surprise sur le visage: "etc., etc."

— Merci, Édouard, tu écris très bien.

Une accolade très virile s'ensuivit. Un instant plus tard, Joséphine entrait dans la pièce, sa lourde soupière dans les mains. Son visage exprimait toute sa désapprobation de voir la préceptrice partager le repas d'anniversaire de son maître. Son sens des convenances se trouvait ébranlé. Toutefois, sauf en la servant la dernière avec une ostentation délibérée, elle ne pouvait exprimer son désaccord.

Le repas se déroula sans accroc, au son du babillage des enfants. Après un dessert copieux, Élisabeth fit observer :

— Il faudrait songer à aller au lit. Il se fait tard.

— Non, pas déjà, protesta Édouard. Regarde dehors, il fait encore clair.

— C'est vrai, observa son père en tirant sa montre de son gousset, mais regarde : il sera bientôt neuf heures.

Puisque le petit mécanisme enfermé dans un disque doré l'affirmait, le garçon n'osa pas protester. Sans trop se faire prier, le gamin s'engagea dans l'escalier quelques minutes plus tard, Eugénie sur les talons. Au moment où Élisabeth leur emboîtait le pas, le commerçant lui demanda :

— Mademoiselle, pourriez-vous descendre tout à l'heure ? J'aimerais parler avec vous.

— Bien sûr. Je reviens dès que les enfants seront au lit.

❧

Thomas n'eut pas à attendre trop longtemps. À cause de l'heure tardive, la jeune femme priva les enfants de leur moment habituel de lecture. À neuf heures trente, alors que l'obscurité descendait sur la Basse-Ville, Élisabeth entra dans la bibliothèque.

— Asseyez-vous, dit son patron en mettant de côté le dernier numéro du *Soleil*. J'ai demandé à Joséphine de vous préparer du thé.

— Merci.

Quant à lui, il s'était versé un cognac. Le verre se trouvait sur un guéridon, à portée de main.

— Je vous félicite pour votre excellent travail, commença-t-il en tirant de la poche intérieure de sa veste les mots reçus des enfants. Eugénie a déjà une jolie main d'écriture.

— Elle est très appliquée, toujours prête à apprendre quelque chose de nouveau.

— Disons qu'Édouard est un peu plus difficile à lire. Sa graphie rappelle celle de son père. J'ai bien déchiffré "Bonne fête, papa", mais la suite… Est-ce bien "l'électricité dans la maison bientôt"?

Élisabeth laissa échapper un rire franc et commença à se verser du thé en expliquant:

— C'est bien cela. Lui aussi écrit très bien… une fois que l'on a compris que des lettres peuvent être toutes petites, et les suivantes très grandes, selon sa fantaisie du moment.

— Tout à l'heure, je me suis demandé si je lisais bien, et ensuite si le message n'était pas destiné à Thomas Edison.

— Que le magasin profite d'un éclairage électrique mais non la maison le préoccupe beaucoup. En fait, son intérêt pour la question de l'électrification de Québec ne faiblit pas.

Depuis un moment, la préceptrice cherchait les articles dans les journaux sur la construction d'une usine pour produire de l'électricité grâce aux chutes Montmorency, à peu de distance de Québec. Même si le gamin n'y comprenait rien, entendre Élisabeth les lui lire le fascinait presque autant que les contes des frères Grimm.

— Vous pourrez lui expliquer que ce serait inutilement cher, dans cette vieille maison. Mais quand nous aurons une nouvelle demeure, il y aura des lumières électriques dans toutes les pièces.

— Vous comptez déménager bientôt?

— Pas bientôt. Mais d'ici un an, deux tout au plus, je suppose que ce sera chose faite. Bien sûr, si les affaires restent bonnes…

Thomas avala la moitié de son verre de cognac, songea combien la jeune personne assise face à lui apparaissait tellement plus séduisante que celle qui lui avait vendu ses charmes précisément vingt-quatre heures plus tôt. Afin de chasser ce genre de réflexion, l'homme demanda :

— D'après le récit que les enfants en ont fait à table, hier mon frère s'est bien acquitté de sa tâche de chaperon.

— Très bien même.

— Vous et les enfants avez pris plaisir à cette journée ?

— Oui, ce fut agréable. Cependant, pour des enfants, ce spectacle était un peu…

Thomas s'amusa de voir la jeune femme rougir en baissant les yeux. Après une pause elle continua :

— Heureusement, je pense qu'ils sont trop jeunes pour que cela porte à conséquence.

Autrement dit, seule Élisabeth avait été troublée par ces danses débridées.

— Mon frère vous a reconduits ici ?

— Non… Monsieur Alfred désirait assister à la représentation suivante.

— D'après ce que j'ai compris, celui-ci s'est attardé longuement, au point de revenir chez lui à la nuit tombée, avec les facultés… un peu affaiblies.

La jeune femme leva les sourcils, surprise de la tournure que prenait la conversation. Son interlocuteur prit sur lui de répéter le récit de Marie Buteau, à son retour de la rue Saint-Dominique.

— Pauvre monsieur Alfred. Je me sens un peu responsable, murmura Élisabeth, visiblement émue.

— Ne vous inquiétez pas, mon frère savait trouver le chemin des débits de boisson longtemps avant de vous servir de chaperon.

— … Conviendrait-il que j'aille lui rendre visite demain, avec les enfants ?

— Pourquoi pas, cela le distraira de ses bleus et de ses bosses. Seulement, faites attention qu'Édouard ne se précipite pas sur lui pour l'embrasser. Il paraît que tout son corps le fait souffrir atrocement.

— Je serai intraitable.

Pendant quelques minutes encore, ils devisèrent ensemble de divers sujets, puis Élisabeth exprima le désir de regagner sa chambre. Au moment de sortir de la bibliothèque, elle se retourna pour lui dire encore :

— Vos enfants ont l'âge de se préparer à leur première communion.

— … Oui, je suppose.

— J'ai commencé à leur enseigner le petit catéchisme. En septembre, il conviendrait de s'entendre avec monsieur le curé, afin qu'ils puissent partager cet événement avec les autres enfants de la paroisse.

— Vous avez raison. Vous me direz à ce moment si je dois faire quelque chose…

Après un « Bonne nuit, monsieur », elle quitta la pièce.

Une nouvelle fois, Eugénie crut voir une apparition dans ses rêves, mais bien vite elle comprit que sa mère se décidait à une visite aussi tardive que discrète.

— Tu vas mieux, murmura-t-elle quand Alice prit place sur la chaise placée près du chevet du lit.

— Un petit peu.

— J'ai écrit un mot à papa. Il a promis de m'écrire quand il partirait en voyage.

La femme afficha un mouvement d'agacement, désireuse d'en venir sans attendre à son obsession.

— Elle était là ?

— … Oui. Comme la place était libre…

Dans sa spontanéité naïve, la petite fille venait de très bien définir la situation. Seule la malade n'arrivait pas à admettre cet état de choses.

— Ensuite, elle est redescendue. Je l'ai vue, murmura Alice.

Elle n'osa pas préciser « par le trou de la serrure ». C'était là l'ironie de la situation : alors que normalement des gens espionnaient ce qui se passait dans une chambre close, cette femme s'enfermait et surveillait le monde extérieur.

— Papa lui a demandé de le rejoindre. Il voulait lui parler.

— Oui. Bien sûr.

Sans un mot de plus, comme une ombre, elle quitta la pièce.

La routine du docteur Couture se révélait prévisible : un mardi sur deux, la tournée de ses malades l'amenait à la résidence des Picard. Cette fois, un coup de téléphone avait permis à Thomas de ménager une petite rencontre avec le praticien. Après une douzaine de minutes à l'étage, celui-ci frappa doucement à la porte de la bibliothèque. Le maître des lieux l'invita à entrer.

— Fermez la porte derrière vous, docteur, et venez vous asseoir en face de moi.

Le commerçant revissa sa plume avant de la poser sur le sous-main devant lui, puis demanda d'une voix lasse :

— Comment va-t-elle ?

— Je ne constate aucun changement.

— Elle se plaint sans cesse de son immense fatigue, ses migraines reviennent une journée sur deux…

— Comme elle ne mange à peu près pas, qu'elle passe de son lit à son fauteuil, puis du fauteuil à son lit, comment voulez-vous qu'il en aille autrement ?

Thomas se trouvait toujours face au même constat : son épouse paraissait malade de son comportement bizarre, de cette réclusion qu'elle s'imposait depuis si longtemps. Pour lui, la meilleure façon de procéder aurait été de prendre le problème à bras-le-corps et de la déposer dans le jardin ! Depuis cinq ans, le médecin lui rétorquait que la sortir de force de sa chambre ne réglerait pas vraiment la situation.

Tout de même, il ne renonçait pas si facilement aux solutions inspirées du sens commun :

— Je compte aller passer quelques jours dans Charlevoix. L'emmener avec moi représente-t-il un danger pour sa santé ?

— Je dirais que c'est tout le contraire : l'air de la mer, de longues, ou plutôt dans son cas, de petites marches près du rivage se révéleraient sans doute vivifiants.

— … Je crains qu'elle refuse de venir.

— Ce sera certainement sa première réaction. Si elle s'y cantonne, partez sans elle.

La réponse du docteur laissa son interlocuteur un peu songeur, tellement que celui-ci jugea bon de demander :

— Vous avez besoin de cette petite escapade ?

— Je travaille de longues heures… Mais je pense surtout aux enfants. Rester prisonniers de cette grande maison ne leur vaut rien.

— Alors je vous le répète, partez.

— En la laissant toute seule ?

Le commerçant secouait la tête, comme si une pareille désertion lui paraissait inadmissible. Pourtant, deux jours plus tôt, il se trouvait dans un bordel de la rue Saint-Laurent, à Montréal.

— Quand êtes-vous rentré dans sa chambre pour la dernière fois ?

— … Je ne sais plus exactement. La semaine dernière, avant de prendre le train pour Ottawa, si je me souviens bien.

— Vous ne comptez pas emmener Joséphine avec vous en vacances ?

— Non, bien sûr que non.

Thomas tira pour lui-même sa propre conclusion : excepté des visites des enfants au cours de la journée, son épouse se satisfaisait des services de sa cuisinière. Personne d'autre ne se révélait essentiel à son confort.

— Mais si j'insiste pour qu'elle vienne avec nous, et qu'elle finit par accepter, je ne risque pas de nuire à sa santé ?

— Vous risquez plutôt d'améliorer sa condition.

Dans les secondes qui suivirent, le commerçant tenta d'amener la conversation sur l'état de santé de son frère Alfred. Le docteur Couture se leva pour lancer d'une voix bourrue :

— Si vous en êtes rendu à vouloir me faire trahir le secret de ma profession, je préfère vous quitter. Bonne soirée tout de même.

∼

Alors qu'elle dînait dans la cuisine avec les enfants, ce fut avec surprise qu'Élisabeth entendit Joséphine grommeler :

— Madame aimerait vous parler. Elle a proposé l'heure du thé.

— ... Ce sera avec plaisir.

Jusque-là, les deux femmes n'avaient eu qu'une véritable rencontre. En réalité, la préceptrice s'était révélée incapable d'intéresser Alice Picard à l'éducation de ses enfants. Aussi ce fut avec la plus grande circonspection qu'elle frappa à la porte de la chambre un peu avant cinq heures, puis qu'elle entra après y avoir été invitée.

La malade occupait son fauteuil habituel, près de la cheminée. Heureusement, aucun morceau de charbon ne s'y consumait. La température extérieure voisinait les quatre-vingts degrés, mais dans la pièce totalement close, il fallait en ajouter dix de plus.

— Venez vous asseoir près de moi, demanda Alice en désignant une chaise de l'autre côté de la petite table ronde en face d'elle, et servez-vous du thé. Je sais que je ne fais pas une bonne hôtesse, mais cette théière devient un peu lourde pour moi. Je risquerais d'en renverser.

D'une traite, elle venait de prononcer plus de mots que pendant leur rencontre antérieure.

— Ce n'est rien, la rassura Élisabeth. Voulez-vous que je vous en verse aussi ?

— Non, cela ira.

Alice Picard se tenait plus droite que d'habitude dans son fauteuil, comme pour honorer la visiteuse d'une présence plus tangible, en quelque sorte.

— Vous vous plaisez toujours dans cette maison ?

— Je suis très heureuse d'être là. Vos enfants sont absolument adorables.

— Ils savent déjà lire un peu… même le petit Édouard. En moins de deux mois, c'est remarquable.

Élisabeth sourit à cette assertion, jugeant toutefois inutile de préciser que le gamin arrivait tout juste à déchiffrer quelques mots simples, ou alors ceux, plus complexes, en lien avec son obsession de l'électricité.

— Vous savez, leur situation est idéale, tout comme la mienne. Avec une classe de deux élèves bien sages, je peux être attentive à leurs progrès.

— Tout de même, j'ai bien l'impression qu'en une année avec vous, ils apprendront autant qu'en deux années à l'école.

Cela correspondait aussi à l'évaluation de la préceptrice. Elle se priva de préciser que c'était sans compter les aspects moins scolaires de son intervention, de la bienséance aux leçons de choses. Depuis une semaine, la jeune femme avait décidé de conduire ses protégés dans divers lieux d'intérêt de la ville. Elle préféra évoquer son nouveau projet :

— Nous avons commencé récemment une étude sérieuse du catéchisme. Les enfants devraient faire leur première communion le printemps prochain, avec ceux des écoles voisines.

— Quelle excellente idée. Eugénie ne sera-t-elle pas déjà un peu âgée ?

— Édouard, quant à lui, sera un peu jeune.

La préceptrice avait dit cela en souriant, comme si elle trouvait amusant que la moyenne des âges de ses protégés lui permette de s'en tenir aux usages.

— Ma propre copie du catéchisme se trouve sur le linteau de la cheminée. Voulez-vous me l'apporter?

Élisabeth se leva pour chercher le petit opuscule soigneusement relié. Au passage, elle remarqua un bouquet de roses blanches totalement séchées, conservé sous une cloche de verre. Il s'agissait du bouquet de mariage de la malade, le symbole d'un amour pur, innocent.

— Je conserve cette copie du *Catéchisme des provinces ecclésiastiques de Québec, Montréal et Ottawa* précieusement. Le texte fut approuvé en 1888, commenta Alice en l'ouvrant à la page titre.

— Je sais, nous utilisions aussi cette version au couvent.

— Ces dernières années, je l'ai beaucoup feuilleté. Vous comprenez, dans ma situation, mieux vaut demeurer prête.

Elle voulait dire prête à rencontrer son Créateur d'un jour à l'autre. Cela ne méritait aucune réponse. Tous les catholiques devaient se préparer à cette éventualité, mais évidemment les malades en ressentaient la nécessité plus que les autres.

— C'est curieux comme ce petit livre peut vous livrer des conseils appropriés à toutes les situations, à chaque moment de l'existence. Si je le laisse s'ouvrir au hasard…

Alice posa l'épine de l'opuscule sur sa main grande ouverte, puis le lâcha. La plupart des pages allèrent vers sa paume, les autres vers ses doigts.

— Nous obtenons une lumière susceptible d'éclairer cette journée. Tenez, je vous lis ce que je découvre: "L'œuvre de chair ne désireras, Qu'en mariage seulement."

— … En effet, vous avez raison.

Ce petit exercice devait avoir été prémédité avec soin, l'épine du livre préalablement cassée afin que le *Catéchisme* s'ouvre à peu près à la page voulue. Si ce n'était pas le cas, rien n'interdisait de donner le change: à moins d'être demeurés, tous les catholiques de la province de Québec âgés de plus de dix ans pouvaient réciter les dix commandements de Dieu sans risque de se tromper. Les sixième et dixième, liés aux péchés de la chair, tenaient de l'obsession collective.

Élisabeth plongea le nez dans sa tasse de thé pour se donner une contenance, songeant au plaisir qu'elle aurait eu à citer le chapitre relatif au jugement téméraire de l'*Introduction à la vie dévote*. Cet ouvrage incontournable se trouvait certainement dans la chambre. Cela aurait toutefois été s'exposer, en guise de réplique, à un résumé du chapitre intitulé «Des désirs», ou alors un autre, au titre plus conséquent: «Avis aux vierges»!

Après un moment, la malade referma son opuscule pour le poser sur la table, puis ajouta d'une voix un peu lasse en prenant une mèche de ses cheveux pour en examiner les pointes:

— Quelle pitié, ils deviennent ternes et cassants. Il y a quelques années, ils ressemblaient à ceux d'Eugénie.

Le fil de cette conversation échappait totalement à son interlocutrice. Celle-ci reprit la balle au bond et proposa:

— Aimeriez-vous que je les brosse? Il paraît que cela peut faire le plus grand bien.

— Les enfants ont raison, vous êtes très gentille. Vous trouverez une brosse sur la commode.

Un instant plus tard, avec d'infinies précautions pour ne pas les casser, ni faire de mal à Alice, elle entreprit de brosser les cheveux de la malade. La proximité de ce corps avait quelque chose de troublant. La texture de la peau un peu parcheminée sous les doigts, une odeur indéfinissable, attribuable à une hygiène déficiente, l'impression que la mort rôdait dans la pièce, tout cela lui donnait un léger haut-le-cœur. Cette femme de trente ans montrait un cou plissé de volaille. Par la chemise de nuit qui béait, Élisabeth aperçut un sein flasque, comme une outre vide.

Quand, après une vingtaine de minutes, la préceptrice sortit enfin de cette pièce, ce fut pour s'appuyer sur le mur du corridor et respirer profondément, les yeux fermés. Édouard la trouva là, au moment de descendre du grenier pour aller se débarbouiller avant le souper. Il lui prit la main en disant :

— Viens, c'est l'heure de manger.

❦

Le jeudi en fin de matinée, un peu plus de trois jours après avoir été sauvagement battu par un amant de passage, Alfred Picard se présenta au grand magasin de la rue Saint-Joseph. Il marchait avec prudence, le corps très raide, en prenant bien garde de ne pas bouger les bras ou la tête. Pourtant, la difficulté de se déplacer représentait un bien petit défi, comparée à l'action de se lever et de se vêtir ce matin. L'opération avait coûté bien des grimaces et de nombreux jurons.

Le convalescent passa d'abord par le rayon des vêtements féminins afin de saluer Marie.

— Vous semblez en très bonne forme, monsieur Alfred, observa-t-elle en guise de mot de bienvenue.

— Mademoiselle Buteau, c'est très vilain de mentir ainsi.

— À tout le moins, vous paraissez mieux que lundi dernier.

— Si je me sentais plus mal qu'il y a trois jours, vous seriez présentement à mes funérailles.

Afin de regarder autour de lui, l'homme fit pivoter tout son corps. La clientèle se trouvait très nombreuse, les ventes réjouiraient le grand patron.

— Ne comptez pas sur moi avant quelques jours. Je vais annoncer à mon frère que je suis tiré d'affaire, puis je rentre me coucher.

— Revenez-nous vite, monsieur.

Le chef de rayon accueillit ces bons mots avec le sourire, puis il se dirigea vers les bureaux de l'établissement de son pas d'automate.

— Mais que faites-vous là ? demanda-t-il au secrétaire de Thomas. Depuis des semaines, on ne vous voit plus guère.

— Pourtant, je suis venu tous les jours, fit remarquer Fulgence Létourneau en affichant le sourire d'un homme particulièrement fier de lui. Je suppose que vous désirez voir monsieur Thomas.

— Cette sagacité vous conduira loin. Sans doute jusqu'à la Pointe-aux-Lièvres.

Le jeune homme lui adressa un regard surpris, puis se leva pour frapper à la porte de son employeur. Un moment plus tard, le dos droit comme une planche, Alfred posa le bout des fesses sur la chaise en face du bureau de son frère.

— Je suis heureux de te voir à peu près présentable, commenta celui-ci. Après de pareilles péripéties, j'espère que tu te tiendras loin de la Côte-à-Coton.

Dans le regard du commerçant, quelque chose témoignait non seulement de son profond scepticisme à l'égard de ce récit fantaisiste, mais d'une bonne aptitude à deviner les événements réels.

— Je tenterai d'éviter cette foutue côte à l'avenir… à tout le moins tard le soir.

— Surtout si tu te trouves en mauvaise compagnie.

Alfred baissa les yeux, les releva en affichant un sourire contraint. Son frère eut le bon goût de ne pas insister. À la place, il enchaîna :

— Je suppose que tu ne reprendras pas le travail aujourd'hui.

— Le docteur Couture me le défend absolument. C'est un excellent médecin. Selon lui, je devrais être déjà au lit.

— Alors quand ?

— Lundi matin.

Thomas grimaça bien un peu, comme l'exigeait son statut de patron intraitable, mais cet échéancier lui convenait tout à fait.

— Le lundi suivant, soit dans dix jours, tu seras donc parfaitement rétabli. Je voudrais que tu t'occupes de la boutique pendant une semaine.

— Et toi ?

— Les enfants ont besoin de s'éloigner un peu. Je les emmène dans Charlevoix.

Alfred sourit en songeant à leur visite de l'avant-veille, en compagnie de leur préceptrice. Eugénie l'avait regardé avec des yeux chargés de compassion, dignes d'une sœur hospitalière, alors que le garçon entreprenait de visiter la maison de feu son grand père.

— Ils m'ont semblé resplendissants. Édouard surtout : un moment, j'ai craint que notre douce mère le ramène à l'ordre en lui donnant de grands coups avec sa canne.

— Il est juste un peu agité, parfois, le défendit son père.

— Oh ! Le gamin se conduisait très bien, pour une personne de cinq ans. Je pense que la présence de ta charmante gouvernante dans la maison rendait maman un peu nerveuse.

Alfred oublia un moment la douleur qui lui taraudait le dos pour retrouver son sourire habituel. Un peu excédé, Thomas revint à son sujet de préoccupation :

— Alors c'est convenu, tu me remplaceras ?

— Tu ne crains pas que je conduise ce commerce à la ruine ?

— C'est pour une semaine.

— À peu près la durée de la campagne des Prussiens pour mettre la France à genoux en 1870, grommela en grimaçant le chef de rayon.

Celui-ci s'était levé péniblement. En se dirigeant vers la porte, il continua :

— C'est bien à compter du 20 juillet ?

— Permets-moi de partir le samedi et compte depuis le 18, jusqu'au 25.

— Tu peux te fier à moi. Et si tu entends un grand cri dans trois minutes, ce sera que ton imbécile de liftier aura encore arrêté son ascenseur brutalement.

Au moment de sortir, Alfred adressa un salut de la main à son frère, sans se retourner.

En rentrant à la maison ce soir-là, Thomas décida de monter à l'étage avant de prendre son souper. De toute façon, mieux valait régler cette question tout de suite et manger froid, plutôt que d'ajourner encore une discussion qui ne promettait pas d'être agréable.

Comme toujours, Alice se trouvait dans son fauteuil, un livre pieux à portée de la main. Elle en possédait tout au plus une demi-douzaine, sans cesse relus avec une frénésie dévote. L'homme approcha d'elle la chaise rangée contre le mur et commença tout de suite :

— Dans une dizaine de jours, je pense emmener les enfants une semaine dans Charlevoix. Penses-tu être en mesure de te joindre à nous ?

— … Quelle question cruelle. Tu sais bien que je ne peux pas sortir.

— D'après ton médecin, non seulement rien ne t'en empêche, mais il croit que cela pourrait te faire le plus grand bien.

— … Je vois.

Elle posa la tête sur le dossier de son fauteuil, ferma les yeux comme pour s'isoler du monde, en particulier de son époux.

— Et que vois-tu ?

— Vous conspirez ensemble pour me forcer à mettre ma vie en péril.

— Mais bien au contraire, personne ne te force à quoi que ce soit. Je t'ai demandé si tu voulais te joindre à nous. Si ce n'est pas le cas, tu resteras ici. Comme à l'habitude, Joséphine sera là pour s'occuper de toi. De toute façon, c'est le seul être humain que tu acceptes de voir avec une certaine régularité.

— Bien sûr, cela te ferait plaisir de partir avec cette fille !

Pour une personne se prétendant à l'article de la mort, Alice savait encore donner de la voix. Ce fut au tour de Thomas de fermer brièvement les yeux et de laisser échapper un long soupir. Le sujet ne pouvait être évité. Soit.

— Comme tu ne sembles pas disposée à jouer ton rôle de mère, je dois embaucher quelqu'un. Déjà, je pense accomplir mon métier d'homme d'assez bonne façon, en travaillant dix heures par jour pour vous assurer ce train de vie. Je ne me résoudrai pas à consacrer chaque minute de mes journées à faire le tien en plus, pour m'occuper de deux enfants. J'ai eu la chance de tomber sur quelqu'un qui s'en charge très bien.

— … Si je vais dans Charlevoix, elle restera ici ?

— Si je pouvais croire que tu t'occuperas de tes enfants, je n'aurais pas besoin de payer une autre personne. Mais je ne conçois pas que cela se produira bientôt ; certainement pas la semaine prochaine. Aussi, que tu viennes ou pas ne changera rien à la présence de mademoiselle Trudel.

— Admets donc que tu veux la mettre dans ton lit, si ce n'est déjà fait !

Sous la colère, le ton monta encore d'un cran. Si la fenêtre avait été ouverte, les vicissitudes de l'existence de la famille Picard auraient vraisemblablement régalé les bonnes gens de la paroisse Saint-Roch. Dans un murmure, Thomas rétorqua :

— Mais en quoi cela te concerne-t-il ? Ce lit, je ne me rappelle pas que tu aies déjà eu plaisir à l'occuper… Même avant la naissance d'Eugénie, tu paraissais plus entichée de ton passé de couventine et des visites du curé que de ma présence.

— Tu l'avoues…

— Je n'avoue rien du tout. Je constate. Les besoins d'un homme, tout comme ceux d'une femme d'ailleurs, te sont totalement inconnus. Si tu préfères limiter ton existence à cette pièce surchauffée, libre à toi. Tu n'as aucun droit de m'y astreindre, ni d'y astreindre tes enfants. Mais j'attends toujours ta réponse : seras-tu des nôtres dans Charlevoix, oui ou non ?

Un silence buté répondit à la question. Alice avait fermé les yeux de nouveau, cette fois bien résolue à ne pas les ouvrir avant que cette brute ne quittât la pièce. Au bout de deux minutes, Thomas se leva, replaça la chaise à sa place. Au moment de mettre la main sur la poignée de la porte, il se retourna pour ajouter d'un ton neutre :

— À moins que demain tu me fasses savoir que tu nous accompagnes, je ferai les réservations dans un hôtel de La Malbaie en considérant que tu as choisi de rester ici. Et je n'y changerai rien ensuite.

Un instant plus tard, au moment où il mettait les pieds dans le corridor, il se retrouva devant Eugénie. Dans sa chambre, située en face de celle de sa mère, la petite fille avait entendu des éclats de voix. Depuis, elle attendait là, des larmes dans les yeux.

— Tu t'es disputé avec elle ?

Dans ce moment d'intense émotion, la fillette oublia que depuis quelques semaines elle s'efforçait de toujours vouvoyer ses parents.

— Tu sais, ce sont des choses qui arrivent, entre grandes personnes.

Le père s'était accroupi de façon à ce que ses yeux soient à la hauteur de ceux de sa fille. L'inquiétude se lisait sur le petit visage.

— Tu ne la détestes pas ?

— … Bien sûr que non. Tu me fais la bise, avant d'aller dormir ?

De petits bras enserrèrent le cou paternel, elle frotta une joue mouillée contre celle de son père, puis regagna son lit.

11

Il devait être passé onze heures quand Élisabeth Trudel descendit d'un pas léger au rez-de-chaussée pour frapper à la porte de la bibliothèque. Elle dut insister un moment, et quand Thomas ouvrit, il plaçait la seconde de ses bretelles sur son épaule droite. Il se trouvait déjà au lit. Avant de répondre il avait d'abord dû enfiler son pantalon de nouveau.

— Désolé de vous recevoir ainsi, mademoiselle.

De la main, il désigna son tricot de corps.

— Quelque chose avec les enfants ?

— Non, c'est votre femme. Elle est venue frapper à ma porte pour me prier de faire venir le docteur. Elle ne se sent pas bien.

Thomas grommela quelques mots inaudibles en se dirigeant vers son bureau, au milieu duquel se trouvait un appareil téléphonique. Après que l'employée du central l'eut mis en communication avec le médecin, il commença :

— Couture, pouvez-vous venir tout de suite ? C'est ma femme...

Élisabeth n'entendit pas la réplique à l'autre bout du fil, mais elle devina que le praticien n'affichait pas le plus grand enthousiasme quand son patron insista :

— Écoutez, je ne suis pas médecin, je ne sais pas si c'est justifié. Vous me direz tout à l'heure si le motif est sérieux, après avoir jeté un coup d'œil sur elle.

La logique du commerçant convainquit sans soute son interlocuteur, car après avoir raccroché, celui-ci précisa pour Élisabeth :

— Il s'en vient. Où se trouve ma femme, maintenant?

— Je l'ai aidée à se remettre au lit.

— Attendez ici pour ouvrir au docteur Couture. Vous le conduirez en haut.

Thomas mit sa veste avant de monter. Une lampe à gaz brûlait dans la chambre, Alice se trouvait étendue sur le dos, les yeux clos. Sa respiration se faisait rapide, légèrement sifflante. Son mari prit place sur la chaise et attendit sans rien dire. Un court moment il se sentit coupable des mots prononcés plus tôt. Après réflexion, ce sentiment disparut pour faire place à une résolution nouvelle: ne plus accepter de se faire prendre en otage par la maladie de sa femme.

Trente minutes plus tard, le pas lourd du médecin se fit entendre dans l'escalier, devancé par celui, léger, de la préceptrice. Thomas l'accueillit sur le palier, chuchota:

— Je vous attendrai dans mon bureau.

Quand Couture pénétra dans la chambre, la malade murmura tout de suite:

— Docteur, c'est si gentil de vous être déplacé pour moi.

— ... Au téléphone, je n'ai pas eu l'impression d'avoir le choix.

«Elle a feint le sommeil toutes ces minutes», songea son époux, écœuré par ce petit jeu. Sur sa gauche, une porte s'ouvrit, révélant Eugénie, mince et fragile dans sa chemise de nuit, pieds nus sur le parquet.

— Voulez-vous vous en occuper?

Élisabeth, la main sur la poitrine pour garder son peignoir soigneusement fermé, donna son assentiment d'un mouvement de la tête.

Vingt minutes plus tard, le docteur Couture vint s'asseoir sur le siège placé en face du bureau du maître de la maison. Un verre de cognac se trouvait juste devant lui. Il en avala la moitié avant de prononcer dans un soupir:

— Merci de l'attention, mais cela ne m'empêchera pas de vous envoyer une facture pour les honoraires. Me sortir du lit devient une manie dans votre famille. Il y a quelques jours votre frère, vous aujourd'hui…

— Comment va-t-elle ?

— Votre femme ? Le pouls un peu rapide, sans plus.

— … Pourquoi vous avoir fait venir ?

Le médecin préféra vider son verre, puis il répondit :

— Si j'ai bien compris, elle désirait seulement avoir la confirmation que sa santé lui permettait d'aller dans Charlevoix. Je l'ai rassurée, alors elle m'a demandé de vous apprendre la bonne nouvelle : vous voyagerez en famille !

Toute cette mise en scène ne visait que ceci : décider s'il serait plus facile de gâcher les vacances de ses proches par son absence, ou par sa présence. Ce fut au tour de Thomas de vider son cognac, avant de commenter :

— Elle ne va vraiment pas bien.

Du bout de son index, il frappa sur sa tempe droite.

— Pas vraiment, il faut en convenir.

— Ne serait-il pas plus prudent, pour son propre bien, de la placer dans une institution ?

— Pour le bien de la famille, peut-être. Pour le sien, je ne pense pas. Avez-vous déjà visité Saint-Michel-Archange ?

À Beauport, un peu à l'est de Québec, se dressaient les murs gris et lugubres de cet immense hôpital pour aliénés.

— Les grands esprits qui travaillent là-bas se contentent de donner des douches froides aux malheureux qui leur tombent entre les mains. Avant et après cette thérapie de choc, les patients sont isolés, attachés…

— Je ne pensais pas à Saint-Michel, mais à l'Hôpital général. Je penche pour une simple maison de repos, une atmosphère recueillie, un univers de femmes en uniforme. Le genre d'environnement dont rêve la moitié des petites filles de Québec.

Et pour lequel Alice éprouvait à l'âge adulte beaucoup de nostalgie. Le docteur Couture lui adressa un sourire contraint, puis se décida à admettre :

— Ce ne serait peut-être pas une mauvaise idée pour elle, si vous arriviez à l'en convaincre.

— Mais son état de santé ne lui permet pas de décider pour elle.

— Vous songez à un conseil de famille tenu en bonne et due forme, armé d'un rapport médical, pour obtenir l'internement d'une personne. Légalement, c'est réalisable. Ne comptez pas sur moi, cependant. Bien que je comprenne que les choses ne doivent pas être faciles pour vous, je ne crois pas qu'une solution aussi extrême s'impose pour ma patiente.

Thomas Picard demeura un moment songeur, puis se rendit aux arguments de son interlocuteur d'un mouvement de tête lassé.

— Quant à vous-même, je devine que la situation vous pèse, continua le médecin en se levant. Heureusement, vous avez les moyens de vous ménager une existence parallèle confortable, en dehors de ces murs.

— Cet exutoire, les enfants en sont privés. Pourtant ce sont eux qui souffrent le plus de la situation. Puis seriez-vous prêt à écrire cela dans une prescription?

— Jamais. Ce serait m'exposer à ce qu'une soutane essaie de me faire retirer mon droit d'exercer.

Le commerçant demeura un moment songeur, puis il remarqua à voix basse:

— Dans notre petite ville, chacun surveille son voisin. Ce que vous suggérez ne passerait pas inaperçu.

— Puis après? Croyez-vous que vous seriez le premier?

— Il faut encore trouver. Devrais-je mettre une annonce dans le *Soleil*, du genre "Homme marié à une folle cherche maîtresse. Prière de vous adresser à nos bureaux", avec un numéro de référence?

— Combien de femmes employez-vous dans votre magasin? Une centaine?

Le médecin avait atteint la porte de la bibliothèque et s'apprêtait à sortir.

— Plutôt quatre-vingts, précisa son interlocuteur.

L'autre lui adressa un sourire narquois. Un instant plus tard, Thomas verrouillait la porte de la maison dans le dos du médecin.

～

Le départ des volontaires de Québec désireux d'aller écraser la rébellion de Louis Riel en Saskatchewan, en 1885, s'était montré moins complexe que celui de la famille Picard. D'abord, les efforts réunis de Thomas et de Napoléon Grosjean furent nécessaires pour descendre de la chambre au trottoir le fauteuil roulant dans lequel Alice prenait des airs de princesse indigène. Ensuite, la malade dut se tenir sur ses jambes un moment avant de se laisser déposer, littéralement, dans la voiture.

Pendant tout ce temps, Élisabeth et les enfants observaient la scène, à la fois fascinés et inquiets. Quand le fiacre se mit en route, avec une seule passagère et toutes les valises de la famille, l'homme vint les rejoindre pour s'informer auprès des enfants :

— Alors, vous êtes toujours prêts à marcher jusqu'à la gare ?

— C'est tout près, répondit Eugénie en tendant la main.

Son père la prit dans la sienne en remarquant :

— Tu sais que tu es très élégante ?

Le plaisir amena le rose aux joues de la fillette. Cette petite robe bleue devait faire l'envie de toutes les personnes de son sexe âgées de moins de douze ans. Un chapeau de paille orné de fleurs et des gants de dentelles complétaient l'ensemble. Quant à Édouard, un costume de marin satisferait ses goûts vestimentaires encore quelques années. Il suivait trois pas derrière avec Élisabeth.

Les difficultés du départ se répétèrent à l'arrivée à la gare, mais cette fois Thomas laissa les employés du chemin de fer s'agiter pour placer la malade dans son fauteuil roulant.

L'exercice se répéta encore au moment de monter à bord du train. À la fin, le souffle court après tous ces efforts, Alice se retrouva calée dans un siège, les yeux sur le paysage qui défilait à sa droite. La voie ferrée passait tout près du fleuve. À ses côtés, Eugénie commentait le panorama magnifique, tout excitée. Des monosyllabes lui répondaient parfois.

Quant à Édouard, il se retrouvait de l'autre côté de l'allée centrale, près de son père. Même si, pendant tout le trajet, tous les deux voyageraient du côté des terres, le plaisir des yeux serait à peine moins grand. Les villages pittoresques se succéderaient, entrecoupés de vastes étendues de champs en culture. Au moment de passer devant le grand asile de Beauport, Thomas laissa échapper un soupir de lassitude.

🙙🙚

La gare de La Malbaie se trouvait tout près du fleuve, en terrain plat, un choix plutôt raisonnable car les trains ne valaient rien dans les pentes escarpées de la région de Charlevoix. Malgré la taille modeste du village, le quai était encombré de nombreuses personnes, pour la plupart des citadins à la recherche de tranquillité et d'air pur pour quelques jours.

Alors que des employés s'esquintaient de nouveau sur le fauteuil roulant, Élisabeth réapparut aux côtés de la petite famille.

— Tu as fait un bon voyage ? questionna Édouard en prenant sa main.

— Très bon. Et toi ?

— Moi aussi. Pourquoi tu n'étais pas dans le même wagon que nous ?

Un moment, la jeune femme se demanda comment expliquer que son employeur préférait la voir voyager en deuxième classe, alors que lui-même le faisait en première. Au moment où Alice Picard atterrissait enfin sur les madriers du quai, elle précisa :

— As-tu vu le numéro sur ton billet ? Il correspondait à un numéro de siège. Mon numéro m'a conduite dans une autre voiture.

— La prochaine fois, j'espère que tu auras plus de chance.

Comment ne pas le trouver totalement adorable ?

À la sortie de la petite gare, Thomas s'empressa de réserver les services de deux calèches. Les porteurs placèrent les valises dans la première, où la préceptrice monta avec son jeune chaperon. Alice grimpa péniblement dans la seconde avec l'aide de son époux, suivi par Eugénie.

Bientôt, les deux voitures s'engagèrent dans la rue Saint-Étienne. Des deux côtés, les maisons traditionnelles québécoises, avec deux lucarnes perçant le toit en pente aiguë, alternaient avec des maisons victoriennes franchement modernes. Des estivants consentaient l'investissement que représentait la construction d'une résidence secondaire afin de revenir régulièrement y passer leurs vacances.

Après être sorties du village, les voitures s'avancèrent dans une allée étroite, bordée de grands arbres, longue d'environ trois cents verges. À son extrémité, un vaste hôtel se dressait sur un tertre. L'édifice comptait deux étages au-dessus du rez-de-chaussée. Une immense véranda en faisait le tour, permettant aux clients de prendre place dans de grands fauteuils de rotin. Sans doute les vacanciers les plus âgés, ou ceux touchés par la maladie, passeraient là tout leur séjour, les yeux perdus en direction du Saint-Laurent dont l'immensité bleue se déroulait à un demi-mille de là, tout au plus.

Des employés de l'hôtel vinrent chercher les valises. Cette fois, Thomas s'occupa seul d'aider Alice à descendre du véhicule et à prendre place dans son fauteuil roulant. Il la poussa vers l'entrée de l'établissement, puis jusqu'au comptoir de la réception. Quelques minutes suffirent pour recevoir les clés et régler les derniers détails.

Au moment de retrouver sa femme pour la pousser en direction d'un couloir voisin, il précisa :

— Nous sommes logés au rez-de-chaussée, afin de rendre tes déplacements plus faciles. De plus, je me suis assuré qu'une jeune fille demeure à ta disposition toute la journée.

Bien sûr, la malade risquait peu de vouloir quitter l'établissement, alors que lui et les enfants entendaient profiter des divertissements disponibles dans la région. Au moment où ils arrivèrent devant la porte de la chambre, les porteurs en sortaient après avoir déposé les valises. La pièce contenait deux lits, une commode et un fauteuil.

— Laisse-moi près de la fenêtre, murmura Alice.

Du fauteuil roulant, celle-ci contempla le point de vue superbe. Son mari continua :

— Nous partageons la salle de bain avec les enfants, dans la chambre voisine.

Comme s'il obéissait à un signal, Édouard frappa à la porte de communication pour l'ouvrir aussitôt et déclarer :

— Nous sommes juste à côté. Viens voir, papa.

L'homme obtempéra, constata que la chambre attenante se révélait absolument identique à la sienne. Élisabeth disait justement à Eugénie :

— Tu partageras le lit de ton frère, comme nous avons convenu à Québec.

— Mais je ne savais pas qu'il serait aussi petit, protesta la fillette.

— Je peux coucher avec Élisabeth, suggéra le gamin avec un grand sourire.

Thomas échangea un regard amusé avec la préceptrice, puis décréta d'une voix qui ne tolérait pas la réplique :

— Tu partageras le lit de ta sœur. Celui-ci est certainement assez grand pour vous deux. Dans quelques minutes, je viendrai vous chercher, nous irons marcher au grand air.

Au moment où l'homme fermait la porte entre les deux chambres, Alice murmura d'une voix amusée :

— Voilà que vous êtes deux à vouloir partager sa couche. Elle aura fort à faire.

L'homme ferma les yeux un instant, prit une grande respiration et décida de sortir sur la véranda un moment. Cette semaine de vacances risquait de devenir exténuante.

~

Certaines activités, banales sinon ennuyeuses pour les enfants de la campagne, revêtaient un intérêt irrésistible pour ceux de la ville. Un cultivateur trouvait un complément de revenu intéressant en venant chercher des touristes pour les conduire dans les champs afin de cueillir des fraises. Thomas paya en adressant à l'homme un sourire narquois, aida les enfants à monter dans la charrette à foin où quelques personnes prenaient déjà place. Élisabeth se débrouilla toute seule, trouva à s'asseoir les jambes dans le vide, ouvrit son ombrelle pour la poser sur son épaule.

— Je ne vous connaissais pas cet accessoire, remarqua Thomas en prenant place près d'elle.

— Je l'ai depuis vendredi dernier seulement. Un garçon de course de votre magasin me l'a apportée à la maison. C'est un cadeau de votre frère Alfred.

— Il vous fait des cadeaux?

L'étonnement sur le visage du commerçant fit sourire la jeune femme, qui prit tout son temps avant de fournir une explication:

— Cela fait suite à une conversation que nous avons eue sur la terrasse Dufferin.

— À propos des ombrelles?

— Pour être tout à fait honnête avec vous, à propos de mon joli teint de blonde. Sur la nécessité d'assurer la protection de celui-ci, pour être plus précise.

Mieux valait ne rien ajouter, surtout en présence des enfants, aussi l'homme se tint coi. De toute façon, Édouard requérait une surveillance étroite, sinon il risquait de plonger la tête première vers le sol. Pendant près d'une heure, la charrette parcourut un chemin rural accidenté à souhait, dans un paysage absolument bucolique. Le cheval essoufflé progressait si lentement que parfois, un passager sautait en bas du véhicule juste pour le plaisir de marcher un peu, puis remontait en riant.

Le cultivateur s'arrêta enfin au bout d'un champ fermé par une méchante clôture de perches de cèdre, où des buissons le disputaient aux herbes folles.

— Il y a des fraisiers là-bas, près du bosquet. Je vais vous attendre ici. Nous repartirons dans une heure.

— Risquons-nous de voir des ours dans ces parages? demanda une voix en anglais.

Comme le paysan ne répondait pas, ce fut Thomas qui prit l'initiative de traduire la question, et ensuite la réponse.

— S'il y en a, avec tout le bruit que ces gens-là vont faire, ils s'enfuiront dans les bois.

Après ces paroles à peine rassurantes, le commerçant rejoignit sa petite famille qui marchait résolument vers l'orée du bois. Quelques minutes suffirent au quatuor pour se rendre compte que si le cultivateur n'avait pas menti – les fraisiers se trouvaient bien là –, les petits fruits quant à eux faisaient presque totalement défaut. Et ceux qu'ils découvraient encore sur les plants se révélaient flétris.

— Nous sommes un peu tard dans la saison, expliqua Thomas à sa fille quand elle leva vers lui de grands yeux déçus.

— Mais cela ne fait rien, intervint Élisabeth avec un sourire encourageant. Regarde toutes ces fleurs dans les champs, puis le fleuve au loin. C'est magnifique.

— Je voulais manger des fraises, protesta Édouard d'une voix aiguë.

— Si nous regardons bien, je parie que nous trouverons du thé des bois dans la mousse, sous les arbres.

Le garçon la regarda un moment, intrigué, pour opposer bientôt:

— Selon Joséphine, je suis trop jeune pour boire du thé.

— Mais certainement assez vieux pour manger de cette sorte-là. Tu viens avec moi ?

Elle tendait la main, le garçon la prit sans hésiter. Thomas enleva son chapeau de paille pour passer son mouchoir sur son front, puis observa :

— Comme je ne suis pas très porté sur le thé des bois, et que cet arbre, là-bas, me semble fournir une ombre attirante, je vais aller m'étendre un peu.

— Je vais avec toi, proposa tout de suite Eugénie. C'est plein d'insectes dans l'herbe.

La petite fille avait raison. Sous la chaleur de juillet, dans ce champ visiblement laissé à l'abandon depuis quelques années, des sauterelles s'élançaient dans les grandes herbes pour parcourir une longue distance. D'autres bestioles, toutes petites, semblaient particulièrement attirées par les jambes des touristes.

— Alors allons-y, et laissons les explorateurs courir les bois sans nous.

Un moment plus tard, l'homme trouvait un lit d'aiguilles sous le pin centenaire. Il enleva sa veste pour la poser par terre, s'assit sur elle, s'appuya le dos sur le tronc rugueux.

— Désolé, remarqua-t-il à l'intention de sa fille restée debout, mais je n'en ai pas une seconde. Installe-toi par terre. D'abord, ta robe est de couleur foncée, cela ne se verra pas trop si tu la taches un peu. Puis tu pourras la faire nettoyer à l'hôtel pour demain.

— Si nous revenons ici, nous apporterons une couverture, remarqua-t-elle dans un soupir, songeant que décidément, les hommes de sa famille se souciaient bien peu de la propreté de ses vêtements.

Une heure plus tard, la préceptrice revenait avec son protégé tout souriant, mastiquant avec l'enthousiasme d'un bovin, les poches pleines de thé des bois.

— Nous avons vu un serpent, clama-t-il d'entrée de jeu.

— Une petite couleuvre verte, corrigea la jeune femme pour les deux autres, en indiquant une longueur d'environ dix-huit pouces avec ses deux index.

— Élisabeth l'a prise dans ses mains pour me la montrer de près.

Quelque chose comme de l'admiration illuminait les yeux du garçon. Même Thomas ne put s'empêcher de sourire en songeant que toutes les autres femmes qu'il connaissait auraient plutôt lancé des cris stridents à la vue de ce reptile.

— Mademoiselle Trudel, si ma mère aborde de nouveau la question de vos origines, je pourrai témoigner : vous êtes une véritable fille de la campagne. Vous vous joignez à nous, en attendant le départ ?

Au moins, l'homme ne fit pas à Eugénie l'affront d'offrir à la jeune femme de s'asseoir sur sa veste. Celle-ci se retrouva les fesses dans les aiguilles de pin, appuyée elle aussi sur le tronc d'arbre, occupée à répondre à l'incessant babillage d'Édouard.

Un peu plus tard, ils revinrent s'asseoir dans la charrette du cultivateur. La plupart des touristes présentaient une mine déçue. Thomas exprima le sentiment général en disant au vieil homme :

— Vous devriez prendre quelques jours de congé et reprendre du service quand il y aura des framboises ou des bleuets dans ces buissons. Vous avez de la chance, dans votre ligne de commerce, de ne rencontrer vos clients qu'à une seule reprise. Dans la mienne, vous déposeriez votre bilan avant trois mois.

Le paysan haussa les épaules, indifférent à ces reproches : si les citadins ne savaient pas quand était la saison des fraises, ce n'était pas son problème.

～

Le temps se maintenait au beau, aussi les vacanciers se retrouvaient sur l'étroite bande de sable qui s'allongeait entre la voie ferrée et le fleuve. Cela faisait une plage très médiocre, dont il fallait se contenter. Eugénie et Édouard purent revêtir le maillot de bain que leur père avait « emprunté » au rayon « villégiature » improvisé au rez-de-chaussée de son commerce. Après un nettoyage, il pourrait les mettre en solde à la fin de la saison, avec les autres invendus.

Eugénie sortit de la bicoque qui servait à se changer avec toute la timidité d'une grande fille allant sur ses huit ans, soucieuse de ne pas trop révéler ses charmes. Le sixième commandement de Dieu s'imposait à son esprit : « Impudique point ne seras, De corps ni de consentement. » Pourtant, le vêtement, un tricot de coton serré au cou, lui allait jusqu'aux mollets. Sa robe, qu'à son âge elle portait encore aux genoux, en révélait un peu plus. Quant à Édouard, vêtu d'un costume à peu près identique, il s'offrait aux regards avec enthousiasme.

De l'eau à mi-jambe, le garçon cria à l'intention de sa préceptrice :

— Viens nous rejoindre, c'est amusant.

— Je ne veux pas ruiner mes souliers, répondit la jeune femme debout sur le sable.

— Alors enlève-les.

Comment résister à pareille logique ? Élisabeth regarda à droite, puis à gauche. Des gens pouvaient la voir, mais elle n'osait laisser les enfants sans surveillance le temps d'un aller-retour vers les cabines. Aussi, elle s'accroupit pour détacher ses chaussures, glissa la main sous sa jupe le temps de descendre ses bas jusqu'à ses chevilles, puis se releva pour se déchausser.

Assis sur un banc près de la voie ferrée, Thomas observait la scène, fasciné. Voir la jolie femme se déchausser de cette façon, au milieu de la plage, lui procura une érection immédiate. Elle s'accroupit encore pour mettre ses bas dans ses chaussures, troussa juste un peu sa robe et son jupon pour s'avancer dans l'eau.

— C'est très froid, observa-t-elle pour le garçon venu la rejoindre.

— Pas tant que cela. Puis on s'habitue.

Pourtant, lui ne s'y faisait pas, la chair de poule se répandait sur ses bras et ses jambes. Eugénie, un peu plus loin, marchait dans l'eau, poussant de petits cris quand une vague lui mouillait les mollets.

Malgré tout, Élisabeth préféra demeurer où elle était, fouillant le sable du bout de ses pieds avec l'espoir de déloger de petits cailloux rendus bien lisses par l'action des flots. Malheureusement, ceux qui lui semblaient d'une couleur intéressante à travers cinq pouces d'eau se montraient d'un brun sans éclat quand elle les ramenait en surface.

— Nous rejoignons papa? demanda Eugénie après une demi-heure à jouer dans les vagues.

— Cela vaut mieux, car bientôt tu commenceras à claquer des dents. Édouard, viens avec nous.

Pour la forme, le garçon protesta bien un peu. Sur la plage, Élisabeth ramassa ses souliers. Thomas regarda le trio venir vers lui. En réalité, il ne voyait que la jeune femme, un soulier dans chaque main, rieuse, des mèches bouclées de ses cheveux emportées au vent. Deux ou trois pouces de sa robe et de son jupon, trempés par l'eau du fleuve, amassaient du sable sur son chemin.

— Je devrai faire nettoyer ces vêtements en rentrant à l'hôtel, commenta-t-elle en prenant place près de son employeur sur le banc.

— Le service de nettoyage sert exactement à cela. Vous joindrez les maillots…

Elle acquiesça, les yeux perdus au large. À cette hauteur, l'autre rive du fleuve demeurait invisible. Les habitants de la région parlaient de la mer avec raison. Une mer où la navigation se faisait parfois dangereuse, comme en témoignaient quelques naufrages tous les ans. Quant à Thomas, ses yeux restaient irrésistiblement attirés par les pieds nus de la jeune femme, longs et fins, couverts du sable de la plage. Il se penchait un peu vers l'avant, afin que personne ne remarque son état. À la fin, il suggéra d'une voix qui sonnait un peu faux :

— Les enfants, allez vous changer. Nous rentrons à l'hôtel pour prendre une collation... Élisabeth va vous accompagner.

Bien sûr, cela allait de soi, ne serait-ce que parce qu'elle devait se sécher les pieds, remettre ses bas et ses chaussures. Toutefois, il tenait surtout à ne plus sentir son corps près du sien.

~

— Eugénie, tu voudrais bien passer la journée avec moi ?

Immense concession de sa part, Alice Picard acceptait de partager le déjeuner de la famille dans la salle à manger de l'hôtel. Sa maigreur lugubre suscitait de petits murmures aux tables voisines, sur la nature de sa maladie et les pauvres enfants promis à devenir orphelins si jeunes. Sa présence dans la pièce n'améliorait l'appétit de personne.

— Nous voulons aller faire une promenade en bateau, plaida la petite fille.

— Un grand bateau avec une voile rouge, compléta le garçon.

Alice posa ses yeux misérables dans ceux de sa fille. Après un silence un peu long, elle continua :

— Tu comprends, c'est un peu ennuyant de rester seule toute la journée dans cet hôtel.

Sans compter que la malade, afin d'ajouter à son malheur et cultiver son teint blafard, ne se donnait pas la peine de marcher jusqu'au grand fauteuil de rotin muni d'un coussin moelleux placé devant la porte de la chambre, sur la véranda.

— ... Je resterai, murmura bientôt la fillette, forcée à l'abdication par le regard fiévreux posé sur elle.

Quelques minutes plus tard, après être passé à la chambre afin d'utiliser la toilette et de revêtir une veste de toile solide, Thomas lâcha au moment de sortir :

— Non seulement tu aimes gâcher chacune de tes journées, mais tu veux faire de même pour celles de ta fille.

Avant que sa femme puisse formuler une réponse, l'homme préféra quitter la pièce. Quelques minutes plus tard, Élisabeth et Édouard le rejoignirent dans le hall de l'établissement.

— Nous allons prendre une calèche, décréta-t-il, le quai se trouve un peu loin pour le plus jeune d'entre nous.

Des voitures se tenaient toute la journée devant le grand hôtel. En réalité, compte tenu des terres médiocres des environs, la venue de touristes permettait aux habitants de Charlevoix de trouver une source de revenu précieuse, parfois inespérée. Cela allait des conducteurs de fiacres et de calèches aux femmes qui faisaient les chambres dans les hôtels, aux domestiques embauchées par les estivants pour la saison, aux paysans qui amenaient les touristes aux fraises ou aux pêcheurs qui radoubaient de vieilles barques afin de promener des citadins sur le fleuve.

Édouard sauta de l'échelle accrochée au quai au fond de l'embarcation, se retrouva sur le cul en grimaçant de douleur alors que le vieux marinier commentait, sans la moindre compassion :

— Garçon, si tu tiens à nous envoyer par le fond, continue comme cela.

Élisabeth vint ensuite, prenant place avec souplesse sur le banc placé devant le mât de la grande barque. De la main, elle fit signe au gamin de la rejoindre en disant :

— Ne craignez rien, je vais l'avoir à l'œil. Aucun d'entre nous ne sait nager.

— Moi non plus. C'est bien pour cela que j'ai un bateau.

Thomas s'assit sur le banc à l'arrière de l'embarcation, alors que le vieil homme, avec une grande rame, poussait sur le quai. Ensuite, il hissa la voile unique, triangulaire, une grande pièce de toile rouge à la couleur un peu délavée, rapiécée en plusieurs endroits. Avec habileté, il arriva à emprisonner un peu de vent, assez pour faire glisser son esquif vers le large. Après quelques minutes, installé à la poupe, le flanc appuyé contre la barre, le marin annonça le programme de la petite expédition :

— Le mieux est de remonter un peu le fleuve par vent arrière. Il faudra louvoyer pour revenir, mais avec le courant, ce sera facile.

Thomas donna son assentiment, heureux à l'idée de demeurer près du rivage. Ses yeux allaient du mât, taillé grossièrement dans un petit sapin, au bordage qui avait subi quelques réparations déjà. Un peu d'eau croupissait au fond de l'embarcation, au point qu'Élisabeth s'était assise en travers de son banc, les jambes allongées devant elle, un bras passé sur le plat-bord, l'autre autour de son protégé pour prévenir tout mouvement intempestif.

Peu à peu, l'homme se sentit rassuré. Le vent les poussait vers le sud-ouest en douceur, l'embarcation traversait les rouleaux de vagues venus du large avec aisance en soulevant des éclaboussures qui faisaient rire Édouard aux éclats. Celui-ci et la préceptrice regardaient vers le large, tournant résolument le dos à la côte.

Le garçon s'imaginait certainement lancé dans un grand voyage d'exploration. Quant à la jeune femme, Thomas se demandait bien où ses pensées la conduisaient. La lumière blanche lui faisait plisser les yeux. Certaine que ce genre d'expédition ne faisait pas bon ménage avec son ombrelle, l'accessoire était resté dans la chambre. Tans pis si le lendemain elle présentait des joues, un nez et un front brûlés par le soleil.

Sur une embarcation sans cesse en mouvement, impossible d'afficher la même pudeur que sur la terre ferme. La jeune femme chercha d'abord à coincer le bas de sa jupe entre ses chevilles croisées par la garder bien en place. Mais le maintien de son équilibre rendait nécessaire des mouvements fréquents. À la fin, elle choisit d'ignorer que le vêtement de serge bleue remontait jusqu'à la moitié des jambes, révélant un jupon blanc tout simple, terriblement excitant, des pieds enfermés dans des bottines brunes lacées haut sur la cheville.

Une nouvelle fois, Thomas se surprit à bander devant ce spectacle somme toute innocent, songeant au plaisir qu'il aurait à promener sa main sur ces jambes gainées de bas bleus en coton, privés de la moindre broderie. Puis il remarqua que le vieux pêcheur posait aussi un regard amusé sur le joli spectacle. Honteux, il fit semblant de se passionner pour le sillage d'écume blanche à la poupe.

~

— Est-ce que tu les vois?

La question venait de la porte permettant de passer directement de la chambre à la véranda. Sans se retourner, Eugénie, appuyée sur l'un des poteaux qui soutenaient la grande galerie du premier étage, répondit:

— Non, je ne les vois pas.

Sous ses yeux, une embarcation à la voile d'un rouge délavé se rapprochait du quai.

— Tu ne regrettes pas d'être restée avec moi? Parfois, le temps est si long à passer.

— Non, je ne regrette pas.

Sa mère venait de la forcer à mentir à deux reprises. Un picotement lui vint aux yeux.

— Viens dans la chambre. Je veux être avec toi, et il y a trop de lumière dehors.

La fillette passa son bras autour du poteau sur lequel elle prenait appui, comme pour éviter qu'on la tire de force vers la chambre, tout en se réfugiant dans un silence buté.

Après un moment, elle entendit le bruit d'une porte qui se fermait.

— Monte le premier. Si tu tombes, je te rattraperai, dit Élisabeth d'une voix joyeuse.

— Je suis lourd, tu sais, répondit le gamin en gravissant le premier échelon.

— Dans ce cas, je vous rattraperai tous les deux.

Les mots de Thomas lui valurent un regard amusé du pêcheur. Alors que la jeune femme s'engageait à son tour sur l'échelle conduisant sur le quai, l'homme se fit violence et s'entêta à regarder fixement le fleuve, incarnant le rôle du citadin fasciné par la vie libre et sans contrainte des marins. À la fin, ce fut le vieux batelier, franchement amusé, qui lui signala :

— Vous pouvez y aller maintenant, la voie est libre.

Au moment où il mettait le pied sur le quai, il aperçut Élisabeth, accroupie pour être à la hauteur d'Édouard, expliquant d'une voix douce :

— Tout ce soleil et l'air de la mer t'ont épuisé. Le mieux est de rentrer tout de suite pour faire une sieste. Si ton papa n'y voit pas d'inconvénient, bien sûr.

Des yeux, elle consultait son employeur. Celui-ci consentit tout de suite :

— C'est une excellente idée. Nous ferons une promenade en fin d'après-midi.

— Et toi, tu vas t'étendre aussi ?

La question était destinée à la jeune femme. Avec un sourire, elle murmura :

— Eugénie voudra peut-être faire quelque chose. Nous verrons en arrivant à l'hôtel.

Élisabeth se releva, tendit la main au garçon pour marcher avec lui vers les voitures rangées à peu de distance du quai. Thomas, derrière eux, se sentait soudainement très las aussi.

Pendant les jours suivants, la région de Charlevoix leur réserva encore une baignade, des promenades en forêt et dans les champs, un pique-nique près d'une rivière à l'eau vive et chantante. Aussi, le soir du 25 juillet, la veille de leur retour à la maison, trouva les estivants un peu attristés. Après un souper copieux dans la salle à manger de l'hôtel, les enfants regagnèrent leur chambre avec leur préceptrice. Thomas, peu désireux de retrouver sa conjointe dans la sienne, préféra se diriger vers le bar de l'établissement. Celui-ci recelait un assez bon échantillon de whiskies, dont certains lui étaient encore inconnus.

La présence de quelques commerçants de la Basse-Ville de Québec, eux aussi venus en vacances, lui permit de discuter un peu affaires et politique. Au moment de revenir à sa chambre, dans le hall il reconnut une silhouette familière. Élisabeth se tenait debout devant la vitrine de la boutique de l'hôtel, fermée à cette heure.

— Mademoiselle, je suppose que vos protégés dorment à poings fermés?

— Oh! Monsieur Picard, vous m'avez fait sursauter, fit-elle en portant la main à sa poitrine. Ils dormaient quand je les ai quittés. La porte de communication entre les deux chambres était ouverte, ils ne sont pas seuls.

— Je suis désolé si je vous ai donné l'impression de vous faire un reproche. Au contraire, votre travail est absolument exemplaire.

La jeune femme lui répondit d'un sourire. Un silence gêné s'installa entre eux, que Thomas voulut briser en disant:

— Avez-vous du mal à dormir?

— Sans doute de la fébrilité à l'idée de rentrer demain… puis je dois dire que mon visage demeure un peu douloureux.

Résultat des heures passées à naviguer sur le Saint-Laurent, la jeune femme présentait une curieuse figure, avec la peau qui se soulevait sur le front et le nez. Son regard retourna vers les bijoux exposés dans la vitrine de la boutique. Machinalement, ses doigts se portèrent à son cou.

— Vous aimez ce camée ? Je vais vous l'offrir.

— Vous n'y pensez pas !

— Avec tout le travail que vous faites, sans prendre une journée de congé complète depuis mai dernier, je vous dois bien cela... Surtout, cela me ferait plaisir de vous l'offrir.

Élisabeth secoua la tête pour dire non. Ses cheveux détachés lui tombaient sur les épaules. Avec le mouvement, ils captèrent la lumière fauve des lampes à gaz suspendues au plafond.

— Nous avons une entente quant à mon traitement, formulée dans un fiacre. Nous nous en tiendrons à cela.

Autour d'eux, des vacanciers allaient et venaient, l'endroit se révélait peu propice à la conversation.

— Acceptez-vous de vous asseoir avec moi un moment ?

— ... Si vous voulez.

L'homme se dirigea vers le salon de l'hôtel, une grande pièce aux murs lambrissés de bois dont les fenêtres hautes et étroites donnaient sur la forêt. Des fauteuils et des canapés formaient des îlots convenant tout à fait à des échanges murmurés. Thomas chercha un endroit discret, deux sièges dans un coin, placés de part et d'autre d'une table basse. Il tira celui de sa compagne afin de l'aider à s'asseoir, puis occupa la place en face d'elle. Au garçon venu s'enquérir de ses désirs, il commanda du thé. Une fois la théière et deux tasses devant eux, il commença à voix basse :

— J'aimerais vous offrir quelque chose, à la fois pour vous remercier de vos bons services et pour vous dire toute mon affection.

— ... Monsieur !

La jeune femme eut un mouvement de recul, fit mine de poser sa tasse dans la soucoupe pour se lever et partir.

— Mademoiselle Trudel, je vous en prie, restez.

Elle hésita un moment, reprit sa tasse pour la tenir à deux mains devant sa poitrine, comme un bouclier un peu dérisoire.

— Je suis au moins aussi entiché de vous que l'est Édouard... Je vous ai aimée dès la première fois où je vous ai vue.

Élisabeth posa les yeux sur la table, ouvrit la bouche pour dire quelque chose, se ravisa et fit remarquer un moment plus tard, faussement enjouée :

— Pourtant, mon costume de couventine n'a pas fait grande impression.

— ... Je l'admets, ce sentiment est né après que l'affreuse robe eut disparu.

Le silence s'installa entre eux pendant un moment plus long encore. Ses yeux se portèrent sur les grands arbres, à l'extérieur, puis la préceptrice murmura :

— Vous avez une épouse. Il serait tout à fait inconvenant que j'accepte quoi que ce soit de vous.

— Vous me permettrez de vous corriger, car ce n'est pas l'exacte vérité. Vous savez que n'importe quel célibataire de la ville de Québec est moins seul que moi.

Elle ferma les yeux. Malgré la pénombre, quand elle les rouvrit, Thomas distingua deux larmes sur ses joues.

— Vous savez ce que je veux dire, insista-t-elle. Dans les circonstances, il ne peut rien se passer entre nous. Cependant, je tiens à vous remercier de n'avoir jamais rien tenté... Cela m'aurait forcée à quitter votre maison, et je ne saurais absolument pas où aller.

— Je ne ferai rien qui puisse vous mettre en difficulté.

Cette déclaration dans un endroit public lui était venue spontanément à cause des yeux mouillés de la jolie femme. Maintenant, manquer à sa parole prendrait l'allure d'une trahison. Il s'enfermait dans le rôle de l'amoureux transi. Alors que la jeune femme faisait de nouveau mine de se lever, Thomas ajouta en s'avançant au bout de sa chaise :

— Au moins dites-moi, que feriez-vous si j'étais seul ?

— J'éprouve les mêmes sentiments que vous, sans doute depuis aussi longtemps. Mais si vous étiez seul, nous ne nous serions jamais rencontrés.

Encore une fois, elle secoua la tête, donnant à ses cheveux un mouvement de droite à gauche.

— Je dois regagner ma chambre.

Sur ces mots, Élisabeth se leva pour quitter le grand salon. Thomas posa la tête sur le dossier de sa chaise, ferma les yeux. L'idée de regagner la chambre où dormait sa femme lui donnait la nausée.

12

Le retour en train s'effectua dans un silence un peu morose. Les enfants regrettaient déjà les quelques jours passés en compagnie de leur père, devinant que celui-ci reprendrait très vite son horaire habituel au magasin. Quant à Alice Picard, elle amorça dès ce moment de longues représailles contre son mari pour l'avoir amenée aussi loin au péril de sa vie, en feignant le plus grand épuisement. Une fois dans la maison de la rue Saint-François, la malade se barricada dans sa chambre pendant des jours, réservant à Joséphine le récit de ses innombrables malheurs.

Le lundi 27 juillet, tôt le matin pour une fois, Alfred présenta son rapport à son frère :

— Comme tu peux le constater, les murs sont encore debout ; les rayons, remplis de marchandises et les employés, voués corps et âme à augmenter tes profits.

— Nos profits... À moins que pendant mon absence, tu aies décidé de céder tes parts à prix d'or à un tiers, répondit Thomas sur le même ton.

— Dieu m'en préserve ! Ta direction ferme et éclairée nous conduira à une prospérité sans fin.

Alors que cette ironie tombait habituellement sur les nerfs du patron, cette fois il décida de s'en amuser.

— Je constate à ton humeur enjouée que ton corps a cessé de te faire souffrir.

— Mes côtes cassées se rappellent à mon bon souvenir, mais rien d'insupportable.

— Je suppose que les choses se sont bien passées ici.

— Très bien. J'ai mis de côté toutes les questions qui demandaient ton attention personnelle, j'ai réglé les autres de mon mieux.

En disant cela, le chef de rayon désignait une petite pile de documents rangée sur une table poussée contre un mur. Pour la plupart, il s'agissait de factures à régler.

— Je regarderai cela tout à l'heure. Pendant les jours qui viennent, je veux te confier une petite mission : organiser un pique-nique pour le personnel.

— Me voilà ministre des Loisirs, comme au temps de Louis XIV. Quand le grand moment de réjouissances aura-t-il lieu ?

— Dimanche prochain.

Alfred laissa échapper un léger sifflement pour marquer son appréciation de se voir imposer un échéancier aussi court. Pour se justifier, son frère expliqua :

— Je voulais être certain que tout serait prêt du côté de la Pointe-aux-Lièvres.

— Ta fameuse ganterie !

— Oui. J'avais un télégramme à la maison samedi dernier. Les machines sont arrivées au port de Québec depuis plusieurs jours, de même que les trois techniciens américains venus les installer. Les travaux progressent bien, ils en ont encore pour une semaine tout au plus. Aussi je pourrai annoncer dimanche prochain à tout le personnel que le recrutement des ouvrières commencera le lundi 3 août.

Après cela, le bouche-à-oreille ferait le reste, aucune autre forme de publicité ne serait nécessaire. Alfred résuma d'ailleurs la stratégie en une phrase :

— Comme tous les membres du personnel doivent avoir entre deux et quatre petites sœurs désespérées de trouver un emploi, à dix heures tout au plus tu auras tout ton effectif.

Le plus simple, dans la gestion du personnel, était de s'en remettre aux réseaux familiaux. Si un bon employé demandait que l'un de ses proches soit recruté, cela représentait la meilleure recommandation. Souvent, un contremaître dirigeait un groupe de neveux et de nièces, et exerçait sur eux une forme d'autorité patriarcale, sinon paternelle. Tout au plus fallait-il s'assurer que les rapports hiérarchiques au sein de l'entreprise ne souffrent pas de tensions entre clans.

— Comment recruteras-tu les quelques contremaîtres qui dirigeront les opérations? questionna Alfred.

— Les techniciens américains resteront ici jusqu'en septembre, afin de roder tout l'équipement. J'espère qu'ils pourront aussi former trois ou quatre bons hommes débauchés dans des manufactures de la ville.

Le chef de rayon ne doutait pas que son frère possédait déjà une liste de quelques noms, obtenus lors de discussions à la Chambre de commerce.

— Quand te décideras-tu à annoncer que ton ineffable secrétaire, ce gringalet incolore, inodore et sans saveur, deviendra le gérant de cette boutique?

— ... Comme tu as deviné, inutile que je te l'annonce. Pour le reste des employés, je comptais avoir Fulgence à ma droite, au moment de l'inauguration de dimanche prochain. Chacun comprendra.

— Ce doit être le secret le plus mal gardé de l'histoire du magasin : il a passé les dernières semaines à la Pointe-aux-Lièvres.

Thomas haussa les épaules pour signifier que de toute façon, ce n'était pas un grand mystère. Mieux valait placer à ce poste une personne fiable, qu'il avait appris à connaître au cours des deux dernières années. Quelqu'un de suffisamment néophyte pour ne prendre aucune initiative fâcheuse, mais assez expérimenté pour éviter les erreurs grossières.

— Comme tu en sais beaucoup, tu te doutes que je pense demander à Marie Buteau de prendre le relais.

— Depuis que tu m'as demandé si je la croyais capable de tenir des livres, ce dénouement m'est en effet passé par la tête.

— Alors, qu'en penses-tu?

Alfred changea de position sur sa chaise afin de soulager la tension dans son dos, demeura songeur un moment, puis commença :

— Elle a désespérément besoin d'améliorer sa situation. Les salaires des vendeuses suffisent pour des personnes habitant chez leurs parents, en attendant de trouver le bon parti. Seule dans la vie, elle frôle la misère…

— Je ne voulais pas la liste de ses malheurs, mais plutôt celle de ses compétences.

— Oh ! La misère, ou le risque d'y plonger, me semble déjà une bonne recommandation. Cela fera d'elle une employée déterminée à te donner entière satisfaction. De plus, elle écrit plutôt bien, se débrouille en anglais quand par hasard une Irlandaise, ou même une Anglaise s'égare jusqu'à mon rayon. En réalité, elle pourrait sans doute se présenter à l'examen pour devenir institutrice et se trouver un emploi dans un trou perdu.

Au Québec, toutes les jeunes filles un peu instruites devenaient des institutrices potentielles. Une minorité de candidates à l'enseignement terminait le cours normal. Les autres, après quelques années de couvent, potassaient deux ou trois manuels scolaires et se présentaient à l'examen avec d'excellentes chances d'obtenir un brevet.

— Pour un salaire sans doute moins élevé que ce qu'elle touche ici, observa Thomas.

— C'est pour cela que je lui conseillerai de devenir ta secrétaire, même si je suis convaincu que tu lui accorderas la moitié de ce que touchait le nouveau gérant de la ganterie.

Thomas, songeur, déplaça quelques documents sur la surface de son bureau, puis opposa à la suggestion de son frère :

— Elle sera toute nouvelle dans ses fonctions.

— Ce sera ta vitrine. Ne laisse pas tes visiteurs être reçus par une pauvresse, si tu ne veux pas être mal perçu. Déjà que tout le monde comprendra que tu économises en recourant à ses services… Montre-toi économe, pas pingre.

Offrir à une femme la moitié du salaire d'un homme pour la même fonction ne choquait personne, bien au contraire. L'usage reposait sur une réalité bien simple : tous les employés masculins se retrouvaient tôt ou tard avec une épouse et des enfants, il fallait les payer mieux. Évidemment, il existait quelques exceptions. Personne ne songeait à ajuster la rémunération d'Alfred à la baisse, bien que ce fût un vieux garçon, ni à la hausse dans le cas des veuves qu'un malheur rendait responsables du bien-être d'une famille.

— Je lui parlerai en fin de journée quand elle viendra faire cliqueter le clavigraphe, mais tu pourras prendre les devants et lui annoncer la chose si cela te chante. Et tu pourras aussi lui faire savoir que Fulgence voudra l'initier à ses nouvelles fonctions au cours de la semaine.

— Je suis donc autorisé à remplacer Marie immédiatement.

Un moment, Thomas pencha de nouveau pour les économies de personnel. Mais malgré le dilettantisme agaçant de son frère, le rayon des vêtements pour femme se révélait l'un des plus rentables du commerce. Le priver d'une employée romprait peut-être une combinaison favorable aux affaires.

— Tu l'es. Tâche d'avoir la main aussi heureuse.

Alfred se leva en esquissant une grimace de douleur, puis sortit en disant « Au revoir, patron » de son ton persifleur.

❧

Juillet se terminait sur une vague de chaleur. Les journaux rapportaient que dans les grandes villes américaines, de nombreux décès tenaient à la canicule. Des articles annonçaient aussi que des Québécois sans cesse plus nombreux prenaient le chemin des « bains de mer ». Charlevoix continuait bien sûr d'accueillir des estivants. Cependant, d'autres destinations devenaient aussi très populaires, comme Cacouna, et surtout Notre-Dame-du-Portage sur la rive sud du Saint-Laurent. Quelques originaux décidaient de descendre vers le sud pour faire connaissance avec Old Orchard. Au fond, aucune destination ne se trouvait vraiment éloignée, grâce au réseau de chemins de fer.

Parce que le grand magasin Picard profitait de grandes fenêtres à ses deux extrémités, la chaleur n'y devenait jamais vraiment insupportable : une brise bienveillante traversait sans cesse chacun des étages. Sur les trottoirs, les badauds profitaient toujours d'un peu d'ombre, avec les auvents que la plupart des commerces installaient sur toute la longueur de leur devanture. Aussi l'achalandage ne diminuait guère.

— Marie, voulez-vous venir avec moi un moment ?

La jeune fille leva des yeux un peu inquiets au-dessus d'une pile de chemisiers blancs qu'elle pliait et se rassura tout de suite en apercevant le sourire de son supérieur. Dans la salle d'essayage, l'homme prit place sur l'une des chaises, désigna la seconde à la vendeuse.

— Vous vous doutez sans doute que Fulgence Létourneau quittera bientôt le magasin. Mon frère lui confie la gérance d'une petite manufacture.

— Je sais, j'ai capté des bribes de conversation, dans les locaux de l'administration.

— Si vous le voulez, son poste vous appartient.

Marie ouvrit de grands yeux, le rouge monta sur son cou, se répandit sur ses oreilles.

— Je suppose que je dois interpréter votre bouche ouverte et vos yeux effarés comme une acceptation.

— … Ce serait avec le plus grand des plaisirs, mais je me demande si je saurais…

— Les religieuses vous ont certainement parlé de la grâce d'état.

Devant le regard intrigué de son interlocutrice, le chef de rayon soupira, puis s'engagea dans une explication :

— Quand Dieu appelle l'une de ses brebis à exercer une fonction, il lui donne aussi la compétence de bien remplir la tâche qui sera la sienne. C'est la grâce d'état.

— Je sais, mais je ne vois pas le lien avec moi…

— Ici, mon frère est le dieu tout-puissant. S'il vous appelle à ce poste, c'est sans doute qu'il pense que vous en connaissez suffisamment pour l'occuper, et que vous pourrez apprendre ce que vous ignorez encore.

La jeune fille répondit d'un sourire, puis s'enhardit à préciser :

— Sauf que le Dieu du ciel donne la compétence aux personnes choisies. Le dieu du commerce de détail froncera les sourcils devant la moindre de mes insuffisances.

— Nous n'avons pas d'autre divinité sous la main. Acceptez-vous ?

— Je n'ai pas les moyens de dire non.

Alfred lui expliqua que dès le lendemain sans doute, Fulgence Létourneau lui révélerait quelques-uns des mystères de sa nouvelle fonction. Au moment de se lever de sa chaise, il demanda encore :

— Vous connaissez une autre jolie personne capable de prendre votre relais derrière la caisse enregistreuse, les jours où j'arrive en retard ? Je cherche une nouvelle vendeuse.

— J'ai une liste de quelques noms, des chômeuses qui offrent leurs services. Je serai facile à remplacer…

— Je vais vous donner un conseil, le dernier de chef de rayon à vendeuse : ne répétez plus jamais ce que vous venez de dire. Certaines personnes pourraient être assez stupides pour vous croire.

L'homme quitta le petit réduit, laissant à Marie le temps de se faire à l'idée de son nouveau statut. Elle contempla un moment son reflet dans le grand miroir accroché au mur, hésitant entre la joie et l'inquiétude. À la fin, résolue à tous les efforts, elle revint devant les étals de marchandise, certaine de devoir replier encore soigneusement les vêtements abandonnés pêle-mêle par des clientes hésitantes.

— Monsieur, je vous suis infiniment reconnaissante. Je tâcherai de me montrer digne...

D'un geste de la main, Thomas l'arrêta. Selon un rituel convenu depuis quelques semaines, Marie avait apporté une tasse de thé, pour la poser au milieu du bureau de son patron.

— Je suis certain que vous ferez de votre mieux.

Cela ne voulait pas dire que ce serait suffisant, mais elle dut se contenter de cette appréciation. Le commerçant continua :

— Demain matin, Fulgence commencera à vous initier aux tâches de routine qui vous attendent. Pour l'essentiel, votre travail concernera la correspondance avec les fournisseurs. Nous verrons au jour le jour.

Debout au milieu de la pièce, la jeune fille tirait nerveusement sur la lourde tresse de ses cheveux ramenée sur son épaule gauche. Ses yeux brillèrent un peu plus quand le patron évoqua son nouveau traitement. C'était la promesse d'une chambre à elle seule, de vêtements décents et de trois repas par jour : plus du tiers de la population de la ville de Québec n'en obtenait sans doute pas autant.

— Comme pour les vendeurs ou les vendeuses, vous pourrez obtenir des marchandises au prix coûtant. Ce privilège ne concerne que vous et votre famille immédiate, pas les amis, les connaissances, les prétendants. Est-ce clair ?

— Très clair.

— Alors bienvenue de ce côté-ci du commerce. À cause de mon absence de la semaine dernière, le courrier s'est accumulé. J'ai griffonné des réponses. Si vous avez du mal à trouver les formules d'usage, cherchez dans les lettres de Fulgence qui traînent dans les classeurs.

Au bout du bureau, une liasse de documents attendait. La jeune fille les prit pour retourner dans la pièce attenante, murmura encore un « Merci » en sortant, puis se mit au travail, décidée à ne pas quitter les lieux avant d'avoir terminé.

Avoir des relations se révélait utile à plus d'un titre. Alfred avait obtenu les services d'un orchestre amateur prêt à se produire en échange de quelques bières. Un restaurateur préparerait une nourriture simple mais abondante pour la centaine d'employés du grand magasin.

Des affiches dessinées de sa main, placées un peu partout dans le commerce, feraient office de cartons d'invitation. Afin de donner un caractère quasi sacré à l'événement, le curé de la paroisse Saint-Roch accepta même de souligner, lors des annonces faites au prône du dimanche 2 août, la tenue dans l'après-midi du pique-nique annuel du grand magasin Picard. Peut-être les relations de bon voisinage – l'église se trouvait littéralement en face de l'établissement – le conduiraient-elles à recommander ce patron canadien-français exemplaire aux prières de ses ouailles.

Vers midi ce jour-là, les travailleuses endimanchées, de même que les travailleurs, moins nombreux, se dirigèrent en masse vers la Pointe-aux-Lièvres. Un caprice du cours de la rivière Sant-Charles lui faisait décrire deux boucles serrées, en la forme de S un peu écrasé. La fameuse pointe était en fait une presqu'île découpée par la première boucle. La rue Jacques-Cartier la traversait sur toute sa longueur, puis après un petit pont se continuait dans le village de Stadacona. Si cet espace affectant la forme d'une loupe demeurait encore à peu près désert, l'édifice rudimentaire où Thomas établissait une ganterie serait rapidement suivi de plusieurs autres.

Sur une scène sommairement construite, l'orchestre attendait le moment propice pour commencer ses flonflons joyeux. Posées sur des tréteaux, de longues planches formaient des tables passables. De grands chaudrons répandaient une odeur de ragoût, des pains s'amoncelaient dans d'énormes paniers d'osier. Habitués à la pénurie, certains des travailleurs des deux sexes prenaient une assiette et formaient une file d'attente, indifférents aux célébrations officielles.

— Comme cela, tu ne pourras pas bénir cette usine? demanda Marie.

— L'honneur revient à monsieur le curé, admit Émile Buteau. Je suppose que le dernier vicaire nommé dans la paroisse n'inspirait pas assez confiance à ton patron.

— Sans doute craignait-il que la ligne téléphonique entre toi et Dieu ne soit pas assez directe…

— C'est cela! répondit-il un peu cassant.

Le jeune abbé n'arrivait pas à admettre la légèreté de sa sœur, même quand il s'agissait des questions religieuses les plus simples. Bien que les grands coups de goupillon précédant l'ouverture d'une petite manufacture de gants lui parussent un peu exagérés, à ses yeux toutes les manifestations du sacré devraient amener les paroissiens à un recueillement respectueux.

À l'entrée de la bâtisse couverte d'un papier brique rougeâtre, le curé de la paroisse en surplis, barrette sur la tête, étole autour du cou, jeta des gouttelettes d'eau bénite sur la porte en psalmodiant en latin. Une fois les paroles magiques épuisées, l'ecclésiastique commença:

— Dieu lui-même bénit l'existence de ses enfants qui, de la même façon que saint Joseph, gagnent la vie de leur famille en travaillant de leurs mains. Déjà, Thomas Picard fournit un emploi honnête à des dizaines de fils et de filles de notre paroisse. Avec cette nouvelle manufacture, placée sous la protection de la Sainte Vierge, d'autres personnes s'ajouteront à cette grande famille.

L'ecclésiastique mérita la reconnaissance des invités pour sa brièveté. Le patron, son chapeau de paille à la main pour exprimer sa déférence, eut le bon goût de s'en tenir à cet exemple:

— Merci, monsieur le curé. À compter de demain, Fulgence Létourneau, le gérant de cette entreprise, recrutera des jeunes femmes. Si vous avez des sœurs, des amies, des parentes désireuses de travailler, dites-leur de se présenter ici tôt le matin. Maintenant, avant de passer à table, demandons la bénédiction de notre pasteur.

Connaissant tout le respect que ses compatriotes éprouvaient pour les bons chrétiens, l'entrepreneur se plaça pieusement devant le curé et mit un genou sur le sol, la tête inclinée. Aucun des hommes présents ne pouvait demeurer debout après une initiative pareille; les plus pieux s'agenouillèrent tout à fait sur ce sol inégal. Les femmes, à condition de pencher la tête modestement, purent épargner à leur robe ce mauvais traitement. Une nouvelle formule latine se fit entendre, alors que le saint homme traçait de sa main droite une croix dans les airs: la protection divine descendit sur l'assemblée.

L'ecclésiastique préféra ne pas s'attarder, un repas copieux l'attendait au presbytère. Thomas Picard lui offrit son bras pour le reconduire jusqu'à une calèche stationnée rue Jacques-Cartier, l'aida à monter dans la voiture et paya la course au cocher. Bien sûr, une bonne action en attirant une autre, un jour prochain le commerçant serait sollicité par l'une ou l'autre des bonnes œuvres de la paroisse, une demande à laquelle il devrait répondre positivement.

Marie Buteau et son frère avaient assisté à la petite cérémonie en affichant un recueillement de bon aloi. Quand elle vit le commerçant revenir vers la manufacture, la jeune fille déclara:

— J'aimerais te présenter à lui.

Fendant la petite foule avec l'abbé en remorque, elle déclara d'une voix timide quand elle fut près de son patron:

— Monsieur Picard, voici mon frère Émile, le nouveau vicaire de Saint-Roch.

— Monsieur l'abbé Buteau, je me souviens d'avoir assisté à votre ordination. Vous plaisez-vous dans vos nouvelles fonctions?

— Oui, beaucoup.

— Je crois que vous venez aussi à la maison voir ma pauvre femme. Je n'ai malheureusement jamais eu le plaisir de vous rencontrer à ce moment, puisque je suis au magasin tous les jours.

Le curé lui-même avait inauguré ces visites, quelques années plus tôt. La présence d'une nouvelle recrue au presbytère lui avait permis de passer la main pour cette corvée lassante.

— Oui, j'ai ce privilège.

— Je vous remercie pour elle. Si vous voulez m'excuser, je vais rejoindre mes autres invités. Nous nous reverrons demain à la première heure, mademoiselle Buteau.

Remettant son chapeau sur sa tête, Thomas Picard alla retrouver son ancien secrétaire, en grande conversation avec les trois hommes venus des États-Unis afin d'installer les quelques machines nécessaires à la fabrication de gants. Isolés par la langue, ils jetaient un regard amusé sur l'assistance, se souvenant sans doute de scènes analogues survenues dans les États américains du sud, où la population noire de religion baptiste fournissait la main-d'œuvre médiocrement payée de ce genre de manufactures. Plus au nord, le français et le catholicisme caractérisaient plutôt la chair à usine.

— Voilà l'homme au service duquel je passerai désormais six jours par semaine, près de dix heures par jour, commenta la jeune fille en le surveillant des yeux.

— Garde tes distances, rétorqua son frère.

— Je ne comprends pas… Depuis des semaines, tu me presses d'obtenir un poste de secrétaire.

— Et aujourd'hui, je suis très heureux que cela se réalise enfin. Cependant, les longues journées en tête-à-tête avec un homme peuvent présenter bien des dangers.

Émile Buteau, quoique blindé contre les calomnies et même les médisances, gardait toutefois en mémoire les allusions à peine voilées d'Alice Picard sur les inclinations de son époux. Étaient-elles limitées à une préceptrice ?

— Tu sais, le tête-à-tête, ce sera avec la machine à écrire, plus rarement avec le téléphone. Il sera dans son bureau, et moi dans le mien.

— Tout de même, demeure prudente. Allons-nous manger ? Cet après-midi, je suis responsable des vêpres. Je devrai rentrer tôt.

Comme lors des fêtes de la Saint-Jean, le respect docile des ouailles leur valut d'être servis avant la plupart des autres. À la longue table, de nombreuses collègues vinrent saluer Marie Buteau, la féliciter de sa promotion récente, parfois avec une pointe d'envie dans la voix. Chaque fois, elle en profitait pour présenter son frère. Une petite fête comme aujourd'hui permettait à celui-ci de tisser des liens avec les paroissiens. Lentement, les réserves à son égard s'estomperaient, la confiance naîtrait. Les prêtres, par le biais de la confession bien sûr, mais aussi grâce aux confidences, à la guidance spirituelle, pénétraient dans l'intimité des personnes comme aucun époux, aucun parent ne pouvait le faire.

Après le repas, les membres de l'orchestre regagnèrent la petite estrade et commencèrent à jouer des pièces légères. On comptait plus d'hommes que ce que leur nombre au grand magasin ne l'aurait laissé deviner : des vendeuses avaient convié leur ami de cœur à participer à ces agapes. Certains d'entre eux plantèrent deux tiges de métal dans le sol à une vingtaine de pas l'une de l'autre et se livrèrent à une partie de fers chaudement disputée.

Les plus jeunes négligèrent cet affrontement pour passer le pont conduisant vers le village de Stadacona. Là, ils cherchèrent un passage où sauter par-dessus le petit ruisseau Saint-Michel afin d'improviser une joute de baseball dans un pâturage. L'abbé Buteau les avait suivis avec sa sœur, mais son intérêt fléchit bien avant la fin de la première manche.

— Allons nous promener de l'autre côté de ce ruisseau.

— Pourquoi pas ? Même si c'est à deux pas de la paroisse, je ne viens à peu près jamais de ce côté de la rivière Saint-Charles.

La fréquentation de l'école d'abord, son emploi au magasin Picard ensuite, lui avaient laissé peu de temps pour parcourir les environs de la ville. En suivant la large boucle décrite par la rivière, ils arrivèrent devant une grande croix de bois, plantée dans un carré de gazon plutôt mal entretenu.

— Voilà le monument Cartier-Brébeuf, expliqua le jeune abbé.

— Tout de même, si je ne viens pas souvent de ce côté de la rivière, je ne suis pas ignorante à ce point. Cette croix a été érigée par la Société Saint-Jean-Baptiste, il y a une dizaine d'années. Ce qui m'intrigue cependant, c'est le nom. Si le monument rappelle l'hiver que Cartier a passé sur le site, pourquoi lui accoler le nom d'un martyr ?

— Je pense que les jésuites avaient une maison dans les parages.

C'était l'explication courte. Émile ne tenait pas à s'engager dans la plus longue. Lentement, l'Église catholique faisait main basse sur le passé du Québec. Impossible pour elle de laisser un monument commémorer l'action d'un laïc au service d'un roi de France peu vertueux. Jacques Cartier ne figurerait dans le paysage de la mémoire qu'en l'affublant d'un compagnon irréprochable, mort sous la torture pour avoir voulu faire connaître le vrai Dieu aux Iroquois. Pour des personnes comme sa sœur, il convenait de croire qu'un ecclésiastique se trouvait à toutes les pages du passé glorieux du petit peuple.

— Marie, tu veux traverser ? cria une voix depuis la rivière.

Dans une chaloupe, un jeune homme large d'épaules, la casquette rejetée à l'arrière de la tête, lui adressait des signes de la main. Son joli cœur des faubourgs se manifestait, le Marcel Bellavance qui lui avait galamment tenu compagnie sur le terrain du Manège militaire le jour de la Saint-Jean. Depuis, ils avaient échangé quelques mots sur le parvis de l'église chaque dimanche, sans que s'ensuive pourtant la moindre invitation. Au moment où l'abbé se déplaça un peu, la croix ne le déroba plus aux yeux du rameur.

— Oh ! Et bien sûr vous aussi, monsieur l'abbé, je peux vous ramener à la petite fête.

Marie interrogea son frère du regard, puis répondit d'une voix enjouée :

— Pourquoi pas ? Cela nous économisera quelques pas.

En quelques coups de rames, le jeune homme accosta sur la rive boueuse, sauta à terre pour tirer l'embarcation au sec, puis tendit la main à la jeune fille pour l'aider à monter.

— Si vous passez sur la pointe de la chaloupe, vous éviterez de salir vos chaussures. Allez vous asseoir à l'arrière.

Marie fit comme on le lui disait, s'assit sur le banc à la poupe de la chaloupe. Le garçon offrit ensuite sa main pour rendre le même service à Émile.

— Je pense être encore capable de monter dans une barque sans tomber, répondit l'ecclésiastique avec humeur.

Pour le lui prouver, il troussa sa soutane et rejoignit sa sœur. Le jeune homme empoigna ensuite l'étrave de l'embarcation pour la repousser à l'eau, souilla de nouveau ses chaussures pour monter à bord et retrouva son banc et ses deux rames. Marie saisit cet instant pour faire les présentations. Un moment plus tard, ses efforts les amenèrent au milieu de la rivière.

— Cela ne sent pas très bon, remarqua la jeune fille en plaçant l'un de ses doigts sous ses narines, comme pour bloquer les effluves nauséabonds.

— Ce n'est rien. À marée basse, cela devient épouvantable. Pas moins de huit tuyaux d'égout se déversent dans la Saint-Charles. Je peux vous les montrer.

— Ce ne sera pas vraiment nécessaire, rétorqua la jeune fille en riant. Je vous crois sur parole.

— Dire que tous les jours, des dizaines de personnes pêchent l'éperlan ici. Je ne voudrais pas être invité à souper chez elles.

Marie grimaça, mais s'esclaffa encore à l'humour du rameur. Sans doute parce que deux jeunes personnes de sexe différent prenant plaisir à une conversation lui paraissaient conduire tout droit vers le péché de la luxure, Émile remarqua, impatient :

— Ils pêchent plus près de l'embouchure, dans l'eau vive.

Le jeune homme aurait pu répondre que la merde de la ville passait par là aussi, lors de son trajet vers le fleuve. À la place, il préféra regarder la jeune fille dans les yeux avant d'ajouter :

— C'est aussi ici que les gens de Saint-Roch et de Saint-Sauveur puisent leur eau pour boire. Bien sûr, personne de la Haute-Ville ne s'abreuve à cette source-là.

Malgré ce fait, tout simple, certains feignaient la surprise devant les statistiques de la mortalité infantile, deux fois plus élevée au bas de la falaise qu'elle ne l'était en haut. La critique implicite des personnes au pouvoir agaça l'abbé Buteau. La soumission devant ceux que Dieu plaçait au sommet de la pyramide s'érodait dangereusement dans la province. Heureusement, l'embarcation piquait son étrave sur la rive, il n'aurait bientôt plus à entendre ce genre de discours. Le scénario de l'embarquement se répéta pour le débarquement.

— Je continue ma promenade, précisa le jeune homme à l'attention de Marie au moment de remonter dans son esquif. Nous nous reverrons à l'endroit habituel.

Prestement, il poussa la chaloupe, retrouva ses rames et s'éloigna vite.

— Cet endroit habituel, je suppose que c'est au magasin. S'agit-il d'un employé de la livraison ? questionna Émile du ton qu'il cultivait depuis quelques semaines au confessionnal.

— Même pas. C'est l'un de tes paroissiens. Nous échangeons quelques mots à la sortie de la messe, le dimanche.

Impuissant à critiquer un lieu de rencontre si respectable, son frère se tint coi. Il s'inquiéta plutôt de la difficulté, apparemment insurmontable, que posait l'absence de leurs parents pour la préservation de la vertu de sa cadette. Un jeune homme comme celui-là, c'était dans le salon familial, sous les yeux attentifs d'une mère, que Marie devrait le rencontrer, pas dans une barque flottant sur une rivière malodorante.

Quand l'ecclésiastique lui fit part de ses réflexions, un certain agacement se peignit sur le visage de Marie. À la fin, le jeune abbé abdiqua :

— Je dois aller me préparer. Assisteras-tu aux vêpres ?

— Peut-être. Mais toutes mes collègues sont ici, je dois leur parler un peu. Tu sais, je n'ai pas trop d'amis dans ce monde.

— Oui, tu as raison. Nous reverrons-nous dimanche prochain ?

— Sans faute. C'est facile, du chœur, regarde vers le jubé. Je suis la petite brune au premier rang.

Sur ces mots, elle tourna les talons pour s'éloigner, lui adressant un petit salut de la main, sans toutefois se retourner. Sans le réaliser, elle calquait là les manières d'Alfred.

Thomas Picard s'était donné comme objectif de dire un bon mot à chacune et chacun de ses employés présents au pique-nique. De son côté, Élisabeth dirigeait une petite représentation dont les enfants jouaient le premier rôle. Ils incarnaient évidemment la princesse et le prince du faubourg Saint-Roch. Eugénie, dans sa robe blanche, gardait un air emprunté et répondait timidement aux questions, toujours les mêmes, qu'on lui posait après un compliment sur la magnificence de sa tenue : quel était son prénom, quel était son âge. Édouard, dans son costume de marin, posait plutôt les questions et assurait aux hommes qu'il saurait leur en montrer si on l'autorisait à jouer aux fers.

Marie rompit la routine en s'adressant à la préceptrice en tendant la main :

— Comment allez-vous, mademoiselle Trudel ? Il est curieux que nous ne nous voyions jamais, sauf à l'église, alors que nous passons nos journées si proches l'une de l'autre.

— ... Mademoiselle Buteau, se souvint la jeune femme après un moment d'hésitation. Je vais très bien. Mais je dois confesser que je ne vous aperçois pas le dimanche.

— Quant à moi, j'ai votre chapeau sous les yeux. Comme je fais partie de la chorale, vous devriez vous retourner pour me voir. Cependant, le jeune garçon dont vous vous occupez a certainement détaillé les traits de chaque personne de notre petit groupe.

À ce moment, le gamin s'approchait dangereusement de la rive de la rivière Saint-Charles, irrésistiblement attiré par la boue écœurante.

— J'ai bien peur qu'il s'imagine que la cérémonie se passe à l'arrière, admit la jeune femme dans un sourire. Et maintenant, si je veux éviter une catastrophe vestimentaire, je ferais mieux de le rejoindre. Au revoir, mademoiselle.

— Au revoir.

Marie adressa un signe de tête à Eugénie, regarda la préceptrice s'approcher de la rivière en troussant un peu sa jupe de serge, tenant son ombrelle dans l'autre main. Les hommes se tournaient sur son passage, alors que les femmes échangeaient des murmures.

— Mon frère sait s'entourer de jolies femmes, remarqua Alfred en s'approchant de la nouvelle secrétaire. Elle, à la maison, vous, au bureau.

— Cessez de me taquiner, répondit la jeune fille en se retournant. Elle est vraiment jolie, et moi...

— Et vous ? questionna l'homme en levant les sourcils.

— Avec une robe décente, je deviendrais passable.

Le chef de rayon lui offrit son bras, afin de marcher un peu avec elle. Les invités commençaient à quitter les lieux, l'orchestre en était à jouer son petit répertoire pour la troisième fois.

— Bien sûr, vous travaillez très fort à donner cette impression. Avec le temps, vous arriverez peut-être à en convaincre tout le monde... Que pensez-vous de ma petite fête improvisée ?

— La présence du curé, une nourriture abondante : personne ne vous reprochera quoi que ce soit. Toutefois…

Après le compliment peu convaincu, la critique ne venait pas. Alfred la regarda du coin de l'œil, soupçonnant que laisser les phrases en suspens devenait une manie chez sa compagne. À la fin, il insista :

— Toutefois quoi ? Où ai-je failli ?

— À la Dominion Corset, on a loué un vapeur pour organiser une excursion à Cap-Rouge. Près de l'embouchure de la rivière, il y a un petit parc charmant. Un orchestre permettait de danser sur le pont du navire… Sur ce terrain inégal, ce serait au risque de se fouler une cheville.

— Mais pour prendre une initiative pareille, j'aurais dû avoir un échéancier raisonnable. Il faut réserver ces traversiers longtemps à l'avance. Puis je ne pouvais pas transporter la manufacture à inaugurer sur un navire, afin de procéder à la petite bénédiction entre deux quadrilles.

— Je suis désolée d'avoir répondu avec franchise à votre question, murmura Marie avec un sourire en coin. La nervosité devant ce qui m'attend demain, sans doute.

L'autre lui serra légèrement le bras pour signifier qu'il ne lui en tenait pas rigueur, puis il l'entraîna en direction de l'orchestre. Le temps était venu de donner leur congé à des musiciens qui, à l'usage, s'étaient révélés à la hauteur de la rémunération qu'il leur versait : médiocre.

13

Dans un petit monde à l'horizon étroit, les réussites même modestes des uns pouvaient susciter la jalousie des autres. Alors que la veille la bonne fortune de Marie lui avait valu des félicitations, au moment où elle traversa le rayon des vêtements féminins, quelqu'un murmura dans son dos, assez fort pour être entendu :

— Regardez-la ! Maintenant qu'elle est devenue la secrétaire du patron, elle se prend pour une fille de la Haute-Ville.

Ce commentaire résultait de sa nouvelle tenue. Le samedi précédent, Alfred avait insisté pour qu'elle achète un ensemble de vêtements plus en harmonie avec ses nouvelles fonctions : une jupe d'un bleu intense rappelant ses yeux, une veste assortie lui allant à la taille, un chemisier d'un blanc immaculé.

Un moment plus tard, Marie prenait place derrière son nouveau bureau, dans un espace austère entouré de demi-murs et encombré de classeurs de bois. En attendant l'arrivée de son employeur, elle parcourut la correspondance des dernières semaines, afin de se familiariser avec les affaires en cours.

Un peu avant neuf heures, Thomas Picard arriva de son pas vif habituel, afficha un air de surprise en l'apercevant, comme s'il s'était attendu à voir Fulgence Létourneau.

— Bonjour, monsieur. Nous aurons encore une chaude journée.

— Bonjour. Donnez-moi une quinzaine de minutes, et venez me voir.

Ainsi, les commentaires sur le climat paraissaient super-flus. La jeune fille se le tiendrait pour dit. Le commerçant ouvrit la porte de son bureau, accrocha son chapeau de paille au mur avant de s'enfermer. À un cliquetis, Marie comprit qu'il décrochait le téléphone.

Au moment où elle le rejoignit un peu plus tard, Thomas lui dit en désignant la chaise devant lui :

— Asseyez-vous, mademoiselle Buteau.

Au moment de couvrir la courte distance qui la séparait du siège, la secrétaire sentit sur elle le regard appréciateur de son patron. Finalement, Alfred avait eu raison, la veille… et elle aussi. Avec un habillement plus flatteur, non seulement ses anciennes collègues sentaient une nouvelle distance s'établir, mais le patron le lui confirmait de belle façon.

— D'ici quelques minutes, le courrier du matin sera sur votre bureau. Vous ouvrez tout, sauf si l'enveloppe porte la mention "personnel" ou "confidentiel". Parfois, les gens mettent les deux.

Fulgence lui avait déjà expliqué tout cela. Elle attendit la suite en exprimant son assentiment d'un signe de tête.

— Vous répondez sans attendre à ce qui tient de la routine, en gardant une copie. Vous m'apportez sans tarder ce qui semble urgent.

— J'espère que je saurai faire la différence.

— Vous apprendrez.

À son ton, Marie comprit que les apprentissages devraient se faire rapidement. Puis elle retourna vers son bureau.

— Souhaitez-vous que je ferme la porte ? demanda-t-elle.

— Non, laissez ouvert. Avec cette chaleur, mieux vaut profiter du courant d'air.

C'était un second apprentissage : après avoir effectué un appel urgent, le patron acceptait de parler de la pluie et du beau temps. Ou peut-être tenait-il simplement à avoir l'initiative en ce domaine.

Tout le monde ne lisait pas les journaux. De toute façon, une partie appréciable des habitants de la ville ne savait pas ses lettres. Déjà, pour faire connaître sa présence en ville et l'heure des représentations, la petite troupe d'artistes qui accompagnait le congrès de l'Association des bicyclistes canadiens avait organisé une parade bruyante dans les rues de la ville. Toutefois, la nuisance prit une dimension nouvelle quand un cirque aux prétentions démesurées honora Québec d'une visite de quelques jours.

Alors qu'il se dirigeait vers un petit restaurant au coin des rues Saint-Joseph et de la Couronne, afin de prendre un dîner hâtif qui se prolongerait peut-être un peu, Alfred se retrouva immobilisé un long moment par la procession du cirque Wallace. Après des clowns irrévérencieux, des écuyères vêtues de costumes si peu décents à leurs yeux que tous les curés de la ville pesteraient encore une fois contre les dangers du monde moderne du haut de leurs chaires, quelques fauves un peu miteux enfermés dans des cages, les badauds sur les trottoirs crièrent leur joie à la vue de trois éléphants.

— Comme ils sont gros, clama quelqu'un dans les oreilles du chef de rayon, emporté par l'enthousiasme.

— C'est exactement ce que se disent les employés municipaux qui ramassent les excréments dans les rues, répondit celui-ci sur le même ton.

L'autre lui jeta un regard étonné, retourna son attention vers le véhicule suivant, une curieuse machine munie d'une triple rangée de tuyaux de cuivre. Elle fonctionnait à la vapeur, puisqu'un véritable nuage blanc s'en échappait. Au moment de croiser l'intersection de la rue Saint-Joseph, le mystérieux appareil révéla sa véritable nature dans un tintamarre de fin du monde : un orgue mécanique !

Si toutes les personnes des deux côtés de la rue sursautèrent, la réaction du cheval attelé à la charrette d'un livreur de pain se montra plus dramatique. La bête se cabra entre les traits, levant des sabots menaçants sur les passants. Ce qui devait arriver arriva : un garçon d'une quinzaine d'années reçut un coup sur la tête qui l'étendit raide.

Alfred se précipita, attrapa la veste de la victime aux épaules pour la tirer hors d'atteinte du cheval qui ne se calmait que difficilement. Il lui sembla reconnaître un garçon de course du magasin. Puis il le redressa sur son séant en demandant :

— Est-ce que ça va ?

Le blessé, les yeux entrouverts, ne répondit pas. Son front présentait une large coupure d'où le sang s'écoulait abondamment.

— Comment vous appelez-vous ? Votre nom ?

— Mercier.

Se rappeler qui l'on était, après avoir reçu un coup pareil sur la tête, parut de bon augure à Alfred. Après avoir calmé son cheval, confié les rênes à quelqu'un, le livreur de pain arriva, visiblement choqué. Il se jeta sur ses genoux en demandant :

— Est-ce que c'est grave ? Dites-moi que c'est pas grave.

— Allez chercher un médecin. Vous savez où habite le docteur Couture ?

L'autre acquiesça, partit à la course, sans doute heureux de s'éloigner un peu. L'attention s'était détournée de la parade du cirque Wallace. Les curieux s'agglutinaient autour du blessé, y allant de commentaires plus ou moins optimistes. « Tassez-vous, tassez-vous un peu », répétait le chef de rayon de la grosse voix qu'il utilisait parfois au magasin, sans plus de succès d'ailleurs, pour impressionner les vendeuses. À la fin, il demanda l'aide de quelqu'un pour porter la victime dans une épicerie voisine. La laisser sur le trottoir au milieu de cette affluence lui paraissait indécent.

Une bonne demi-heure après l'accident, le docteur Couture apparut, le livreur de pain sur les talons. Sa première remarque, en apercevant la veste couverte de sang d'Alfred, fut de dire :

— Encore vous ?

— Cette fois, je suis un témoin converti en bon Samaritain.

Le praticien ouvrit son sac de cuir, en sortit un stéthoscope en demandant à l'épicier, un peu inquiet de voir son plancher sali par tout ce sang :

— Passez-moi une serviette mouillée, pour le débarbouiller un peu.

Bientôt, la vilaine coupure fut de nouveau visible, alors que le blessé commençait à tenir des propos cohérents. Quand Couture évoqua la nécessité de « recoudre », le chef de rayon se releva en disant :

— Ce n'est pas que je m'ennuie, mais je vais aller me changer afin de retourner au travail. Aujourd'hui, je sauterai par-dessus mon dîner.

Personne ne prêta la moindre attention à ses paroles.

~

Selon les journaux, le cirque Wallace représentait la huitième merveille du monde du divertissement au dix-neuvième siècle. Comme les bonnes gens de Québec risquaient peu d'avoir été exposées aux sept premières de ce classement mystérieux, comme à toutes les suivantes d'ailleurs, personne ne contesterait la prétention. En voyant l'annonce du *Soleil*, un encadré occupant un huitième de page, Marie avait eu envie de sortir le petit carnet où elle prenait des notes pour dresser une liste des qualificatifs. Même Thomas Picard, peu modeste sur le sujet, n'aurait jamais osé parler de façon aussi présomptueuse de son commerce : élevé, splendide, royal, idéal, omnipotent, moral, propre, puissant et magnifique. Bien plus, cette autogratification toute en superlatifs logeait dans un texte de trois lignes !

— Nous pouvons y aller ? demanda Yvonne au-dessus de son souper.

En cette saison, l'ordinaire de leur petite maison de chambres s'améliorait à cause de la faiblesse des prix et de la fraîcheur des produits trouvés au marché Jacques-Cartier. La secrétaire avait rangé les beaux vêtements en rentrant du travail, car elle devrait les porter tous les jours au moins jusqu'à la fin du mois d'août. Ce ne serait qu'à ce moment qu'elle recevrait le premier versement de son nouveau traitement.

— C'est même une bonne idée. J'en déduis que ton galant a enfin trouvé où tu logeais?

— … Je le lui ai dit hier, après la messe, admit-elle le rouge aux joues.

Il s'agissait de Georges, le petit homme un peu ventru dont elle avait fait la connaissance le jour de la Saint-Jean. Lui aussi profitait du rendez-vous dominical pour se rappeler au bon souvenir de l'ouvrière. Ces deux-là étaient toutefois allés un peu plus loin, convenant de marcher ensemble à quelques reprises sur la terrasse Dufferin.

— Marcel sera là aussi, bien sûr.

— Quelle joie!

Marie avait prononcé ces mots en riant. Rencontrer le joli cœur des faubourgs deux jours de suite lui paraissait un peu suspect. Sans doute le jeune homme était-il venu à dessein ramer à proximité du pique-nique annuel du magasin Picard la veille, afin de tomber sur elle « par hasard ».

— Il ne te plaît pas? questionna Yvonne. Tu sais, malgré les airs qu'il se donne, c'est un bon garçon. Puis il est si beau.

— Tu sais, si tu veux tenter ta chance avec lui, libre à toi. Je ne suis pas sur les rangs.

Apparemment généreuse, l'offre n'en était pas moins un peu cruelle, puisque le beau Marcel n'avait jamais affiché le moindre intérêt pour l'employée de la Dominion Corset.

— Tu ne le trouves pas assez bien pour toi?

Un peu plus, et elle ajoutait « avec ta nouvelle position ». C'était donc bien vrai, aux yeux des autres, Marie ne faisait plus un travail, elle avait une « position ».

— Ce n'est pas cela. Tu sais que je viens tout juste d'avoir dix-sept ans. Je ne compte pas me marier avant d'en avoir vingt et un ou vingt-deux, si cela se produit un jour. Dans ces conditions, cela ne sert à rien de l'encourager.

— Au village, à ton âge, bien des filles sont mariées.

— À la ville, nous sommes un peu plus lentes dans ce domaine, fit l'autre avec un sourire.

Ces usages différents tenaient à une raison toute simple : dans une famille ouvrière, le salaire des enfants contribuait aux dépenses de la maisonnée. Les ménages les plus prospères comptaient sur les revenus de trois ou quatre enfants, en plus de celui du père. Si une jeune fille avait « coûté » pendant douze ans, ses parents ne souhaitaient pas la voir remettre ses gages trop tôt à un époux.

Yvonne se leva bientôt en disant :

— Si nous voulons voir le début, autant partir tout de suite. Je reviens.

Elle s'éclipsa un moment dans la cour arrière, dans la *back house*. Quelques minutes plus tard, les deux compagnes prenaient le tramway de la rue de la Couronne afin de se diriger vers la Haute-Ville. Cette fois, la recherche d'amusements nouveaux les conduisit sur les plaines d'Abraham, au sud de la Grande Allée.

Malgré les protestations de quelques notables et des amants de l'histoire voulant transformer ce vaste espace en un grand parc public inspiré en quelque sorte de celui du mont Royal à Montréal, ou encore des nombreux aménagements du même genre dans les villes américaines, la spéculation amenait des investisseurs à acheter des parcelles de terrain dans ces parages. Déjà, on y trouvait une vaste prison et un petit quartier résidentiel tout près de la falaise. Depuis l'élection du Parti libéral, les personnes les mieux informées murmuraient que bientôt, on y érigerait une manufacture de munitions et d'armes. Toutefois, le terrain encore inoccupé permettait au cirque Wallace de monter un immense chapiteau et d'installer tout autour des dizaines de cages et de bicoques branlantes pour mettre en valeur ses principales exhibitions.

Une petite foule se massait déjà à l'entrée de la grande tente. Un peu à l'écart, leurs deux chevaliers servants attendaient plus ou moins patiemment.

— Je commençais à me demander si vous seriez avec nous, commença Marcel.

— Comment pourrais-je rater le plus grand, le plus grandiose, le plus vaste et le meilleur spectacle du continent? répondit Marie de son ton ironique.

Ces épithètes aussi figuraient dans la publicité du cirque.

— J'aurais aimé être pour quelque chose dans votre décision. Mais je ne mérite certainement aucun des qualificatifs que vous avez utilisés.

Les retrouvailles de leurs compagnons s'annonçaient moins empesées: déjà bras dessus, bras dessous, ils se dirigeaient vers l'entrée du chapiteau. Leur emboîtant le pas, Marie se retrouva derrière eux dans la file d'attente.

— Je m'en occupe, déclara Marcel au moment de payer.

— Non, vraiment, ce n'est pas nécessaire.

— Vous venez avec moi? Dans ce cas, je paie les billets.

La jeune fille ne protesta pas. Après tout, si elle touchait la moitié du salaire d'un homme, cela amenait aussi de petits avantages. La seule difficulté était que le chevalier servant pouvait désirer récupérer son investissement à la fin de la soirée.

Plus tard, le quatuor se retrouva dans les gradins les plus élevés des estrades un peu branlantes, construites autour des deux pistes circulaires où se déroulerait le spectacle. Les billets dans les premiers rangs étaient hors de prix pour des personnes de la Basse-Ville.

Le chef de piste fit bientôt son entrée, débita un boniment en anglais que la moitié de l'assistance ne comprit pas, dans lequel les qualificatifs ronflants se suivaient à un rythme exceptionnel, puis le spectacle commença. D'entrée de jeu, les acrobates japonais et les contorsionnistes chinois séduisirent totalement Marie. Les éléments les plus remarquables de la représentation se trouvaient entrecoupés des interventions d'une vingtaine de clowns bruyants. Cependant les chevaux, les plus beaux du monde évidemment, montés par des cavalières légèrement vêtues, représentaient le clou du spectacle. Après une heure et demie, l'assistance quitta les estrades, très satisfaite de la soirée.

Une fois dehors, le quatuor formula son appréciation en termes sentis, puis Marcel proposa :

— Comme il fait encore clair, allons-nous voir de ce côté ?

— Je dois arriver au travail assez tôt demain, précisa Marie.

— Moi aussi. Nous pouvons tout de même prendre une heure pour jeter un coup d'œil.

Elle consentit finalement, s'attarda longuement devant les cages des fauves. La pénombre complice ajoutait un peu de majesté à des lions et des tigres à la mine plutôt basse et à un troupeau de chameaux qui se révélèrent être des dromadaires. À tout le moins, Marie choisit de faire semblant de croire l'opinion de son chevalier servant plutôt que de s'engager dans une discussion longue et vaine sur le nombre de bosses de ces animaux. Puis chacun savait que les beaux garçons nés près de la rivière Saint-Charles étaient des experts en ces questions...

— Comme ils sont mignons ! s'exclama Yvonne devant l'enclos d'une demi-douzaine de kangourous venus de l'Australie, l'autre joyau de l'Empire britannique, situé aux antipodes du Canada.

Le charme de ces bêtes tenait largement au fait qu'elles s'approchaient suffisamment de la clôture pour qu'on puisse les toucher.

— Regarde, il y en a une qui porte un bébé dans cette curieuse poche, fit observer Georges à sa compagne.

Pendant un moment, le couple demeura bouche bée face au joli spectacle, ce qui fit penser à Marie que sa compagne tenait peut-être enfin son prince charmant. Les émeus, qui venaient aussi de l'autre bout du monde, séduisirent beaucoup moins les visiteurs, même si Marcel émit l'opinion que cela ferait une bonne volaille pour le repas du prochain dimanche.

— Cela vous dit d'entrer là ? demanda encore le bellâtre en désignant une bicoque qui ne payait pas de mine.

— Pas question que j'aille voir la femme éléphant, l'homme en caoutchouc ou l'enfant à deux têtes, décréta sa compagne d'une voix qui ne tolérait pas la contradiction.

Les cirques les mieux tenus traînaient avec eux un *side show*, un spectacle toujours vulgaire où les infirmités les plus grotesques voisinaient avec des trucages qu'un examen un peu attentif aurait dévoilés tout de suite.

— De toute façon, continua-t-elle, cette fois c'est vrai, je dois rentrer.

— Moi aussi, renchérit Yvonne un peu à contrecœur.

— Dans ce cas, nous allons vous reconduire.

La conversation tenue exactement cinq semaines plus tôt se répéta, Marie insistant sur son désir de rentrer seule à la maison.

— Ne crains rien, rétorqua Marcel en riant. Maintenant que je sais que le sévère vicaire Buteau est ton frère, je serai prudent. Je crains trop qu'il me demande de me rendre à Sainte-Anne-de-Beaupré sur les genoux avant de me donner l'absolution, lors de ma prochaine confession.

Le trajet se déroula sans problème et, un peu après onze heures, les deux jeunes femmes se préparèrent à se mettre au lit. Yvonne souffla la bougie afin de pouvoir se dévêtir dans l'obscurité.

— C'était un beau spectacle, confia-t-elle en se glissant sous sa couverture. Je n'ai jamais rien vu d'aussi bien.

— Moi non plus.

— Si tu voyais les cirques qui viennent en Beauce. Pour apprécier, faut vraiment n'avoir rien connu de mieux.

Marie jugea inutile de préciser que la présence des meilleurs spectacles à la ville ne servait à rien, quand on ne pouvait se payer le billet d'entrée. Un moment plus tard, après un long silence, sa compagne murmura encore :

— J'ai une jeune sœur qui montera à Québec après les récoltes. J'espère la placer à la manufacture. Elle aimerait habiter avec moi.

— ... Après les récoltes, cela veut dire en septembre ?

— Au plus tard en octobre. Cela dépend un peu de la température. Si tu veux, je parlerai à la logeuse. Elle aura peut-être une autre chambre disponible à ce moment.

Les liens familiaux prévalant sur tous les autres, rien de plus naturel qu'Yvonne préfère partager l'intimité de cette chambre avec sa sœur.

— Non, ce n'est pas nécessaire. Je verrai moi-même à cela. Tu as été très gentille de louer cette pièce avec moi pendant tous ces mois. Merci... et bonne nuit.

— Bonne nuit.

En réalité, Marie préférait trouver un nouvel endroit où loger seule. L'initiative de sa compagne tombait à point. L'abbé Buteau serait certainement en mesure de lui conseiller un endroit convenable. Peut-être même une grenouille de bénitier consentirait-elle de meilleures conditions à la sœur du saint homme.

⌖

Pendant l'été, alors que les élèves des diverses écoles se trouvaient en congé, Élisabeth préféra estomper les leçons formelles pour favoriser plutôt de longues promenades dans la ville. Ce matin-là, elle commença par gagner la rue Saint-Paul. Alors que celle-ci obliquait pour contourner la falaise, le trio emprunta la rue Saint-André afin de longer le bassin Louise. L'installation portuaire portait le prénom de l'une des filles de la reine Victoria. Celle-ci avait épousé un aristocrate nommé gouverneur général du Canada dans les années 1870. Son passage marquerait pour longtemps la géographie du pays, grâce à ce bassin, au lac Louise et à Louiseville.

— Vous voyez, expliqua la préceptrice, ces goélettes viennent de la région de Charlevoix. Nous en avons vu quelques-unes amarrées au quai de La Malbaie. Elles font du commerce partout sur le cours du fleuve Saint-Laurent.

Ces voitures d'eau représentaient le mode de transport des marchandises le plus économique qui soit. Tous les biens un peu lourds qui pouvaient souffrir de rester plusieurs jours à fond de cale atteignaient les villages côtiers de cette façon.

Du pont de l'un des bâtiments, des matelots lançaient des regards appréciateurs à la jeune femme. Elle préféra continuer son chemin vers l'est avant que ne fusent les sifflets. Progressant au rythme d'Édouard, le plus lent des trois, ils rejoignirent la rue Saint-Pierre, puis continuèrent jusqu'au quai d'où partaient les grands paquebots au moment d'entamer leur traversée de l'Atlantique. Ce matin, une brève consultation du *Soleil* avait permis à Élisabeth d'apprendre que le *Laurentian* prendrait le chemin de l'Europe en fin d'après-midi.

— Oh! Il est immense, apprécia Édouard en levant les yeux sur la coque du navire, un interminable mur de tôles rivetées.

Même Eugénie, volontiers blasée de leurs petites expéditions éducatives, demeurait interdite.

— C'est parce que ce navire va très loin. Tu peux me dire où? C'est écrit sur le panneau, là-bas.

Le garçon se dirigea vers un panneau d'affichage, une espèce de tableau noir où quelqu'un avait écrit la destination et l'heure du départ à la craie.

— Li... v...

— Liverpool. C'est un mot bien difficile.

— C'est où?

— En Angleterre.

Comme ce mot supplémentaire n'en apprenait guère plus au jeune garçon, la préceptrice proposa :

— Quand nous serons à la maison, nous regarderons sur le globe terrestre de ton papa, dans son bureau. Eugénie, tu peux lire le nom de ce navire ?

Du doigt, elle lui montra les lettres imprimées en haut du panneau.

— *Laurentian*, prononça la fillette, francisant la prononciation, tout en jetant un regard suffisant vers son frère. Elle se permit même d'ajouter une précision : C'est la Allan's Line.

Les leçons de bienséance faisant leur chemin, Édouard se priva du plaisir de lui tirer la langue, pour demander plutôt :

— Cela coûte cher de voyager sur ce navire ?

— Très cher.

Le *Soleil* avait aussi appris à la jeune femme qu'une cabine de première classe, pour l'aller-retour, coûtait un montant supérieur à ses gages annuels. En seconde classe, il lui resterait peut-être de quoi vivre une semaine une fois rendue à destination.

— Tu crois qu'un jour je pourrai le faire ? questionna Eugénie.

— Je pense que oui. Quand tu seras grande, tu iras certainement en Europe.

Encore une fois, la lecture régulière des journaux permettait à la jeune femme d'afficher son assurance. Très régulièrement, les notes sociales signalaient le départ d'une jeune fille de bonne famille qui complétait son éducation par un voyage « culturel » en compagnie d'un chaperon, toujours une tante ou une cousine décrépite d'un âge vénérable. D'autres fois, il s'agissait d'un jeune couple partant en voyage de noces. L'unique fille de Thomas Picard pouvait prétendre profiter de l'une ou l'autre de ces éventualités, sinon des deux.

— Est-ce que nous pouvons monter ? demanda Édouard.

— Non. Seuls les passagers peuvent aller sur le navire, ou encore les employés de la compagnie de navigation.

Devant le visage désolé du garçon, la préceptrice ajouta :

— Cependant, nous pouvons aller faire une promenade. Que dirais-tu d'une excursion à l'île d'Orléans ?

Depuis leur visite à la librairie Garneau, la préceptrice jouissait de l'usage d'une « petite caisse », en quelque sorte, afin de répondre aux besoins des enfants Picard. Au début, son employeur avait contrôlé soigneusement les factures, pour se lasser bien vite de l'exercice.

— Allons-y, clama le garçon en tendant la main.

— Eugénie, qu'en penses-tu ?

Elle donna son assentiment d'un mouvement de la tête. Le trio revint un peu vers l'est, avant d'embarquer sur un vieux vapeur remis en service tous les étés afin d'offrir des excursions de ce genre aux personnes prêtes à dépenser quelques sous. Le dimanche, l'affluence gâchait l'expérience. Un jeudi, le traversier se révélait confortable. Tout le long du trajet, Édouard se tint à la proue du navire, accroché au bastingage, comme un explorateur aguerri.

Dans le village de Saint-Laurent, une longue promenade sur la plage précéda un repas à la terrasse d'un restaurant. Le retour s'effectua en milieu d'après-midi, au rythme poussif d'une machine à vapeur asthmatique. Au terme d'une journée de ce genre, les apprentissages se mesuraient en nouveaux mots mémorisés, mais surtout par une meilleure connaissance de la vie et des rapports sociaux. Pour des enfants ayant été confinés pendant des années dans la grande demeure de la rue Saint-François, cela paraissait convenir tout à fait.

∾

Le prestige du grand patron, dont Thomas aimait profiter, exigeait qu'il soit vu de ses employés au moins une fois par semaine. En conséquence, il s'astreignait à faire le tour de tous les rayons de son établissement, afin d'examiner à la fois la marchandise et sa présentation, parler avec le personnel et donner à chacun des petits chefs l'impression que rien, dans leurs opérations, ne lui échappait.

— Ces chaussures ne se vendent pas très bien, signalait un petit homme moustachu en désignant des souliers Oxford à la pointe piquée de motifs décoratifs.

— Tout de même, mieux vaut en avoir quelques paires dans les pointures les plus demandées. Si nous voulons attirer des clients plus nantis, impossible d'écraser tous les présentoirs sous une avalanche de bottes de travail.

Le commerçant passa ensuite dans la section des vêtements pour homme, discuta un moment avec un vendeur des avantages comparés des caleçons de coton ou de laine lors des jours de grande chaleur.

Ces deux rayons regroupaient un personnel masculin. Il en allait autrement des vêtements pour enfants, où Thomas s'attarda longuement. Une douzaine de jeunes filles, âgées de quinze à vingt ans, s'activaient auprès de mères de famille soucieuses de bien vêtir leur progéniture au meilleur coût possible. Un chef de rayon un peu affecté régnait sur ce petit monde.

— Est-ce que l'effet de la prochaine année scolaire commence à se faire sentir sur les ventes? demanda le grand patron à une personne qui, de dos, offrait une silhouette plutôt sculpturale.

— … Pas encore, bredouilla la vendeuse en se retournant vers lui, intimidée.

De face, la taille de son nez faisait injure à des traits autrement réguliers. Mal à l'aise, les yeux fuyants tellement elle était troublée d'être l'objet de son attention, elle balbutia en guise d'explication:

— Il fait encore trop beau. Deux ou trois jours avec un ciel couvert, et les parents commenceront à se soucier de l'école. Autrement, ils ne viendront pas avant la fête de l'Assomption, et la plupart attendront le dernier jour des vacances.

Cela représentait un long discours. Elle le tint en rougissant.

— Tant pis, ne nous souhaitons pas de mauvais temps. Vous pouvez me rappeler votre nom?

— F... Fernande, bégaya-t-elle.

Même s'il aurait aimé retenir tous les noms de ses employés, Thomas n'y arrivait pas. Cette jeune personne paraissait tellement impressionnée de s'adresser à celui qui, d'un caprice, pouvait la jeter à la rue, qu'elle en perdait tous ses moyens. Un moment, l'homme se demanda comment ce respect craintif pourrait se transformer en complicité amoureuse. En réalité, sa toute-puissance lointaine ne l'aidait en rien. La moindre initiative risquait plutôt de provoquer une syncope chez l'objet de son désir. Seuls les chefs de rayons, dans leurs rapports quotidiens avec les vendeuses, pouvaient créer des occasions d'aller un peu plus loin.

— Bonne journée, Fernande, conclut-il avant de se diriger vers le grand escalier.

Thomas n'aurait certainement pas l'occasion d'expliquer au docteur Couture que le fait d'avoir plusieurs dizaines de femmes à son emploi ne lui permettait pas vraiment de trouver une solution à ses difficultés conjugales. Sa suggestion esquissée lors d'une conversation nocturne ne se concrétiserait pas si facilement.

De retour au troisième étage, dans les locaux de l'administration, il s'arrêta un moment afin de regarder Marie Buteau penchée sur le tiroir ouvert d'un classeur. À cause de la chaleur, elle avait accroché sa veste au mur. Son chemisier blanc soulignait des formes graciles. Ses cheveux, relevés sur sa tête grâce à des épingles, dégageaient une nuque fine, des oreilles délicatement dessinées.

— Oh! fit-elle en l'apercevant, vous m'avez surprise.

Son visage offrait des traits réguliers, harmonieux. La chaleur couvrait sa lèvre supérieure d'une petite pellicule de sueur.

— Je suis désolé, murmura-t-il. Je ramassais mon courage avant de retourner m'enfermer dans mon bureau.

— Ce temps radieux ne nous facilite pas les choses.

Son sourire montrait de petites dents très blanches. L'homme se résolut à retourner derrière son bureau en songeant qu'il ne servait à rien de chercher dans les autres étages.

14

Comme il le faisait toutes les deux semaines, selon une routine vieille maintenant de deux mois, l'abbé Buteau frappa à la porte de la grande maison de la rue Saint-François en matinée. Joséphine se précipita pour aller répondre en essuyant ses mains poisseuses sur son grand tablier.

— Entrez, monsieur le curé, dit-elle de sa voix la plus onctueuse.

— Je vous répète que je suis seulement vicaire, déclara avec un sourire le nouveau venu en enlevant son chapeau. Vous me donnez une promotion beaucoup plus rapidement que mon évêque. Comment allez-vous, madame Tardif?

— Très bien, très bien. Mais entrez, ne restez pas dehors.

La grosse femme s'écarta pour le laisser passer, prit son chapeau pour l'accrocher au mur.

— Et comment se porte madame Picard?

— Lentement, elle prend un peu de mieux… Enfin, je veux dire qu'elle récupère de la fatigue de cet été. La traîner ainsi à la campagne, c'était criminel…

Le prêtre fit un geste de la main pour apaiser la cuisinière, tout en disant à voix basse:

— Voyons, ne dites pas des choses semblables. Tout a été fait pour le mieux. Elle est prête à me recevoir?

— Oui, elle vous attend. Je vous conduis.

Joséphine monta l'escalier de son pas lourd, pour se retrouver face à Élisabeth au moment d'arriver à l'étage. D'une voix peu amène, elle interrogea:

— Que voulez-vous?

— Dire un mot au vicaire, répondit-elle, puis elle continua en s'adressant à ce dernier : Pourrai-je vous parler tout à l'heure, avec les enfants ?

— Certainement.

— Je vous attendrai donc au rez-de-chaussée, dans le salon. Merci.

La préceptrice tourna les talons pour regagner le grenier, où attendaient ses élèves. Le vicaire s'arrêta devant la porte de la malade, la cuisinière frappa deux petits coups, puis ouvrit tout de suite sans attendre la réponse.

Alice Picard se tenait bien droite dans son fauteuil habituel. Pour la visite de son pasteur, elle faisait toujours l'effort de revêtir un corsage boutonné jusqu'au cou par-dessus sa chemise de nuit. Quelle que soit la température ambiante, elle entourait une couverture autour de son corps, qui la couvrait de la taille aux pieds.

— Madame, vous paraissez rayonnante…

— C'est la joie de recevoir la sainte communion !

D'un coup d'œil, elle signifia à Joséphine de se retirer. Ces visites commençaient toujours par une confession et se poursuivaient avec une conversation sur un quelconque sujet susceptible de servir à l'élévation de l'âme de la paroissienne. La communion précédait ensuite le départ du prêtre.

Alors que celui-ci plaçait une étole autour de son cou, la cuisinière ferma soigneusement la porte derrière elle.

∼

Élisabeth savait disposer d'une bonne heure devant elle, le temps que duraient habituellement les visites du vicaire. Aussi elle termina sa leçon sur les adjectifs qualificatifs, demanda aux enfants de se donner un coup de peigne, puis les conduisit dans le salon donnant sur la façade de la maison.

Elle évitait habituellement de se trouver dans cette pièce, réservée à la vie familiale et sociale des Picard. Au moment où Émile Buteau descendit l'escalier, elle se rendit dans le hall pour l'inviter à les rejoindre.

— Si vous voulez vous asseoir dans ce fauteuil… Dois-je demander à Joséphine de vous préparer du thé, ou peut-être du café?

— Non merci.

Le vicaire prit ses aises dans un grand fauteuil, le plus majestueux de la pièce, comme il convenait pour un hôte de marque. La préceptrice rejoignit ses élèves sur le canapé et déclara:

— Vous savez sans doute qu'Eugénie et Édouard effectuent leur scolarité à la maison, avec moi. Leur père voudrait qu'ils fassent leur première communion d'ici quelques mois. J'ai commencé à leur enseigner le catéchisme. Je pense qu'ils seront bientôt au fait des éléments de la religion.

— C'est bien, cela, opina le prêtre en adressant son meilleur sourire aux enfants. Je suppose que vous connaissez déjà vos prières.

Cela ressemblait un peu à un défi, Édouard le releva et commença: «Je vous salue Marie, pleine de grâces…» Sans se tromper une seule fois, le garçon arriva au bout de la récitation.

— Bravo, tu as bien travaillé, apprécia le vicaire. Mais saurais-tu me dire ce que sont les grâces?

Un silence embarrassé suivit la question. À la fin Eugénie, soucieuse de sauver l'honneur de la famille, le rompit en murmurant:

— Marie est remplie de toutes les qualités qui la rendent aimable, admirable. Ici, je pense que l'on parle des qualités qui la rendent agréable à Dieu.

— C'est ce que je voulais dire, s'exclama Édouard.

À la décharge du garçon, une grande proportion des adultes de Québec, tant de la Haute-Ville que de la Basse-Ville, n'aurait pas fait mieux que lui. Le pasteur échangea un regard amusé avec Élisabeth, puis demanda à la fillette:

— Quel âge as-tu?

— Sept ans, bientôt huit.

— Même pour une personne de huit ans, ce serait une excellente réponse. Tu ne feras pas ton catéchisme dans les étoiles.

C'était un hommage à la vivacité d'esprit d'Eugénie. L'ecclésiastique voulait dire que sa gouvernante ne se limitait pas à aborder seulement les questions du catéchisme marquées d'un astérisque, ou d'une étoile, comme il arrivait avec un très jeune enfant, ou alors avec une personne limitée intellectuellement.

— Et toi, mon garçon, peux-tu me dire où est Dieu ?

— Dieu est partout.

— Peux-tu me le montrer ?

— … Non.

La réponse, hésitante, ne vint qu'après une consultation du regard avec la préceptrice. Le vicaire fronça les sourcils, faussement sévère :

— Comment cela se peut-il ?

— … Nous ne voyons pas Dieu parce que c'est un pur esprit.

Du moment où la question ne prenait pas exactement la même forme que dans le catéchisme, Édouard se sentait perdu. En quelque sorte, l'énoncé de la question déclenchait une réponse apprise par cœur, sans que la compréhension du sens des mots prononcés ne soit vraiment nécessaire. Cela devenait un automatisme, avec le temps.

Pour beaucoup de catholiques, le catéchisme aurait tout aussi bien pu être rédigé en langue turque, tellement la mémoire, dans son apprentissage, semblait primer sur la raison. Et à cet égard, l'aptitude à répéter les 519 questions et réponses de l'édition de 1888 avant de se présenter à leur communion solennelle semblait être une performance en soi. Heureusement, pour la première communion, on se contentait de la connaissance des prières et des questions les plus faciles.

— Mademoiselle Trudel, je constate que vous avez fait des progrès appréciables, puisque vous êtes dans cette maison depuis un peu plus de trois mois. Vous savez que les institutrices consacrent à peu près la moitié du temps passé en classe aux mystères de la religion?

La proportion devait souvent être plus grande, surtout au moment de préparer un enfant à recevoir un sacrement pour la première fois. En réalité, une large majorité des habitants du Québec quittait l'école sans en avoir tiré un quelconque autre avantage intellectuel.

— J'essaie de respecter la division du temps proposée par le Département de l'instruction publique.

— Et à ce rythme, quand croyez-vous que ces jeunes personnes seront prêtes?

— … Je suppose que les enfants pourront faire une première confession en janvier ou février. Mon employeur espère qu'Eugénie et Édouard feront leur première communion en même temps que les autres enfants de la paroisse, le printemps prochain.

Le vicaire marqua un temps d'arrêt pour réfléchir, avant d'admettre:

— Bien sûr, ce serait l'idéal: entrer en même temps que leurs jeunes voisins dans la communauté paroissiale. Votre situation, et bien sûr celle de ces enfants, est toutefois exceptionnelle. D'habitude, les élèves étudient le catéchisme en classe, un prêtre passe régulièrement à l'école pour vérifier les progrès. Je devrai voir avec le curé…

— Dans ma paroisse, les enfants marchaient au catéchisme, des leçons avaient lieu au presbytère.

— J'en déduis que vous venez de la campagne… Cette façon de faire évite au curé de visiter plusieurs écoles de rang. À la ville, les vicaires se déplacent plutôt dans les classes.

Les protégés d'Élisabeth écoutaient avec un intérêt distant les adultes discuter des façons d'assurer le salut de leur âme. La jeune femme proposa, après un moment de silence:

— Comme vous passez ici de toute façon, vous pourriez profiter de l'occasion pour vérifier leurs progrès toutes les deux semaines. Quant à moi, je m'assurerai qu'aucun mot du catéchisme ne demeure trop mystérieux pour les enfants.

— Comme je le disais, je devrai en discuter avec monsieur le curé… Mais je ne doute pas qu'il y aura une solution pour que ces deux jeunes personnes fassent bientôt leur entrée officielle parmi les fidèles de la paroisse.

Le vicaire se leva pour se diriger vers la porte. Élisabeth le raccompagna, récupéra le chapeau sur le crochet pour le lui tendre.

— Au revoir, monsieur l'abbé.

— Au revoir, mademoiselle Trudel. Quant à vous, mes enfants, je suis certain que vous étudierez le catéchisme avec un sérieux redoublé.

Eugénie et Édouard firent un signe d'assentiment. Ils se tenaient dans l'embrasure de la porte du salon afin de regarder le visiteur quitter les lieux. Dans leur inconscience heureuse, ils ignoraient que leur vie prendrait une tournure dramatique au cours des prochains mois. Le temps de l'innocence se terminait, dorénavant toutes leurs actions seraient soumises à un examen attentif afin de débusquer le péché. Le mal se tiendrait derrière la robe trop jolie, la caresse trop douce, le dessert trop succulent, pour leur ravir leur âme…

～

Le dernier dimanche du mois d'août, pour la seconde fois de son existence, Marie Buteau rangea la totalité de ses possessions terrestres dans deux petites valises de carton bouilli. Elles se limitaient à des vêtements et à quelques-uns de ses anciens livres de classe. Les dettes avaient réduit à néant le patrimoine de sa famille. Même les vêtements de ses parents et les ustensiles de cuisine avaient dû être vendus.

Au moment où elle s'apprêtait à quitter la chambre, Yvonne la serra gauchement dans ses bras, des larmes dans les yeux.

— Ta sœur arrivera-t-elle bientôt? questionna-t-elle pour la forme.

— Dans une semaine ou deux. Tu aurais pu rester encore.

— Mieux vaut ne pas prendre de chance : la chambre est libre aujourd'hui, elle ne le sera peut-être pas demain.

— Je comprends.

En vérité, Marie savait que la veuve habitant rue Grant aurait accepté d'attendre un peu. Le vicaire Buteau lui avait parlé de sa petite sœur trois semaines auparavant, juste après les vêpres, alors que la paroissienne venait régler sa cotisation à la confrérie des Dames de Sainte-Anne. Celle-ci se plaisait déjà à considérer l'accueil de l'orpheline comme une œuvre pie.

Sans se retourner, la jeune fille descendit pour une dernière fois l'escalier trop raide, une valise dans chaque main, pour quitter la maison aussitôt. Émile attendait à l'extérieur pour l'aider et la présenter lui-même à sa nouvelle logeuse. Cela faisait aussi partie de la mise en scène pour disposer encore mieux cette veuve.

Quelques jours plus tard, Marie ne regrettait rien. Au retour du grand magasin, un peu après six heures, elle montait au second étage de la maison de chambres afin de se changer. La pièce qui lui était attribuée était plus petite que son ancienne chambre, mais au moins elle l'occupait seule. Le lit étroit rangé contre un mur était doté d'un véritable matelas, plutôt que d'une paillasse si prompte à se tasser et toujours susceptible de se dégrader et d'abriter des insectes. Une petite table et une chaise tenaient dans un coin. Un papier peint fleuri agrémentait cet espace.

La routine de troquer ses vêtements de travail pour d'autres, plus anciens, subsistait toujours. Toutefois, ses affaires de vendeuse des derniers mois remplaçaient désormais les robes plus misérables qui suffisaient dans son ancienne maison de chambres. Quand elle redescendait dans la salle à manger pour souper, invariablement la propriétaire la recevait en disant :

— Bonsoir, mademoiselle Buteau. Avez-vous passé une belle journée ?

— Oui, et vous ?

La veuve Giguère possédait une grande maison peu élégante, mais confortable. Après que son époux eut la malencontreuse idée de mourir prématurément, l'accueil de pensionnaires lui avait permis de vivre dans un confort petit-bourgeois. Une jeune fille venue de la campagne l'aidait à tenir la maison. L'endroit se révélait assez luxueux pour devenir inaccessible à la plupart des travailleurs manuels. Heureusement, la proximité des deux gares et du bureau des douanes lui amenait comme clients quatre employés polis et réservés. La propriétaire d'un petit commerce de chapeaux figurait aussi parmi les pensionnaires. Marie complétait la maisonnée.

La plus jeune à table, elle demeurait dans une réserve polie, préférant écouter les conversations, répondant aux questions sans jamais trop se livrer. De toute façon, entre son travail, les répétitions de la chorale et ses efforts constants pour améliorer ses connaissances de la grammaire, sa vie se déroulait de façon plutôt morne. Son employeur avait évoqué déjà la tenue de livres, ce qui laissait présager que ses loisirs se réduiraient encore.

— Vous comptez sortir ce soir ? demanda la logeuse en plaçant un bol de soupe devant elle.

— Non, aucune répétition de la chorale n'est prévue. Je lirai un peu.

— Je vous rappelle la présence de quelques ouvrages dans le petit salon. Si vous voulez les emprunter, libre à vous.

— Je le ferai certainement bientôt. Vous savez que je suis toute nouvelle dans mon emploi. J'en ai encore pour quelques mois à compter tout mon temps.

Ce petit salon représentait l'un des plus précieux avantages de la maison de chambres. Les quelques livres et les journaux procuraient les sujets de longues conversations entre les pensionnaires. Madame Giguère jouait raisonnablement bien de son piano droit, Marie avait pu constater que les locataires de sexe masculin ne chantaient pas trop mal. Tôt ou tard, elle devrait justifier sa présence dans la chorale paroissiale en se joignant à eux.

Surtout, elle profitait d'une alimentation largement suffisante, plutôt variée, et d'un confort presque douillet. Cette existence pourrait se poursuivre des années durant sans que la jeune fille ne trouve à s'en plaindre.

≈

Le 6 septembre, au moment de quitter la maison afin d'aller à la messe, Alfred Picard eut la surprise de trouver Gertrude, la domestique, vraiment inquiète.

— Votre mère ne se sent pas très bien. Elle ne pourra pas vous accompagner.

— Devrais-je aller la voir ? répondit-il en regardant vers la porte de la chambre.

— Tout à l'heure, la douleur semblait se calmer un petit peu. J'espère que depuis elle a pu s'endormir.

Les rhumatismes ne laissaient que peu de répit à la vieille femme, et le docteur Couture n'avait rien d'autre à suggérer que des opiacés qui la laissaient hébétée. Cette personne pour qui l'ivresse représentait le pire péché préférait donc endurer cette souffrance avec un stoïcisme qui n'améliorait guère son humeur. Il était préférable de ne pas gâcher la moindre minute de son sommeil.

— Je rentrerai tout de suite après l'office religieux.

Un peu moins de deux heures plus tard, l'homme trouva la servante en larmes dans le salon vieillot. La porte de la chambre demeurait ouverte. Il entra pour apercevoir la veuve dans son lit, les mains jointes sur le ventre, un chapelet de jais emmêlé entre les doigts.

— Que de précautions, murmura-t-il dans un souffle. Tu as voulu prendre à l'avance la pause de la veillée funèbre.

Bien sûr, la chose était un peu prématurée : il faudrait désunir ses mains raidies pour lui mettre une robe. Les yeux vides de la morte semblaient chercher quelque chose au plafond, la bouche à demi ouverte exprimait la plus grande surprise. Alfred remonta la couverture jusque sur son front, quitta la chambre en fermant la porte derrière lui.

— Je vais aller chercher le docteur Couture.

— Voudrez-vous manger quelque chose, ensuite ?

— Je pense qu'aujourd'hui, ni vous ni moi n'aurons beaucoup d'appétit.

Au moment où il posait le pied sur le trottoir de la rue Saint-Dominique, l'homme se dit qu'il vaudrait tout aussi bien passer chez Lépine directement en sortant de chez le médecin. Obtenir un permis d'inhumer serait une formalité, le croque-mort pourrait se mettre à l'œuvre dans une heure, tout au plus. Sur le chemin du retour, il passerait par la rue Saint-François.

〰️

Dissimulant mal sa mauvaise humeur d'avoir été dérangé à l'heure de son repas dominical, le docteur Couture se rendit tout de même immédiatement au domicile de la rue Saint-Dominique afin de constater le décès de la vieille dame et remettre sans discuter les papiers requis. Au moment où il quittait la maison, Alfred arriva sur les lieux, son frère Thomas avec lui. À cet instant, au clocher de l'église paroissiale, le glas commença son vacarme lancinant, afin de signaler aux gens de Saint-Roch la perte d'une fidèle.

Dans la chambre, le commerçant tira à son tour sur la couverture afin de contempler les traits de sa mère.

— Au cours des derniers jours, quelque chose t'a laissé croire qu'elle allait plus mal ? questionna-t-il à mi-voix.

— Pas vraiment, répondit Alfred sur le même ton. Elle se plaignait beaucoup de son rhumatisme. Mais ce n'était pas l'épisode le plus douloureux des dernières années. Certaines personnes vivent jusqu'à cent ans, malgré des articulations toutes déformées.

— Le docteur a évoqué son cœur, en sortant…

— Tu sais, le cœur de chacun d'entre nous cessera de battre un jour. Les médecins nous disent cela quand ils ne comprennent pas trop ce qui s'est passé.

Un mouvement près de la porte attira leur attention. La domestique avait fait entrer un très vieil homme, Germain Legris, connu de tous sous le nom de Lépine. Ce patronyme figurait d'ailleurs au-dessus de la porte de son commerce de la rue Saint-Vallier.

— Si vous voulez entrer, monsieur, invita Alfred. Votre cliente se trouve ici.

L'homme vêtu de noir s'avança, jeta un coup d'œil au cadavre puis déclara :

— C'est une pitié, jeune comme cela et déjà morte. Pauvre Euphrosine !

Une vie passée dans la même paroisse autorisait à une certaine familiarité. Au moment où la jeune dame Théodule Picard commençait à vendre des rubans, des dentelles et du tissu à la verge dans le magasin général de son époux, ce fabriquant de meubles avait eu l'idée de proposer des cercueils à ses voisins aux prises avec un décès dans la famille. Le succès avait été tel que maintenant, avec ses deux fils Germain et Elzéar, il organisait des funérailles pour les habitants de la Basse-Ville, et même parfois pour la bourgeoisie installée sur le plateau.

Après avoir serré la main des deux nouveaux orphelins en leur présentant ses condoléances, il demanda :

— Vous exposerez sans doute son corps dans le salon ?

— … C'est probablement ce qui convient le mieux.

— Pendant combien de temps ?

La question méritait d'être posée, car la préparation du cadavre différerait grandement si les restes voyaient défiler des visiteurs pendant une semaine, comme cela arrivait dans le cas des principaux notables.

Les deux frères échangèrent un regard, puis ce fut Thomas qui détermina la suite des événements :

— Je n'ai pas encore parlé au curé, mais il serait tout à fait raisonnable que les funérailles soient tenues mardi matin.

— Deux jours, avec la chaleur qui est tombée, murmura le croque-mort comme s'il réfléchissait à haute voix. Je vais envoyer quelqu'un cet après-midi. Vous avez une personne pour procéder à la toilette du corps ?

La question laissa les deux hommes perplexes un moment.

— … Gertrude, commença Thomas.

— Envoyez-nous quelqu'un, décréta Alfred.

Il tenait à éviter à la domestique la responsabilité éprouvante de faire une dernière toilette à la morte. De toute façon, sa mère aurait sans doute préféré confier sa vieille carcasse à des mains anonymes, plutôt qu'à sa domestique des dernières années.

— Et en ce qui concerne le cercueil ? interrogea encore l'entrepreneur des pompes funèbres.

— Thomas, vas-y. Pendant ce temps, je me rendrai au presbytère pour régler les détails des funérailles. Ensuite, je prendrai un fiacre pour me rendre au cimetière, afin de faire creuser la fosse et ajouter la date du décès sur la pierre tombale.

En réalité, le chef de rayon ne tenait pas à être sur les lieux au moment où des employés de chez Lépine viendraient vider la vieille femme de son sang et se livrer à quelques autres opérations dont il ne tenait absolument pas à connaître le détail.

～

La maison de la rue Saint-Dominique se trouvait maintenant garnie de crêpes noirs autour de la porte et des fenêtres. Lors du décès de personnes éminentes, les entreprises funéraires poussaient parfois le zèle jusqu'à étendre de la paille dans la rue, afin d'atténuer le claquement sec des sabots des chevaux sur le pavé devant la demeure touchée par le deuil. Aucun des deux frères n'avait voulu consentir à pareille dépense pour une femme qui ne s'était jamais montrée particulièrement silencieuse au cours de ses soixante années d'existence.

Alors que la venue prochaine de la mauvaise saison rendait plus rares les séjours dans la ville des compagnies itinérantes de divertissement, un décès inopiné procurait un peu de distraction dans des vies plutôt monotones. Aussi, à compter de sept heures, alertés par un bouche-à-oreille d'une redoutable efficacité, les voisins commencèrent à défiler dans la vieille demeure.

Le corps de madame veuve Théodule Picard se trouvait placé dans un solide cercueil de chêne posé sur des tréteaux. Derrière, quelqu'un avait rangé contre le mur la grande croix qui se trouvait habituellement dans la chambre. Devant, quelques prie-Dieu permettaient aux plus dévots de dire une prière pour le repos de l'âme de la défunte. Des chaises, réparties dans toute la pièce, devaient faire en sorte que les personnes affligées de rotules sensibles se livrent au même exercice bien assises. Toutefois, les conversations murmurées dominaient les recueillements pieux.

Pour réaliser ce petit aménagement, les employés de Lépine avaient commencé par désassembler le lit de la défunte pour le monter à l'étage, afin de faire de la place dans la chambre pour le petit canapé et les deux fauteuils habituellement placés dans le salon. Avec l'ajout de deux chaises, cette pièce servirait pendant quarante-huit heures de refuge aux membres de la famille éplorée.

Parmi les premiers à défiler devant le cercueil, les enfants de Thomas firent belle figure. Eugénie s'agenouilla sur un prie-Dieu pour réfléchir à la fragilité de l'existence, Édouard demeura debout afin d'examiner le cadavre de ses yeux curieux.

— Grand-maman semble très malade, déclara-t-il bientôt à Élisabeth, faisant venir un sourire aux lèvres de tous les adultes présents.

La préceptrice se contenta de lui caresser les cheveux, avant de le conduire dans la chambre attenante. Un peu plus tard, le vicaire Émile Buteau se présenta en compagnie de sa jeune sœur. Après avoir serré les mains des deux frères, ils se recueillirent longuement devant le corps. Marie semblait particulièrement affectée. En réalité, le décès de cette dame l'émouvait assez peu, mais la scène lui rappelait cruellement que, quelques mois plus tôt, à deux semaines d'intervalle, elle avait vu ses deux parents sur les planches.

Afin de lui permettre de reprendre une contenance, Alfred lui demanda :

— Voulez-vous venir à côté un moment ? Et bien sûr, vous aussi, monsieur l'abbé.

Tous les employés du magasin Picard défilèrent dans la maison à un moment ou l'autre pour présenter leurs condoléances à leur employeur. Marie fut la seule parmi eux à avoir droit au privilège de passer dans cette pièce. Un moment plus tard, le vicaire prenait place dans un fauteuil, la jeune fille sur une chaise droite juste à côté de lui. Le chef de rayon lui versa d'abord un verre de sherry, en offrit un en vain à l'ecclésiastique et à Élisabeth, avant de prendre place avec les deux enfants sur le canapé.

— Tu sais, déclara Édouard en se tournant vers lui, grand-maman a l'air très malade.

Ce constat lui semblait mériter d'être réitéré.

— Cela arrive assez souvent aux personnes qui sont mortes.

La remarque de l'enfant, et surtout la réponse de l'adulte, suscitèrent un franc sourire sur les visages, excepté sur celui du vicaire, bien sûr. Le pasteur adoptait le masque lugubre du « passeur », celui qui devait guider le défunt de la mort terrestre à la vie éternelle.

— Elle est morte pour toujours?

— J'en ai bien peur, opina de nouveau le chef de rayon.

— Mais seule son enveloppe terrestre est morte, corrigea le prêtre d'une voix grave. Son âme continue sa vie éternelle.

— Au paradis?

La réponse à une question de ce genre demandait une certaine prudence. Sembler en douter heurterait la sensibilité de la famille. Se prononcer par l'affirmative paraîtrait bien téméraire. Seul Dieu pouvait ouvrir les portes du ciel à une paroissienne.

— Si elle a mené une bonne vie, oui, elle ira au paradis.

Ce genre de réponse laissa le garçon perplexe. À la fin, il se tourna vers son oncle pour demander:

— Veux-tu me répéter encore le petit nom de grand-maman? Je n'ai pas bien compris, tout à l'heure.

— Euphrosine.

— C'est bizarre, remarqua l'enfant en riant.

Alfred se dit qu'en effet, les chances qu'il se trouve une sainte de ce nom au paradis pour accueillir la défunte devaient être minces. Surtout pour le bénéfice des deux jeunes femmes présentes dans la pièce, il se plut à expliquer:

— Il s'agit de l'une des trois Grâces, les compagnes de la déesse de l'Amour, Vénus. Elles représentent tout ce qui fait le charme de la vie. Les deux autres s'appellent Aglaé et Thalie.

À ces mots, Eugénie tourna les yeux vers le vicaire Buteau. Visiblement, au moment de définir les Grâces, son oncle se trouvait sur un autre registre culturel que l'ecclésiastique. Ce dernier préféra rester coi, plutôt que de condamner les croyances païennes auxquelles cet homme venait de faire allusion.

Quelques instants plus tard, Marie rompit le silence installé entre eux en déclarant:

— Je vais rentrer à la maison, maintenant.

Comme il arrive souvent dans les situations où tout le monde adopte un air compassé masquant mal le désir de se trouver ailleurs, ces paroles agirent comme un signal.

— Je pense que les enfants feraient mieux de se mettre au lit bientôt, intervint Élisabeth en se levant à son tour.

Résolu à gâcher ces plans, l'abbé Buteau proposa plutôt :

— Auparavant, vous accepterez sans doute de dire un chapelet avec moi pour le repos de l'âme de notre sœur.

En quittant la pièce, Édouard jeta un regard intrigué sur cet homme qui, avec ces derniers mots, venait de bousculer toutes ses connaissances sur les liens de parenté.

～

Le lendemain matin, Thomas Picard arriva au grand magasin à la même heure que d'habitude. Marie se demandait si elle devait revenir sur le décès, réitérer ses condoléances d'une manière plus personnelle. Le commerçant mit fin à son dilemme d'entrée de jeu en disant :

— Vous connaissez sans doute Octave.

— … Le responsable du service d'expédition ?

— C'est lui. Allez l'avertir qu'il conviendrait de décorer la vitrine du magasin des couleurs du deuil, jusqu'à lundi matin de la semaine prochaine. Il n'aura qu'à faire la même chose qu'au moment de la mort d'Honoré Mercier.

Deux ans plus tôt, l'ancien premier ministre « national » de la province de Québec était décédé des suites de son diabète. Au risque de se mettre à dos une partie de sa clientèle, en bon libéral, Picard avait tenu à orner son commerce de crêpes noirs.

— Au moment de revenir ici, passez dans le rayon du matériel d'écriture et rapportez du papier à lettres et des enveloppes encadrés de noir. Nous les utiliserons pendant le prochain mois pour toute notre correspondance d'affaires.

Bien sûr, l'entrepreneur arborerait, lui aussi, les couleurs du deuil. Pendant quelques semaines, il ne porterait que du noir. Ensuite, un brassard de cette couleur au bras droit suffirait, à condition bien sûr que ses vêtements demeurent plutôt sombres et sans artifices.

— Enfin, je vous demande encore, à votre retour à votre bureau, de préparer des affichettes à poser dans tous les départements afin de faire savoir à tous les employés que le magasin n'ouvrira ses portes qu'à midi, demain. J'avertirai moi-même Fulgence Létourneau de donner la même directive à la ganterie. Vous téléphonerez aussi au *Soleil*, à *L'Événement* et au *Chronicle* pour leur demander de publier notre publicité quotidienne encadrée de noir, indiquant la fermeture pendant une demi-journée.

— Vous voulez que, pendant les jours suivants, la publicité paraisse avec cette livrée de deuil?

— Non, il faudra revenir à la normale dès mercredi matin. Je ne veux pas déprimer la clientèle!

Quand des personnes très importantes, comme un premier ministre, mouraient, les journaux paraissaient avec un ruban noir entre chaque colonne de texte. Pour la veuve d'un commerçant, un encadré autour de l'annonce publicitaire suffirait amplement à démontrer le sens des convenances du propriétaire actuel.

Au cours des heures suivantes, Marie se livra à toutes les corvées énumérées pour elle. Les vitrines de part et d'autre de l'entrée principale, rue Saint-Joseph, comme celles situées à l'arrière dans la rue DesFossés, se trouvèrent bientôt dotées d'une large banderole de tissu noir. Très rapidement, tout le personnel fut au courant de la fermeture du commerce pendant la matinée du lendemain. Personne ne considéra vraiment la chose comme un congé: sans que quiconque n'en formule l'exigence, tous les employés comprirent que la présence aux funérailles de la veuve du fondateur de l'entreprise s'imposait. Plusieurs s'inquiétèrent même que les chefs de rayons aient reçu l'ordre de prendre en note les noms des absents!

Toute la soirée du lundi, Marie Buteau participa à la répétition de la chorale de la paroisse Saint-Roch. Chacun devait se réapproprier les chants d'une messe de funérailles solennelles. Surtout, le directeur tenait à ce que tout se passe très bien. Comme il s'agissait d'une citoyenne éminente, des fidèles des paroisses de la Haute-Ville assisteraient sans doute à la cérémonie. Le petit homme entendait profiter de l'occasion pour faire grandir sa réputation musicale.

Le lendemain, la grande église Saint-Roch se trouvait bondée. Sur leur banc habituel, les Picard témoignaient éloquemment que les rayons du grand magasin contenaient tous les produits nécessaires à un grand deuil. Thomas, tout comme les enfants, portait du noir. Même le missel d'Eugénie, relié de cuir blanc, avait disparu au profit d'une nouvelle édition reliée de jais. Seule Élisabeth échappait à la règle. Ses ressources ne lui permettaient pas de se procurer un nouvel ensemble de vêtements. Puis elle était une employée de la maison, sans aucun lien de parenté avec la défunte. Tout de même, la jupe et la veste d'un bleu soutenu ne heurtaient pas le regard, ni les convenances.

Alice Picard brillait par son absence. Le dimanche précédent, au moment d'apprendre la nouvelle du décès de sa belle-mère, son commentaire avait été lapidaire : « Je serai sans doute la prochaine à rejoindre le bon Dieu ! » Absorbée dans ses prières depuis, elle se préparait à ce rendez-vous.

Finalement, la messe se déroula fort bien. Les larges bandes de tissu noir ou violet donnaient à la grande église un air lugubre à souhait. Des employés de la maison Lépine, vêtus de redingotes et de hauts-de-forme anthracites, portèrent le lourd cercueil jusque sur le parvis. Un cortège se forma spontanément derrière lui, composé des membres de la famille, de personnes qui au cours du dernier demi-siècle avaient entretenu des relations d'affaires avec elle, et des membres des quelques confréries religieuses dont la défunte avait fait partie au cours de son existence, des Enfants de Marie de sa jeunesse aux Dames de Sainte-Anne de l'âge mûr. Les autres paroissiens, de même que les employés de la famille, s'égaillèrent par l'une ou l'autre des quatre autres portes du temple.

La bière fut déposée dans un grand corbillard décoré de motifs sculptés. Deux chevaux étaient nécessaires pour le tirer. La solennité du moment arracha des larmes à quelques témoins. Même Édouard, à la bonne humeur habituellement indéfectible, y alla de reniflements appuyés.

La famille de Thomas Picard, accompagnée par une Élisabeth Trudel devenue indispensable, monta dans le fiacre conduit par Napoléon Grosjean. Alfred, quant à lui, avait réservé les services d'un cocher et d'une voiture pour la journée. Il y monta en compagnie de Gertrude, la domestique fidèle. Les paroissiens les plus nantis formèrent un long cortège de véhicules disparates, du coupé à la berline en passant par la calèche, pour accompagner madame veuve Théodule Picard au lieu de son dernier repos. Comme le cimetière Saint-Charles se trouvait assez loin à l'ouest, sur le cours de la rivière dont il tirait son nom, tous les autres rentrèrent chez eux. Les employés du magasin auraient tout juste le temps d'avaler un repas hâtif avant de se rendre au travail.

À midi juste, Thomas Picard entra dans son commerce, utilisant l'ascenseur pour regagner son bureau du troisième étage.

— Mademoiselle Buteau, hier nous avons négligé un peu la correspondance, déclara-t-il en accrochant son melon sur la patère. Nous allons nous reprendre aujourd'hui. Si vous voulez venir avec votre bloc…

Un moment plus tard, la secrétaire prenait des notes, certaine que cette façon de vivre un deuil en valait bien d'autres.

15

Moins motivé peut-être, Alfred préféra rentrer à la maison au retour du cimetière Saint-Charles. Malgré sa claudication, Gertrude commença à remettre les chaises dispersées dans le salon à leur place habituelle. Le chef de rayon jugea préférable de lui donner un coup de main. Alors qu'il plaçait la dernière dans la cuisine, la domestique commença à agiter des chaudrons avant de déclarer, au bord des larmes :

— Monsieur, que va-t-il arriver maintenant ?

— ... Vous voulez dire pour vous ? Rien. Enfin, si vous souhaitez demeurer à mon service, les choses continueront comme avant.

Le soulagement amena une crise de larmes. L'homme comprit qu'il aurait eu intérêt à apporter cette précision plus tôt. Il se retira dans le salon afin de contempler la grande croix de bois. Finalement, il décida de la monter au grenier.

Une heure plus tard, les meubles du salon avaient retrouvé leur place. Gertrude lui annonça qu'un dîner léger était servi. Au moment de s'asseoir devant l'unique couvert, dans la salle à manger, il expliqua plus avant ses intentions :

— Cette maison me paraît maintenant bien grande, et plutôt morose. Je la vendrai sans doute le printemps prochain afin de trouver un logis plus pimpant. Cependant, si vous le désirez, vous resterez à mon service aussi longtemps que vous le souhaiterez.

Ce genre de fidélité à la domesticité allait de soi chez les gens respectables – cela aussi faisait partie des convenances –; surtout, une femme d'âge moyen, infirme de surcroît, aurait du mal à trouver un nouvel emploi. Pourtant, celle-ci jugea opportun de remarquer :

— Une femme dans la maison d'un homme seul… cela peut faire jaser.

Alfred esquissa un sourire, puis adopta un ton empreint de tendresse pour répondre :

— Honnêtement, je crois que votre réputation demeurera intacte. Quant à la mienne, elle est déjà faite, pour le meilleur et pour le pire.

Après une pause, l'homme enchaîna :

— Je vais descendre mon lit dans la chambre de maman, et utiliser celle-ci désormais. Je vais donc vider sa garde-robe et sa commode et tout ranger en haut. Vous trierez ses vêtements et ses livres au fil des prochains jours. Vous garderez ce qui peut vous servir et vous vendrez le reste.

Bien sûr, le transfert d'un étage à l'autre de tous les biens personnels de la défunte lui permit de faire le tri et de mettre de côté tous les papiers personnels et certains souvenirs de la vieille dame. Il dénicha quelques photographies, dont les plus anciennes se trouvaient sur des plaques de verre, ou encore de zinc. Son chapelet de jais, tout comme son missel, seraient pour la domestique.

Dans quelques jours, le notaire ferait connaître les dernières volontés de la disparue. En réalité, la chose ne faisait pas mystère. Thomas possédait déjà la part du lion du commerce de la rue Saint-Joseph, tout au plus devait-il verser une modeste rente à sa mère. Cette obligation disparaissait avec le décès. Quant à Alfred, le «bâton de vieillesse», la maison et les quelques biens personnels de la défunte lui reviendraient.

Au moment de se coucher, un peu avant dix heures, l'homme se souvint de la confidence nocturne de sa mère, quelques heures après la douloureuse agression dont il avait été victime. Le bougeoir à la main, il chercha un moment sur le plancher, se déplaçant sur ses genoux. Aucune planche ne bougeait. Cependant, une seule d'entre elles était vissée en plein milieu. Cette précaution attira son attention.

Toujours avec son bougeoir à la main, au risque de faire penser aux voisins qu'un voleur se trouvait dans la maison, il chercha le vieux coffre à outils du paternel, trouva un tourne-vis antique, puis revint s'attaquer à la fameuse planche de pin. Après l'avoir soulevée, il découvrit un trou creusé dans la poutre supportant le plancher, sans doute à l'aide d'un ciseau à bois. Un sac de cuir amassait la poussière, vraisemblablement depuis plusieurs années.

Avec précaution, Alfred l'ouvrit pour en répandre le contenu sur la commode. Une bonne quantité de pièces d'or accrochèrent la lumière vacillante de la chandelle. Il y avait aussi une petite liasse de billets de banque. Il reconnut des livres anglaises, la monnaie de la métropole, comme si le couple de commerçants ne faisait pas tout à fait confiance aux dollars canadiens.

— Les vieux fous, grommela l'homme entre ses dents. Bien sûr, ils se méfiaient des banques, mais ces petites écono-mies auraient pu flamber dans l'un des incendies si fréquents dans la Basse-Ville.

Le fait de garder ainsi des pièces d'or témoignait d'une mentalité inquiète, comme si une guerre ou une révolution risquait de faire perdre d'un coup toute sa valeur à la monnaie de papier. Ils avaient connu les menaces d'invasion des féniens, et surtout des Américains à la fin des années 1860, et les désordres ouvriers de 1878. Ces turbulences avaient sans doute frappé leur imagination. Leur prudence exagérée avait toutefois risqué de priver l'héritier de ce petit pécule.

— Damnée Euphrosine! Si l'émotion ne l'avait pas ame-née à me faire une confidence alors que je me trouvais abruti par l'opium, j'aurais vendu la maison sans jamais savoir que ces épargnes se trouvaient sous le plancher.

Alfred remit le sac de cuir à sa place, revissa la planche dessus. Lui non plus n'en parlerait pas. Jamais l'idée d'en discuter avec Thomas ne l'effleura. La maison et les biens personnels de la veuve lui revenaient. Cela comprenait les petits trésors cachés.

Finalement, la routine du travail de secrétaire s'imposait à Marie. À la mi-septembre, la correspondance ne recelait plus aucun mystère pour elle. Thomas Picard commença donc à l'initier à celui de la tenue de livres. Tous les deux avaient convenu que le samedi après-midi était propice à ce genre d'initiation, d'autant plus qu'il était possible de prolonger un peu les échanges en soirée.

Un immense registre relié de toile verte se trouvait ouvert sur le bureau de la jeune fille. Thomas se tenait debout tout près d'elle, une proximité un peu gênante.

— Bien sûr, la comptabilité en partie simple est... plus simple, son nom le dit. Mais tout de même, mieux vaut nous en tenir à des livres en partie double. Cela signifie que chaque opération est comptée deux fois : un compte est crédité d'un montant donné, et un second compte est débité d'un montant équivalent.

L'homme posait une main sur le dossier de la chaise de la secrétaire et, penché un peu sur elle, montrait du doigt les colonnes de chiffres. Depuis quelque temps, Marie jouait d'audace avec sa chevelure, soit en soulevant ses cheveux vers le haut grâce à un assortiment d'épingles, soit en faisant accomplir un cercle complet à l'arrière de sa tête à sa lourde tresse. Dans les deux cas, elle dégageait une nuque pâle, à la peau d'une douceur infinie, où les quelques cheveux échappés à la construction complexe formaient comme une mousse. Le cou très fin et les oreilles bien dessinées s'offraient ainsi à la vue et aux caresses.

— Chaque colonne est additionnée, et les totaux sont transcrits à la page suivante.

L'homme se pencha encore un peu plus contre elle, afin de tourner la page. Dans son mouvement, sa main gauche quitta le dossier de la chaise pour se poser, légère, dans le dos de la jeune femme. Les épaisseurs successives du sous-vêtement de coton et du chemisier de lin laissaient très bien passer la chaleur et de la main, et de l'épaule.

Marie cessa un moment de respirer, stupéfaite. Ne sachant pas du tout comment réagir, car de pareilles situations ne s'étaient produites que dans les rares coins sombres où le hasard l'avait conduite avec des jeunes gens aussi effarouchés qu'elle, elle demeura coite.

« Si elle ne dit pas un mot, c'est sans doute que cela lui plaît », se dit Thomas. Mine de rien, il continua :

— Il s'agit d'indiquer soigneusement toutes les entrées d'argent, comme toutes les sorties.

La jeune secrétaire acquiesça d'un signe de tête, prononça d'une voix blanche :

— La première colonne sert à indiquer la date ; la seconde, l'opération ; la troisième, le cas échéant, le numéro du chèque…

Ces mots se révélaient totalement inutiles, puisque chacune des colonnes des pages de ce registre portait un titre imprimé. Tout au plus cherchait-elle à retrouver un semblant de contenance. Toutefois, ces paroles superflues pouvaient aussi être perçues comme l'expression de son désir de conserver le contact.

— C'est ça, conclut l'homme en se relevant un peu.

Si son corps s'éloigna légèrement de celui de la secrétaire, sa main, toujours aussi légère, glissa jusqu'à l'arrière du cou. Du pouce, Thomas esquissa une caresse juste à la lisière des cheveux, en observant le visage de la jeune femme. Ses yeux se fermèrent brièvement, les lèvres s'entrouvrirent pour aspirer une goulée d'air. Peut-être était-ce dû à son imagination, mais il lui sembla apercevoir les pointes des seins marquer le tissu du corsage.

« Plutôt vive, la donzelle », pensa-t-il. Un peu à regret, car quelqu'un pouvait survenir à tout moment, sa main abandonna la peau si douce, puis il s'éloigna d'un pas.

— Vous croyez que cela ira ?

— … Je pense que oui. Mais toutes ces additions…

— Au début, je les referai après vous. Mais très vite, je devrai avoir la preuve que je peux vous faire confiance.

Sur ces mots, avec l'espoir que son érection demeurât discrète, l'entrepreneur regagna son bureau. Pendant un long moment, il resta songeur, un peu gêné de son audace, en même temps plus excité qu'il ne l'avait été depuis longtemps. Si une prostituée se laissait prendre sans pudeur, écartelée sur un matelas toujours crasseux, aucune n'acceptait une simple caresse dans le cou. Qu'aurait-elle fait si ses lèvres avaient suivi la main, dans un baiser léger d'abord, puis accompagné de petits coups de dents?

— Elle aurait gémi comme une amoureuse, conclut-il dans un murmure.

Plutôt que de se reprocher un geste aussi compromettant avec une jeune employée, il préférait se convaincre que non seulement sa caresse avait été bien accueillie, mais que la jeune fille l'attendait depuis toujours. Quand il se remit enfin au travail, Thomas n'était pas loin de croire que la nouvelle garde-robe de sa secrétaire et cette façon si exquise de placer ses cheveux visaient à le séduire.

❧

De l'autre côté de la cloison, les tempes bourdonnantes, Marie demeura un long moment interdite, comme frappée de stupeur. Rien dans sa vie antérieure ne lui avait enseigné comment réagir à une situation pareille. Pire, elle ne connaissait personne avec qui aborder le sujet. Au fond, le dernier individu à qui se confier était son propre frère, Émile Buteau. Le premier réflexe de celui-ci serait de la condamner, quelles que soient les paroles prononcées. En réalité, depuis Ève, tous les prêtres ne présentaient-ils pas toutes les femmes comme des tentatrices perfides placées sur le chemin des hommes pour les faire faillir?

La jeune femme chercha un travail routinier à effectuer, car sa fièvre l'amènerait à multiplier sans cesse les erreurs.

La liste des «J'aurais dû» tourbillonnait dans son esprit. «J'aurais dû lui dire de s'éloigner dès qu'il s'est approché de moi», commença-t-elle. Mais comment justifier pareille attitude? Le patron ne pouvait pas lui montrer à tenir des livres en se réfugiant à l'autre extrémité de la pièce. «J'aurais dû lui dire de ne pas me toucher», dès le moment où la paume de sa main avait effleuré l'épaule. «J'aurais dû le gifler», quand la main avait caressé le cou.

Mais aucun de ces mots n'avait franchi ses lèvres, aucun de ces gestes ne s'était produit. Le «Je devrais» ne lui apportait aucun réconfort non plus.

«Je devrais me lever, frapper à la porte, me camper devant son bureau et lui dire de ne jamais me toucher de nouveau, sinon…» songea-t-elle.

Sinon quoi? Des yeux, Marie parcourut la petite pièce où elle se trouvait, pencha la tête pour voir sa jupe, son chemisier. Elle fit mentalement le tour de sa maison de chambres. Ce petit confort demeurait des plus précaires. Protester, c'était s'exposer à un renvoi sur-le-champ, ou alors à la première addition erronée.

Quelle possibilité lui resterait-il ensuite? Chercher un nouvel emploi de vendeuse dans un commerce de la rue Saint-Joseph? Personne n'embaucherait une femme chassée de chez Picard, par solidarité entre patrons. Faire le tour des manufactures de la Basse-Ville? Elle savait n'être pas bien robuste, et puis de toute façon le chômage augmentait toujours au retour de la mauvaise saison. Les employeurs ne recrutaient plus, ils s'apprêtaient plutôt à faire des mises à pied. Un moment, elle songea à aller attendre Yvonne à la sortie de la Dominion Corset, pour la prier de lui présenter son contremaître. La honte la retint.

Surtout, une autre pensée, plus troublante encore, l'assaillait, pour la projeter dans la plus grande perplexité. Cette main chaude et forte contre son épaule, puis sur son cou, l'avait plongée dans un trouble à la fois effrayant et délicieux. Un homme de la stature de Thomas Picard la trouvait attirante… L'ambiguïté de ses sentiments tenait à sa longue privation de tendresse, à sa terrible solitude et à son corps jeune, réceptif au plaisir.

～

Rien ne semblait avoir changé entre eux. Le lundi suivant, Marie retrouva la routine habituelle des lettres prises en dictée à six pieds au moins de distance du patron. Celui-ci s'approchait parfois tout près alors qu'elle se trouvait assise à sa place, pour lui montrer quelque chose, mais il gardait prudemment ses mains pour lui. La jeune femme chercha un mauvais présage dans cette nouvelle retenue.

Bien sûr, tous les deux demeuraient fébriles, et quand la proximité devenait trop grande, un curieux courant électrique, fait d'excitation contenue, courait entre eux.

～

La salle à manger de la maison de la veuve Picard, rue Saint-Dominique, n'avait jamais eu une allure festive. Alfred ne se souvenait pas d'un repas vraiment agréable. Très jeune, il avait entendu ses parents discuter commerce entre eux; ensuite, il avait participé à ces conversations. Son manque d'enthousiasme lui attirait déjà des regards chargés de reproches. Quand Thomas, de cinq ans son cadet, avait affiché un intérêt très précoce pour les affaires, les deux parents s'étaient montrés soulagés d'avoir enfin trouvé une relève.

La pièce elle-même ne payait pas de mine. Son étroitesse conférait aux meubles une impression de lourdeur, de sévérité. Une autre croix noire, celle-ci de dimensions plus modestes, témoignait de l'engagement du couple Picard envers la tempérance. Cela n'avait pas empêché Théodule de vendre de l'alcool à son magasin général. Sa propre vertu lui permettait de faire des économies, le vice des autres rapportait des profits. Une combinaison somme toute idéale.

Au bout d'une table qui n'aurait pas déparé le réfectoire d'un petit couvent de campagne, Alfred prenait ses repas seul. Au moment du souper, exactement deux semaines après la mort de sa mère, il avait déclaré à Gertrude, alors que celle-ci servait la soupe :

— C'est tout de même ridicule de dresser deux tables. Je pourrais tout aussi bien manger avec vous dans la cuisine.

— … Voyons monsieur, cela ne se fait pas !

La domestique qui, dès le jour des funérailles, s'était inquiétée du fait que leur cohabitation fasse jaser, ne céderait certainement pas devant une pareille lubie. Les domestiques ne mangeaient pas avec les maîtres, mais dans la cuisine, les restes de ces derniers.

L'homme n'insista pas. Après son repas dans une salle à manger lugubre, il passa dans un salon guère plus gai, pour s'installer, un roman à la main, dans le fauteuil à proximité du foyer, habituellement occupé par la veuve. Souvent, il demeurait plutôt debout devant la fenêtre, pris d'une irrésistible envie d'aller s'entraîner au YMCA ou de s'encanailler à la salle de billard et de quilles.

Toutefois, sa mésaventure avec Matthew gardait des effets plus durables que toutes les admonestations de ses confesseurs. L'homme ne devenait pas vertueux, mais sage, une sagesse qui ne durerait pas toute la vie sans doute, mais certainement jusqu'aux premières neiges.

❧

— Marie, j'ai jeté un coup d'œil à vos livres. Si vous voulez passer dans mon bureau…

Ce dernier jeudi de septembre, un peu avant six heures, la jeune femme se préparait déjà à quitter les lieux. Hésitante, elle entra dans la pièce.

— Si vous voulez bien fermer la porte et venir près de moi, je vais vous montrer.

Cela sentait déjà le traquenard. Ses réflexions précédentes l'avaient conduite à décider de s'accrocher à ce poste de secrétaire, aussi avança-t-elle bravement pour se placer à sa droite afin de voir le registre sur le bureau.

— Regardez cette addition, indiqua l'homme en suivant de son index gauche une colonne de chiffres de haut en bas, jusqu'au total.

Sur la dernière ligne, un sept avait été corrigé au crayon rouge par un neuf.

— Cela représenterait une jolie perte, si je ne l'avais pas aperçu.

La voix paraissait sévère, aussi le cœur de Marie chavira un peu.

— Je ne l'avais pas vu... articula-t-elle, la bouche sèche.

Dans leur position, lui assis, elle debout à son côté, proche au point que sa hanche touchait son épaule, en plus de la peur de perdre son emploi, un trouble malsain s'empara de la jeune femme. Sa crainte se combinait à une vague excitation. Quand elle sentit une main se poser à l'arrière de sa jambe gauche, juste à la hauteur du genou, puis remonter doucement sur la cuisse, jusque sous la fesse, tout son corps tressaillit.

Thomas constatait que sa grande main couvrait la moitié de la cuisse chaude et ferme, son pouce à l'extérieur, ses doigts à l'intérieur. Leur extrémité se trouvait tout près du sexe. Malgré le tissu de la jupe, du jupon, du sous-vêtement, il ressentait une impression de chaleur. Son propre sexe en érection, dissimulé sous la surface du bureau, lui faisait mal à force d'excitation.

Frémissante, Marie posa une main sur la surface du meuble devant elle. Le mouvement de serrer les jambes ne faisait que rendre plus envahissante encore la présence des doigts. Même si elle avait voulu protester, aucun son ne serait sorti de sa bouche sèche. Puis la main se retira enfin.

— Pour cette fois, cela ira. Mais faites très attention.

Les jambes un peu flageolantes, la jeune fille quitta la pièce. Dans son esprit s'installait la conviction que la main sur son corps effaçait l'erreur de calcul, comme si un curieux commerce s'installait entre eux. D'un autre côté, elle comprenait que la moindre protestation lui vaudrait un renvoi immédiat.

«Elle était aussi excitée que moi», songea l'homme une fois seul dans son bureau, replaçant de la main son sexe contre sa jambe, afin de réduire son malaise.

***

L'ennui tenaillait parfois Alfred, au point qu'il cherchait de la compagnie du côté de l'administration du grand magasin. Juste un peu avant midi, il se retrouva dans le local de la secrétaire.

— Vous pouvez certainement manger avec moi, insista-t-il. C'est juste à côté, et je vous invite.

— J'ai apporté mon repas...

— Lequel sera sans doute aussi bon demain. Allez, un beau geste pour votre ancien patron.

Son sandwich serait sans doute encore comestible le jour suivant, malgré le pain probablement un peu sec. À la fin, elle se laissa convaincre et descendit avec lui le grand escalier du commerce. Un peu plus tard, ils entrèrent dans un petit restaurant rue de la Couronne. Les tables alignées sur deux rangées recevaient déjà quelques clients, pour la plupart des employés des établissements commerciaux voisins.

— Cela vous fera rire mais le croirez-vous, c'est la première fois que je viens dans un véritable restaurant? murmura la jeune femme. Bien sûr, je ne compte pas les comptoirs des fêtes foraines, des cirques ou des célébrations comme la Saint-Jean.

— Mais cela ne prête pas à rire. Si je l'avais su, je vous aurais emmené dans un plus bel endroit. Je suis toutefois heureux que vous partagiez cette première avec moi.

La situation n'avait pas de quoi surprendre, chaque ménage du quartier Saint-Roch savait qu'un repas préparé à la maison revenait moins cher que celui pris au restaurant. La vue du serveur accoutré d'un grand tablier blanc, venu prendre la commande un carnet à la main, impressionna Marie. La secrétaire abandonna à son compagnon la responsabilité de choisir les mets.

Quand le jeune homme fut retourné en cuisine, Alfred demanda :

— Comment se sont déroulées vos premières semaines de travail dans vos nouvelles fonctions ?

— Bien, j'espère, murmura-t-elle timidement, une soudaine lourdeur au bas-ventre.

— J'espère que mon frère ne joue pas au butor. Parfois, il peut se révéler pénible…

Tout d'un coup, elle se demanda si Thomas Picard avait pu discuter de la situation avec le chef de rayon. Elle n'était pas innocente au point d'ignorer que les hommes se vantaient entre eux de leurs prouesses amoureuses, réelles ou imaginaires, passées ou à venir. Puis l'idée lui parut absurde.

La longue hésitation de la jeune femme incita néanmoins son compagnon à insister :

— Dans l'éventualité où le roi du commerce de détail vous ferait des misères, vous me le diriez, n'est-ce pas ?

— … Ce n'est pas cela. Seulement, j'ai un peu de mal avec les additions… et sans doute aussi avec les soustractions.

— Sa fameuse idée de vous demander de tenir les livres…

Elle se sentait d'autant plus vulnérable à ce sujet qu'à l'école, les religieuses passaient rapidement sur cette matière peu féminine, pour se concentrer sur l'apprentissage de la langue. De leur côté, les frères enseignants qui avaient formé Fulgence Létourneau plaçaient la comptabilité au cœur des leçons destinées aux garçons.

— Si jamais je peux vous être utile dans ce domaine, n'hésitez pas. Je serais heureux de vous consacrer quelques soirées, si vous le voulez. Nous pourrions additionner au coin du feu.

Un moment, Marie imagina que cet homme aussi en voulait à son entrejambe. L'instant d'après, elle oubliait cette inquiétude ridicule.

— Si vous en êtes à chercher des loisirs de ce genre, j'en conclus que vous devez trouver votre maison bien grande, depuis le décès de votre mère, fit observer la jeune femme après que le serveur eut déposé les assiettes devant eux.

— Je croyais être plutôt solitaire, mais je me leurrais sur moi-même…

— Il y a pourtant cette domestique, Gertrude, je crois.

Tout en avalant une bouchée, l'homme fit un signe d'assentiment de la tête. Après un moment, il précisa :

— C'est bien son nom. Mais voyez-vous, il s'agit d'une personne tenant beaucoup aux convenances et à sa bonne réputation. Elle dépose la nourriture devant moi et court se réfugier dans la cuisine, comme si elle craignait que je devienne entreprenant. Une dame ne peut cohabiter avec un homme sans que cela ne prête aux qu'en-dira-t-on.

— Votre mère vous manque beaucoup ?

Tout en mangeant, Alfred soupesa la question, puis admit :

— Assez curieusement, oui, elle me manque. C'est qu'au fil des ans, sa présence silencieuse, son visage continuellement maussade, prenaient toute la place.

— Elle était si maussade que cela ?

— Je ne me souviens pas d'avoir vu un sourire sincère sur son visage. Si elle souriait, c'était pour exprimer quelque chose du genre : "Je savais bien que tu ne réussirais pas."

Comme pour compenser, Marie lui adressa le sien, sans arrière-pensée, à la fois timide et charmant.

— Je vous comprends, reprit-elle bientôt. Moi aussi, depuis la mort de mes parents, je me sens bien seule. Les gens de la maison de chambres ne comptent pas vraiment.

— Vous avez encore votre frère…

— C'est mon visage maussade à moi…

Pendant quelques minutes, l'automne qui commençait tout juste meubla la conversation. L'évocation des répétitions de la chorale occupa ensuite le couple. Puis le chef de rayon revint à leur premier sujet :

— Comme nous nous ennuyons tous les deux à quelques centaines de pieds l'un de l'autre, le mieux serait que je vous loue une chambre chez moi. Le soir, nous pourrions faire des additions… et si vous êtes sage, des soustractions.

— … Comme votre domestique vous l'a déjà expliqué, ces choses-là ne se font pas.

— Oui, bien sûr, les convenances.

Les solutions les plus simples n'étaient donc pas toujours les meilleures. Quand ils quittèrent le restaurant tous les deux, Alfred prit son bras sous le sien, et au moment où ils approchaient du magasin, il le passa autour de sa taille. Cette familiarité paraissait tout au plus rassurante pour sa compagne, alors que le simple fait de se rapprocher du troisième étage de l'édifice lui vrillait le ventre.

Si elle avait vu Thomas Picard à la fenêtre, son malaise se serait accru d'un cran. « Sacrebleu ! Après toutes ces années, je me découvre des goûts identiques à ce dilettante ! » murmura-t-il entre ses dents avant de regagner son bureau.

～

Revenir à la maison un peu tard n'avait rien d'inhabituel, même un samedi soir. Pourtant, Thomas Picard essayait de ne pas faire de bruit, de passer inaperçu. Ce fut peine perdue : Édouard se tenait assis sur une marche au milieu de l'escalier, une grande feuille de papier dans les mains.

— Tu rentres tard. Je t'attends depuis des heures !

Ces paroles, Alice ne les prononçait plus depuis longtemps. Voilà que son fils prenait le relais. L'idée de vouvoyer son père progressait plutôt lentement dans l'esprit du gamin. Aux remarques réitérées de la préceptrice, celui-ci répondait invariablement : « Mais ce n'est pas de la visite. » Elle esquissait un sourire, sans insister.

— J'ai dû régler quelques affaires, avant de quitter le magasin.

Le mot « affaires » impressionnait toujours favorablement le garçon. Les reproches muets s'estompèrent du petit visage. Au-dessus de lui, Thomas vit d'abord la jupe de serge apparaître en haut de l'escalier, puis tout le corps de la jeune femme. Élisabeth avait laissé la porte de sa chambre ouverte, afin de surveiller le retour de son employeur.

— Bonsoir, monsieur. Nous avons voulu vous consulter encore, car demain ce sera le grand jour.

Ce « nous » de majesté désignait en réalité le gamin un peu fébrile.

— … Ah oui ! L'anniversaire d'Eugénie. Vous accepteriez tous les deux de m'accompagner dans la salle à manger ? J'ai un peu faim.

Surtout, se trouver devant son repas lui donnerait une certaine contenance. Joséphine l'avait aussi entendu rentrer, des bruits dans la cuisine indiquaient qu'elle préparait déjà son plateau. Ils arrivèrent en même temps qu'elle devant la grande table. Selon un rituel établi par les quelques tête-à-tête précédents de la préceptrice et de son patron, la vieille domestique alla préparer du thé en maugréant un peu.

— Je vais me placer près de toi, décréta Édouard en tirant une chaise pour s'agenouiller dessus, afin d'avoir un meilleur accès à la table.

Élisabeth, quant à elle, s'installa en face du maître de la maison. Au moment où le garçon se rapprochait de son père et étalait la grande feuille de papier, au risque de renverser le verre de bière, elle expliqua :

— En guise de présent à Eugénie, nous avons pensé lui offrir un "journal" du dernier été. Celui-ci prend la forme d'une fresque, en quelque sorte.

Les journaux illustrés présentaient souvent une grande page couverte de dessins pour marquer la fin d'une saison, ou d'une année. Le concept était familier à Thomas. Il se pencha un peu pour mieux voir. Le titre en haut de la page, *Le Bel Été de 1896*, présentait une calligraphie trop élégante pour se réclamer d'un auteur de cinq ans. Ensuite, des vignettes s'étalaient en deux bandes superposées, illustrant les moments forts de la période estivale, depuis les festivités marquant l'élection de Wilfrid Laurier au Pavillon des patineurs, le soir de la Saint-Jean, jusqu'à l'excursion à l'île d'Orléans, en passant par toutes les activités du séjour dans Charlevoix. Le trait des dessins se révélait assez sûr, et en cas de doute sur leur interprétation, quelques mots, ceux-là visiblement de la main du garçon, permettaient de reconnaître les personnages et les situations.

— Tu crois qu'elle va aimer ?

— J'en suis certain.

— Et toi, tu as pensé à lui donner quelque chose ?

La curiosité, plutôt qu'une inquiétude toute fraternelle, inspirait la dernière question.

— Bien sûr que oui. Mais tu sais que c'est un secret.

— Je ne le répéterai pas. Juré.

— Alors approche.

Au moment où Joséphine entrait avec un second plateau portant une théière et des tasses, Thomas chuchota quelques mots à l'oreille de l'enfant. Celui-ci arrondit les yeux de plaisir, à l'idée de connaître pour une fois quelque chose que sa grande sœur ignorerait jusqu'au dîner du lendemain.

— Tu crois qu'elle aimera ?

— … Oui.

— Et maintenant, ne penses-tu pas qu'il conviendrait de rouler ce grand dessin et de monter te coucher ?

La protestation fut si brève que cela surprit les deux adultes. Au moment où Élisabeth sortit avec Édouard, le père lui demanda :

— Mademoiselle Trudel, reviendrez-vous boire un peu de ce thé… et me tenir compagnie un moment par la même occasion ?

— … Si vous voulez.

Elle s'esquiva ensuite. Dans la salle à manger, face à un mur sans fenêtre, le commerçant termina son repas à moitié froid. Après quelques minutes d'attente, il décida de transporter la théière et l'une des tasses dans la bibliothèque, puis il se servit un grand verre de cognac avant de prendre place dans l'un des fauteuils. La tête rejetée en arrière, les yeux clos, il demeura longtemps immobile. Ce fut Élisabeth qui le tira de sa torpeur en murmurant:

— Vous devez être très fatigué.

— … Oui, en effet, confirma-t-il après un moment d'hésitation.

Il avala une gorgée de cognac en lui faisant signe de s'asseoir dans le fauteuil près de lui.

— Il y a un long moment que nous n'avons pas parlé ensemble.

— … Après le voyage dans Charlevoix, je me sentais plutôt mal à l'aise, confia-t-elle à voix basse. J'ai un peu fait en sorte de vous éviter.

Elle faisait allusion à ses confidences, murmurées dans le grand salon de l'hôtel.

— Je vous suis tellement reconnaissante de ne pas avoir insisté.

Plutôt que de répondre benoîtement «Vous savez, j'ai cherché ailleurs mes distractions», Thomas but encore un peu de cognac, puis fit tourner le verre entre ses paumes. La jeune femme demeurait toujours aussi ravissante. Sa lourde chevelure blonde accrochait la lumière de la lampe et prenait des reflets de la couleur du vieil or.

— Je conserve toujours les mêmes sentiments à votre égard. Mais de vous voir tous les jours si attentionnée avec les enfants… Je ne voudrais rien faire qui puisse vous nuire, ou vous chasser de cette maison.

En d'autres mots, la préceptrice incarnait si bien l'épouse et la mère parfaite qu'il tenait à garder sa réputation intacte:

en quelque sorte, il la tenait en réserve, dans l'éventualité de nouveaux développements.

— Les enfants paraissent toujours progresser aussi bien…

Ce terrain familier leur permit de retrouver tous les deux leur contenance. Pendant de longues minutes, Élisabeth l'informa du chapitre où Eugénie et Édouard en étaient respectivement rendus dans le livre en deux tomes acheté en mai à la librairie Garneau. L'absentéisme à l'école se trouvait si généralisé que, spontanément, plutôt que de dire d'un enfant qu'il se trouvait en première, deuxième ou troisième année, on se référait plutôt à un livre d'une série. Les plus longues en comptaient six.

— Pour Eugénie, je pense bien qu'il faudra acheter le second livre un peu après les fêtes.

— À ce rythme, elle pourra faire ses études primaires…

— En trois ans.

Le sujet de la scolarité les retint encore quelques minutes, puis la jeune femme se retira pour la nuit. Thomas inclina de nouveau sa tête contre le dossier du fauteuil, ferma les yeux. La scène de la fin de l'après-midi lui revint en mémoire, comme s'il la vivait encore. Marie pliée en deux, le haut du corps maintenu à plat sur le bureau avec sa grande main posée contre son dos, la jupe et le jupon troussés sur les hanches, les « Non monsieur, non monsieur, ce n'est pas bien ! » murmurés d'une voix chevrotante, contredits sans cesse par des frémissements de plaisir, des plaintes énamourées.

« Elle doit avoir deux fois l'âge qu'Eugénie aura demain, songea-t-il bientôt, peut-être un peu plus. » À cette pensée, sa main serra si fort le verre que celui-ci se brisa. La douleur le fit jurer. Maladroitement, de la main gauche il chercha son mouchoir dans sa poche de pantalon du côté droit. En le dépliant afin de le poser sur la coupure dans sa paume, l'odeur de sperme lui rappela qu'il avait servi à débarbouiller un peu l'entrejambe de la secrétaire. Se pouvait-il qu'Élisabeth l'ait perçue ? « De toute façon, elle ne peut pas savoir ce que c'est », se rassura-t-il immédiatement.

Pendant quelques minutes, il demeura immobile, une froide angoisse se répandant dans tout son être. Son propre geste lui inspirait la nausée, mais en même temps le souvenir de ces moments ramenait son érection. Lentement, l'éducation reçue, largement faite de préjugés, lui avait fait placer les êtres humains dans des cases étanches, en particulier les femmes qui se divisaient en deux catégories : les bonnes, et les autres. Cela fit en sorte qu'il pût s'accommoder de son comportement.

— Il n'y avait pas une goutte de sang, ce n'était donc pas la première fois pour elle, murmura-t-il dans un souffle. Puis encore, après une pause : dans ce milieu, laissée à elle-même en plus…

Il voulait dire dans ce prolétariat grouillant, vivant dans la grande promiscuité des logis trop petits, des familles si nombreuses, avec des pères et des grands frères souvent saouls, l'innocence des jeunes filles demeurait un luxe inconnu. Quelques années plus tôt, dans le mille carré que représentait la paroisse Saint-Roch, quelqu'un avait répertorié soixante débits de boisson.

Bientôt, la main endolorie, c'est presque rassuré que Thomas regagna le petit cagibi aveugle pour se coucher. Cette fille ne lui avait rien donné que quelqu'un d'autre n'avait pas déjà pris. Sa femme, sa fille, et même Élisabeth Trudel, appartenaient à un autre monde, se méritaient d'autres égards.

16

Tous les chrétiens devaient, tous les jours de leur vie, se souvenir qu'à tout moment Dieu pouvait les rappeler à Lui. «Je viendrai comme un voleur.» Si ces mots hantaient chacun, le mois de novembre se montrait particulièrement propice à leur incessant martèlement. Il s'ouvrait sur la Toussaint, la fête de tous les saints, et le second jour servait à se remémorer tous les fidèles qui avaient déjà rejoint leur Créateur. Chacun visitait le cimetière à ce moment de l'année où les arbres tendaient leurs grands bras dénudés vers le ciel, l'herbe offrait au regard une teinte brunâtre, la terre toujours mouillée faisait penser à la putréfaction.

Alice Picard ne pouvait pas se déplacer jusqu'au cimetière Saint-Charles où dormaient ses deux parents. Cela ne l'empêchait pas d'errer en ce lieu en pensée. Début novembre, au moment où Élisabeth venait la saluer, comme elle s'efforçait de le faire au moins une fois par semaine, la malade avait demandé d'une voix geignarde :

— Édouard parle en termes enthousiastes de la lecture à haute voix à laquelle il a droit au moment de se coucher. Pourrais-je en profiter aussi ?

— … Bien sûr. Quand cela vous conviendrait-il ?

Elle se trouvait dans son fauteuil, pâle et éteinte, comme si elle venait de sortir d'un cercueil afin de passer un moment dans le monde des vivants.

— Vous voyez le petit livre sur la table. Sautez le préambule et allez à la "Première considération"… directement au paragraphe marqué d'un trait rouge.

Ces mots suffirent pour qu'Élisabeth sache sur quel terrain la maîtresse des lieux entendait l'entraîner. Saint Alphonse-Marie de Liguori avait publié, au siècle précédent, un volume intitulé *Préparation à la mort*, organisé en « Trente-Six considérations ». Les couventines, pour calmer les passions juvéniles susceptibles de les étreindre à l'âge de l'adolescence, se voyaient proposer cette prose lugubre.

L'ouvrage relié de noir portait aussi le titre *La Bonne Mort*, sous lequel on le connaissait le plus souvent. Elle prit place sur la chaise placée près du fauteuil et commença par la phrase placée en exergue à la « Première considération » :

— Tu es poussière et tu retourneras en poussière.

Puis elle enchaîna, comme on le lui avait indiqué, avec le second paragraphe :

— Imaginez-vous avoir sous les yeux le corps d'un homme qui vient de rendre l'âme. Considérez ce cadavre étendu sur ce lit. Voyez cette tête qui tombe sur la poitrine, ces cheveux en désordre et baignés encore des sueurs de la mort, ces yeux enfoncés, ces joues décharnées, ce visage livide, cette langue et ces lèvres aux teintes noirâtres, ces membres inertes et glacés ! À cette vue, tous pâlissent et s'épouvantent. Combien de pécheurs qui, en présence du cadavre d'un parent ou d'un ami, ont changé de vie et quitté le monde !

« Quitter le monde, songea Élisabeth, en se faisant religieuse dans le cas des femmes, car au fond tous les amours se terminent de la même façon, par de la chair putréfiée. »

Alice suivait le cours de ses pensées avec une efficacité redoutable :

— Cela pourrait être Thomas, cet homme… ou même Édouard.

Tous les jours du mois de novembre, la préceptrice progressa dans les pages de cet affreux livre qui, sous le prétexte que les joies terrestres finiraient bien un jour, incitait à renoncer tout de suite à tout et à se préparer à mourir. Et sans doute, après une existence de mort-vivant, la perspective de la mort réelle devait apparaître comme une libération.

Le 30 novembre, la lectrice en était rendue à la «Treizième considération». Alice Picard gardait le lit depuis quelques jours. Élisabeth avait approché la chaise du chevet. Une légère odeur de merde lui rappelait les pots de chambre du pensionnat. Joséphine ferait mauvaise figure un peu avant le souper, quand elle aurait à le récurer.

— Que sert à l'homme de gagner le monde entier s'il perd son âme? commença-t-elle.

Quelques minutes plus tard, elle terminait la section Affections et prières de la «Treizième considération»:

— Que m'importe toutes les grandeurs et les plaisirs du monde. J'y renonce, pourvu que vous m'aimiez. Mon Dieu, exaucez-moi pour l'amour de Jésus-Christ. Exaucez Jésus-Christ lui-même qui vous supplie de ne pas me bannir de votre cœur. Je me consacre entièrement à vous: je vous consacre ma vie, mes satisfactions, mes sens, mon âme, mon corps, ma volonté, ma liberté. Agréez mon offrande et ne me repoussez pas, comme je le mériterais pour avoir tant de fois repoussé votre amitié. "Non, ne me rejetez pas de devant votre face" (Psaume 50,13). Vierge très sainte, ô Marie, ma Mère, priez Jésus pour moi; je mets toute ma confiance dans votre intercession.

Curieusement, la voix douce de la préceptrice atténuait fort ces considérations morbides. Pour leur donner tout leur poids, mieux valait un homme entre deux âges vêtu de noir. Une jolie fille blonde donnait plutôt envie de tirer le meilleur du bref passage sur terre. Peut-être à cause de cela, le 1ᵉʳ décembre, Eugénie fit savoir à la lectrice que sa mère ne désirait plus entendre *La Bonne Mort*, «parce que novembre est terminé».

Il est vrai que la couche de neige, encore légère et toute blanche, ramenait les esprits à plus de sérénité.

Des jeux de mains coupables avaient rapidement entraîné la jeune secrétaire esseulée à céder ce que tous les confesseurs présentaient comme le trésor inviolable de la femme. Cela tenait à la fois de son extrême précarité financière qui lui imposait la docilité, de l'excitation du moment et de la fierté d'attirer l'attention du grand homme. Marie n'aurait pas pu apprécier l'importance relative de ces motifs.

L'homme qu'elle avait suivi d'un regard admirateur à l'église depuis sa prime adolescence, à la fois fier et impassible, passait rapidement de la frénésie à un air maussade dans l'intimité.

— Nous devons cesser, ce n'est pas bien, marmonna Thomas en faisant passer ses bretelles sur ses épaules.

Ces mots, Marie les avait prononcés en vain dès la première fois. Elle demeura un moment immobile, les mains sur les petits boutons de son corsage. Ses cheveux défaits se répandaient en cascade sombre sur ses épaules. L'homme avait paru transporté au comble de l'excitation au moment d'enlever les épingles une à une avant d'y enfouir ses mains.

— Vous comprenez, avec ma femme malade…

Ce vouvoiement aussi traduisait bien l'ambiguïté de leurs relations. L'usage du «tu» durait exactement le temps où Thomas se trouvait en érection. Tout de suite après, le «vous» dressait sa barrière entre eux: plutôt que de traduire le respect, il établissait la distance. Débandé, l'homme redevenait froid.

Marie continua de fermer les petits boutons jusqu'à son cou, s'assura que sa jupe tombait bien, qu'aucune tache suspecte ne trahirait leurs activités. Être prise sur un bureau laissait parfois des traces. Tard ce soir, elle s'enfermerait dans le cabinet de toilette pour examiner soigneusement la culotte, le jupon, la jupe et même les bas, pour tout faire disparaître sous l'eau du robinet avant de déposer ces vêtements au lavage. Si la petite bonne apercevait ne serait-ce qu'une goutte de sperme séchée, la secrétaire en serait morte de honte!

— D'ailleurs, je me demande ce qui m'a pris. Dans sa condition, si elle l'apprenait, cela la tuerait sans doute.

Ce discours aussi revenait chaque fois que le commerçant avait jeté sa gourme. Il tenait à partager son propre sentiment de culpabilité, sans jamais se soucier du sien. Au bout du compte, en plus de souffrir d'être une fille perdue, flétrie, Marie devait porter le poids de ce qui arriverait à la pauvre Alice Picard, si jamais sa turpitude devenait publique.

Sa veste sur le dos, Thomas regarda intensément la secrétaire, la mâchoire serrée. Elle devait dire quelque chose.

— Oui, vous avez sans doute raison.

Cela aussi revêtait une saveur de déjà-vu. Après avoir assouvi ses sens, son employeur laissait toujours entendre que ce serait la dernière fois. Pouvait-elle vraiment espérer que ces deux grandes mains si fortes ne s'aventurent plus jamais sous sa jupe?

Sous la lumière électrique, le grand registre relié de toile verte demeurait ouvert, poussé sur un coin du large meuble. Au fond, cela semblait être devenu le fétiche de Thomas. Chaque fois qu'il vérifiait une addition, son érection revenait, puissante. Qu'il débusque ou non une erreur, si on se trouvait en fin de soirée et que les locaux de l'administration paraissaient déserts, cela signifiait un «Marie, venez ici. Quelque chose m'échappe dans ce registre».

Souvent il devait réfréner ses envies, car des employés étaient susceptibles de venir frapper à sa porte. Parfois, Marie arrivait finalement à se dégager de ses grands bras en plaidant:

— Ce soir, il y a une répétition de la chorale.

Cet argument apparaissait comme le meilleur: un retard jetterait le doute dans l'esprit de la vingtaine de grenouilles de bénitier qui composaient ce petit aréopage. Déjà, cet homme s'effrayait que des visites au bordel puissent faire jaser, au point de préférer abuser d'une de ses employées. Bien sûr, dans une petite ville comme Québec, impossible de ne pas y croiser une connaissance, sinon un collègue. Il ferait tout pour que jamais un baryton, tailleur de cuir dans une manufacture de chaussures pendant la journée, ne le soupçonne de séduire un membre de son personnel.

Et pourtant, malgré les risques inhérents à ce genre de relation, à une demi-douzaine de reprises l'examen du grand registre s'était terminé avec Marie troussée jusqu'à la taille, sur le dos ou sur le ventre en travers du grand bureau.

— Mieux vaut sortir discrètement. J'y vais le premier.

Thomas décrocha son paletot de la patère pour le revêtir, prit son chapeau et quitta la pièce sans se retourner. Cette nouvelle intimité valait un curieux privilège à la secrétaire. Comme les chefs de rayons, elle possédait maintenant la clé d'une petite porte dérobée, à l'arrière.

Seule dans le grand édifice, elle éteignit toutes les lampes des bureaux de l'administration avant d'aller poser le front contre la vitre de la grande fenêtre donnant sur la rue Saint-Joseph. Le contact très froid fit tomber sa fièvre. Déjà, l'obscurité étendait son manteau sur la paroisse Saint-Roch. Une ombre, semblable à celle d'un criminel, traversa la rue marchande en diagonale. De son pas vif, le patron rentrait chez lui. Passé sept heures du soir, le dernier samedi de novembre, il lui faudrait manger froid une fois encore.

La jeune femme quitta les lieux à son tour, descendit l'escalier en se tenant à la rampe et traversa le long rez-de-chaussée. Les marchandises accumulées multipliaient les jeux d'ombres. Ceux-ci lui donnaient toujours l'impression que l'obscurité recelait de nombreux fantômes, prêts à lui crier « salope » si elle tardait un peu trop.

Une fois à l'arrière de l'édifice, elle introduisit la lourde clé dans la serrure, demeura un long moment immobile, appuyée contre la porte. À la fin, elle donna un grand coup de son poing droit au bas de son ventre. Les larmes aux yeux, la jeune fille sortit enfin, verrouilla derrière elle et s'enfonça dans la nuit. Que la petite bonne de la maison de chambres découvre des traces de sperme sur ses vêtements devenait le dernier de ses soucis. Si cette gamine délurée savait compter, elle se douterait que dès la semaine précédente, la «ceinture» et les linges intimes auraient dû se retrouver avec le reste de la lessive.

～

Dès les premiers jours de décembre, le magasin Picard prenait des allures de fêtes. Ici et là, des bandes de tissus rouges et verts pendaient du plafond pour former de grandes boucles le longs des murs et se dressaient des sapins décorés de boules de verre multicolores. De grands carrés d'ouate imitaient la neige. Au mépris des connaissances élémentaires de la géographie, des crèches vomissaient leurs personnages sur les faux flocons blancs. Les chameaux des Rois mages paraissaient particulièrement déplacés.

— Vous voyez, expliquait Élisabeth assise sur ses talons, le petit Jésus se trouve couché dans la crèche.

— C'est là-dedans que l'on place le foin? interrogea Édouard, toujours terre à terre.

— … Oui. Je te l'ai déjà expliqué, il est né dans une étable.

— Entre le bœuf et l'âne. Cela devait sentir mauvais.

«Fort probablement, songea la jeune femme, mais sans doute pas vraiment plus que dans les rues de Québec.» Elle préféra s'en tenir à sa petite leçon.

— Vous voyez, Marie et Joseph sont là. Savez-vous qui sont ces personnages?

— … Les bergers, risqua le garçon.

Cela n'avait pas été difficile à deviner, deux d'entre eux portaient un mouton en travers des épaules.

— Et ceux-là?

— Les Rois mages, intervint Eugénie avec assurance.

La fillette portait un ravissant manteau au collet orné de fourrure blanche. Cela suffisait à accrocher les regards envieux des clientes, nombreuses en ce premier jour de décembre. La plupart d'entre elles traînaient dans leur sillage une ribambelle d'enfants. Très vite, d'instinct sans doute, ces derniers trouvaient la direction du rayon des jouets et multipliaient les jérémiades jusqu'à ce que leur mère les y conduise.

— Montons-nous au troisième voir votre père? demanda la jeune femme en se relevant.

Les enfants reprirent sa main pour se rendre jusqu'à l'ascenseur. Chemin faisant, le garçon montra du doigt le portrait d'un bonhomme joufflu, rieur, accroché au mur, en demandant:

— C'est qui, lui?

— Saint Nicolas. Tu vois, c'est écrit dessous en anglais: *Santa Claus*.

— Il ne lui ressemble pas du tout.

Les journaux de langue française offraient souvent la silhouette d'un grand barbu, plutôt maigre, qui portait une hotte sur l'épaule. Les Américains préféraient l'image d'un vieillard obèse, toujours hilare. Bien sûr, le «père Noël» faisait plus prospère qu'un saint émacié et son image s'imposait lentement sur tout le continent.

Dans la petite cage aux murs de laiton, à chaque étage le liftier en uniforme rouge annonçait les rayons. Au moment où les portes s'ouvrirent pour la seconde fois, les mots «vêtements et chaussures pour femmes» indiquèrent au trio le moment de descendre. La vue des mannequins vêtus de jolies robes rappela à Élisabeth que le temps était venu de consacrer une partie de son traitement à l'achat d'une nouvelle tenue. Faire la rotation de deux jupes devenait lassant, l'ajout d'une troisième ne gâcherait rien.

Au moment d'arriver dans les locaux de l'administration, Édouard s'élança vers le bureau du directeur en criant:

— Papa, es-tu là?

— Voyons, en voilà des manières. Qu'est-ce que j'essaie de te montrer?

— ... Bonjour, mademoiselle. Est-ce que papa est là?

Marie Buteau accueillit le trio d'un sourire contraint, répondit d'abord aux salutations d'Élisabeth et d'Eugénie, puis enchaîna :

— Bien sûr, monsieur Picard est là. Qui dois-je annoncer ?

— … Édouard, répondit le garçon, un peu surpris qu'on ne le connaisse pas. Eugénie aussi.

— Je vais le lui dire.

La secrétaire quitta son siège, frappa deux petits coups sur la porte, puis entrouvrit pour déclarer de sa voix la plus sérieuse :

— Monsieur Picard, j'ai ici un monsieur Édouard et une demoiselle Eugénie qui désirent vous rencontrer. Mademoiselle Trudel les accompagne.

— … Dites-leur d'entrer.

Les enfants n'attendirent pas la confirmation de Marie et s'engagèrent dans la pièce. Élisabeth demeura avec la secrétaire, l'air un peu emprunté. Après avoir regagné sa place, pour rompre le silence, elle remarqua :

— Mademoiselle Trudel, vous n'entrez pas ?

— Je pense qu'une petite négociation se déroule présentement. Le garçon tient absolument à entraîner son père vers le rayon des jouets. Ma présence est superflue.

— Alors dans ce cas, assoyez-vous. Dans ses bons jours, monsieur Picard est un rude négociateur. Vous allez bien ?

Des chaises permettaient aux visiteurs du commerçant de faire antichambre. La préceptrice s'assit sur celle qui se trouvait la plus proche de la secrétaire en disant :

— Je vais bien. Vous savez, se lever tous les matins pour faire la classe à des élèves plutôt sages, au nombre de deux, ne pose pas de difficulté. Les jours de mauvais temps, je n'ai même pas à mettre le nez dehors. Nous montons simplement un étage.

Le récit de la bonne fortune de son interlocutrice n'arrangea en rien l'humeur plutôt morose de la secrétaire, tellement qu'Élisabeth continua d'un ton empreint de sympathie :

— Et vous, mademoiselle, comment allez-vous ?

— … Bien, sans doute. Disons que je ne suis pas totalement à l'abri des intempéries.

Au moment où la préceptrice se penchait un peu en avant, pour s'informer de la situation, Édouard sortit en affirmant, très sûr de lui :

— Tu vas voir, je vais t'expliquer.

Le garçon entendait convaincre son père que sa vie se trouverait transformée si quelqu'un plaçait sous l'arbre de Noël une magnifique petite locomotive de fabrication allemande, aux couleurs d'un réalisme étonnant. Sur ses pas, le commerçant mettait son paletot.

Élisabeth adressa un clin d'œil à la secrétaire et murmura en se levant de sa chaise :

— Je pense que notre patron à toutes les deux a trouvé meilleur négociateur que lui, aujourd'hui.

— Cela se peut bien. À moins qu'il se montre particulièrement conciliant envers certaines personnes.

Thomas Picard arrivait près des grandes fenêtres de la façade quand il se retourna pour dire :

— Mademoiselle Buteau, vous fermerez. Je rentrerai directement à la maison.

— Bien, monsieur, déclara-t-elle dans un soupir, visiblement soulagée.

— Venez-vous avec nous, mademoiselle Trudel ?

Alors que le commerçant s'en allait avec ses enfants, la préceptrice se pencha vers la secrétaire pour la saluer, ajoutant après une pause :

— Je vous souhaite de pouvoir vous reposer un peu demain. Vous paraissez fatiguée.

— J'y songerai… Au revoir.

Déjà, le simple fait que son patron décide de s'esquiver ainsi lui enlevait un poids immense de la poitrine. Depuis deux mois, la fermeture du samedi soir lui réservait trop de mauvais moments. Seule, elle trouverait certainement à s'occuper dans le foutu registre de comptes jusqu'à sept heures.

En décembre, la chambre d'Alice Picard demeurait chaude et moite grâce aux efforts incessants de Joséphine pour alimenter le foyer au charbon. Après une longue période de morosité, la malade recevait de nouveau ses enfants en fin d'après-midi, curieuse de leurs progrès dans l'apprentissage du catéchisme. En réalité, elle les questionnait sans relâche, désireuse de prendre la préceptrice en défaut.

Ce soir-là, en interceptant les enfants alors qu'ils revenaient du magasin avec leur père, son objectif habituel se doublait d'un autre : l'homme avait voulu profiter un peu de leur présence en rentrant bien plus tôt que d'habitude, elle l'en priverait.

Si Eugénie s'efforçait de fournir des réponses exactes aux inquisitions maternelles, Édouard se lassait vite de ces interrogations répétées, puisque le vicaire Buteau ne l'épargnait pas lors de ses visites au domicile de la rue Saint-François. Aussi s'amusait-il à multiplier les facéties. À la question :

— Où est Dieu ?

— Dans les grains de poussière, sous ton lit, soutenait-il avec le plus grand sérieux.

Poussé dans ses derniers retranchements, il s'entêtait à argumenter vivement que si Dieu était partout, sa réponse valait toutes les autres.

Depuis quelques semaines, Alice Picard croyait avoir trouvé une stratégie imparable pour chasser l'intrigante de la maison.

— Tu sais qu'à l'école, tu pourrais te faire de nombreux amis, des garçons de ton âge.

— Pourquoi ?

— Pour jouer… Tu es toujours seul.

— Je suis avec Élisabeth et Eugénie.

La malade poussa un soupir alors que le garçon, les coudes appuyés sur le rebord de la fenêtre, contemplait la cour arrière couverte de neige.

— Mais ce n'est pas comme jouer avec des garçons de ton âge. Tu n'aimerais pas fréquenter l'école des frères?

Tous les dimanches, Édouard regardait ces frères des écoles chrétiennes, de méchants oiseaux noirs à l'air sévère, aussi amusants que les croque-morts de chez Lépine.

— J'aime mieux étudier avec Élisabeth.

Le jugement était sans appel, et en vérité il aurait fallu un enfant bien troublé pour préférer l'un de ces tristes bonshommes à une grande blonde douce et souriante.

Alice laissa échapper un soupir un peu las et se rabattit sur son autre enfant, assise sur la chaise en face d'elle:

— Je t'assure, Eugénie, tu serais tellement bien au couvent des ursulines, avec des camarades de ton âge. Puis les bonnes mères t'enseigneraient la musique, le dessin, l'aquarelle…

— Élisabeth ne joue pas de musique, remarqua la fillette.

— Évidemment, les pauvres n'ont pas accès à ces leçons. Mais toi, tu pourrais devenir une vraie musicienne.

Répété fréquemment, en réalité tous les jours de la semaine, le message faisait son chemin.

— Les élèves couchent dans de grands dortoirs, observa l'élève.

— Avec des amies de leur âge, tout comme elles prennent leur repas ensemble, se retrouvent pour la prière, pour la messe.

— Il y a des jeux?

— Tous ceux que tu peux désirer, et surtout des personnes avec qui jouer.

Eugénie jeta un regard vers son frère, son seul compagnon depuis toujours. La malade poussa son avantage encore un peu:

— L'été, il est possible de se retrouver dans la grande cour intérieure, avec ses fleurs, ses arbustes. Certaines élèves jouent au croquet, les autres marchent bras dessus, bras dessous. S'il pleut, il est possible de se mettre sous le préau… Moi, j'étais très heureuse là-bas.

Surtout, cette période innocente prenait des couleurs idéalisées dans ses souvenirs, comme tout ce qui précédait son mariage. Une espèce d'âge d'or dans un univers entièrement féminin, chaste et pur.

— Est-ce que nous allons retrouver papa ?

Édouard était venu se planter devant sa sœur, tournant délibérément le dos à sa mère. Comme celle-ci demeurait muette, il continua :

— Moi, j'y vais. Il fait trop chaud ici.

Sans se retourner, il se dirigea vers la porte et sortit. Après un moment d'hésitation, Eugénie le suivit.

～

Au cours des trois semaines précédant Noël, le magasin Picard fermait encore plus tard que d'habitude, puisque tous les travailleurs de la paroisse Saint-Roch se sentaient obligés de gratter leurs dernières économies afin de sacrifier à la fête déjà commercialisée. De nombreuses personnes de la Haute-Ville se joignaient à eux, car au moment de dépenser autant, les grandes surfaces présentaient un avantage certain. Enfin, des ruraux entendaient profiter des derniers trains afin de rentrer chez eux. En attendant, ils en profitaient pour faire leurs emplettes ou, pour les plus pauvres, rêver devant des étals croulant sous les marchandises.

En conséquence, ce fut largement après sept heures que Marie Buteau fit retentir la cloche indiquant aux derniers clients de se diriger vers la sortie, puis elle monta au sixième afin de s'assurer que toutes les lampes soient éteintes au moment où les chefs de rayons fermaient leurs caisses enregistreuses.

— Mademoiselle Buteau, remarqua Alfred quand elle traversa le troisième étage, vous devenez indispensable à mon frère… Fermer ainsi la boutique !

— Ce n'est pas la première fois.

— Je n'ai pas dit que vous étiez devenue indispensable aujourd'hui.

Constatant que son ironie habituelle ne tirait même pas l'esquisse d'un sourire à la jeune femme, le chef de rayon continua après une pause :

— Nous pouvons parler un peu ?

— Si vous voulez. De toute façon, à l'heure qu'il est, je mangerai froid. Alors un peu plus… Nous pouvons nous voir tout à l'heure, à mon bureau.

À la maison de la rue Grant, la jeune bonne acceptait de mauvaise grâce de mettre son assiette dans le réchaud au-dessus de la cuisinière, les jours où elle rentrait tard. Comme cela signifiait que la domestique devait attendre pour faire la vaisselle avant de pouvoir se coucher, la situation lui valait toujours un regard peu amène.

Il devait être huit heures quand Marie revint au troisième. Alfred, affalé sur la chaise devant son bureau, contemplait les classeurs en bâillant. Elle regagna son siège alors que l'homme demandait :

— Vous ne m'avez pas reparlé de vos registres. Les additions demeurent toujours aussi difficiles ?

— Je fais de mon mieux pour les apprivoiser, rétorqua la jeune femme en fermant le grand livre relié de toile verte posé sur le meuble.

— Je me languis toujours de passer une soirée avec vous, la tête penchée sur une colonne de chiffres.

La secrétaire baissa les yeux, visiblement mal à l'aise. Sa mine un peu défaite inquiéta son interlocuteur, qui continua sur un autre ton :

— Que se passe-t-il ? Je ne vous ai jamais vue comme cela.

— Un peu de fatigue, sans doute, répondit-elle en esquissant son premier sourire.

— Le roi du commerce de détail ne vous laisse aucun répit ?

Elle fit un signe affirmatif de la tête, sans toutefois ouvrir la bouche. Si elle prononçait un mot, elle ne saurait pas s'arrêter. Le récit des affres des dernières semaines suivrait.

— Vous accepteriez de manger avec moi demain ?

— … Je comptais me reposer.

De tout le temps de leurs relations, jamais Alfred n'avait vu la jeune fille si dépitée, même au moment de leur première rencontre, tout juste un an plus tôt, alors qu'elle venait d'enterrer ses parents. Il abdiqua, renonça à l'égayer :

— Vous êtes épuisée et moi, je vous retarde. Allons-y.

Au moment où elle tendait le bras pour prendre son manteau accroché au mur, Alfred remarqua que sa taille semblait un peu plus épaisse. « Dieu du ciel, qu'a-t-elle fait là ? », se dit-il en lui emboîtant le pas. Des années à vendre des vêtements à des femmes l'avaient doté d'un regard infaillible.

～

Le docteur Couture habitait une vieille maison rue Saint-Vallier, dans le faubourg Jacques-Cartier. Elle se dressait tout près de l'entreprise de pompes funèbres de Lépine. Le mauvais présage ne semblait pas trop décourager les clients. Une douzaine de personnes attendaient sur des chaises disparates. Marie Buteau se perdit longuement dans la contemplation du papier peint, le visage fermé, peu désireuse de voir quiconque lui adresser la parole.

— Mademoiselle, c'est à vous.

Le praticien s'écarta de la porte pour la laisser passer, ferma dans son dos en lui désignant la chaise placée à côté d'une lampe à pétrole. Il occupa le siège placé juste en face et commença :

— Qu'est-ce qui vous amène ?

Elle regardait la pièce de ses grands yeux ténébreux. Les murs lambrissés de bois sombre, des meubles lourds et démodés donnaient à l'endroit une allure austère. Surtout, son regard avait du mal à se détacher du crâne posé sur une étagère, un rappel que la médecine ne pouvait souvent pas grand-chose pour les personnes qui se trouvaient là.

— Alors, mademoiselle ?

— … Je retarde.

«Bien sûr, songea-t-il, jeune et jolie, comme elle n'avait pas toussé encore, cela ne pouvait être que cela.»

— Je dois vous examiner. Venez à côté.

Le médecin prit la lampe à pétrole pour la placer à proximité d'une civière. Débarrassée de sa jupe, étendue sur le dos, les yeux clos, honteuse, elle se laissa examiner, tâter pendant de longues minutes. Quand elle fut de nouveau sur la chaise, l'homme confirma son diagnostic:

— Vous êtes enceinte. Vous en êtes à combien de semaines?

— … Vous ne savez pas? murmura-t-elle

— Impossible de deviner du bout des doigts. Tout ce que je peux affirmer, c'est entre un et deux mois. Vous êtes plus précise?

— Six semaines, je crois.

Depuis plusieurs jours, elle refaisait le calcul. Pendant quelque temps encore, elle prétendrait avoir pris un peu de poids. Cela durerait peut-être jusqu'à la fin de janvier, au plus tard, de février. Après, tout le monde saurait. Et en juillet, ce serait l'accouchement.

— Vous pouvez faire quelque chose pour moi? demanda la jeune fille d'une voix à peine audible.

— J'ai peur de comprendre…

— Avec cela.

Elle avait posé la main sur son ventre. Des conversations entre femmes entendues ici et là, depuis l'enfance, lui avaient appris que l'on pouvait faire «passer» un bébé.

— Non, je ne procéderai pas à un avortement, protesta-t-il lâchement.

— … Je ne peux pas l'avoir.

— Le jeune homme qui vous a mise dans cet état devrait vous épouser. Une naissance un peu rapprochée du mariage, cela ne porte pas à conséquence…

Marie battit vivement des cils, une larme se détacha de sa paupière gauche et glissa sur sa joue.

— Ce n'est pas un jeune homme.

— … Vous travaillez chez Picard, n'est-ce pas?

Un hochement de tête lui répondit. Couture éprouva un curieux malaise au souvenir d'une conversation qu'il avait eue rue Saint-François quelques mois plus tôt, puis secoua la tête comme pour s'en débarrasser.

Un silence insupportable s'installa entre eux. Pour Marie, se lever et quitter la pièce serait comme accepter une condamnation à mort. À la fin, le médecin la prit par un bras pour lui faire abandonner son siège et la conduire vers la porte.

— Il y a des femmes qui peuvent le faire… souffla-t-elle en serrant le poignet de cet homme, comme pour l'implorer. Donnez-moi au moins un nom.

— Je ne peux pas non plus. Et je ne vous conseille pas de faire cela. Des vieilles souillons vous enfonceraient des aiguilles dans le ventre.

Au gré d'une longue carrière, le médecin avait déjà signé des avis de décès relatifs à plusieurs jeunes femmes, mortes d'une hémorragie ou d'une infection après avoir été soumise à une intervention de ce genre. En refusant d'intervenir, de crainte de se voir poursuivi, il avait lui-même condamné certaines à ce sort.

Au moment où il posa la main sur la poignée de la porte, Marie prit une grande inspiration, essaya de se composer un visage et prononça difficilement:

— Je vous dois combien?

— Rien, puisque je ne vous ai été d'aucune utilité.

Alors que sa main pressait son bras, en guise d'encouragement discret, le docteur déclara pour le bénéfice des personnes présentes dans la salle d'attente:

— Ce n'est rien, mademoiselle. Cette entorse est sans gravité.

Puis il appela le patient suivant. Par ces mots, l'homme venait de lui accorder quelques semaines, avant que les murmures amusés ne commencent sur son passage.

Le dimanche 20 décembre, au moment de s'asseoir à sa place habituelle à la tête de la grande table, dans la salle à manger, Thomas trouva une petite enveloppe blanche. Le « Papa » tracé d'une belle écriture ronde ne laissait guère de doute sur l'identité de sa correspondante. Eugénie avait pris l'habitude de lui écrire de petits mots, auxquels il répondait toujours très vite. Même si aucun déplacement ne lui avait permis d'envoyer de véritables lettres, grâce à la Poste royale du Canada, leur relation épistolaire prenait déjà forme.

Après la date de la veille, il put lire : « Cher papa, cette année, je ne veux pas recevoir d'étrennes. À la place, tu me ferais plaisir en me permettant de devenir pensionnaire chez les ursulines. Ta fille qui t'aime beaucoup. » Suivait la signature, accompagnée de deux « X » pour les baisers. Songeur, l'homme remit la feuille de papier dans l'enveloppe, rangea celle-ci dans la poche intérieure de sa veste.

Un moment plus tard, les enfants arrivaient à leur tour dans la salle à manger. Le temps de leur faire la bise, Joséphine apparut avec les tartines et le lait chaud pour eux, les œufs, le bacon et le café pour lui.

— Tu n'iras pas communier, commenta Édouard tout en mastiquant.

— C'est vrai, car je ne serai pas à jeun.

— Élisabeth, elle, ne mange jamais le dimanche matin.

— C'est peut-être parce que m'occuper de tous les employés du magasin creuse plus l'appétit que d'enseigner à un garnement comme toi.

Pendant cet échange sur la nécessité de se présenter à jeun depuis des heures au banquet de la communion, ou alors de s'en passer, Eugénie regardait son père avec une mine inquiète. L'homme accusait habituellement réception de ses missives par quelques mots gentils et des compliments sur l'élégance de sa main d'écriture.

Au moment de quitter la maison pour la grand-messe, Thomas glissa à l'oreille d'Élisabeth :

— Ce soir, quand ils seront couchés, j'aimerais discuter de scolarité avec vous.

Elle donna son assentiment d'un signe de tête en enfilant son manteau.

~

La préceptrice replia le petit bout de papier pour le remettre à son employeur. Une tasse de thé se trouvait près d'elle sur un guéridon, Thomas réchauffait son ballon de cognac au creux de sa paume. Il remarqua après un silence :

— Voilà un billet fort bien écrit. Eugénie fait de grands progrès en orthographe.

— Surtout quand quelqu'un se tient au-dessus de son épaule pour lui épeler les mots.

Un sourire passa sur ses lèvres. Le commerçant grimaça, avala une gorgée du liquide ambré avant de commenter :

— Non seulement les épeler, mais les inspirer, sans doute. Qu'en pensez-vous ?

— Depuis octobre, à en juger par les confidences d'Édouard, le sujet de la fréquentation de l'école revient sur le tapis chaque fois qu'ils parlent à leur mère.

Élisabeth ne jugea pas opportun de préciser qu'à chaque fois que le gamin abordait la question avec elle, c'était pour lui passer le bras autour du cou et déclarer : «Je ne veux pas te quitter. »

Maintenant, Eugénie avait mis fin à son ambiguïté sur la question.

— Remarquez, continua-t-elle, votre femme n'a pas tort. Je n'ai aucun doute que vos enfants peuvent parcourir avec moi l'ensemble du programme de l'école élémentaire, mais des contacts avec des jeunes de leur âge leur manquent certainement.

— Il y a moins d'un an, la crainte des maladies contagieuses l'incitait à réclamer avec entêtement qu'ils soient scolarisés à la maison. Aujourd'hui, ses motivations se situent bien loin des intérêts des enfants.

Même si elle comprenait à quoi son employeur faisait allusion, Élisabeth préféra boire un peu de thé en attendant la suite.

— Elle espérait que sa bonne amie chez les ursulines lui envoie une pieuse novice affublée d'un costume d'un autre siècle, avec qui poursuivre son délire religieux. De préférence une novice laide et phtisique.

— À la place, elle doit se contenter de moi, observa la jeune femme avec un sourire.

Thomas l'examina des pieds à la tête sans vergogne et acquiesça d'un mouvement de tête.

— Parce que je suis tombé sous votre charme, voilà son moyen de vous chasser de cette demeure : si les enfants eux-mêmes réclament d'être scolarisés avec les autres…

— Je me retrouverai sans emploi…

Après environ huit mois dans cette maison, Élisabeth constatait que son engouement pour la vie religieuse avait faibli. Celui-ci était apparu quand elle avait trouvé refuge dans un couvent après avoir vu sa mère accumuler les enfants mort-nés jusqu'à son décès prématuré. Elle découvrait aujourd'hui d'autres perspectives. S'occuper d'enfants, préférablement les siens, dans une maison bourgeoise, lui paraissait maintenant une vocation autrement plus attirante.

Bien sûr, cela posait une difficulté insurmontable : le seul homme qu'elle côtoyait maintenant était l'époux de la personne qui se consacrait à l'évincer de ces lieux. Au fond, songea-t-elle, Marie Buteau, dans son rôle de secrétaire, avait mille fois plus d'occasions de tomber sur un bon parti.

— Demain, dit Thomas à voix basse, je tenterai de convaincre cette petite fille que la vie au milieu de religieuses est moins idyllique que l'image qu'on lui en fait miroiter.

— Vous pouvez lui parler du gruau figé le matin, des latrines au fond de la cour, du pot de chambre sous le lit qu'il faut utiliser malgré soixante oreilles qui écoutent et trente bouches qui ricanent, puis le bain que l'on prend à la queue leu leu, toujours dans la même eau.

Élisabeth aurait pu continuer cet inventaire des aspects désagréables de la vie en communauté encore un long moment, mais elle se renfrogna plutôt :

— Toutefois, elle n'en croira rien.

— Je lui dirai qu'une entrée au couvent ne pourra se faire avant le début de la nouvelle année scolaire, c'est-à-dire en septembre prochain. Cela nous laissera du temps.

« Un peu plus de huit mois », compta rapidement la préceptrice. Mais dès juin, elle devrait commencer à chercher un nouvel emploi, afin de ne pas être prise au dépourvu.

— Je n'aurai donc pas à rapporter au magasin la magnifique poupée de porcelaine que j'ai mise de côté pour elle, conclut le commerçant.

— Et pour Édouard ?

— Ai-je le choix ? Une locomotive fabriquée en Allemagne.

Pendant quelques minutes, ils évoquèrent encore la fête de Noël. Au moment où la jeune femme s'apprêtait à regagner sa chambre, Thomas se leva aussi. Un moment, ils restèrent à se regarder, troublés, puis se murmurèrent un « bonne nuit » en demeurant à distance respectueuse l'un de l'autre.

17

En affichant un air grincheux qui témoignait de son scepticisme à l'égard de certaines traditions de la fête de Noël empruntées aux Allemands d'abord, aux Britanniques ensuite, Napoléon Grosjean vint installer un sapin de cinq ou six pieds de haut dans un coin du salon. Pour le faire tenir debout, il enfonça le tronc dans un seau rempli de terre. Cette corvée accomplie, il se réfugia dans la cuisine, où Joséphine lui servit un grog chaud pour le rasséréner.

— Voyons ce que votre papa nous a apporté hier pour le décorer, proposa Élisabeth en ouvrant trois grandes boîtes de carton.

La première contenait un bel assortiment de boules de verre de couleurs variées, fabriquées en Allemagne; la seconde, des guirlandes; la troisième, une crèche assez réussie. Avec tout cela, la grande pièce prendrait un air de fête qui ne serait que rarement surpassé dans les salons de la Haute-Ville. Cependant, le maître de la maison avait opposé son *veto* à l'usage de luminaires, décrétant: «Il faut être fou pour allumer des bougies dans un sapin qui sera tout sec dans deux jours!»

Pendant deux bonnes heures, les enfants s'occupèrent de placer les décorations. Une grande feuille de papier imprimé avec des motifs de rochers permit de dissimuler le seau de zinc et d'offrir une imitation crédible du terrain accidenté de la Galilée. Quelques minutes de négociations furent nécessaires afin de convaincre Édouard que ses soldats de plomb paraîtraient incongrus dans ce décor.

— C'est pour protéger le petit Jésus, plaida-t-il en vain.

Cette réinterprétation des Saintes Écritures ne prévalut pas.

Mettre les guirlandes nécessita une contribution très active d'Élisabeth, de même que la suspension des boules dans les plus hautes branches et la pose de l'étoile tout au sommet de l'arbre. Pour le reste, au prix de quelques décorations réduites en miettes par de petites mains trop vives, les enfants s'en chargèrent.

— C'est beau, commenta la préceptrice quand tout fut terminé, assise sur le canapé avec eux devant un bon chocolat chaud. Comment était celui de l'an dernier ?

— … Nous n'en avons pas fait. Comme maman est malade et papa au travail…

« Et que Joséphine casserait toutes les boules en mettant ses grosses pattes dessus, compléta mentalement Élisabeth, mieux avait valu s'abstenir. » À haute voix, elle précisa :

— Pour moi aussi, c'est mon premier sapin de Noël. Vous avez très bien travaillé. Allez vous changer maintenant, votre père arrivera bientôt.

Quand elle fut seule, la jeune femme chercha deux boîtes emballées de papier du plus beau rouge, pour les poser sous l'arbre. Au moment de redescendre, Eugénie jeta un coup d'œil sur la plus grosse des deux, constata qu'elle lui était destinée. Sa mine déçue ne laissait aucun doute sur ses états d'âme. Au moment où son père pénétra dans la maison, Édouard lui fit la fête alors qu'elle restait en retrait, boudeuse.

— Tu viens me faire la bise ?

Elle s'exécuta à contrecœur, puis murmura en serrant ses bras autour de son cou :

— Je ne veux pas d'étrennes. Le couvent…

— … Alors demain matin, quand tu auras ouvert la boîte, si tu préfères tu pourras la remettre aux bénévoles de la Société Saint-Vincent-de-Paul. Je parie que ces gens trouveront des dizaines de petites filles à qui cela fera plaisir de la recevoir. Au sujet du couvent, nous en discuterons l'été prochain, comme je te l'ai promis.

En disant ces mots, Thomas jetait un regard un peu excédé à la préceptrice.

~

Si Joséphine avait peu d'affinités avec les arbres décorés de boules de verre multicolores, elle s'y entendait toutefois pour préparer un repas copieux, tant pour le 24 que pour le 25 décembre. Par acquit de conscience, Thomas s'obligea à monter à l'étage afin de frapper à la porte de la chambre de sa femme.

— Voudras-tu descendre pour partager le souper avec nous?

— Pourquoi te donner la peine de monter? Ma présence n'est pas nécessaire. Déjà, elle a pu décorer cet arbre de Noël sans moi, avec mes enfants.

Le commerçant ferma brièvement les yeux, prit une grande inspiration pour se calmer avant de demander d'un ton posé:

— Quelqu'un t'a-t-il empêché de te joindre aux enfants cet après-midi?

— Personne ne m'a invitée. Comment voulais-tu que je sache…

— Comme cette fête arrive pour la mille huit cent quatre-vingt-seizième fois, et que depuis des siècles on la célèbre le 25 décembre, tu devais bien te douter un peu que les décorations seraient posées aujourd'hui, le 24. En règle générale, les maîtresses de maison ne reçoivent pas un bristol pour les convier à une activité de ce genre.

La femme lui jeta un regard assassin, s'écrasa un peu plus dans son fauteuil pour inspirer la pitié, mais resta coite. À la fin, l'homme répéta sa question:

— Te joindras-tu à nous pour le souper?

— Comme tu es cruel de venir me demander cela, alors que tu connais ma condition.

— Je prends cela comme une réponse négative. Et demain ?

— Cela dépendra de mon état.

Bien sûr, elle préférait maintenir tout le monde dans une certaine attente et, dans le cas d'Eugénie tout au moins, d'espoir. Thomas savait toutefois qu'il ne remonterait pas l'escalier dans vingt-quatre heures pour réitérer l'invitation. Il observa, en mettant la main sur la poignée de la porte :

— Comme nous ne nous rencontrons pas tellement souvent, je profite de l'occasion pour te demander de ne plus monter la tête d'Eugénie à propos du couvent. Cela peut t'amuser de rendre une petite fille malheureuse, mais les décisions sur l'éducation à lui donner me reviennent.

Alice encaissa le coup, ferma les yeux un moment et recourut à sa meilleure défense : feindre un évanouissement imminent.

Quelques minutes plus tard, Thomas rejoignit ses enfants à table. De la cuisine venait l'odeur d'une volaille, la soupe fumait déjà dans les assiettes, les deux adultes avaient un verre sur pied posé devant eux.

— Mademoiselle Trudel, vous prendrez bien un peu de vin ?

— … Je ne sais pas.

— Une ou deux fois l'an, les jours de fête, cela ne fera pas de vous une ivrogne.

Elle acquiesça d'un signe de tête. En face d'elle, Eugénie réfléchissait au sort à réserver au contenu d'une boîte enveloppée de rouge. L'accepter peinerait sa mère, la refuser chagrinerait son père.

～

Le 25 décembre, les enfants se levèrent tôt afin de voir ce que le père Noël avait laissé pour eux sous l'arbre. Dans les faits, avec un géniteur marchand au détail, ils ne se faisaient aucune illusion sur l'origine des présents. Le train ne provoqua aucune surprise tant Édouard était assuré du résultat de ses efforts. La poupée de porcelaine, vêtue d'une robe de dentelle, jeta Eugénie dans la plus grande perplexité. Il s'agissait moins d'un jouet d'enfant que d'une pièce d'artisanat exceptionnelle, à manipuler avec soin et à conserver précieusement, longtemps après être sortie de l'enfance. Après un premier regard, il devenait impossible de s'en départir.

En fin d'après-midi, un certain remue-ménage se produisit sur le palier du premier étage.

— Tenez-moi bien par le bras, je ne voudrais pas tomber, fit une voix un peu éraillée.

Dans le salon, assise dans un grand fauteuil avec Édouard à côté d'elle, Élisabeth lisait à mi-voix un conte pour enfant. Eugénie se trouvait près de son père, sa poupée en position assise près d'elle, comme une enfant sage. Chacun releva la tête, un air de surprise dans les yeux. Chez Thomas, une grimace expressive traduisit fort bien ses sentiments.

— Ne vous en faites pas, madame, je pourrais vous porter sans difficulté.

Tout de même, la progression d'Alice Picard dans l'escalier fut suffisamment lente pour qu'Eugénie ait le temps de prendre sa poupée dans ses bras et de jeter un regard effaré autour d'elle. La réaction de sa mère malade face à ce présent l'inquiétait.

Élisabeth abandonna son siège.

— Tu devras continuer seul la lecture, murmura-t-elle en plaçant l'opuscule dans les mains du garçon.

Puis elle se planta devant la fillette en tendant la main et continua sur le même ton :

— Donne, je vais la ranger dans ta chambre, dans le tiroir du haut de ta commode.

Eugénie obtempéra sans dire un mot, ouvrant de grands yeux sur la jeune femme capable de lire aussi bien ses inquiétudes et de proposer une solution immédiate. Le salon comptait deux portes, la première donnait sur l'entrée principale de la maison, en face du pied de l'escalier, la seconde au bout du couloir, en face de celle de la salle à manger.

Au moment où la préceptrice utilisait cette dernière, à mi-chemin dans les marches, Joséphine déclara :

— Cela va bien, madame, nous y sommes presque.

Élisabeth se déplaça vivement jusqu'à la cuisine, trouva sans mal le panier à couture de la domestique et plaça la poupée au fond, pour la recouvrir de quelques pièces de tissu. Au moment où elle revint dans le couloir, Alice Picard se tenait dans l'embrasure de la porte du salon.

— Comme je me sentais un peu mieux, j'ai décidé de me joindre à vous.

La malade portait une robe de nuit décorée de dentelles. Thomas reconnut celle de leur nuit de noces. Par-dessus, un grand peignoir soigneusement attaché à la taille soustrayait son corps maigre aux regards, et aussi au froid. Elle se tourna quand la préceptrice arriva près d'elle, pour déclarer :

— Je ne voudrais pas vous chasser. Vous étiez assise au salon, vous pouvez y rester.

— Madame, les enfants et votre mari ont tellement peu l'occasion de passer du temps avec vous, je m'en voudrais de m'imposer. Et puis j'ai un peu de raccommodage à effectuer. Ce moment-ci en vaut un autre.

Les premiers mots contenaient un reproche implicite. La vivacité avec laquelle elle grimpa l'escalier se révélait autrement plus blessante. Dans un froufrou de jupon blanc bien visible car elle soulevait sa jupe de quelques pouces pour ne pas s'y accrocher, elle jetait sa jeunesse et sa bonne santé au visage de sa rivale.

Un peu à contrecœur, Thomas quitta son siège pour aider sa femme à atteindre un fauteuil placé près de la grille par laquelle passait la chaleur du chauffage central, devinant qu'elle ne cesserait de se plaindre du froid.

— Les enfants, qu'avez-vous reçu en cadeau ce matin?

— Un train, rugit Édouard en s'empressant de lui mettre l'objet de tous ses désirs sur les genoux.

Le jouet méritait son enthousiasme. Entièrement fabriqué de métal moulé, riche d'une foule de détails d'une grande précision, des petites roues permettaient de le faire rouler sur le plancher. Appliquée à la main, la peinture ajoutait encore au réalisme du modèle réduit.

— Il est très beau. Ton père s'est montré très attentionné. Et toi, Eugénie, qu'as-tu reçu?

La petite fille ouvrit de grands yeux sur sa mère, un moment interdite. Son silence dura suffisamment longtemps pour que la malade insiste :

— Tu ne veux pas me montrer ce que ton papa t'a donné?

— … Rien, murmura-t-elle alors que les larmes mouillaient ses cils, puis elle regarda son père pour implorer silencieusement son pardon.

Thomas serra les mâchoires à se faire mal. La fillette se trouvait piégée. Si elle disait la vérité maintenant, il lui faudrait expliquer comment et pourquoi la poupée avait été camouflée.

— Voyons, cela est impossible. Ton père t'aime tellement…

— C'est parce que je veux aller au couvent.

Dorénavant, l'homme la détesterait de tout son cœur.

❧

À l'étage, Élisabeth entra dans la chambre de la petite fille. Un moment, elle contempla la poupée de porcelaine, séduite par la douceur du biscuit sous le doigt, le réalisme des couleurs, la qualité du tissu de la robe. C'était l'arme du père pour faire un pied de nez aux manigances de sa femme. Aucune enfant de Saint-Prosper-de-Champlain n'avait reçu un aussi beau présent, mais vraisemblablement aucune d'entre elles ne se trouvait présentement aussi malheureuse qu'Eugénie.

Bientôt, le jouet se trouva couché dans le tiroir du haut de la commode, dans un écrin de vêtements. Élisabeth regagna sa chambre, s'installa dans son fauteuil pour feuilleter des anciens numéros de la *Revue moderne*. Un peu après six heures, elle descendit pour se rendre à la cuisine.

— Viens t'asseoir près de moi, lui demanda Édouard en la voyant passer depuis sa chaise dans la salle à manger.

Sans l'ombre d'un doute, cela était écrit sur son visage, le garçon aurait troqué sa mère pour la préceptrice. De toute façon, au premier coup d'œil n'importe quel témoin aurait classé ce repas dans une anthologie des Noëls les plus moroses du siècle. La malade se trouvait à une extrémité de la grande table, son époux à l'autre. Les enfants occupaient des places l'une en face de l'autre, à égale distance des deux adultes. Cette disposition ne pouvait heurter aucune sensibilité. Elle interdisait aussi une réelle conversation, et tous les contacts. De toute façon, personne ne semblait avoir quoi que ce soit à dire.

— Non, Édouard, je vais manger à la cuisine.

— Mais quand je ne suis pas là, vous venez prendre vos repas à cette table, remarqua Alice en posant sur elle des yeux fiévreux.

— Je suis une étrangère dans cette maison. Je m'en voudrais de perturber une célébration d'abord familiale. Je mangerai avec la domestique.

Alice afficha un petit sourire narquois, puis insista :

— Mais votre ami de cœur vous réclame.

Des yeux, il n'était pas clair si elle désignait Édouard ou Thomas.

— Et mon cœur sera avec lui, il n'en doute pas. Merci tout de même de votre invitation.

La malade se troubla un peu devant la réponse. Élisabeth continua son chemin, laissant les époux à leurs réflexions. Celles de Thomas l'amenèrent à poser un constat amer :

dorénavant les célébrations familiales ne pourraient plus se produire qu'en l'absence de la mère. Sa présence les rendait cruelles. Les enfants abondaient certainement dans le même sens.

Dans la cuisine, la préceptrice fut accueillie par une Joséphine soudainement d'excellente humeur : elle avait tout entendu.

— Tiens, tiens ! Mademoiselle Trudel qui vient manger chez les domestiques.

— Vous pouvez passer une heure à vous amuser à mes dépens, cela ne me fait rien. Mais au moment de leur apporter le prochain service, regardez un peu le visage des enfants.

Subitement plus songeuse, la cuisinière déposa une portion d'un excellent rôti devant la jeune femme, prit place de l'autre côté de la vieille table et mangea un moment en silence. N'y tenant plus, elle déclara bientôt :

— Elle n'a pas toujours été comme cela. Enfant, elle était rieuse, tout à fait charmante. Tenez, un peu comme Édouard. Mais après le couvent... On aurait dit un jouet dont le ressort était cassé.

Élisabeth se dit que la vie de pensionnaire ne pouvait certainement pas seule expliquer un changement si profond de la personnalité. Il ne servait cependant à rien de soupeser quelque hypothèse que ce soit quant aux causes d'une pareille métamorphose.

— Vous avez travaillé chez ses parents ?

— J'étais déjà cuisinière là-bas au moment où elle est née. Elle était toujours fourrée dans mes jupes. Quand elle s'est mariée, je faisais partie de la dot, en quelque sorte.

Cela avait tenu à un revers de fortune des parents de l'épousée : tout en rendant service à leur gendre, ils se débarrassaient d'un salaire.

— Et monsieur Grosjean ?

— Napoléon ? Il travaille pour les Picard depuis qu'il a huit ans. Au début, il conduisait la charrette de Théodule, au moment où celui-ci livrait du lait de maison en maison.

Pendant quelques minutes, la cuisinière évoqua les années 1860, au moment où le ménage Picard, farouchement déterminé à réussir, touchait à diverses entreprises commerciales. Puis abruptement, elle changea de sujet :

— Je voulais faire un peu de raccommodage tout à l'heure, mais je ne trouve plus mon panier.

— Il a servi à effectuer un sauvetage discret. Vous le récupérerez dans ma chambre au moment de monter mettre votre maîtresse au lit.

L'autre ne répondit rien. Les domestiques vivaient dans l'intimité de leurs maîtres, rien de leurs vies ne pouvait échapper à leur attention. Les péripéties des étrennes d'Eugénie devaient être connues dans la cuisine, et même dans le petit logis de Napoléon Grosjean, au-dessus de l'écurie construite au fond de la cour.

Un peu avant huit heures, alors que les deux femmes buvaient leur thé en silence, Thomas Picard vint demander :

— Joséphine, ma femme se sent fatiguée. Elle a besoin de vous pour monter.

L'homme demeura immobile à l'entrée de la pièce le temps nécessaire pour que la vieille femme s'extirpe de son siège et se rende dans la salle à manger.

— C'est aussi pénible que cela ? souffla Élisabeth en réponse au regard désespéré que lui adressait son employeur.

— Pire encore, croyez-moi. À quatre-vingt-dix ans, les enfants se souviendront de ce souper de Noël.

— À moins que lui succèdent des expériences plus terribles encore.

Son employeur posa sur elle des yeux catastrophés, puis il murmura encore plus bas :

— Quand elle aura dégagé l'escalier, vous irez coucher les enfants. Ensuite, je vous implore de me tenir compagnie un moment...

La jeune femme acquiesça d'un signe de la tête.

La maison de chambres de la rue Grant prenait elle aussi un petit air festif le jour de Noël. Dans un coin du petit salon, une crèche occupait entièrement la surface d'une crédence. Dans la salle à manger, un sapin de trois pieds de haut environ se trouvait placé au beau milieu de la table. Une initiative peut-être pas si heureuse, car les convives devaient se tordre le cou afin de voir les personnes en face d'eux. Seule la veuve Giguère, assise à une extrémité de la table, pouvait facilement parler avec chacun.

Au souper, deux locataires, des employés de la gare du Canadien Pacifique, manquaient à l'appel. Profitant de tarifs avantageux, ils avaient pris le train afin de se rendre dans leur famille. En conséquence, le rôti préparé par la propriétaire des lieux faisait les délices d'une assemblée un peu réduite. À gauche de la table, Marie Buteau mangeait en devisant avec un employé des douanes poli et bien élevé; à droite, la modiste faisait de même avec un serre-frein tout aussi convenable.

Au moment de quitter la pièce après le dessert, la jeune secrétaire se rendit jusqu'à la porte du petit salon où chacun allait prendre place, mais au lieu d'entrer pour participer aux chants joyeux accompagnés au piano par madame Giguère, elle annonça :

— Je vous prie de m'excuser, je vais regagner ma chambre.

— Quelque chose qui ne va pas ? s'enquit la propriétaire.

— Non, pas du tout. C'est juste que je travaille demain matin. Je ne voudrais pas faire mauvaise figure à cause d'une nuit trop courte.

La propriétaire prit une mine ennuyée pour commenter :

— Vous faire rester aussi tard pour fermer le commerce, c'est trop pour une toute jeune fille. Votre patron abuse de vous.

— ... Ce n'est pas si terrible. Je dois seulement m'y faire.

Les souhaits de bonne nuit suivirent. Après le départ de la jeune fille, les autres échangèrent des commentaires sur sa mine fatiguée des dernières semaines.

***

Eugénie gardait ses yeux grands ouverts fixés sur le plafond. Sans surprise aucune, elle entendit la porte de sa chambre s'ouvrir, puis se refermer. Alice prit place sur la chaise près du chevet du lit.

— Pourquoi m'avoir menti ? Tu crois que je n'ai pas vu son petit jeu avec le panier ?

— ... Je ne voulais pas te faire de la peine.

— Je peux voir la poupée ?

— ... Dans la commode. Le tiroir du haut.

La malade l'ouvrit, sortit la poupée. La clarté blafarde de la nuit d'hiver ne permettait pas d'en apprécier la beauté. La petite fille la suivait des yeux, craignant que sa mère ne brise le jouet. Elle le remit plutôt à sa place avec une certaine délicatesse. Au moment de s'asseoir de nouveau, elle chuchota :

— Il ne veut pas que tu ailles au couvent.

— Nous devons en reparler cet été.

— Garde précieusement cette jolie poupée, pour te souvenir exactement de la vraie nature de ton père plus tard. C'est le prix qu'il te paie pour garder cette femme dans la maison.

Ce constat ne méritait aucune réponse. Alice continua bientôt :

— Maintenant, elle se trouve avec lui.

Eugénie se retourna sur le côté pour faire face au mur, résolue à ne plus rien dire. La poupée venait d'amorcer son long exil au fond du tiroir : dorénavant sa vue lui soulèverait le cœur.

— Cette femme est folle, grogna Thomas entre ses dents.

Une remarque comme celle-là n'appelait aucun commentaire, aussi Élisabeth préféra avaler quelques gouttes de son verre de sherry. Pour la seconde fois de sa vie, en deux jours, elle buvait de l'alcool. À ce rythme, cela risquait de devenir une habitude.

— Je vais essayer de terminer une journée difficile sur une note positive. Attendez-moi un instant.

L'homme se dirigea derrière son bureau, ouvrit une porte de bois d'un meuble de rangement pour révéler une boîte de fer dotée d'un cadran au milieu de l'une de ses faces. En masquant ses mouvements de son corps, il composa la combinaison, puis ouvrit le coffre. Avec ses parois d'acier épaisses de deux pouces, il protégeait ses papiers d'un incendie violent, ou des yeux d'une personne curieuse.

Quand il revint près de la préceptrice, une petite boîte enveloppée de papier doré au creux de la main, ce fut pour déclarer d'une voix émue :

— Je vous en prie, ce soir ne me parlez pas de ma femme, des choses qui se font ou ne se font pas, ou même des enseignements de la baronne de Staffe sur les bons usages du monde. Ceci est pour vous.

La jeune femme ouvrit la bouche pour dire quelque chose, puis la referma en prenant le présent. Elle défit le papier d'emballage, contempla un moment une petite boîte de carton fort élégante. Sous le couvercle, un camée présentant un visage féminin sur fond bleu reposait sur le collier de velours qui lui servait de support.

— Vous vous souvenez de La Malbaie, murmura-t-elle en caressant le petit bijou du bout de son index.

— J'y ai pensé souvent, depuis l'été dernier. Il vous plaît ?

— Il est magnifique… mais je ne peux…

L'homme leva la main pour l'arrêter, posa son index sur ses lèvres puis déclara à voix basse :

— Je vous en prie, acceptez-le.

— Mais je ne pourrai même pas le porter. Et s'il était découvert…

— Vous avez montré tout à l'heure que vous vous y entendiez pour cacher des choses. Ce bijou est bien plus petit qu'une poupée.

Un peu comme dans le cas d'Eugénie, une fois la boîte ouverte, repousser un pareil présent devenait impossible. Elle le prit dans sa main gauche, l'approcha de ses yeux pour mieux en apprécier le détail. Thomas demeurait debout près du fauteuil, l'air un peu emprunté. À la fin, elle lui tendit l'objet. L'homme voulut protester, mais elle demanda d'une voix un peu chevrotante :

— Voulez-vous me le mettre autour du cou ? Au moins une fois…

Élisabeth se leva de son siège, lui tourna le dos et souleva un peu ses cheveux pour lui faciliter la tâche. Les doigts tremblotants, il passa ses bras au-dessus de la tête de la jeune femme afin de fixer le ruban de velours bleu autour de son cou. Puis, en lui plaçant une main sur l'épaule gauche, l'autre sur la taille du côté droit, il posa ses lèvres juste sous les cheveux.

Élisabeth laissa échapper une petite plainte en aspirant une goulée d'air, très sensible à cette première caresse masculine de toute sa vie, fit un pas vers l'avant afin de se dégager de ses mains, puis se retourna. À la naissance de son cou gracile, le bijou magnifique attirait le regard.

— Si vous recommencez, je ne serai pas vraiment capable de vous repousser. Aussi je vous demande de me laisser sortir sans faire le moindre geste.

Thomas revivait un peu la scène qui s'était produite quelques semaines plus tôt avec Marie Buteau, mais dans un contexte totalement différent. Cette femme prenait soin de ses enfants de façon irréprochable et il conversait souvent avec elle depuis des mois, presque tous les jours en fait. Ce n'était pas une occasion de soulager sa tension sexuelle, mais une personne estimable, respectée.

— Je vous demande pardon si je vous ai blessée. Très souvent, lors de nos contacts quotidiens, l'occasion se présente de vous dire que je vous aime, mais je n'ose pas. J'ai commis une erreur effroyable en épousant Alice.

— Sauf que votre femme existe. Ni vous ni moi ne pouvons y changer quelque chose.

La jeune femme porta la main à sa gorge pour caresser le camée du bout des doigts. Elle continua :

— Je dois monter.

— ... Oui, oui, bien sûr, répondit l'homme à mi-voix en la regardant dans les yeux.

Il se déplaça un peu pour lui permettre de passer et de se diriger vers la porte, mais pas assez pour lui éviter de le frôler. Au moment où elle se trouva près de lui, il lui saisit la main en disant encore :

— Bonne nuit, Élisabeth.

Pour la première fois, l'homme abandonnait le «mademoiselle». Tout comme le fait de lui toucher la main, cela signifiait une réduction considérable de la distance entre eux. La jeune femme répondit d'abord d'une légère pression de ses doigts sur la main large et forte, puis murmura :

— Bonne nuit, Thomas.

En deux pas, elle atteignit la porte, puis s'engagea dans l'escalier. Les doigts de sa main droite étaient restées fermés sur le camée, un peu pour le dissimuler, si jamais elle faisait une mauvaise rencontre sur le palier du premier, beaucoup parce que cela lui rappelait le contact des lèvres, la caresse de la moustache juste à la naissance de sa nuque.

Autant que possible, Marie se tenait loin du confessionnal. Bien sûr elle ne comptait pas parmi les fidèles négligents qui se limitaient à une visite par année. Mais elle ne figurait pas non plus parmi ces catholiques d'élite qui profitaient de toutes les occasions pour se mettre au clair avec leur Créateur. Une visite par mois dans ce curieux meuble ressemblant à une grande armoire lui paraissait amplement suffisante.

Le dernier dimanche de l'année 1896, la jeune fille prit place dans la file d'attente, puis succéda à un vieillard qui devait pécher « en pensée » seulement depuis de nombreuses années. Elle referma d'abord le rideau derrière elle, s'agenouilla sur le prie-Dieu et attendit. Au moment où le prêtre fit glisser le petit rectangle de bois pour ouvrir le guichet, elle dit à voix basse :

— Bonjour, Émile.

— … Marie ? Tu sais bien que je ne peux confesser ma sœur.

— C'est pour cela que j'aimerais te rencontrer cet après-midi, en dehors du confessionnal.

Les traits de son frère demeuraient flous à travers la grille qui la séparait de lui. Malgré cela, elle put deviner un certain agacement. D'habitude, ils se rencontraient en plein air le dimanche, le plus souvent pour marcher longuement ensemble dans les rues environnantes. Mais le froid vif interdisait maintenant ce genre de tête-à-tête.

— Le mieux serait que tu viennes au presbytère vers deux heures.

— J'y serai.

Au moment où l'abbé commença à faire glisser le rectangle de bois, elle lâcha :

— Tu ferais mieux de me donner ma pénitence tout de suite.

— Que veux-tu dire ?

— Rien, oublie cela… Une mauvaise blague, c'est tout.

Elle quitta le confessionnal d'un pas vif. Le plus dur était fait, le doute cheminait à présent dans l'esprit de son frère.

Il s'inquiéterait pendant les cinq prochaines heures. Au moment de le voir, si jamais elle n'osait pas dire la vérité, il la soumettrait à un interrogatoire intolérable.

Depuis quelques semaines, elle appréciait les activités routinières qui, en occupant son esprit, lui faisaient oublier sa condition. Les yeux sur les feuilles de musique, ou sur le petit homme qui dirigeait la chorale, elle ne jetait que quelques regards dans la nef. Le banc des Picard recevait ses occupants habituels. Elle eut l'impression que le commerçant et la préceptrice échangeaient des regards plus fréquents, mais cela pouvait tout aussi bien venir de son imagination.

Au moment de sortir sur le parvis, une voix familière derrière elle attira son attention:

— Marie, Marie, comment vas-tu?

Yvonne s'avançait vers elle, un petit homme ventru l'accompagnant.

— Ça va. Toi, tu sembles resplendissante.

— Je vais me fiancer au jour de l'An, annonça-t-elle en sautillant de joie.

— Avec moi, ajouta Georges, un grand sourire sur le visage.

— J'avais deviné, commenta Marie, pour une fois franchement amusée.

Les longues promenades sur la terrasse Dufferin, tout l'automne dernier, portaient leur fruit. Et selon toute probabilité, Yvonne ne marcherait pas vers l'autel autrement que vêtue d'une grande robe blanche, symbole de sa virginité. Comme elle s'amuserait de l'infortune de son ancienne colocataire, dans quelques semaines, quand son état serait le sujet de commérages de toute la paroisse!

«Je suis injuste, réfléchit-elle enfin, Yvonne est trop bonne fille pour dire la moindre méchanceté.» À haute voix, du fond du cœur, elle leur transmit ses compliments en leur tendant la main à tour de rôle:

— Je vous félicite tous les deux. Je suis certaine que vous serez très heureux ensemble.

Sa prévision avait de grandes chances de se réaliser. Peu avantagés par la nature, habitués à ce qu'on lève le nez sur eux, tous les deux béniraient le jour où ils s'étaient mutuellement trouvés. Alors qu'elle s'éloignait, désireuse de retourner à la maison de chambres avant de se présenter au presbytère, une autre voix de son passé récent lui parvint :

— Marie, quel dommage que nous ne nous croisions plus.

— … Marcel, déclara-t-elle en se retournant, un sourire forcé sur les lèvres. Vous fabriquez toujours des chaussures pour payer la grande maison de monsieur Marsh ?

— Quelle mémoire ! Je vous ai donc fait une petite impression…

Dans un manteau de marin soigneusement boutonné, un chapeau avec de grandes oreillettes relevées sur la tête, il affichait toujours son allure un peu suffisante. Néanmoins, son intérêt paraissait sincère. Sans doute, la fréquentation de coins sombres avec cet homme aurait moins porté à conséquence que celle du bureau de son grand patron, en fin d'après-midi.

— J'ai une bonne mémoire, admit-elle sans s'engager plus avant.

— Je fabrique maintenant des chaussures pour monsieur Duchesne. Le salaire est aussi mauvais, et la manufacture moins bien construite.

— Alors, pourquoi avoir changé ?

— Un petit différend avec un contremaître.

Tous les deux gardaient un air un peu gauche. À la fin, le garçon afficha un réel embarras au moment de dire :

— En réalité, je vous cherchais. Cela vous dirait de venir à une petite soirée chez mon oncle, le trente et un ? Rien de bien compliqué, et une douzaine de vieux parents pour nous servir de chaperons. Même votre frère, le vicaire, serait rassuré.

— … C'est gentil, très gentil à vous de me le demander.

Elle posa sa main gantée sur celle de Marcel en disant ces mots, aspira une goulée d'air glacial avant de poursuivre :

— Malheureusement, je ne peux accepter.

L'autre demeura un moment interdit, puis demanda :

— Il y a quelqu'un d'autre ?

— … En quelque sorte, oui.

— Dans ce cas, j'aurais dû vous chercher devant l'église il y a quelques mois. Je vous souhaite donc bonne chance… et une excellente année 1897.

— Bonne année à vous aussi.

Sur ces mots, sans s'attarder, elle tourna les talons pour regagner la rue Grant, désireuse d'éviter toute nouvelle rencontre qui lui rappellerait le temps où, croyant être bien malheureuse, l'avenir se présentait encore sous un jour favorable.

﹇

Après que Marie eut frappé à la porte du presbytère de la paroisse Saint-Roch, une religieuse revêtue d'un uniforme brunâtre, une coiffe blanche lui encadrant le visage, vint lui ouvrir. Pareil accoutrement devait faire oublier qu'il s'agissait d'une femme vivant au milieu de saints hommes.

— Mademoiselle Buteau ? Votre frère vous attend dans le bureau de monsieur le curé.

La grande bâtisse devait compter une quinzaine de pièces au moins. Le vicaire avait choisi la plus formelle de toutes pour la recevoir. Sur les murs du couloir conduisant au bureau, de grands crucifix le disputaient aux images pieuses. En entrant dans la pièce sombre, elle eut le sentiment de revivre sa visite chez le docteur Couture, une dizaine de jours auparavant. Cela tenait au lambrissage de chêne, aux meubles imposants, mais aussi au curieux sentiment de pénétrer dans l'antre d'un magicien. Évidemment, le crâne sur l'étagère cédait ici sa place à une statuette de plâtre représentant la Vierge. Juste devant, un petit lampion brûlait. Quiconque entrait dans ces lieux, tout comme dans n'importe quelle demeure catholique, ne pouvait ignorer le modèle proposé à l'imitation de toutes les femmes. Marie encaissa le choc.

Dans un coin, une énorme statue de saint Roch, accompagné de son chien, montait la garde. Curieusement, l'animal apportait une petite touche d'humanité qui manquait à tout le reste.

— Assieds-toi ici, indiqua l'abbé de la main, puis se tournant vers la religieuse, il enchaîna : Merci, ma sœur.

Rien n'aurait pu témoigner plus éloquemment de ses nouvelles appartenances. Ces petits mots tout simples augmentèrent encore le malaise de la visiteuse. L'ecclésiastique ferma la porte, puis vint s'installer derrière le lourd bureau du curé de la paroisse. Dans dix ans, il occuperait sans doute ce fauteuil de plein droit, ou alors celui d'une autre paroisse de la ville, monarque inflexible d'un petit monde besogneux.

— Tu as demandé à me voir. Que se passe-t-il ?

Rien, dans le ton, n'invitait à s'épancher. La jeune femme, les yeux fixés sur la surface du bureau, décida de lancer tout à trac :

— Je suis en retard.

— Pardon ?

— Je suis en retard, répéta-t-elle en élevant la voix. Mes règles. Le docteur m'a confirmé que je suis enceinte.

Le vicaire demeura un moment interdit. Il ouvrit la bouche pour dire quelque chose, s'arrêta juste à temps. Nerveusement, il se leva pour aller se planter devant une fenêtre. En le suivant des yeux, Marie constata qu'elle donnait en partie sur le magasin Picard.

— Comment as-tu pu me faire cela ?

— Que dis-tu ?

Un moment, la jeune femme demeura bouche bée, incertaine d'avoir bien compris.

— Tu devais savoir que la honte retomberait sur moi. Je viens tout juste d'arriver dans cette paroisse. Je visite les écoles afin de m'assurer que les enfants connaissent leur catéchisme. Très bientôt, le curé va m'autoriser à prêcher du haut de la chaire à la messe, ou lors de la prochaine retraite fermée. Imagine les ricanements quand je parlerai de chasteté. Ma propre sœur…

Marie ferma les yeux, le souffle coupé comme si quelqu'un lui avait asséné un coup en plein ventre. Malheureusement, le choc qu'elle venait d'encaisser ne risquait même pas de provoquer une fausse couche.

— Honnêtement, au moment où c'est arrivé, et même depuis, je n'ai pas vraiment pensé aux difficultés que tu pourrais souffrir à cause de mon péché !

— Je me doute bien que tu n'y as pas pensé. Ni au salut de ton âme.

Pareille brutalité ne la surprenait pas vraiment, même si elle avait espéré un peu de compassion, à défaut de tendresse.

— Qui est le père ? continua le vicaire après une pause.

— Je ne suis pas venue ici pour dénoncer quelqu'un. Peut-être l'apprendras-tu au confessionnal.

— Je pourrais le rencontrer, plaider auprès de lui pour le convaincre de t'épouser discrètement… C'est sans doute le gars que nous avons rencontré l'été dernier, à la Pointe-aux-Lièvres.

— Ne va surtout pas embêter Marcel. Jamais il ne m'a touchée.

Émile Buteau retrouva son siège derrière le bureau. Marie eut l'impression qu'il reculait la chaise, afin de mettre une plus grande distance entre elle et lui. Comme si elle se trouvait victime d'une tuberculose de l'âme très contagieuse.

— Qui est-ce, alors ? insista-t-il.

— Je ne le dirai pas. De toute façon, c'est quelqu'un qui ne peut pas m'épouser…

Ces derniers mots étaient de trop. Tout de suite, son frère en tira une conclusion :

— Parce qu'il est marié. Ton patron.

Marie se mordit la lèvre inférieure, les larmes aux yeux.

— Je ne suis pas venue ici pour t'amener à soupçonner qui que ce soit. Tu es mon frère, je suis là pour te demander ton aide.

Un long silence suivit ces mots. Quand la jeune femme ouvrit de nouveau la bouche, les larmes coulaient sur ses joues.

— Tu es mon seul parent... Je te supplie de m'aider.

Sa voix devenait rauque. Un peu plus, et les sanglots l'auraient étranglée.

— Je réfléchis, rétorqua le vicaire en posant des yeux durs sur elle. Je vais parler au curé, afin d'obtenir son appui pour te faire entrer au plus vite à la maison Béthanie. Je pense même qu'il sera possible de t'y faire admettre sous un autre nom.

La réputation du prêtre à préserver, encore. Comme si une chose pareille pouvait passer inaperçue à Québec. Elle osa articuler dans un murmure :

— Et le bébé ?

— Pour son propre bien, le mieux sera de le confier à l'adoption. Avec un peu de chance, il se retrouvera dans une bonne famille.

— Si tu l'affirmes.

Espérer autre chose aurait été irréaliste. Afin de ne lui laisser aucun doute sur la suite des événements, l'homme ajouta encore :

— Ensuite, il sera difficile pour toi de revenir dans Saint-Roch. Les gens sont bien peu tolérants...

Son propre frère venait de la condamner à l'exil. Au moins, il n'avait pas complété toute la phrase qui lui venait à l'esprit. Elle se serait terminée par «... peu tolérants à l'égard de la femme impudique ».

— Rentre à ta maison de chambres. Dès que cela sera arrangé à propos de la maison Béthanie, je te le ferai savoir.

Congédiée, elle demeura un moment immobile, puis se leva pour se diriger vers la porte. Si elle avait espéré un peu de réconfort, elle s'efforça de n'en rien laisser paraître.

15

18

L'année 1897 s'amorçait sous de bien mauvais auspices. Le plus difficile pour Marie était d'adopter un visage souriant pour adresser ses meilleurs vœux aux membres de la chorale. Son frère n'avait pas encore donné signe de vie. De toute façon, elle avait encore un peu de temps, rien ne sauterait aux yeux avant quelques semaines.

Sur le parvis de l'église, le hasard voulut qu'elle croise de nouveau Marcel. Après un salut silencieux de la tête, elle pressa le pas pour retourner à sa pension. Au moment de s'asseoir à sa place habituelle dans la salle à manger, après les bonjours timides à ses voisins, elle entendit la veuve Giguère s'exprimer du bout de la table :

— Mademoiselle Buteau, vous ne paraissez pas aller mieux.

— Juste un peu de fatigue, je vous l'ai dit.

— Vous ne toussez pas, au moins ? Je n'ai rien entendu, mais...

Tout le monde à Québec tendait l'oreille et s'inquiétait de la toux tenace d'un proche. Cela ne pouvait annoncer autre chose que la tuberculose, la peste blanche qui emportait des milliers de personnes tous les ans. Un peu de sang dans un mouchoir, ou alors une mousse rouge à la commissure des lèvres, annonçait presque à coup sûr une mort prochaine.

— Je vous l'assure, il ne s'agit pas de cela. J'ai vu le médecin.

Juste à ce moment, Marie eut l'impression que la petite bonne lui adressait un sourire en coin alors qu'elle versait la soupe dans son bol. À tout le moins, si elle avait constaté que ses règles ne se trouvaient plus au rendez-vous depuis des semaines, jusque-là cette jeune paysanne n'avait pas jugé utile de mettre sa patronne au courant.

— J'espère que vous profiterez de cette période de congé pour vous reposer.

— Je compte faire une longue marche tout à l'heure. Cette journée d'hiver me fera le plus grand bien.

Elle plongea sa cuillère dans la soupe aux choux avec l'espoir de se faire oublier. Ce fut peine perdue :

— Vous travaillez demain ?

— Le grand magasin sera ouvert, je devrai être à mon poste. Les soldes d'après les fêtes commenceront dès ce moment.

— Au moins, après-demain ce sera dimanche. Une autre occasion pour vous de récupérer un peu.

Dans d'autres circonstances, la sollicitude inquiète de madame Giguère lui aurait fait chaud au cœur. Marie se sentait plutôt observée d'un peu trop près.

À une heure, son manteau soigneusement boutonné jusqu'au cou, elle quitta la maison de chambres pour rejoindre la rue Saint-Joseph, marcher ensuite en direction de la rue Saint-Paul. Au moment de s'engager dans la Côte-de-la-Canoterie, elle leva la tête pour apprécier l'angle de la déclinaison, puis pressa le pas, comme si un effort physique intense pouvait la débarrasser de son problème. Tout au plus, par ce temps très froid, une bonne suée lui vaudrait peut-être un rhume.

Au sommet de la côte, la jeune femme parcourut la rue Saint-Flavien sur une courte distance, puis s'engagea dans la rue Couillard. La maison Béthanie se trouvait au numéro 14, une grande bâtisse de briques rouges aux fenêtres vaguement gothiques soulignées de pierres blanches. L'ensemble ressemblait un peu à une prison. Là, les sœurs du Bon-Pasteur – la congrégation s'appelait en réalité les Servantes du Cœur Immaculé de Marie, mais ce nom ne s'imposait pas auprès de la population – accueillaient depuis 1878 les infortunées qui se retrouvaient enceintes hors des liens sacrés du mariage. Ces religieuses se spécialisaient dans un apostolat particulier, bien moins séduisant que l'enseignement ou le soin aux malades : venir en aide aux femmes perdues. Cela allait des prisonnières aux mères célibataires. Elles tenaient même un orphelinat pour abriter le fruit du péché de ces dernières, le temps de lui trouver une famille, dans le meilleur des cas.

Marie Buteau demeura un long moment immobile devant la grande maison, de l'autre côté de la rue, de peur que des mains puissantes l'y mettent de force. Ces mains bien réelles, c'étaient celles du vicaire de la paroisse Saint-Roch. Peu après, une voiture tirée par un cheval poussif tourna au coin de la rue, progressa lentement dans un claquement sec des sabots sur le pavé. Quand le coupé s'arrêta, une petite jeune fille de quinze ans tout au plus descendit sur le trottoir, un peu pliée en deux, sans doute pour que son ventre rond paraisse un peu moins. Elle jeta un regard dans sa direction, révélant des yeux de bête effrayée. Déjà broyée par la vie, elle agita un gros heurtoir de bronze contre la porte. Celle-ci s'ouvrit bientôt, une silhouette sombre la fit entrer.

Une proportion considérable des bénéficiaires de cet établissement, surtout les plus jeunes, se recrutait chez les victimes d'inceste. C'était vraisemblablement le sort de cette gamine.

Avec difficulté, Marie s'arracha du trottoir, marcha jusqu'à l'intersection de la rue Sainte-Famille pour longer le grand complexe catholique où se forgeaient les élites de la société canadienne-française : l'Université Laval, le Petit Séminaire et le Grand, le palais de l'archevêque, la cathédrale. De la rue Buade, elle atteignit la Côte-de-la-Montagne pour revenir dans son véritable univers, la Basse-Ville. Un peu machinalement, ses pas la conduisirent jusqu'au quai d'où partaient durant la belle saison les navires faisant le service sur le Saint-Laurent et, plus rarement, ceux qui traversaient l'Atlantique.

La jeune fille s'assit sur une bitte d'amarrage. La bise venue du fleuve lui mordait le visage et tout le corps, au point que de grands frissons la secouaient par moments. L'eau glauque du fleuve encombré de grandes plaques de glace exerçait sur elle une fascination irrésistible. Chaque printemps, de tout petits entrefilets dans les journaux signalaient la découverte de corps sur les berges du bas Saint-Laurent. Quelle proportion d'entre eux était ceux de jeunes filles enceintes? Et dans tous les pays, combien?

Toutefois, Marie ne se trouvait pas réduite à cette extrémité. Pas encore.

—❧—

Dans les familles canadiennes-françaises, le jour de l'An, plus que la Noël, était le prétexte à d'importantes réunions familiales. Comme le clan des Picard se trouvait réduit d'une personne depuis le décès inopiné de madame veuve Théodule, ceux qui restaient avaient intérêt à serrer les rangs. Alfred se présenta en fin d'après-midi au domicile de la rue Saint-François en affichant son bonheur complet de se trouver là. Évidemment, son sourire ironique incitait à tempérer sérieusement cette première impression.

— Mon très cher frère, je te souhaite que 1897 te conduise à des sommets de prospérité inédits dans le monde entier, déclara-t-il en serrant la main du commerçant dans l'entrée.

— Je te remercie, quoique "inédits dans notre belle ville" aurait suffi. C'est tout de même gentil à toi…

— Et un peu égoïste aussi. Cinq sixièmes de ce souhait tiennent à ma gentillesse, le dernier à la conscience de mes intérêts.

— Et moi, je te souhaite des bonnes choses en entier.

Débarrassé de son paletot, le visiteur entra dans le salon, ouvrit grand les bras en disant:

— Impératrice Eugénie, viens faire la bise à ton oncle préféré.

Elle s'approcha en précisant d'une voix amusée :

— Vous êtes le seul.

— Même si tu en avais mille, je demeurerais le premier dans ton cœur.

Les baisers sonores sur les joues et les souhaits de bonne année échangés, il lui fit signe d'effectuer un tour complet sur elle-même, en faisant tourner son index dirigé vers le sol, comme à son habitude.

— Si je ne me trompe pas, cette magnifique robe bleue allonge un peu, comparée aux précédentes, ou alors tes jambes raccourcissent.

— Elle est plus longue, répondit-elle en rougissant.

Sa fierté n'était pas vaine. Les petites filles montraient leur bas et même leur culotte qui souvent atteignait les genoux. Les femmes cherchaient à dissimuler jusqu'à leurs bottines, et les plus coquettes balayaient le plancher du bas de leur robe. Plus Eugénie irait vers la maturité physique, plus le rebord de son vêtement s'approcherait du sol.

— Édouard, on se serre la main, comme des hommes.

Le gamin joua un instant à l'adulte, enchaîna avec des bises mouillées et conclut le tout en disant :

— Tu veux jouer avec mon train ?

— Auparavant, je veux souhaiter la bonne année à ta jolie institutrice. Tu lui as fait la bise, ce matin ?

Le garçon acquiesça d'un grand signe de la tête. Alfred posa la main sur la taille de la préceptrice pour lui poser deux baisers sonores sur les joues.

— Je vous souhaite une excellente année, mademoiselle Trudel, et le paradis avant la fin de vos jours.

— À vous aussi, mais habituellement ne dit-on pas "à la fin de vos jours" ?

— À moins d'entendre une petite voix dans le creux de votre oreille, comment pouvez-vous en être certaine ? Un bon matin, vous risquez de vous réveiller morte, sans paradis… et sans enfer. Je préfère avant, le risque d'être déçu est trop grand, après.

— Alfred, cesse de dire des choses pareilles à la personne qui enseigne le catéchisme à mes enfants. D'ailleurs, des oreilles innocentes t'écoutent, commenta Thomas en présentant un verre de cognac à son frère.

En effet, devant son oncle, son train pressé entre les bras sur sa poitrine, Édouard se tenait immobile en fronçant les sourcils, intrigué par ce discours.

— Jeune homme, fit Alfred en s'agenouillant sur le plancher, n'écoute rien de ce que je raconte, et montre-moi ce fameux train qui a été le clou du rayon des jouets depuis le début de décembre.

Un peu rassuré sur le salut de l'âme de son fils, Thomas se tourna vers Élisabeth pour demander :

— Vous voulez quelque chose, mademoiselle ?

— Non. La période des fêtes m'expose à de si nombreuses tentations que la mère supérieure des ursulines perdrait conscience, si elle savait.

La remarque contenait de si nombreux sous-entendus que le rouge monta aux joues de la jeune femme. Elle regagna le canapé où, depuis la fin de l'après-midi, elle feuilletait de vieux numéros de la *Revue moderne* épaule contre épaule avec Eugénie. La fillette s'intéressait en particulier aux nouveaux modèles de robes, de manteaux et de chapeaux.

Très vite lassé de jouer avec le train miniature, Alfred se cala dans un fauteuil et but son cognac à petites gorgées. Après les commentaires obligés sur la température très froide et le mauvais entretien des rues par les services municipaux, le visiteur changea de sujet :

— Les rumeurs sur des élections provinciales prochaines se confirment-elles ?

— Tu sais bien que ce ne sont pas des rumeurs : le gouvernement est au pouvoir depuis si longtemps que les élections doivent avoir lieu en 1897.

— Déjà ! Je n'avais pas réalisé que le temps filait si vite. Le notaire poète risque-t-il de l'emporter ?

Le chef du Parti libéral provincial, Félix-Gabriel Marchand, notaire d'une petite ville de province, avait déjà publié quelques ouvrages, qu'Alfred n'avait visiblement pas lus, car autrement il aurait su que la prose prenait toute la place dans l'œuvre du politicien, au détriment des rimes.

— Sans doute. Comme l'enthousiasme des Canadiens français à l'égard de Laurier demeure intact, il sera porté par cette vague.

— Tu en es certain, avec cette question des écoles du Manitoba?

Les «voies ensoleillées» négociées entre le premier ministre du Canada et celui de cette province se révélaient bordées de buissons épineux. Elles suscitaient des discours rageurs des évêques, à tel point que bientôt le Vatican lui-même ferait enquête et lancerait un appel au calme.

— Toi, tu sais où cela se trouve, Winnipeg?

— Pas la moindre idée, ironisa le chef de rayon.

— Les autres électeurs du Québec non plus.

— C'est dans l'ouest, intervint Édouard, près d'un lac.

Malheureusement, le garçon pointait son index vers l'est, ce qui desservait un peu l'étalage de ses nouvelles connaissances géographiques. Son oncle décida de passer outre la petite confusion en disant:

— Diable, mademoiselle Trudel va faire de toi un véritable savant. De mon côté, pour favoriser le passage de la théorie à la pratique, je tenterai de me souvenir de te faire présent d'une petite boussole.

En tournant son regard de nouveau sur Thomas, il continua:

— Je suppose que tu vas t'en mêler.

— Évidemment, dans la mesure de mes modestes capacités.

En réalité, Israël Tarte avait déjà sollicité la collaboration du commerçant, en lui communiquant même l'importance du petit pécule qui servirait à inciter les électeurs de la Basse-Ville à voter du «bon bord».

— Cela veut dire que la victoire de ce notaire est acquise.

L'ironie, plutôt que de le vexer, amusa fort Thomas. L'important était que cette réputation d'efficacité prévale au sein du Parti libéral. La question suivante d'Alfred indiquait que son dilettantisme était parfois feint:

— J'entends murmurer que tu as acheté quelques terrains, judicieusement situés paraît-il. Je ne comprends pas très bien ta stratégie… à moins que tu ne songes à te doter d'installations portuaires.

— Tu aimerais participer? répliqua le commerçant en lui faisant un clin d'œil.

— À hauteur d'un sixième…

En permettant à des alliés de prendre part à quelques acquisitions, en faisant miroiter des contrats juteux à des entrepreneurs en construction, Thomas cultivait des alliances solides. Chacun chercherait ensuite à influencer le vote de ses employés. Le notaire écrivain profiterait certainement de la manne venue d'Ottawa.

À l'approche de sept heures, Joséphine, depuis l'entrée du salon, toussa, puis déclara:

— C'est prêt.

Même la baronne de Staffe n'aurait pu l'amener à dire «Monsieur est servi», mais à tout le moins elle ne criait pas depuis la cuisine pour signaler aux convives de se mettre à table.

— Aurons-nous le plaisir de profiter de la présence de ton épouse? demanda le visiteur en se levant, son ironie juste suffisamment maîtrisée pour qu'elle échappe aux enfants.

— Malheureusement, son état ne le lui permettra pas, déclara Thomas d'un ton neutre, mais en jetant tout de même un regard un peu effrayé vers le bas de l'escalier.

— J'espère que ma présence n'entraîne pas une aggravation subite de celui-ci.

Même au moment de ses fréquentations avec son fiancé, la compagnie d'Alfred répugnait à la promise. Souvent, cela avait justifié son absence.

— Depuis un certain temps, excepté Joséphine et le nouveau vicaire de la paroisse, je pense qu'aucun être humain ne lui agrée vraiment.

En conséquence de la dérobade de l'épouse, au grand plaisir du jeune garçon, Élisabeth retrouvait le privilège de s'asseoir à la table de la salle à manger. Alors que Thomas occuperait la chaise placée à l'extrémité, son aîné se plaça immédiatement à sa droite, Eugénie à sa gauche. Élisabeth et Édouard se feraient face sur les chaises suivantes.

Après les compliments d'usage à Joséphine, qui servait la soupe dans sa meilleure robe du dimanche, le visiteur abandonna le sujet de la politique pour demander:

— Ton émule, Fulgence Létourneau, se révèle-t-il aussi performant que tu l'espérais?

— En réalité, la ganterie est un succès, tellement que je pense même aller de l'avant avec un nouveau projet. Accepterais-tu d'en assumer la gérance?

Cette fois, c'était au tour de Thomas d'afficher un sourire ironique, comme pour dire «Oseras-tu enfin, où entends-tu demeurer un spectateur toute ta vie?»

— Je trouve mon accomplissement dans la direction de mon rayon. Mais dans quel domaine voudras-tu sévir encore?

— La fourrure.

L'autre émit un sifflement peu en accord avec les usages d'un souper dans les formes, puis commenta:

— Tu sais pourtant que ton magasin se trouve à deux pas de celui de Jean-Baptiste Laliberté, réputé le plus important au Canada, dans ce domaine. Tu crois vraiment qu'il se trouve assez de clients pour vous deux dans la rue Saint-Joseph?

— Tu le sais bien, puisque c'est ton rayon, nous vendons déjà des manteaux de fourrure tous les jours pendant la mauvaise saison. Bientôt, nous fabriquerons nous-mêmes ce que nous vendrons.

— Donc ce sera une manufacture minuscule!

— Et nous convaincrons certainement de nombreux détaillants de distribuer nos produits. D'abord, ceux qui vendent déjà nos gants se montreront intéressés.

Thomas avait hérité d'une entreprise prospère. Il entendait maintenant prouver à tous qu'il était plus ambitieux que Théodule et Euphrosine l'avaient été en leur temps.

Au gré de la conversation entre les adultes, Élisabeth s'efforçait de s'entretenir avec les enfants de leurs dernières lectures ou des promenades susceptibles de les intéresser. La saison froide limitait la liste des possibilités. Toutefois, les services de Napoléon Grosjean permettraient une jolie expédition au-delà de la rivière Saint-Charles, dans les campagnes qui s'étendaient jusqu'au village de Charlesbourg.

— Mais si tu veux, conclut enfin le commerçant, nous ne dirons plus un mot sur les affaires et la politique, sinon nous plongerons les enfants dans un profond ennui.

Alfred remarqua surtout qu'au fil de la conversation, Thomas avait régulièrement fixé des yeux la préceptrice.

❧

À neuf heures, le visiteur revêtit son paletot et s'enfonça dans la nuit. Élisabeth était montée depuis quelques minutes pour coucher les enfants. Quand elle redescendit, un verre de sherry l'attendait sur un guéridon, près d'un fauteuil de la bibliothèque.

— Je suis désolé d'avoir aussi longuement parlé affaires avec mon frère, s'excusa Thomas d'entrée de jeu, mais nous n'avons pas beaucoup de sujets de conversation en commun.

— Je suis certaine que deux hommes parlant commerce ou politique ne laisseront aucun souvenir désagréable.

Elle voulait dire en comparaison avec le silence du souper de Noël. La conversation porta ensuite sur le projet d'une promenade en traîneau du côté de Charlesbourg dimanche prochain, c'est-à-dire le surlendemain. La présence de son

employeur augmenterait considérablement l'esprit de collaboration de Napoléon Grosjean pour ce genre d'initiative.

— Je crois que je vais monter, décréta bientôt la jeune
femme en quittant son siège. Vous devrez vous présenter tôt
au travail demain matin.

Thomas, poliment, se leva aussi. Après une hésitation, il
murmura :

— Je vous remercie d'être venue me rejoindre ce soir sans
que je ne vous le demande.

Il voulait dire que pour une fois, sa décision ne tenait ni
à un désir de lui parler des apprentissages des enfants ni à
une demande explicite de sa part.

— Néanmoins, vous étiez certain que je viendrais, puisque
vous aviez prévu un verre pour moi.

— Que vous n'avez pas touché. J'espérais, tout simplement… Je regrette cependant que vous ne portiez pas le
camée.

— Je le porte, chuchota-t-elle, rougissante.

En hésitant, sa main se leva jusqu'à sa poitrine, entre ses
seins. Elle le regardait de ses grands yeux un peu fiévreux,
visiblement troublée.

— Il ne m'a pas quitté depuis Noël… Comme cela, personne ne risque de le trouver par accident, ajouta-t-elle pour
réduire un peu la portée de sa confidence.

— Montrez-moi.

La bouche de la jeune femme s'ouvrit pour dire quelque
chose, alors que son cou, ses joues et ses oreilles prenaient
une couleur cramoisie. À la fin, des doigts tremblants se
portèrent à son corsage, commencèrent à déboutonner les
petites perles de celluloïd un peu en bas du plexus solaire,
pour remonter vers le haut. Puis elle écarta les deux pans de
tissu en fermant les yeux, comme une offrande. Le petit
camée se trouvait bien là. Les minuscules anneaux, qui permettaient une semaine plus tôt de le fixer à un collier de
velours avec un fil de soie, remplissaient le même office sur
sa brassière.

Ce vêtement de coton assez lâche ne possédait aucune armature. Sur le corps d'Élisabeth, cela n'aurait servi à rien. Un peu lâche, il ne faisait que draper les seins. Thomas approcha la main droite. Les yeux clos, la jeune femme émit une plainte quand le bout des doigts frôla le tissu léger. Toute la main passa entre les pans du corsage, la paume se posa sur le sein gauche. Un gémissement sortit d'entre les lèvres d'Élisabeth, alors que son corps se raidissait tout entier.

L'homme apprécia la chair tiède, très ferme, élastique. En glissant sa main un peu vers le bas, il put la faire passer sous le sous-vêtement, pour apprécier le galbe peau contre peau. Parce que son corps paraissait maintenant mollir au point de s'affaisser, il passa son bras gauche autour de la taille de sa compagne. Un moment, le mamelon raidi lui chatouilla la paume de la main.

Quand les lèvres touchèrent les siennes, Élisabeth eut l'impression que ses genoux ployaient sous son poids. À son mouvement imperceptible, la main abandonna le sein, rejoignit l'autre autour de la taille. Les lèvres de l'homme s'agitèrent sur les siennes, les massèrent en quelque sorte. Puis sa langue se mit de la partie, toucha les petites dents blanches, frôla l'autre langue.

Les deux bras de la jeune femme s'accrochèrent autour du cou de l'homme, comme ceux d'une noyée à celui de son sauveteur. Les deux mains masculines quittèrent la taille, glissèrent sur les fesses pour les masser doucement. Ce faisant, il la pressait fermement contre son érection. La plainte d'Élisabeth, comme un sanglot, lui sembla remplir la pièce silencieuse. Elle éloigna sa bouche de la sienne et lui dit tout bas :

— Thomas, je t'en prie…

La baronne de Staffe se révélait affreusement silencieuse sur le sujet, mais d'instinct la jeune femme adopta le tutoiement avec un homme qui lui tenait les fesses à pleine main. Thomas fit de même en disant :

— Je te trouve si magnifique, si désirable que je vais te laisser quitter cette pièce et aller faire une longue marche dehors. Le froid me ramènera à la raison, car c'est folie de te laisser ainsi…

En prononçant ces mots, du bout des doigts il lui caressait le visage, puis le cou, juste sous les oreilles. À la fin, il reboutonna quelques-unes des petites perles de celluloïd du corsage, s'arrêta parce que ses mains tremblaient un peu.

— Je t'aime tellement… Maintenant, sauve-toi vite.

Elle ouvrit les lèvres pour dire quelque chose, mais ses yeux suffisaient amplement. Après un moment, la jeune femme gravit l'escalier sur des jambes flageolantes.

❧

Le dimanche suivant, après un dîner rapidement avalé, tous les membres valides de la famille Picard revêtirent leurs vêtements les plus chauds, car le mercure risquait de descendre sous le zéro Fahrenheit au cours de la journée. Élisabeth Trudel ne possédait qu'un manteau de drap assez léger. Thomas exhuma un vieux paletot de lynx porté par sa femme une dizaine d'années plus tôt et l'aida à le passer.

— C'est à maman, remarqua Eugénie en rougissant.

— Je ne crois pas qu'elle ait l'intention de le mettre aujourd'hui, ma grande, rétorqua son père d'un ton égal.

Devant la maison de la rue Saint-François, Napoléon Grosjean se trouvait assis dans le premier banc d'une grande carriole, une couverture de peau de buffle sur les jambes, un capot de chat sauvage sur le dos, un chapeau de la même fourrure enfoncé sur les yeux. Accoutré de la sorte, il aurait pu servir de modèle pour l'une des gravures d'Henri Julien représentant un habitant canadien-français.

Tout de suite, Édouard décréta qu'il prenait place à côté du cocher.

— Tu risques de geler tout rond, observa son père debout sur le trottoir.

— Je suis habillé chaudement.

La quantité de chandails, de manteaux, de foulards dans lesquels Élisabeth l'avait enroulé lui donnait l'allure d'une pelote de laine. Si un besoin naturel se manifestait, jamais il n'aurait la moindre chance de se dévêtir à temps pour le satisfaire.

— Aussitôt que je vois ton nez, ou n'importe quelle partie de ton visage, changer de couleur, je te ramène derrière pour te fourrer sous cette couverture.

Le commerçant faisait allusion à la « robe de carriole », un assemblage de peaux d'ours sous lequel la banquette arrière disparaissait presque complètement. Il demanda ensuite :

— Eugénie, tu montes la première ?

— Je veux être près de toi.

— Entendu, je te suis.

La fillette avait espéré se trouver entre son père et la préceptrice. Celui-ci venait de tromper sa vigilance, et elle ne pouvait vraiment pas se rebeller sans se trahir. À un bout du siège, Thomas au milieu, Élisabeth à l'autre extrémité, elle perdait cette occasion de s'immiscer entre eux.

— Comme c'est chaud, observa la jeune femme une fois assise, en remontant la couverture de fourrure au-dessus de sa taille.

— J'ai mis des briques chauffées au fond de la voiture, marmonna Grosjean en se retournant vers elle autant qu'il le pouvait avec son vêtement aussi rigide qu'une armure.

— Vous êtes la bénédiction des femmes frileuses, rétorqua-t-elle en riant, puis en se penchant un peu vers l'avant pour voir la fillette de l'autre côté de son employeur : n'est-ce pas, Eugénie ?

— … Oui, merci, monsieur Grosjean.

Le cocher claqua de la langue pour signaler au cheval de se mettre en route. Le traîneau glissa légèrement sur la neige amassée dans la rue, aussi dure que de la glace à cause des va-et-vient successifs. À moins de précipitations exceptionnelles, la neige dans les rues n'était pas enlevée, mais tassée avec un lourd rouleau. Comme, de leur côté, les trottoirs se trouvaient dégagés à la pelle par une armée de chômeurs désireux de gagner quelques sous de cette façon, la chaussée deviendrait bientôt un peu plus élevée que ceux-ci.

Très vite, la carriole atteignit la rue du Pont, nommée ainsi parce qu'elle conduisait au pont bâti sur la rivière Saint-Charles. Tout de suite de l'autre côté, quelques rues offraient un peuplement assez dense, puis très vite ensuite le véhicule glissa sur une route de campagne. Une brise cinglante soulevait la neige en une fine poudrerie qui s'élevait à un pied ou deux du sol.

Thomas échangea un regard avec la préceptrice. Elle plissait les yeux pour les protéger du froid. Ses joues et son nez avaient pris une couleur rose, les cils et le début des cheveux, visibles sous le bonnet, s'ornaient d'un petit frimas argenté.

— Quel bon air frais ! jeta-t-elle avant de pouffer de rire.
— Frais à ce point, cela s'appelle froid.
— Il paraît que c'est très sain.
— Je vous crois, aucune bestiole ne peut résister à ce climat.

Depuis quelques décennies, le Français Louis Pasteur avait considérablement fait progresser les connaissances sur les organismes microscopiques. En conséquence, les germes et les microbes meublaient bien des échanges.

Pareille conversation innocente dissimulait des jeux coupables. Sous la robe de fourrure, Thomas avait cherché la main de la jeune femme dès le départ de la maison. Il la tenait dans la sienne depuis ce temps. Élisabeth appuyait son épaule contre lui, ce qui tenait à la fois de son désir de chercher un peu de chaleur et de leur nouvelle intimité. À l'autre extrémité de la banquette, un peu morose, Eugénie souffrait de se sentir abandonnée.

Sur la banquette avant, Édouard se trouvait un peu surélevé en comparaison des passagers assis derrière, ce qui l'exposait à la brise. Si, au début, son babillage avait arraché quelques monosyllabes en guise de réponse à Napoléon Grosjean, depuis un moment il ne disait plus un mot.

— Je pense que tu as froid, fit observer la préceptrice en se penchant vers l'avant pour lui toucher le bras.

En se tournant à demi, l'enfant acquiesça d'un geste de la tête.

— Viens nous rejoindre.

Les efforts conjugués des deux adultes suffirent à faire en sorte qu'il se retrouve entre eux, la couverture de fourrure tirée jusque sous son nez. Sans le vouloir, il les séparait mieux qu'Eugénie n'arrivait à le faire avec tous ses calculs.

19

Le lundi 4 janvier, Marie Buteau était de nouveau derrière son bureau. Il lui avait fallu presque trois jours pour se décider, depuis sa visite à la maison Béthanie en fait. Un peu après midi, elle se leva comme un automate, marcha jusqu'à la porte du bureau, frappa d'abord deux coups, si faibles qu'ils ne pouvaient avoir été entendus, puis un troisième, plus fort.

— Entrez.

L'homme se trouvait derrière son immense bureau, immobile, les yeux levés sur elle.

— … Je dois vous parler.

— Je suis occupé. Si vous voulez revenir…

— Non. Tout de suite.

Le désespoir la rendait résolue. Elle ferma la porte, s'avança jusqu'au milieu de la pièce avant de déclarer d'une voix blanche :

— Je suis enceinte.

Un long moment, Thomas Picard demeura immobile, les yeux ouverts très grands, fixés sur elle.

— … C'est regrettable, très regrettable même. Je ne pourrai pas vous garder à mon emploi. Les commérages…

Marie ferma les yeux brièvement, le souffle coupé. Quand elle put parler de nouveau, ce fut dans un souffle :

— Après m'avoir mise enceinte, vous ne trouvez rien de mieux à me dire ?

— Voyons, que racontez-vous là ? Ce n'est pas parce que quelques fois…

Il s'arrêta brusquement, changea de ton pour continuer :

— De toute façon, rien ne prouve que ce soit de moi.

Le ton cassant, la résolution sourde indiquaient que jamais il ne changerait ce discours. Qu'il n'avait pas été le premier lui avait permis de la prendre sur le coin de ce bureau sans trop d'arrière-pensées. Dorénavant, ce serait son plaidoyer de défense.

— Comment… comment pouvez-vous dire une chose pareille ?

— Soyez sérieuse. Je ne vous ai rien appris, vous saviez ce qui se passait. Qui me dit que ce n'est pas là le moyen que vous avez trouvé pour me soutirer de l'argent.

— Vous êtes le père !

Elle avait crié. Un moment, Thomas se demanda si le son pouvait s'entendre à l'extérieur de la pièce. Des chefs de rayons allaient et venaient toute la journée dans les locaux de l'administration, sans compter tous les fournisseurs désireux de placer leurs marchandises.

— Sortez de mon bureau. Nous en reparlerons plus tard, quand vous vous serez calmée.

— Vous êtes le père ! lança-t-elle, moins fort mais avec la même détermination.

— De cela, vous ne pouvez pas être certaine.

— Je le suis.

L'homme ferma les yeux, se demanda un moment si cette brune docile pouvait avoir été vierge. À la fin, il lui offrit un visage obtus, résolu à ne rien céder :

— Je ne vous crois pas. Cependant, je verrai ce que je peux faire avec le curé… À la condition que vous ne reformuliez plus jamais une pareille accusation. Il y a des endroits voués au soin des personnes dans votre état.

Un autre volontaire se trouvait prêt à se démener pour l'enfermer à la maison Béthanie. Comme si cela lui coûtait, l'homme arriva encore à ajouter :

— Après, si vous le voulez, vous pourrez travailler à la ganterie. Ici, vous comprenez…

— Salaud !

— Mademoiselle Buteau... sortez !

Elle tourna les talons, ouvrit la porte, hurla encore en la claquant derrière elle : « Salaud ! »

~

— Vous avez entendu ? demanda Alfred en levant la tête.

— Un cri... répondit la vendeuse, un sourire sur les lèvres.

Le chef de rayon se trouvait dans la section des chaussures pour dames, tout près du passage permettant d'atteindre les locaux de l'administration. Il était en train d'essayer d'établir le prix de quelques invendus. Les gens n'achetaient plus rien pour l'hiver, à une date aussi tardive. Tout au plus en tirerait-il le prix coûtant.

— Je vais voir.

L'espace habituellement occupé par la secrétaire se trouvait vide et la patère où elle pendait son manteau, renversée sur le plancher, comme il pouvait arriver quand quelqu'un tirait brutalement sur son vêtement pour le récupérer. L'homme jeta un coup d'œil à la porte du bureau de son frère, pensa qu'un face-à-face avec lui pouvait attendre un peu.

En collant son front sur la grande fenêtre, Alfred aperçut la silhouette familière de la jeune fille sur le trottoir. Il s'élança dans l'escalier, sortit rue Saint-Joseph en souliers, vêtu seulement de sa veste. En courant, il put la rejoindre alors qu'elle arrivait à l'intersection de la rue Grant. L'accrochant par le coude pour qu'elle se retourne, il découvrit un visage couvert de larmes.

— Laissez-moi ! rugit-elle.

— Pas question. Vous venez chez moi.

— Laissez-moi, insista-t-elle en secouant la tête.

— Voulez-vous que je crève d'une pneumonie pour vous venger de mon frère ?

La question était si absurde que sa rage tomba un peu. Le chef de rayon continua :

— Je grelotte. Venez chez moi pour me sauver la vie, si vous n'avez pas de meilleure raison.

Tout en parlant, en la tenant toujours fermement par le coude, il l'entraîna vers la rue Saint-Dominique. Heureusement, leur vie se déroulait dans quelques rues formant un quadrillage serré. Très vite, ils pénétrèrent dans la vieille maison alors que Gertrude, curieuse et un peu inquiète, vint de la cuisine voir ce qui se passait.

— C'est vous, monsieur.

— Faites-nous du thé. Je m'occupe du feu de la cheminée.

Alfred commença par aider Marie à quitter son manteau, puis il lui désigna un fauteuil près de la cheminée. Il s'occupa ensuite de faire du feu avec de gros morceaux de charbon et une feuille de papier journal. Avant que la domestique n'ait posé une théière et des tasses sur une table basse, aucun des deux ne prononça un mot.

— Gertrude, je ne veux pas être dérangé.

Elle regarda le visage chiffonné et les joues barbouillées de larmes de la jeune femme, puis donna son assentiment d'un geste de la tête avant de retourner dans la cuisine. Alfred versa la boisson chaude dans les tasses, puis il déplaça un fauteuil afin de le mettre en parallèle de celui de Marie, très près. Leur visage serait à deux pieds l'un de l'autre, tout au plus.

— Vous êtes enceinte. Cela explique votre allure catastrophée des dernières semaines.

Les sanglots secouèrent les épaules de la jeune femme. Dans un mélange de pleurs et de murmures, elle débuta difficilement son récit avec la première erreur d'addition, dans le grand livre de comptes, pour le terminer avec l'affrontement survenu moins d'une heure plus tôt.

— Il a dit que je ne peux pas être certaine qu'il est le père, conclut-elle.

De toute cette histoire, cela lui paraissait être la pire insulte de toutes : douter de sa virginité.

— Et vous l'avez traité de salaud… Je sais, j'ai entendu. Votre vocabulaire, pour qualifier son attitude, est assez limité. Je pourrais vous apprendre quelques mots plus imagés.

Marie esquissa un sourire, avala un peu de thé, avant de poursuivre :

— Il m'offre un travail à la ganterie… après.

— Et avant ?

— Un accouchement discret. Cela, même mon frère le vicaire en est un chaud partisan. Vendredi dernier, je suis allée marcher devant la maison Béthanie. Je vais crever, là-dedans.

De nouveau, des larmes coulèrent sur ses joues. Alfred tira son mouchoir de sa poche pour le lui donner, attendit qu'elle se mouche avant de déclarer :

— Si vous me laissez prendre les choses en main, je pense que vous pourrez éviter de vous retrouver chez ces bonnes religieuses. Vous sentez-vous la force de retourner au magasin ?

— Vous êtes fou… commença-t-elle, puis d'un ton désolé, elle poursuivit : Je vous demande pardon. Je ne pourrai pas… et de toute façon, il m'a mise à la porte, tout à l'heure.

— Mais après une petite conversation avec moi, cela changera peut-être.

Elle le regarda un moment de ses grands yeux sombres, puis opposa :

— Même si vous plaidez ma cause, cela ne changera rien. De toute façon, quand je serai comme cela…

De la main, la jeune femme mima un gros ventre arrondi.

— Je peux toucher ?

Marie lui jeta un coup d'œil surpris, puis murmura :

— Oui, je suppose.

Alfred se pencha un peu et tendit le bras droit afin de poser sa main bien à plat sur son ventre. La chaleur traversait le tissu. Cela ressemblait fort à une caresse, la première depuis bien longtemps.

— C'est tout petit, commenta l'homme. Vous… sentez quelque chose ?

— Non, sauf au début des nausées le matin.

Elle esquissa un sourire qui pouvait ressembler à de la fierté, pour la toute première fois.

— C'est bien trop tôt.

Il retira sa main comme à regret, puis continua avec son ton ironique habituel :

— Le rôle d'un grand frère, c'est souvent d'empêcher un cadet de faire des bêtises. Bien sûr, pour la grosse bêtise, j'arrive un peu tard, mais j'ai une amie qui aurait dû se confier plus vite…

Marie baissa les yeux en se mordant la lèvre inférieure, puis ajouta, rougissante :

— Si vous croyez que c'est facile, avec la honte…

— Cependant, je peux toujours l'empêcher de continuer de s'enfoncer dans cette merde. Je le verrai ce soir pour essayer de trouver la meilleure solution, dans les circonstances. Cela vous dirait de manger avec moi ce soir ?

— Je désire surtout m'enfermer dans ma chambre pour pleurer jusqu'à ce que mort s'ensuive.

Encore une fois, elle lui adressa l'un de ses petits sourires timides, puis quitta son siège, un peu hésitante. Alfred se leva aussi afin de l'aider à remettre son manteau. Il s'assura que le bouton du col était bien attaché, puis précisa :

— Essayez de dormir un peu. Officiellement, vous vous sentez un peu mal. Vous n'irez pas vraiment mieux demain, au moins jusqu'à ce que je vous rende visite. Dites-vous bien que les choses commencent à aller mieux pour vous, depuis quelques minutes.

— Mais pourquoi ?…

— Je pourrais vous dire que je veux éviter à mon frère de brûler en enfer. Plus simplement, je crois que vous êtes mon amie. Faites attention à cette petite chose, ajouta-t-il encore en posant de nouveau sa main sur son ventre. Si l'enfant a de la chance, il tiendra surtout de sa mère.

— Gertrude, je sais bien qu'avec votre jambe, vous n'aimez pas les trottoirs glacés, surtout que notre petite rue ne profite d'aucun réverbère. Mais j'aimerais que vous remettiez ce mot à mon frère.

— Votre sollicitude me touche.

À son ton, Alfred devina qu'elle voulait dire : « Mais pourquoi diable n'y allez-vous pas vous-même ? » Cela tenait à un désir tout simple : sommer le roi du commerce de détail d'accourir vers son domicile, l'inquiétude aux tripes. Qu'une domestique porte le message ajoutait à son plaisir. Cela lui rabattrait un peu le caquet et le disposerait un peu mieux à entendre le bon sens.

— Et quand il sera là, enfermez-vous dans votre chambre et ne prêtez pas attention aux gros mots qui pourraient se prononcer dans la maison.

— Croyez-vous vraiment que ce seront les premiers que j'entendrai ?

Elle quitta la salle à manger en exagérant un peu sa claudication, pour le faire se sentir coupable, la feuille de papier soigneusement pliée à la main. Les rues se révélèrent vraiment glissantes et l'obscurité, totale. Elle dut se contenter du halo de lumière venu des fenêtres des maisons pour trouver où poser le pied sur les pavés inégaux. Elle frappa rudement à la porte de la maison de la rue Saint-François, attendit que Joséphine se décide à venir ouvrir en maudissant le froid.

— J'ai un message pour monsieur Thomas, expliqua-t-elle quand la cuisinière se présenta devant elle.

— Donne, je vais le lui remettre.

— Pas question. Je dois lui déposer le papier dans la main.

La vieille femme marmonna quelque chose entre ses dents, puis ajouta encore :

— Il est en train de souper.

— Sa soupe peut attendre un moment, pas ce message. Tu me fais entrer ou tu tiens à chauffer toute la rue ?

Finalement, Joséphine s'écarta un peu pour la laisser entrer, puis se dirigea vers la salle à manger. Deux minutes plus tard, Thomas Picard se présenta dans le hall de fort mauvaise humeur. Gertrude lui remit la feuille de papier soigneusement pliée, fermée avec un cachet de cire, comme on le faisait quelques décennies plus tôt.

— Bonsoir, monsieur, fit Gertrude en sortant.

— … Ah oui! Bonsoir, répondit l'homme en brisant le sceau.

Le message, assez bref, disait: «Mon cher frère, si tu ne veux pas d'un procès en reconnaissance de paternité, je te recommande de venir me visiter tout de suite. En passant, si nous en venons à plaider, je serai prêt à témoigner. La surface de ton bureau, ce n'est pas un endroit très discret pour les ébats. A.»

«Le salaud», pesta Thomas en froissant la feuille entre ses mains.

— Tu viens nous rejoindre, papa? demanda Édouard à l'autre bout du couloir.

— … Oui, bien sûr, mais je devrai sortir ce soir.

— Pour ton travail?

— Oui, c'est cela.

Lors de la fête de Noël, l'homme s'était promis de passer plus de temps avec ses enfants… ce qui voulait dire aussi avec leur préceptrice. Son petit monde menaçait maintenant de voler en éclats.

❧

Le poing contre le bois ébranla la porte dans son cadre. En ouvrant, Alfred déclara:

— Laisse-moi deviner la signification de ce vacarme. Tu as décidé de plaider et tu veux que tout Saint-Roch soit informé de tes turpitudes dès ce soir.

— Qu'est-ce que c'est que ces conneries? hurla l'homme en sortant de sa poche la feuille de papier chiffonnée pour la lui mettre sous le nez.

— Exactement ce qui est écrit. Ferme la porte et viens t'asseoir. Puis cesse de crier comme un cochon à l'abattoir. Gertrude a encore une ouïe assez fine. En fait, elle n'est pas plus vieille que moi.

Furibond, Thomas se décida tout de même à faire ce qu'on lui disait. Un moment plus tard, il occupait le fauteuil où, six ou sept heures plus tôt, se tenait Marie. Cependant, son hôte prit cette fois bien garde de ne pas approcher le sien.

— Tu n'es pas sérieux ?

— Au contraire, je ne te laisserai pas ruiner la vie de cette petite. Les lois sont assez claires : dans un cas comme le sien, le séducteur doit verser un dédommagement significatif à la partie lésée. Après tout, après une naissance illégitime, aucune femme ne peut trouver un bon parti. Puis il faut songer à l'éducation de l'enfant jusqu'à l'adolescence au moins.

Thomas serrait les deux bras du fauteuil comme s'il tenait à les arracher. Il éructa :

— Je n'ai jamais touché à cette…

— Prends bien garde à tes mots, interrompit son frère, une autorité nouvelle dans la voix. Le moindre qualificatif déplacé, et tu parleras demain à mon avocat.

— … Je n'ai pas touché à cette… personne.

Alfred croisa les jambes, posa son menton au creux de sa main gauche en affichant un air amusé.

— Je te l'ai déjà écrit, se livrer à des galipettes avec une femme troussée en travers de ton bureau, est non seulement de très mauvais goût, mais guère discret ! Je témoignerai contre toi. Le faire avec une orpheline de dix-sept ans, la sœur du vicaire de la paroisse, tient de la folie pure.

— Tu n'as rien vu !

— Tu viens d'avouer… L'important n'est pas ce que j'ai vu, mais ce que je jurerai avoir vu. Tu ne tiendras pas longtemps devant un avocat. Si tu doutes de la détermination de Marie Buteau, tu as tort. Si tu doutes de la mienne, tu es un imbécile. Je paierai son avocat de ma poche.

— Salaud !

L'homme fut sur lui en un instant, pour le saisir par les revers de sa veste. Le choc fut tel que le fauteuil se renversa et l'attaqué comme l'agresseur culbutèrent avec lui. Pendant quelques instants, ils s'empoignèrent réciproquement en grognant, roulant sur le plancher, comme cela s'était produit bien des fois, de l'enfance jusqu'à l'âge adulte.

Et comme chaque fois depuis, ce fut Alfred qui eut le meilleur. À cheval sur le corps de son frère, il lui tenait les deux poignets fermement.

— Qu'est-ce que tu veux, exactement? s'écria le commerçant, haletant sous l'effort pour se dégager.

— Ramener un peu de justice en ce monde. Tu as fait beaucoup de mal à cette jeune fille. Tu devras réparer au moins un peu.

— Si elle est enceinte, qui te dit que c'est de moi? Tu crois que j'étais le premier? De mon côté, je me demande si l'enfant n'est pas de toi… Je t'ai déjà vu entrer dans le magasin en la tenant par la taille.

Cette fois, Alfred se mit à rire franchement, toujours en maintenant son interlocuteur au sol.

— Tu devrais te faire une idée. Pendant des années, tu as raillé mes mœurs contre nature. Maintenant, tu essaies de me refiler la paternité de tes bâtards.

— C'est un complot tramé avec elle pour me soutirer de l'argent. Tu me l'as placée dans les pattes, tu as voulu qu'elle devienne ma secrétaire. Ensuite, ta putain est venue me faire du charme avec ses airs innocents…

Au mot «putain», Alfred laissa aller le bras gauche de son opposant pour lui asséner un premier coup de poing à l'œil, puis un second encore plus fort, sur le côté du visage.

Thomas, étourdi, cessa de lutter. En le secouant un peu, Alfred se pencha et prononça lentement, pour être bien entendu:

— Prends garde à ta langue, ou je te fais avaler tout un pain de savon de Marseille. Surtout, écoute-moi bien. Cette gamine que tu as baisée était vierge des orteils aux cheveux.

Si nous allons devant les tribunaux, tu risques de perdre, cela même si tu déniches les meilleurs avocats de Québec. Le riche parvenu contre la pauvre orpheline, cela n'augure rien de bon pour toi. Et si nous perdons, tu seras tout de même ruiné. Vois-tu, dans notre petit monde, le proverbe "Il n'y a pas de fumée sans feu" se trouve moins souvent mis en doute que l'existence de Dieu. Tous tes concurrents placeront ces mots dans leurs annonces : achetez chez nous, nous ne violons pas les gamines.

L'autre grogna en essayant vainement de se dégager. Tout le côté de son visage commençait à enfler. Le lendemain, sa figure s'ornerait de marbrures violacées.

— Imagine les conversations au coin du feu des bonnes gens de Québec. Non seulement le satyre de la rue Saint-François a séduit une petite orpheline au magasin, mais il en a une autre à portée de main à la maison !

— Laisse Élisabeth en dehors de cela !

— Mais… tu es vraiment entiché d'elle ?

Le ricanement dans la voix d'Alfred provoqua un nouvel effort de son opposant pour se dégager, pas plus efficace que les précédents. Il abandonna toute résistance en disant :

— À la fin, que veux-tu ?

— Je te le dirai demain. Ce soir, je préfère te laisser réfléchir à tout ce que tu peux perdre. Actuellement, je ne donne pas plus cher de ton avenir que de celui d'une gamine enceinte.

Prudemment, afin de ne pas encaisser un mauvais coup, le chef de rayon se releva, puis alla s'asseoir dans le seul fauteuil encore sur ses pattes. Thomas se redressa aussi, plus péniblement. Quand il fut debout, Alfred déclara encore :

— Tu sauras bien trouver seul la sortie. Comme cet après-midi, Marie souffrira demain d'une légère indisposition. Je serai dans ton bureau vers neuf heures, mais comme tu le sais, il m'arrive d'être en retard.

Thomas ouvrit la bouche pour dire quelque chose, s'arrêta puis quitta la maison.

Quand, une heure plus tard, Gertrude descendit pour se rendre aux toilettes, elle grommela :

— Heureusement, vous avez remis les meubles à leur place.

— Comme toujours, après nos petites disputes.

Quand Thomas se retrouva dans la rue Saint-Dominique, le froid de la nuit eut un effet apaisant sur sa colère. Bientôt, il se pencha et ramassa un morceau de neige durcie pour l'appliquer sur le côté gauche de son visage endolori. Le chemin vers son domicile n'était pas bien long. Il préféra le prolonger en faisant deux fois le tour du grand magasin de la famille et de ses dépendances. Voilà ce que pouvait lui coûter sa sottise.

Avoir trente et un ans, jouir d'une énergie et d'un appétit solides, et se trouver privé de compagne, cela expliquait peut-être son comportement des derniers mois, mais ne l'excusait pas. Rien en réalité ne justifiait le fait qu'il se fût servi d'une jeune employée pour trouver une satisfaction bien incomplète. La tête froide, il devait convenir qu'Alfred avait raison. L'inverti pervers se présentait comme l'incarnation de la morale. Dans d'autres circonstances, la chose l'aurait fait rire.

Un peu à regret, le commerçant se résolut à rentrer chez lui. Il se trouvait à peine depuis dix minutes dans sa bibliothèque quand des pas légers, puis des coups contre la porte, lui signalèrent une présence.

— Je t'ai vu arriver depuis la fenêtre de ma chambre, dit Élisabeth à mi-voix. Je viens voir si tu vas bien.

Après la visite de Gertrude, la mine très préoccupée de son employeur l'avait inquiétée. En s'approchant, elle remarqua que le côté gauche du visage paraissait enflé, et rougi d'avoir été de longues minutes en contact avec la neige durcie.

— Tu es blessé, continua-t-elle en levant la main pour effleurer du bout des doigts la chair endolorie.

— Un accident. J'ai glissé, commença Thomas.

Puis, face aux sourcils en accent circonflexe de la jeune femme, une mimique qu'il lui avait vue souvent prendre quand Édouard lui présentait l'une de ses petites fables en guise d'excuse après un mauvais coup, il continua :

— En glissant, j'ai rencontré le poing de mon frère aîné.

— Assieds-toi, je vais voir ce que je peux faire.

La jeune femme gagna la cuisine sans faire de bruit. Pourtant, comme un chien à l'ouïe très fine, Joséphine l'entendit de sa petite chambre contiguë. Très vite, drapée dans son vieux peignoir, elle apparut.

— Qu'est-ce que c'est ?

— Je cherche une bassine et une pièce de tissu. Monsieur Picard a eu un accident. Demain, je pense que la moitié de son visage sera un peu marbrée de bleu. Avec une compresse bien froide, cela se verra peut-être un peu moins.

— Un accident en allant chez son frère…

La mine amusée de la vieille dame témoignait de son scepticisme. Elle dénicha un plat de porcelaine profond, qu'elle plaça sous le robinet pour y mettre un peu d'eau. Une minute lui suffit pour y ajouter de la neige, accumulée près de la porte donnant sur la cour arrière. Pendant ce temps, Élisabeth avait trouvé une pièce de lin.

Quand elle revint dans la bibliothèque, elle trouva son patron calé dans son grand fauteuil, un cognac à la main, perdu dans ses pensées. Elle commença par imbiber le morceau de tissu d'eau froide, puis le posa contre le visage endolori.

— Tu es très bonne. J'ai bien peur de ne pas te mériter, murmura Thomas en posant sa main sur la sienne.

Elle ne se déroba pas au contact, demeura penchée au-dessus de lui et répondit :

— Il y a quelques jours à peine, tes rapports avec ton frère paraissaient au mieux.

— Le mieux, entre nous, n'a jamais été très bon.

Depuis le jour de l'An, le tutoiement permettait de souligner leur récente intimité quand ils étaient seuls. La nouveauté gardait toute sa puissance d'évocation. En lui prodiguant des soins qui semblaient être autant de caresses, Élisabeth l'amenait à de meilleurs sentiments :

— Pour te dire toute la vérité, j'ai commis une bêtise. Devant ma réticence à l'admettre, Alfred a utilisé son poing pour appuyer ses arguments.

— Une grosse bêtise ?

— Oui, j'en ai bien peur.

La préceptrice trempait de nouveau la pièce de tissu dans le bassin. Au moment de la poser contre la joue, elle demanda :

— Cela concerne les affaires ?

— … Non, mais les conséquences pourraient me coûter fort cher, et pas seulement au plan financier. Si tu savais…

Les prêtres avaient raison de s'appuyer sur la pulsion des Canadiens français à se confesser. Encore un peu, et Thomas se déchargerait de tous ses péchés dans cette grande pièce silencieuse. Ce ne fut pas nécessaire.

— Cette bêtise est reliée au fait que j'ai repoussé tes avances l'été dernier, dans cet hôtel de Charlevoix ?

L'homme demeura interdit, leva sur elle des yeux étonnés, mais ne put s'empêcher d'admettre :

— En quelque sorte, oui. Je t'en demande pardon.

Élisabeth demeura un instant immobile, le souffle coupé, les yeux fermés. À la fin, elle laissa la toile tremper dans son bassin et quitta la pièce sans ajouter un mot de plus.

❧

Le lendemain matin, Alfred Picard franchit la porte du grand magasin un peu après huit heures. Il s'occupa tout de suite de préparer l'ouverture. Quand les premiers clients se présentèrent au comptoir, il fit signe à une vendeuse de s'occuper de la caisse avant de s'esquiver du côté de l'administration. Après avoir frappé un coup à la porte du bureau de son frère, il entra sans attendre de réponse et s'exclama d'un ton amusé :

— Tu dois avoir fait une mauvaise chute. Les hommes de la famille devraient se tenir loin de la Côte-à-Coton.

Le visage du commerçant offrait une allure un peu effrayante. L'œil gauche tuméfié s'ouvrait à peine. Les marbrures bleues et rouges s'étendaient jusqu'à la pommette. Au cours des prochains jours, elles passeraient par un arc-en-ciel répugnant de teintes noires, violettes, vertes et jaunes.

— J'ai expliqué à Édouard ce matin avoir glissé sur les pavés mal entretenus en revenant de mon rendez-vous d'affaires.

— Mon histoire était meilleure. Il est vrai que j'ai une plus grande expérience de ce genre de choses. J'espère que la nuit a été de bon conseil.

Thomas n'avait pas fermé l'œil, supputant les menaces qui pesaient sur lui. Le scandale, si toute cette histoire devenait publique, entraînerait irrémédiablement sa ruine.

— Que veux-tu que je fasse, à la fin ? Je ne peux pas lui proposer le mariage… j'ai déjà une épouse.

— Et si jamais ta bonne fée venait t'en débarrasser, je pense que tu as une jolie candidate sous la main pour tes secondes noces.

L'homme serra les poings en jetant un regard plein de colère à son interlocuteur, mais la douleur dans toute la partie gauche de son visage lui rappela que mieux valait endurer les sarcasmes.

— Est-ce que je me trompe ? insista Alfred. Cela aussi fait partie du problème que l'on a sur les bras.

— S'il n'en tenait qu'à moi, oui, tu as raison. Mais comme tu le sais, les bonnes fées n'existent pas. Et si elles existaient, je ne suis pas certain qu'Élisabeth accepterait de m'épouser. Plus maintenant.

Ce matin, Élisabeth ne s'était pas présentée au déjeuner. Elle avait expliqué aux enfants avoir mal à la tête, puis s'était barricadée dans sa chambre. Après sa demi-confidence de la veille, Thomas s'attendait à cette réaction.

— Tu veux dire qu'elle se doute de tes galipettes ?

La mine dépitée du marchand lui indiqua que c'était le cas. Alfred secoua la tête, comme si pareil gâchis le laissait pantois, mais il n'ajouta rien.

— À la fin, vas-tu me dire ce que tu attends de moi ? interrogea-t-il en élevant la voix.

L'autre lui fit signe de la main de faire moins de bruit, puis demanda :

— Reconnais-tu maintenant que tu as des responsabilités envers cette gamine, dont tu as ruiné l'existence, et envers son enfant qui est aussi le tien ?

Le regard excédé fournit une première réponse, puis après une pause il concéda :

— Oui, tu as raison.

— Mais pourquoi diable as-tu fais cela ? Une beauté dont tu parais entiché habite sous ton toit, et tu prends l'une de tes employées en travers de ton bureau. Élisabeth ne te plaît pas ?

— Je suis fou d'elle, comme cela ne m'est jamais arrivé dans ma vie. Tu te souviens, avec Alice...

Son mariage, presque dix ans plus tôt, avait réjoui les parents du jeune couple et consolidé des relations d'affaires. Les principaux intéressés avaient dès le début paru beaucoup moins enthousiastes envers le projet et les choses ne s'étaient pas améliorées ensuite.

— Alors, pourquoi ne la baises-tu pas ?

Un long silence répondit à cette question, alors que l'embarras envahissait le visage de Thomas. À la fin, le chef de rayon s'esclaffa en disant :

— Tu la conserves intacte pour le bon motif ! Même si tu ne crois pas à la bonne fée qui emporte avec elle les épouses détestables dans l'autre monde, tu gardes espoir.

Chaque homme divisait la gent féminine en deux : celles qui pouvaient devenir les épouses et les mères de leurs enfants, et qui pour cela devaient demeurer vierges jusqu'à la cérémonie, et les autres offertes à toutes les entreprises de séduction. Personne n'accepterait de se contenter des restes d'un autre, et même des siens propres, si la consommation avait eu lieu avant le mariage, pour servir de mère à ses enfants.

— Et tu utilisais Marie pour te satisfaire, conclut Alfred. Pourquoi ?

— Tu es déjà resté cinq ans sans…

— Aussi longtemps, non. Et les bordels ? J'en connais au moins trois dans un rayon de deux mille pieds de ton domicile.

— … Le scandale.

La surprise se peignit d'abord sur les traits de son interlocuteur, puis celui-ci se mit à applaudir très fort tant de sottise. Après un moment, il continua :

— Je ne croyais pas que l'abstinence pouvait affecter si profondément le jugement d'un homme. Remarque, à entendre les sermons des curés, j'aurais dû me douter… Jusqu'à aujourd'hui, je les croyais imbéciles de naissance.

— Mais que veux-tu de moi, à la fin ?

La figure désemparée de son frère convainquit Alfred de mettre fin à ce jeu cruel.

— Marie aura besoin de support, commença-t-il en tirant de sa poche une feuille de papier soigneusement pliée. Il faudra que tu lui viennes en aide.

— … Si cela n'excède pas mes moyens.

— Juste avec les profits que tu feras grâce à la spéculation sur les terrains dans le port, tu seras en mesure de faire face à tes obligations. Mademoiselle Buteau veut bien renoncer à des poursuites, mais pour ne pas s'exposer à souffrir de ta mémoire défaillante, elle aimerait une petite reconnaissance de tes torts.

L'homme plaça la feuille de papier sur la surface du bureau. Thomas baissa les yeux pour lire : «Je reconnais avoir mis Marie Buteau enceinte. Signé ＿＿＿ le 5 janvier 1897.» L'espace pour apposer son nom précédait la date.

— Je ne signerai pas une chose semblable. Ce serait vivre avec un revolver pointé sur ma tempe en permanence.

— Elle sera en permanence mère, à cause de toi. Je garderai le document dans le coffre secret d'Euphrosine. Cette reconnaissance de ta responsabilité est bien moins dangereuse qu'un procès, crois-moi. À moins que tu ne deviennes particulièrement négligent de tes obligations, personne n'en entendra parler.

— Je ne peux pas. Toi-même, jamais tu n'accepterais…

Ce genre de confession permettrait à son détenteur de le ruiner au moment où il le voudrait. Qu'elle demeure dans les mains d'une personne fantasque rendait la menace pire encore.

— En réalité, tu n'as pas le choix. Ou tu signes, ou je sors d'ici pour aller rencontrer un avocat sur-le-champ.

Après le rouge de la colère, la pâleur du désespoir se lut sur les joues du commerçant.

— Pourquoi me détestes-tu à ce point? Que t'ai-je fait?

Alfred aurait pu évoquer quinze ans de railleries. Il préféra la conciliation:

— En réalité, je suis en train de te sauver. Avec ce bout de papier, Marie Buteau aura l'assurance que tu ne l'oublieras pas. Ce n'est que réduite à la dernière extrémité qu'elle l'utilisera. Tu comprends qu'elle ne désire pas plus que toi se donner en spectacle. Tu la connais tout de même un peu.

— Que veut-elle? Que veux-tu, car c'est toi qui mène le jeu dans cette histoire?

— Quand tu auras signé.

Pendant un long moment, Thomas demeura immobile, les yeux clos, effaré. Le chef de rayon se fit la réflexion que son frère devait maintenant avoir une petite idée de ce que signifiait céder sous la pression, sous la peur de tout perdre. À la fin, d'une main tremblante, il trempa sa plume dans l'encrier et signa. Alfred reprit la feuille pour la plier et la mettre dans la poche intérieure de sa veste.

— D'abord, elle voudra peut-être reprendre son poste demain. Tu devras lui faciliter les choses.

— Tu n'y penses pas…

— Nous n'avons pas le choix. Déjà ce matin, les vendeuses commentaient sa sortie d'hier. N'alimente surtout pas leurs commérages.

— … Soit.

Bien sûr, la disgrâce de la jeune femme quand on saurait son état ne devait pas suivre de trop près cet esclandre, sinon tout le monde ferait le lien.

— Je suppose qu'elle voudra aller quelque part pour un accouchement discret, continua Thomas, préférant prendre les devants plutôt que de se faire arracher toutes les concessions une à une.

— Une idée un peu plus simple me trotte dans la tête, mais pour cela je dois d'abord obtenir l'assentiment de Marie. Quand je sortirai d'ici, je lui proposerai le mariage.

Un moment, le commerçant demeura interdit, se demandant s'il avait bien entendu. Puis il attendit de voir son frère éclater d'un grand rire, comme il le faisait souvent après avoir proféré une énormité. À la fin, il laissa tomber :

— Tu es sérieux ?

— Plus je songe à la question, plus cela m'apparaît être la solution idéale. Elle y gagne une certaine sécurité dans laquelle élever ton enfant. Quant à moi, ce sera un sauf-conduit vers la respectabilité. Les commérages sur un bébé né six ou sept mois après le mariage portent tellement moins à conséquence que ceux sur des pratiques contre nature.

Alfred avait jeté le dernier mot comme un crachat. Malgré lui, Thomas devait convenir que cela représentait la situation idéale.

— Mais elle souhaite peut-être un mariage…

— Prononce le mot : tu veux dire "normal". Aussi normal que le tien, peut-être ?

Le chef de rayon retrouvait son ironie habituelle. Il continua, plus préoccupé :

— Désormais, une union normale, pour reprendre ce terme, lui est devenue impossible. Tu devrais le comprendre, c'est la raison qui t'incite à conserver Élisabeth de côté pour tes secondes noces, plutôt que de la mettre dans ton lit.

Le commerçant grimaça en se souvenant des caresses échangées le Premier de l'an. Ses propres convictions à cet égard devenaient moins fermes. Dans des circonstances habituelles, jamais il ne serait allé si loin avec une candidate au mariage.

— Personne n'épouse une célibataire qui élève un enfant. Même si Marie disparaît pour accoucher et donner l'enfant à l'adoption, ce ne sera pas vraiment mieux. Dans notre monde, les soupçons pesant sur elle en feront un très mauvais parti aux yeux de tous les hommes. Elle se retrouverait avec un alcoolique, un batteur de femmes ou un souteneur. Pour elle, je suis de loin le meilleur prétendant possible.

Thomas songea un moment à la possibilité de payer un travailleur pour convoler en justes noces avec une femme enceinte, mais un plan pareil poserait de trop grandes difficultés.

— Et si elle refuse ?

— Ce sera comme tu le disais tout à l'heure : un accouchement discret, puis la nécessité de l'entretenir, elle et son enfant.

Au gré des minutes qui passaient, le commerçant se prenait à espérer que le mariage de son frère aîné se réalise.

— Il ne me reste maintenant qu'à aller faire la grande demande, ajouta Alfred en se levant de sa chaise.

Il regarda son frère avec un sourire narquois, puis poursuivit en passant la main à l'intérieur de sa veste :

— Tu as parfois du mal à le croire, mais je t'aime, ce qui est bien naturel entre membres d'une même famille. Alors je ne garderai pas un pistolet braqué sur ta tempe. Cela me tentait de te montrer ce que c'était, te courber sur un bureau pour te baiser bien à fond, comme tu l'as fait à Marie. Avec cette signature, tu as maintenant un aperçu de ce qu'elle a vécu.

Il jeta la feuille sur le bureau, avant de préciser:

— Toutefois, si jamais tu me fais de la misère, je viendrai ici et je te donnerai une raclée à laquelle tu ne survivras pas.

Sans un mot de plus, il se dirigea vers la porte. En sortant, Alfred adressa à son frère un salut du bout des doigts, sans se retourner.

20

Présenter un plan aussi improbable à son frère était une chose, amener Marie à y jouer son rôle en était une autre. Alfred quitta le grand magasin sans tarder pour se rendre à la maison de chambres de la rue Grant. La jeune domestique répondit à ses coups à la porte mais quand il demanda à parler à l'une des locataires, elle s'esquiva en murmurant : «Je vais dire à madame de venir.» Un moment plus tard, la veuve Giguère apparut devant lui.

— J'aimerais m'entretenir avec mademoiselle Buteau, répéta-t-il.

— Vous êtes monsieur Picard, n'est-ce pas?

La question était de pure forme, elle le croisait tous les dimanches à l'église.

— Oui. Jusqu'à tout récemment, j'étais son supérieur immédiat.

— D'habitude, je ne laisse pas mes invités recevoir de visiteur, ou de visiteuse dans le cas des messieurs. Mais si c'est pour le travail, je peux faire une exception.

Elle s'écarta pour le laisser passer, puis le conduisit au petit salon.

— Si vous voulez attendre, je monte la chercher.

Alfred acquiesça d'un signe de tête. Laissé seul, il prit place sur une chaise près d'un guéridon. Après quelques minutes, Marie vint le rejoindre, l'air un peu gêné.

— Voulez-vous que je vous apporte du thé? offrit la propriétaire.

— C'est très aimable à vous, mais non merci. Nous parlerons du travail un moment, sans plus.

La propriétaire ferma la porte en se retirant. Le chef de rayon fit signe à la jeune femme de prendre place sur la chaise près de la sienne, puis murmura :

— Se peut-il qu'elle nous écoute de l'autre côté de la porte ?

— … Je ne pense pas, répondit Marie dans un sourire.

— À tout le moins, elle monte bien la garde pour empêcher les intrus de venir perturber son petit troupeau.

L'homme regarda autour de lui les fauteuils un peu usés mais de bonne qualité, les quelques livres placés sur une étagère, dont tous les titres auraient certainement reçu l'aval du curé de la paroisse et le piano droit portant encore les feuilles de musique des chansons joyeuses du temps des fêtes.

— Vous êtes bien installée, ici.

— Quand je suis arrivée, je croyais que ce serait mon petit paradis terrestre, l'endroit où me réfugier après de longues journées de travail. Je devrai quitter tout cela bientôt…

Chaque fois qu'elle faisait allusion à son état, sa main se portait machinalement à son ventre.

— Comme vous devrez partir, le mieux est de vous assurer que vous irez dans un logis aussi confortable que celui-ci. Hier vous êtes venue dans ma vieille maison. Vous a-t-elle semblé habitable ?

— … Que voulez-vous dire ?

— C'est ma façon bien maladroite de vous proposer le mariage.

Marie demeura interdite, ses grands yeux sombres dans les siens, puis elle souffla :

— Vous êtes cruel de vous moquer de moi ainsi.

— Je ne me moque pas. Je suis très sérieux. Je vous offre un domicile un peu plus sombre qu'ici, mais j'espère en changer bientôt pour le mieux. Puis je prendrai soin de l'enfant de mon frère.

La jeune femme demeura songeuse, chercha ses mots un moment, puis commença :

— Si ce qu'on raconte au magasin est vrai, vous êtes…

Le silence s'installa entre eux. Finalement, le visiteur continua :

— Vous n'arrivez pas à trouver un mot qui ne soit pas trop vulgaire pour dire la chose ? Dans les textes savants, on parle d'inverti. Dans ceux qui ne font pas dans la délicatesse, on utilise parfois le mot bougre. Mais votre frère, le vicaire, dirait sans doute pervers.

— C'est vrai ?

— Oui, et en même temps un peu plus compliqué que cela. Si vous y tenez, on en parlera au coin du feu, plus tard. En conséquence, je vous propose un mariage blanc. Entre amis, si vous préférez. Vous savez que je suis votre ami ?

— Je me rends bien compte que vous êtes mon seul ami.

Elle prononça ces mots le rose sur les joues. La proposition la prenait tellement au dépourvu que l'homme dut donner les explications qu'elle ne savait trop comment réclamer :

— Vous savez, la moitié des hommes comme moi se marient. C'est le seul moyen de gagner un peu de respectabilité. Je vous offre une certaine sécurité ; en contrepartie, je vous demande de me servir de sauf-conduit. Si j'épouse une femme déjà enceinte, en plus de faire une bonne action, les commérages devraient cesser.

— La moitié d'entre eux se marient…

— La plupart du temps, à des femmes qui ne connaissent pas leur véritable nature.

Ce qui ne rendait pas leur ménage moins heureux pour autant. Au fond, le peu d'appétit de ces conjoints pour le devoir conjugal pouvait facilement passer pour de la vertu, dans une société où toute forme de sexualité devenait suspecte. Les épouses y gagnaient en plus l'interruption du cycle infernal des grossesses annuelles.

— Et l'autre moitié ?

— Ce sont les plus chanceux : on les retrouve chez les prêtres, ou les frères. Ils passent leur temps à nous enseigner la chasteté. Partout ils reçoivent des marques de respect. Nous les vouvoyons, nous leur cédons nos places dans le tramway. Mon frère leur consent même les marchandises du magasin au prix coûtant…

Marie entrouvrit la bouche, la referma de crainte de dire une grossièreté, puis reprit après un moment :

— Vous n'êtes pas sérieux.

— Pensez-y : où un homme qui préfère les hommes peut-il trouver le moyen de vivre parmi eux toute sa vie, sans que jamais personne ne jacasse dans son dos ? Il y a bien la marine ou l'armée. Toutefois, dans ces milieux, on exige un minimum de virilité. Pas dans les ordres…

Alfred préféra ne pas s'étendre sur le sujet. De toute façon, maintenant ses propres turpitudes pesaient dans la balance. Afin que la jeune femme puisse prendre une décision éclairée, il tint à préciser :

— Bien sûr, si vous refusez mon offre, nous nous occuperons tout de même de vous. Je veux dire mon frère et moi. Il s'y est engagé tout à l'heure. Mais je crois sincèrement que ma proposition est la meilleure. Prenez un moment pour y réfléchir.

Dans le monde où elle vivait, la meilleure solution ne se révélait que rarement la solution idéale. Marie savait faire la part des choses.

— Restez ici encore toute la journée demain. Vous me ferez connaître votre décision jeudi matin, quand vous arriverez au travail.

Encore une fois, il eut droit à ses grands yeux un peu désemparés, puis elle laissa échapper :

— Je n'en ai pas la force.

— Croyez-moi, Thomas ne fera rien pour vous compliquer la vie. Si jamais il s'oubliait, regardez son œil gauche et dites-vous que cela ressemblait à une caresse, à côté de ce que je pourrais lui faire. Mais si vous ne revenez pas, tout le monde au magasin fera le lien entre lui et votre état. Quelle que soit votre décision à propos du mariage, mieux vaut que la relation se fasse entre cet enfant et moi, dans l'esprit des gens. Cela évitera des souffrances inutiles.

— ... Vous ne serez pas loin ?

— Dans le rayon des vêtements pour femmes. Votre voix porte très loin, quand vous êtes en colère contre lui.

Le souvenir de la scène du lundi précédent la fit rougir un peu et le retour sur ces lieux lui parut encore plus difficile.

— J'ai peur de ne pas pouvoir.

— Vous pourrez. En réalité, c'est très simple. Vous avancez mine de rien en ignorant les regards. Si on parle dans votre dos, vous faites semblant de ne pas entendre. Et si quelqu'un vous fait une remarque, vous le regardez avec l'air de ne pas comprendre. Avec le temps, on peut devenir très efficace à ce jeu... Bon, je vous laisse réfléchir à ma proposition et je retourne travailler.

L'homme quitta son siège, s'arrêta près de la porte pour demander encore :

— Quelle raison donnez-vous pour justifier votre présence ici toute la journée ? J'imagine que votre hôtesse aime savoir ce qui se passe dans la vie des locataires.

— Un peu de fatigue. Je me repose sur recommandation du médecin.

— À jeudi. J'attendrai votre réponse, alors passez du côté de mon rayon avant de faire face à l'ogre du faubourg Saint-Roch.

Sur ces mots, Alfred quitta le petit salon. Il n'avait pas fait trois pas que madame Giguère sortit de la cuisine comme un diable de sa boîte.

— Vous partez déjà, monsieur Picard ? J'espère que notre petite Marie n'a pas d'ennui.

— Notre petite Marie se porte assez bien pour revenir au travail dès jeudi. Je pense que mon frère a un peu forcé la note dans le cadre de ce nouvel emploi, l'automne dernier. Cela ne se reproduira pas.

— J'en suis heureuse. Au revoir, monsieur.

D'un pas rapide, le chef de rayon regagna son poste au magasin.

Pâle, tremblante même, Marie Buteau emprunta l'escalier plutôt que l'ascenseur pour monter au troisième étage. Elle se dirigea d'abord vers le comptoir du rayon des vêtements féminins, arbora un sourire timide devant Alfred avant de lui confier dans un souffle :

— Si elle tient toujours, j'accepte votre offre.

— Non seulement elle tient, mais je vous assure que vous ne le regretterez pas.

— Je dois y aller ?

Sa voix trahissait un certain espoir de se dérober. L'homme la déçut tout de suite :

— C'est d'autant plus important maintenant. À midi, nous irons dîner ensemble, et ce soir, je vous reconduirai à votre maison de chambres.

— Ah oui ! Cela fait partie du plan.

— Surtout, je pense que ce sera agréable pour nous deux.

À distance, des vendeuses surveillaient leur petit aparté en arborant des sourires amusés. Alors que Marie se dirigeait vers les locaux de l'administration, la première occasion de mettre à profit les enseignements d'Alfred se présenta à elle. Des regards curieux, des cancans narquois commentaient son retour.

Quelques minutes plus tard, ce fut au tour de Thomas Picard de marcher jusqu'au comptoir afin de s'entretenir avec son frère. Son récit à propos d'une chute sur les trottoirs glacés avait fait le tour de tous les employés du magasin, suscitant des hypothèses un peu désobligeantes. La plus innocente suggérait que l'alcool avait joué un rôle dans cet accident malencontreux.

— Elle a donné son accord à mon petit complot matrimonial, lui fit savoir le chef de rayon.

— Es-tu bien certain que c'est ce que tu veux?

Thomas avait une connaissance intime des mariages de convenances, et il mesurait combien l'expérience pouvait se révéler difficile.

— Crois-moi, ce sera le meilleur arrangement.

L'autre acquiesça d'un signe de tête, puis se dirigea vers son bureau. En affichant plus d'assurance qu'il n'en ressentait, le commerçant s'approcha de sa secrétaire et déclara:

— Je suis heureux de vous voir de retour, mademoiselle Buteau. Nous avons pris un peu de retard dans la correspondance. Tout à l'heure, nous nous en occuperons.

Alors que cette éventualité aurait dû la terroriser, la jeune femme eut du mal à conserver son sérieux à la vue de l'œil à demi fermé, arborant maintenant une combinaison de noirs et de violets peu élégants. Alfred prenait décidément très au sérieux son rôle de protecteur de la future épouse enceinte.

Après avoir reconduit la jeune femme au magasin en sortant du restaurant, Alfred s'absenta de nouveau, au risque de voir le chiffre d'affaires de son rayon péricliter un peu. Sa destination étant toute proche, il se contenta de traverser la rue pour frapper à la porte du presbytère. À la religieuse qui vint ouvrir, il déclara:

— Je dois absolument voir le vicaire Émile Buteau.

— Je ne sais pas s'il pourra…

— Dites-lui qu'il s'agit d'une affaire de famille qui réclame son attention immédiate. Il s'agit de sa propre famille, il devrait comprendre l'urgence de la situation.

La religieuse fixa sur lui des yeux soupçonneux, puis disparut dans les couloirs poussiéreux de la grande bâtisse. Quelques minutes plus tard, le vicaire se présenta à la porte. Un peu surpris, il déclara:

— Nous n'avons jamais été présentés, mais vous êtes Alfred Picard, n'est-ce pas? Je ne vois vraiment pas quelle histoire de famille nous aurions en commun.

— Comme je n'ai nulle envie de vous faire des confidences dans ce vestibule, vous allez trouver une pièce un peu plus discrète, et je vous montrerai très vite que nous sommes plutôt près l'un de l'autre, par personne interposée.

Intrigué, l'ecclésiastique le conduisit dans le bureau du curé. Le saint homme, un peu âgé, dormait un moment après le repas de midi. Cela leur laissait au moins une heure pour tirer cette situation au clair. En entrant dans la pièce, Alfred jeta un regard amusé sur la statue de saint Roch, s'approcha pour caresser la tête du chien de plâtre en disant:

— Une question théologique me tracasse depuis mon enfance. Si cette bête volait du pain tous les jours pour nourrir le pauvre Roch pestiféré, celui-ci vivait donc des fruits du crime. On a pu le béatifier malgré cela?

— Quelle est cette affaire de famille dont vous voulez me parler? demanda le vicaire, bien résolu à ne pas se laisser entraîner dans une discussion avec ce mécréant.

— Mon cher abbé, vous êtes l'oncle de mon enfant à naître, déclara l'homme en prenant place sur la chaise en face du grand bureau de chêne.

Émile Buteau demeura un moment interdit, puis il choisit de s'asseoir aussi. Il commença:

— Vous êtes le père...

— De l'enfant de Marie... votre sœur, pas l'autre, là-haut.

Du doigt, il désignait la statuette cachée derrière un lampion.

— Aussi, je viens vous demander d'organiser un mariage rapide. Ce serait une pitié d'avoir un garçon ou une fille qui gambade dans l'église au moment de la cérémonie. Le plus tôt sera le mieux, dans les circonstances.

Le prêtre demeura un moment songeur, puis il finit par dire:

— C'est impossible. D'après ce que j'ai entendu à votre sujet...

— Je vous arrête tout de suite. Si vous comptez évoquer des commérages sur mon compte, il serait indigne de vous de prêter foi à des calomnies. Je n'ose croire que vous trahissiez devant moi le secret de la confession. Si c'est le cas, les gens à qui vous avez donné l'absolution ont menti.

C'était la difficulté des pécheurs membres d'une petite communauté : si on ne confessait pas ses accrocs à la morale, le risque demeurait élevé que celui, ou celle, avec qui on les avait commis le fasse !

Plutôt que de se réjouir de voir l'une des ouailles fautives de la paroisse proposer de rentrer dans les rangs du mariage chrétien, le vicaire bouillait de colère. Ni lui, ni aucun de ses collègues d'ailleurs, ne toléraient habituellement la moindre insoumission, la moindre ironie. La nouveauté de l'expérience ne la rendait pas plus agréable.

— Un mariage n'est pas une simple formalité. Il faut remplir certaines conditions.

— Nous les remplissons déjà. Informez-vous auprès de votre curé : votre sœur et moi sommes nés dans la paroisse, nous faisons nos pâques avec une régularité ennuyante. Bien sûr, Marie se confesse et communie plus souvent que moi. Mais c'est la même chose dans tous les ménages de la ville. Elle est enceinte d'une dizaine de semaines. À moins que vous teniez à ce que la paroisse entière la pointe du doigt comme la femme flétrie, il convient de faire vite. En réalité, c'est notre intérêt à tous les deux qui l'exige. Alors je compte sur vous pour nous ménager un rendez-vous avec le curé dimanche en matinée, tout de suite après la messe. Je désire qu'il n'y ait qu'une seule publication des bans la semaine suivante, et le mariage ensuite. Nous inclinons tous les deux, je devrais dire tous les trois, car vous partagerez notre hâte, pour le lundi 25 janvier. Vous savez que si le péché a été commis plus d'une fois, on ne peut jurer du moment de la conception. Mais le 25 prochain, je pense que Marie sera enceinte de trois mois. Si la cérémonie a lieu plus tard, son état ne fera plus aucun doute.

Les prêtres avaient peu l'habitude de rester silencieux si longtemps devant un laïc, ni de se voir donner des directives. Dans les circonstances, le vicaire devait endurer la situation.

— … Et après ? s'enquit-il à mi-voix.

— Le bébé naîtra six mois après le mariage, c'est tout. Vous savez, dans une paroisse comme Saint-Roch, ce n'est pas si rare pour le premier enfant d'une famille. Les loisirs licites sont peu nombreux dans ces parages.

Non seulement cela se produisait assez régulièrement, mais la cérémonie effaçait la faute, en quelque sorte. Seuls les esprits chagrins se permettaient de revenir sur le sujet au fil des ans, avec le risque de se voir révéler une situation analogue dans leur propre lignée.

— Je verrai ce que je peux faire avec monsieur le curé. Les décisions de ce genre relèvent de lui, et ultimement de l'évêque pour les situations les plus délicates.

— Je suis certain que vous trouverez les mots pour le convaincre. Après tout, un mariage discret, même avec un parti aussi improbable que moi, portera moins scandale que l'entrée de la sœur du vicaire à la maison Béthanie.

Le dîner en tête-à-tête dans le petit restaurant de la rue de la Couronne, en plus de leur donner l'occasion de se montrer à tous, pour renforcer la plausibilité de la paternité d'Alfred, avait donné lieu à quelques confidences. Le promis y avait gagné une rude antipathie pour son futur beau-frère, que leur première rencontre confirmait tout à fait.

Émile Buteau devint violet, mais ne souffla mot.

— Afin de ne pas vous laisser sur une note négative, ajouta le chef de rayon en se levant de son siège, une bonne nouvelle : nous quitterons vraisemblablement la paroisse au retour de la belle saison.

En sortant de la pièce, le visiteur s'arrêta de nouveau devant la statue placée dans le coin pour déclarer encore :

— Quand deux hommes sont toujours ensemble, comme dans le cas d'une amitié particulière, on dit «ils sont comme saint Roch et son chien». Plutôt amusant, n'est-ce pas?

Sur ces mots, il sortit.

❧

Un peu après six heures, Alfred quitta le grand magasin de la rue Saint-Joseph en tenant Marie par le bras. Dans le commerce, cela attira quelques regards amusés. Les rumeurs commenceraient à circuler dès le lendemain. Quand ils furent dehors, l'homme demanda:

— Comment la journée s'est-elle déroulée?

— En réalité, plutôt bien. Jamais il ne s'est montré plus convenable. En me dictant les lettres, il tournait résolument les yeux vers la surface du bureau. Puis le "mademoiselle" fusait à tous les deux mots.

— Il fait l'apprentissage du respect à l'égard de sa belle-sœur.

— Cesse de dire cela... commenta-t-elle.

En mangeant, ils avaient convenu de se tutoyer. Cela paraîtrait plus naturel entre des personnes qui convoleraient en justes noces deux semaines plus tard.

— Je devrai le fréquenter, après?

Une certaine inquiétude pointait dans la voix de la jeune femme. Son compagnon répondit en lui adressant son meilleur sourire:

— Quelques fois, chaque année. Mais ces rencontres pourront être rares et brèves, si tu préfères.

— Et de ton côté, demanda-t-elle un peu rassurée, tu as apprécié cette visite à ton futur beau-frère?

— Je ne pense pas qu'il en résultera une belle amitié durable. Avec lui aussi, les relations ont intérêt à demeurer distantes. Mais je pense être arrivé à lui faire comprendre l'importance de nous faciliter les choses.

Elle serra son bras au souvenir de sa dernière rencontre avec le vicaire. Celui-ci n'avait jamais donné suite quant à son admission à la maison Béthanie. Au fond, ce projet de mariage était peut-être pour lui aussi une véritable bénédiction.

— Pour les bans? questionna-t-elle.

— Une fois suffira.

— Parfois, il n'y en a aucun.

En publiant les bans à trois reprises, c'est-à-dire en annonçant du haut de la chaire la promesse de mariage entre deux fiancés, le curé invitait en réalité les personnes opposées à l'union projetée à lui communiquer leurs motifs. Cette précaution visait à éviter que des individus déjà mariés, ou fiancés, ne s'engagent impunément dans une nouvelle relation. Une fois de temps en temps, un séducteur impénitent se retrouvait avec un procès pour rupture de promesse de mariage sur le dos, quand il laissait tomber une conquête pour une autre.

Dans une paroisse comme Saint-Roch, où tout le monde se connaissait trop bien, la publication des bans trois fois ne faisait qu'alimenter les commérages et permettre aux paroissiennes enclines à assister à ce genre de cérémonie de planifier leur horaire.

— Je crois cette publication utile, pour mettre les gens au courant. Puis les formalités pour un mariage absolument discret seraient peut-être longues et complexes.

Ils avaient atteint le seuil de la maison de chambres de la rue Grant. Au moment de souhaiter bonne nuit à sa promise, Alfred se pencha pour l'embrasser sur la joue. Au même instant, le rideau de la salle à manger bougea un peu. Il reconnut la silhouette de madame Giguère. Dorénavant, elle ne le laisserait plus visiter sa pensionnaire.

❧

La rencontre prévue pour le 10 janvier se déroula dans une atmosphère de politesse factice. Le curé, un homme âgé

400

à qui tous les avatars de l'existence étaient familiers, au moins par ouï-dire, ne sourcilla pas à l'idée de marier une femme enceinte de trois mois. Tout au plus y alla-t-il d'un « mieux vaut tard que jamais ».

Si la paternité d'Alfred lui parut suspecte, il eut la sagesse de n'en rien laisser paraître. En fait, après une heure à les questionner sur leur compréhension de la sainteté du mariage et à se contenter de réponses tirées directement du petit catéchisme, il les convia à une confession générale d'abord, puis convint d'une cérémonie discrète à la sacristie, le 25 janvier prochain, à neuf heures.

Exactement une semaine plus tard, du haut du jubé, Marie Buteau entendit son pasteur annoncer en chaire :

— Il y a promesse de mariage entre, d'une part, Marie Buteau, de cette paroisse, fille de feu...

Immédiatement, une agitation s'empara des membres de la chorale, les femmes la félicitèrent à voix basse. Les plus délurées d'entre elles regardaient le tour de taille de leur compagne en plissant les lèvres en guise de condamnation muette.

Dans la nef, contrairement à son habitude de concentration pieuse, Élisabeth Trudel tourna franchement la tête afin de regarder vers le jubé. La secrétaire de son employeur se trouvait bien là, au premier rang. De plus près, elle l'aurait vu remercier ses compagnes de leurs bons vœux en rougissant.

— Et Alfred Picard, également de cette paroisse, fils de feu...

La préceptrice tourna à demi la tête pour fixer des yeux Thomas. Lui aussi rougissait, alors que machinalement il portait ses doigts sur son œil endolori, maintenant orné de marbrures vertes et jaunes.

Quarante minutes plus tard, au moment où elle mettait les pieds sur le parvis de l'église, Marie fut assaillie par de nombreuses collègues de travail, et même des personnes qui, deux ou trois ans plus tôt, étaient ses camarades à l'école, désireuses de lui présenter leurs vœux de bonheur. La plupart affichaient une mine envieuse, car l'aîné des Picard se révélait une belle prise pour une fille d'ouvrier. D'autres lui jetaient plutôt un regard moqueur. La publication d'un seul ban signifiait clairement qu'elle avait prématurément « un pain au four ».

Bientôt, ce fut Yvonne qui se manifesta devant elle pour lui faire la bise, la féliciter et lui souhaiter bonne chance, suivie par son fiancé. Marcel vint tout de suite après. En lui tendant la main, il demanda, goguenard, un sourire ironique sur les lèvres :

— Ce Picard, c'est ton patron, n'est-ce pas ?

— Mon ancien patron, le frère de celui pour qui je travaille maintenant.

Le malaise rendait sa voix un peu chevrotante, alors que le rouge lui montait aux joues.

— Je devrais essayer d'épouser Ludger Duchesne. Cela me vaudrait peut-être une augmentation.

— Je ne savais pas que ce manufacturier de chaussures souffrait de ces mœurs contre nature. Il a pourtant une femme et des enfants. Vous êtes sûr de ce que vous dites, monsieur ?

Alfred Picard venait de rejoindre sa promise pour la prendre par le bras. Un grand sourire sur le visage, ses yeux trahissaient plutôt une colère contenue.

— Je blaguais, monsieur. Je vous souhaite tout le bonheur possible, ajouta-t-il en tendant la main.

Un instant plus tard, Marcel Bellavance s'éloignait pour rejoindre ses amis. Le couple se dirigea vers la rue Saint-Dominique. Une fiancée pouvait partager un repas avec son futur époux, au domicile de ce dernier, sans trop mettre en péril sa réputation.

— Ce garçon est un ami à toi ? demanda bientôt Alfred.

— S'il avait montré un peu plus d'empressement, et moi une mine plus encourageante, ton frère aurait dû s'expliquer devant lui.

— Je ne suis pas certain que c'est le genre à provoquer un rival. Il vient de prendre la fuite un peu rapidement.

— Mais... tu es jaloux, ma parole!

L'amusement de la jeune femme à cette pensée rendit son compagnon un peu songeur.

— À bien y penser, tu as raison, convint-il enfin.

❧

Élisabeth Trudel réussissait à contrôler ses maux de tête diplomatiques depuis quelques jours, au point de partager de nouveau les repas de son patron et des enfants. Toutefois, elle n'était pas revenue le voir dans la bibliothèque, en fin de soirée, depuis leur conversation du 4 janvier.

Devant le dîner préparé par Joséphine, Eugénie demanda à son père:

— Tu savais, toi, qu'oncle Alfred allait se marier?

— Oui, depuis quelques jours.

— Je n'ai jamais vu une femme avec lui.

Thomas mastiqua un peu plus longtemps que d'habitude, afin de se donner le temps de réfléchir à sa réponse.

— Il s'agit d'une employée du magasin, ma secrétaire. Tu l'as déjà rencontrée.

— La jolie dame avec les cheveux foncés, commenta Édouard.

— Oui, c'est elle.

Les yeux d'Élisabeth fixaient son patron avec une intensité un peu fiévreuse. Un court instant, leurs regards se croisèrent, puis l'attention de l'homme revint vers sa fille qui demandait:

— Nous irons au mariage?

— Moi seulement. Je serai leur témoin. Cela veut dire que je devrai signer des papiers, précisa-t-il devant sa mine perplexe.

— J'aimerais y aller aussi. Je n'ai jamais vu de mariage.

Encore une fois, Thomas regarda la préceptrice, constata que celle-ci se construisait sa propre représentation des événements. Il devrait bientôt implorer un rendez-vous pour lui donner sa version.

— Nous recevrons certainement des invitations au cours de l'été prochain. Je te promets que nous irons. Dans le cas de ton oncle, c'est un "petit" mariage, sans aucun banquet. Tout de suite après, nous retournerons travailler.

— Dans ce cas, autant ne pas y aller, conclut Édouard avec sagesse.

Élisabeth commença à jouer avec sa nourriture, songeuse.

~

Après l'angoisse fiévreuse qui avait été la sienne au début du mois, Thomas ressentait un immense soulagement. De façon tout à fait inattendue, Alfred l'avait tiré de ce mauvais pas. Bien mieux, toute cette histoire ne lui coûterait vraisemblablement pas un sou. Tout au plus devrait-il se montrer très tolérant à l'avenir envers les facéties de son aîné.

Quand vers dix heures, des coups discrets contre la porte de la bibliothèque attirèrent son attention, l'homme comprit que le moment d'une discussion avec la préceptrice approchait.

— Je peux vous parler un moment ? demanda la jeune femme en rougissant, dressée dans l'embrasure de la porte.

Le tutoiement n'était plus de mise entre eux. Après leur rapprochement, la distance semblait plus grande encore que le jour de leur première rencontre, dans le fiacre.

— En vérité, je vous attendais. Je vous ai attendue tous les soirs ces deux dernières semaines. Je peux vous offrir quelque chose à boire ?

Élisabeth fit non de la tête, capturant la lumière de la lampe à gaz dans ses cheveux somptueux. L'homme lui désigna l'un des fauteuils, s'installa dans le second. Un peu penché vers l'avant pour se rapprocher d'elle, il attendit.

— Ce mariage inopiné, c'est pour réparer votre grosse bêtise, souffla-t-elle bientôt.

— Oui. Je suis désolé…

La jeune femme secoua la tête pour le faire taire, puis demanda encore :

— Elle est enceinte, n'est-ce pas ?

— Oui.

— Cela explique la publication d'un seul ban, puis le mariage discret. Mais pourquoi Alfred accepte-t-il de faire cela ?

Thomas pensa s'engager dans une longue explication sur l'homosexualité, puis il se demanda si son interlocutrice savait seulement de quoi il s'agissait. Les sœurs de la congrégation Notre-Dame, comme les ursulines, devaient en connaître bien peu sur le sujet. Finalement, il se décida pour une version succincte :

— Il l'aime assez pour m'avoir fait cela quand il a su, expliqua-t-il en posant les doigts sur sa pommette endolorie. Puis cela lui donne l'occasion de se ranger, d'avoir une compagne. Depuis la mort de maman, il ressemble à une âme en peine.

Bien sûr, l'homme forçait un peu la note, mais son récit possédait un fond de vérité.

— Laissez-moi vous expliquer…

De nouveau, elle secoua la tête, avant d'ajouter :

— Ce n'est pas nécessaire. Les religieuses l'ont fait pour vous. Elles nous disaient que les besoins des hommes sont… irrépressibles. Comme vous ne couchez plus avec votre femme et que je vous ai refusé… Je suppose que vous ne pouviez faire autrement. Je vous remercie encore de ne pas avoir insisté, l'été dernier.

— Je vous aime trop pour cela. Si jamais ma situation changeait, je serais à vos pieds…

En conséquence, son respect pour elle l'avait conduit vers une autre. Après deux semaines à retourner la situation en tous sens, Élisabeth demeurait toujours aussi perplexe. Ni les religieuses, ni l'opuscule de la baronne de Staffe, ne l'avaient préparée à bien comprendre une situation aussi absurde.

— Vous pourrez me pardonner ? insista-t-il.

— Je ne crois pas avoir quoi que ce soit à vous pardonner. La question devrait aller à Marie Buteau et à votre femme.

Thomas reçut ces mots comme un coup au visage. Elle se leva pour quitter la pièce. Il fit de même, la saisit par le bras pour la retenir un moment et demander encore, ses yeux dans les siens :

— Le camée ?

— Jamais il ne m'a quitté.

Sur ces paroles, la jeune femme se précipita dans l'escalier.

❧

Tous les protagonistes désiraient un mariage discret. En prime, ils eurent droit à une cérémonie d'une exceptionnelle morosité. Alfred et Marie entrèrent dans l'église par une porte dérobée et trouvèrent à la sacristie une nef en miniature. Le curé les attendait, chasuble sur le dos, étole autour du cou. Dans les premiers bancs, de part et d'autre de l'allée centrale, Émile Buteau et Thomas Picard se trouvaient déjà là.

L'officiant procéda promptement. Au moment voulu, les deux témoins apposèrent leur signature dans le grand registre paroissial. En moins d'une demi-heure, tout fut expédié. Le curé s'esquiva après des félicitations guère convaincues au nouveau couple, laissant le quatuor en tête-à-tête. Émile Buteau plaida des obligations aussi pressantes que mystérieuses et souhaita d'un ton vaguement ironique des années de bonheur et une nombreuse descendance à son nouveau beau-frère. Puis debout devant sa sœur, il tendit la main et lui dit :

— Je te souhaite d'être heureuse. Si nos parents avaient été là...

Un peu plus et il aurait ajouté : « Ils t'auraient évité cette déchéance ». À la fin, il réussit à articuler :

— Bonne chance.

— Maintenant, commenta-t-elle d'un ton contenu, tu pourras consacrer toute ton attention à tes ouailles. Tu as enfin fini de t'inquiéter à mon sujet.

Elle aurait pu dire « pour moi ». Le choix de ses mots soulignait si bien la nature de leur relation qu'Émile demeura un moment songeur, puis quitta les lieux après un salut de la tête.

Pendant ce temps, Thomas serra la main de son frère en esquissant un « merci » à peine audible. Comme pour souligner que ses difficultés s'estompaient, il avait remarqué en se rasant tôt le matin que le côté gauche de son visage ne présentait plus ni œdème ni couleurs malsaines. Puis il s'approcha de Marie, tendit la main. Celle-ci lui tourna ostensiblement le dos et déclara d'une voix ferme :

— Alfred, rentrons à la maison.

Se rendre rue Saint-Dominique ne prit que quelques minutes. Gertrude devait les surveiller depuis une fenêtre, car la porte s'ouvrit devant eux. Quand ils furent entrés et débarrassés de leurs manteaux, la domestique s'approcha de la jeune épousée pour la serrer dans ses bras de façon maladroite et déclarer d'une voix émue :

— Bienvenue chez vous, madame.

Puis elle s'empressa de se réfugier dans la cuisine en reniflant. Marie demeura interdite, porta les yeux sur ses deux valises posées contre le mur. Cela ne l'aida pas à retrouver une contenance. Son mari avait demandé à un garçon de course du magasin d'aller les chercher à la maison de chambres. La veille, madame Giguère avait versé une larme pour souligner le départ de sa plus jeune pensionnaire, puis s'était consolée en recevant le loyer du mois de février en guise de compensation pour le préavis trop court.

Alfred entoura la jeune femme de ses grands bras. Un frémissement parcourut le corps de Marie, fait tout à la fois de soulagement et d'inquiétude. Le désespoir l'avait engagée dans une union dont elle ne savait absolument pas quoi attendre.

Suivant le cours de ses pensées, l'homme lui susurra à l'oreille :

— Ne t'en fais pas, nous ne ferons pas une si mauvaise équipe.

— Maintenant, je n'ai que toi au monde.

— Ce qui donne une personne de plus qu'auparavant, n'est-ce pas ?

Si le constat avait quelque chose de cruel, l'homme avait raison. Il continua :

— Tu pourras compter aussi Gertrude, à en juger par ce que nous venons de voir.

— Que sait-elle, au juste ?

— Je ne lui ai rien dit, mais je suppose qu'elle en sait plus que nous deux réunis. Viens ranger tes choses. J'ai pris la liberté de placer le cadeau de mariage offert par Thomas dans le garde-robe et la commode.

Marie le regarda sans comprendre, au point que son mari finit par dire en riant :

— Hier, je suis allé au magasin pour choisir quelques vêtements pour toi. Dans trois jours, les coutures de ce que tu portes vont éclater. Je lui ai laissé la facture.

Sur ces mots, sa main caressa l'arrondi maintenant très perceptible de son ventre.

— Je ne veux rien accepter de lui.

— Alors convenons ensemble que c'est le cadeau qu'il me fait à moi. Je ne lèverai pas le nez sur cette offrande, car j'aspire à de grandes choses pour nous.

— ... Que manigances-tu ?

Il répondit par un sourire, prit les deux valises et se dirigea vers la chambre. Il verrouilla soigneusement la porte dans leur dos, comme pour un interlude amoureux. Puis, après avoir déniché le vieux tournevis du paternel dans un coin de la garde-robe, il dévissa le madrier du plancher et étala sur le lit le petit trésor d'Euphrosine.

— C'est beaucoup d'argent? demanda Marie, impressionnée par les pièces d'or.

— Non, pas tant que cela. Mais avec le prix de cette maison, cela nous donnera de quoi lancer un petit commerce bien à nous. En travaillant tous les deux, et peut-être en ajoutant une vendeuse ou deux, nous nous en tirerons sans trop de mal.

— Tu quitteras le magasin Picard?

Alfred lui adressa son meilleur clin d'œil avant de répondre :

— Je ne vais pas demeurer toute ma vie l'employé de mon cadet.

Mettre une distance entre elle et Thomas Picard ne pouvait lui déplaire. L'idée de tenir boutique la laissait toutefois un peu sceptique.

❧

Alfred avait insisté pour qu'elle travaille encore une semaine, pour montrer l'anneau à son doigt, et la nouvelle robe un peu ample qui laissait soupçonner son état. Cela tenait de la provocation, bien sûr. Elle céda pourtant à ce caprice.

Le samedi 30 janvier, un peu avant six heures, Marie avait traité toute la correspondance en souffrance, rangé tous les dossiers dans les classeurs. Depuis son retour, jamais le grand livre de comptes relié de toile verte ne lui était passé entre les mains. De cela au moins, elle pouvait être reconnaissante à son employeur.

En attendant l'arrivée de son époux, elle demeura un moment immobile devant les grandes fenêtres donnant sur la rue Saint-Joseph. La silhouette sombre et triste de l'église Saint-Roch lui bouchait un peu la vue. Sur les trottoirs, dans le halo tremblant des réverbères, des passants pressaient le pas sous les assauts du vent glacial venu du fleuve.

La porte du bureau du patron s'ouvrit, Thomas Picard s'avança sans cacher son malaise, puis s'adressa à elle :

— Mademoiselle... je veux dire madame, je suis désolé de ce qui s'est passé.

— Ce qui ne change rien à ma situation, ni à la vôtre. Ce sentiment vous coûte peu.

L'homme afficha sa surprise et continua, encore plus hésitant :

— Je vous demande pardon...

— Ne gaspillez pas votre salive : jamais je ne vous pardonnerai.

Le commerçant voulut ajouter quelque chose, s'arrêta puis retourna sans rien dire de plus dans son bureau. Quand la porte se referma derrière lui, la voix d'Alfred se fit entendre dans son dos :

— La petite fille a définitivement disparu. La femme qui la remplace ne manque pas de piquant.

— Tu as entendu ? Cet homme ne doute de rien.

— En affaires, certains considèrent que c'est un avantage. Nous rentrons ?

Le chef de rayon lui offrit son bras. Sur leur passage, jusqu'à la porte, les employés saluèrent Marie pour la dernière fois. La jeune femme examina soigneusement les lieux. Au moment de passer la porte, elle murmura :

— Je ne pense pas revenir dans cet endroit.

— ... Chanceuse. Moi, je devrai le faire encore quelques mois. Ensuite, il va de soi que tous tes vêtements viendront de chez Alfred.

— Où est-ce ?

— Notre futur établissement. Comme le nom Picard est déjà utilisé, je me rabattrai sur mon prénom. Mais pour tout le reste de nos achats, cette grande surface sera tout de même utile : on y trouve de tout.

La jeune femme fit voler la grande tresse sombre de ses cheveux en secouant la tête, puis décréta, inflexible :

— Je trouverai bien ailleurs.

La nuit serait glaciale. Avec un peu de chance, Gertrude aurait déjà fait du feu dans la cheminée.

21

Le mariage d'Alfred et de Marie ramena un certain calme dans la maison de la rue Saint-François. Thomas présentait de nouveau son image de compétence déterminée. Même si les élections n'auraient lieu qu'au printemps, déjà de nombreuses soirées passaient en réunions avec ses collègues du Parti libéral. Parti tôt, rentré tard, ses contacts avec la préceptrice conservaient une allure embarrassée. Néanmoins, à table, les choses revenaient lentement à ce qu'elles avaient été l'automne précédent.

Au souper du 25 février, le commerçant provoqua une petite commotion quand il déclara :

— Réalisez-vous que nous n'avons rien fait ensemble au cours des deux derniers mois ? Si cela vous plaît, demain matin je ferai l'école buissonnière, et nous irons profiter un peu de ce fameux carnaval dont les journaux parlent tant.

— Demain, c'est samedi ? questionna Eugénie, un peu surprise.

— Oui. Mais n'aie crainte, si je travaille fort toute la semaine prochaine, je reprendrai le terrain perdu.

En vérité, la fillette se préoccupait peu de l'absentéisme au travail de son père, mais plutôt des occasions offertes aux adultes délinquants lors des journées de congé.

Le carnaval d'hiver n'avait pas encore un caractère régulier. Toutefois depuis quelques années, les hommes d'affaires unissaient leurs efforts pour tenir une semaine de réjouissances pendant les jours précédents le mercredi des Cendres. Lors de cette fameuse journée, les fidèles se rendaient nombreux à l'église pour que le curé leur mette un peu de cendres entre les yeux en récitant : « Poussière, tu es poussière et tu retourneras en poussière. » Dès le lendemain commençait le carême.

Naturellement, devant un aussi sombre pronostic, les gens aimaient passer quelques jours à boire, manger, porter des costumes ridicules et faire la grimace à la mort. La peur de l'issue finale ne s'en trouvait pas diminuée, mais en rire un peu rendait la perspective plus tolérable.

— Alors, qu'en dites-vous ?

— Oh oui ! Nous pourrons aller glisser, s'écria Édouard.

— Auparavant, nous demanderons à Napoléon de nous emmener faire un tour de ville dans la grande carriole. Il y a des monuments, des activités sportives et des sculptures sur glace un peu partout.

— Est-ce qu'Élisabeth viendra avec nous ? demanda le garçon.

Pour cacher son dépit, Eugénie se perdit dans la contemplation du contenu de son assiette. Thomas planta son regard dans celui de la jeune femme, puis dit :

— Si elle désire nous accompagner, j'en serais très heureux.

Les yeux de la préceptrice se détournèrent bientôt, alors que ses joues rougissaient un peu. Le garçon lui mit la main sur le bras, inclina la tête de côté et demanda, avec cet air de séducteur qu'il saurait si bien adopter quinze ans plus tard :

— Dis, Élisabeth, tu voudras bien venir avec moi ?

— … Je serai heureuse d'être là.

D'une façon qu'elle souhaitait discrète, ses yeux se posèrent un moment sur son patron. De l'autre côté de la table, Eugénie retrouva sa mine un peu inquiète.

❧

Pour l'édition de 1897 du carnaval d'hiver, Jean-Baptiste Laliberté avait joué un rôle central dans l'organisation. Après tout, pour un vendeur de manteaux de fourrure, l'idée d'amener ses concitoyens à jouer dehors se révélait une stratégie commerciale logique.

Tôt en matinée, la carriole de Napoléon Grosjean prit ses passagers devant la maison de la rue Saint-François. Moins naïve que deux mois plus tôt, mais guère plus habile, Eugénie fit son possible pour arriver un peu en retard afin de ne pas devoir monter la première. Elle se trouva prise à son propre jeu, car au moment d'atteindre le trottoir, Élisabeth et son père se calaient déjà, épaule contre épaule, sur la banquette arrière. Elle se contenta de la place restante.

Quant à Édouard, il trônait près du cocher. Comme le froid se révélait moins vif, et que les édifices de la ville le protégeraient du vent, cette fois il espérait braver les éléments sans avoir à se cacher sous la robe de fourrure.

Au moment où le cocher fit claquer les rênes pour signifier au cheval de se mettre en route, un tintement aigrelet se fit entendre. Le vieil homme avait déniché un coussin orné de grelots. Sur la croupe de l'animal, il produisait une jolie musique.

— Comme c'est charmant, monsieur Grosjean. On dirait le tintement de verres de cristal.

Le gros homme laissa voir son contentement, mais Eugénie, sollicitée du regard, n'ajouta rien au bénéfice du cocher. La préceptrice enchaîna :

— Monsieur Picard, avez-vous participé à l'organisation de ces festivités ?

— Un peu, mais avec les élections encore cette année, je me suis fait discret. Parfois, mieux vaut ne pas se trouver sur toutes les tribunes.

La question anodine était une petite ouverture. En répondant, Thomas chercha la main de la jeune femme sous la fourrure. Celle-ci ne se déroba pas. Un peu plus tard, l'homme ramenait la main gantée vers lui, pour la garder dans la sienne, alors que leurs yeux se rencontraient.

Au coin de la rue de la Couronne, le cocher prit la direction sud. Il s'engagea sur la Côte-d'Abraham, bifurqua bientôt pour emprunter la Côte-Sainte-Geneviève. Le cheval progressait à pas lents sur la rue escarpée, Napoléon Grosjean l'encourageait par de petits claquements de langue. À l'intersection de la rue Saint-Jean, il choisit d'aller vers l'ouest. Bientôt, les promeneurs passèrent sous une porte monumentale faite de blocs de glace, érigée par des habitants à l'esprit festif. En captant la lumière du soleil, la construction jetait des reflets irisés.

— Regarde comme c'est joli, Édouard.

Le garçon projetait sa tête vers l'arrière pour tout voir et, au moment où la carriole passa sous la construction éphémère, il se pencha au point de choir en riant, convaincu que les bras d'une grande blonde le recevraient sans peine. Après l'avoir aidé à reprendre sa place, la jeune femme se cala dans son siège, s'appuya un peu plus lourdement contre le corps de son patron et chercha elle-même à rétablir le contact de sa main.

Le traîneau emprunta ensuite la rue Claire-Fontaine afin de rejoindre la Grande Allée. Brièvement, il progressa vers l'ouest. Quand il passa devant l'orphelinat des sœurs du Bon Pasteur, Élisabeth serra la main de son compagnon en échangeant avec lui un regard chargé de chagrin. Ensuite, Grosjean s'engagea dans les plaines d'Abraham, s'arrêta sous les murs de la grande prison en disant, un peu comme un conducteur de tramway :

— Premier arrêt.

Le quatuor descendit, un peu peiné de laisser la chaleur de la robe de fourrure.

— Nous reviendrons dans une heure environ.

— Je vous attends ici.

Le cocher chercha une épaisse couverture au fond de la carriole. Bientôt, il la posa sur le dos du cheval. Cette précaution s'imposait, car l'effort pour monter à la Haute-Ville avait mis de l'écume sur les flancs de la bête. Avec le froid de cette journée de février, elle risquait de crever. Plein de prévenance, il lui accrocha même sous le museau un sac d'avoine. Ses attentions n'allaient pas qu'aux femmes frileuses et romantiques.

À l'est de la prison, on avait aménagé une grande piste ovale. À l'approche de la famille Picard, une cinquantaine d'hommes chaussés de raquettes s'époumonèrent afin d'atteindre le fil d'arrivée. Tous portaient un curieux accoutrement, un manteau de drap de laine écru décoré de bandes de couleur parallèles au bas du vêtement. Il s'agissait d'une adaptation du costume des voyageurs de la région du nord-ouest, les hommes qui convoyaient les fourrures du Manitoba jusqu'à Montréal au début du siècle. À l'origine, ce vêtement était taillé dans les couvertures de traite de la Compagnie de la Baie d'Hudson.

Courir comme cela, les jambes écartées, des raquettes tout de même assez lourdes attachées aux pieds avec des lanières de cuir, se révélait très exigeant physiquement. Pourtant, des rires, plutôt que des cris d'admiration, fusaient autour du grand ovale.

— Ils devraient enlever cela, commenta Édouard avec sagesse. De toute façon, la neige est toute tapée.

Le constat du garçon résumait bien la situation. Sur ce terrain, les raquettes ne servaient qu'à entraver la progression des compétiteurs, alors que la surface durcie leur aurait permis de courir à toute allure, avec leurs mocassins.

— Mais le but de ce sport, c'est de marcher avec des raquettes.

— C'est un sport idiot.

Comme pour lui donner raison, un homme oublia d'écarter suffisamment ses jambes, sa raquette gauche donna brutalement contre sa cheville droite. Il s'affala de tout son long dans un cri. Une demi-douzaine d'autres compétiteurs butèrent contre lui ou alors les uns contre les autres en essayant de l'éviter. Dans la mêlée générale, celui qui jusque-là avait été en dixième place termina le premier.

— Tu sais, expliqua Élisabeth en posant ses mains sur les épaules du garçon, c'est très agréable de marcher dans les bois, au clair de lune, en raquettes. Et comme la neige demeure molle tout l'hiver sous les bosquets, sans elles, on s'enfoncerait jusqu'au cou.

— Tu veux qu'on y aille ensemble ? Nous pourrions voir des loups.

Il levait vers elle des yeux excités de plaisir.

— Ce serait agréable. Mais l'hiver se termine déjà, et le quartier Saint-Roch manque terriblement de boisés, et de loups aussi.

« Surtout, songea-t-elle, que l'hiver prochain tu te feras sans doute disputer quotidiennement par les frères des écoles chrétiennes et moi, je n'ai aucune idée de l'endroit où je me trouverai. » Pour ne pas rester sur une réflexion aussi triste, elle reprit :

— Demain, la course depuis Montréal arrivera-t-elle ici ?

— Non, au Palais de glace, expliqua Thomas en se tournant vers elle. C'est n'est pas une véritable course, plutôt un exploit collectif. Ils devraient entrer dans l'enceinte sans se soucier d'un premier ou d'un dernier rang.

— Ils viennent vraiment à pied de Montréal ? questionna Eugénie à son tour.

— Oui, comme au temps de nos ancêtres. Tout le long du chemin, ils couchent dans des auberges. Cela leur prend plusieurs jours pour couvrir la distance. Au fond, c'est sans doute une équipée très joyeuse.

— Montréal, c'est plus loin que là où nous sommes allés l'été dernier ? demanda le garçon à son tour.

La chose paraissait impossible à Édouard, aussi il avait posé la question en ouvrant de grands yeux sceptiques.

— Je dirais trois fois plus loin. Nous pourrions y aller, l'été prochain.

— Pas en raquettes !

— Ce sera l'été, idiot, commenta Eugénie en reniflant. Il n'y aura plus de neige.

Élisabeth pensa que le moment ne convenait pas à un rappel des principes enseignés par la baronne de Staffe. Elle se contenta de caresser la joue du garçon de son doigt ganté pour éviter une répartie qui pouvait se révéler acérée. L'enfant avait passé l'âge d'encaisser en silence.

À la course des raquetteurs, un peu ridicule, en succéda une autre carrément grotesque. Des audacieux s'élancèrent à bicyclette sur la surface gelée. Afin de retarder le moment où ils se retrouvaient dans la neige cul par-dessus tête, les plus déterminés avaient enroulé du fil de fer autour des roues de leur petite machine. Heureusement, le spectacle ne dura pas.

On en vint enfin aux choses sérieuses : quelques notables de Québec se lancèrent en traîneau sur la piste ovale, excitant de la voix et du fouet de petits chevaux vifs et nerveux. Comme tous les autres mâles présents, par un atavisme plusieurs fois millénaire, Édouard hurla à pleins poumons durant les dix tours réglementaires.

— Nous allons les voir ? demanda-t-il, les yeux pleins d'admiration, quand le vainqueur arriva enfin au fil d'arrivée.

La moitié des participants seulement avaient terminé la course. Les autres n'avaient pu négocier les virages serrés. Heureusement, la neige accumulée faisait en sorte que les voitures soulevaient des nuages blancs en quittant la piste, les cochers culbutaient sur trente ou quarante pieds, mais personne ne se brisa de membres.

— Allons-y, ensuite nous rejoindrons Napoléon, sinon il sera tout raidi de froid.

En se dirigeant vers le fil d'arrivée, Thomas se rendit compte que si les hommes n'avaient récolté que quelques bleus, au moins deux chevaux avaient eu moins de chance. Malgré des fers spéciaux, bien aiguisés juste avant la course, ils s'étaient abattus sur le flanc en prenant un virage, pour s'empêtrer ensuite dans l'attelage, se fracturant une patte. Pour ceux-là, quand tout le monde serait parti, la journée se terminerait par une balle de revolver dans l'oreille. Leur propriétaire en serait quitte pour une perte de cinquante, peut être cent dollars.

Édouard put caresser les naseaux de quelques petits chevaux frissonnants, le corps en nage, de chaudes couvertures sur les flancs. Des hommes tout à l'ivresse de leur succès le laissèrent même leur donner de l'avoine ou du sucre dans la paume de sa main nue. Ensuite, tous les quatre revinrent vers la prison en grelottant un peu, heureux de retrouver bientôt la chaleur de la robe de carriole.

～

Par la Grande Allée, ils glissèrent jusqu'à l'avenue Dufferin. À gauche de celle-ci, sur un petit tertre, s'élevait le magnifique édifice de pierre grise de l'Assemblée législative. À droite, rue de l'Esplanade, se dressait la construction éphémère du Palais de glace. Son concepteur avait profité de la présence du mur d'enceinte pour inscrire son œuvre dans cet ensemble plus vaste. La porte Saint-Louis le flanquait au sud, une tour de garde au nord. Pourtant, l'effet d'ensemble se révélait décevant. Même Édouard porta tout de suite un jugement exact :

— Ce n'est pas un château de chevaliers.

— Tu as bien raison, on dirait la tour de Babel, apprécia Élisabeth à son tour.

La comparaison était bonne. Un cône formé de blocs de glace s'élevait à bonne hauteur. Cependant, l'échafaudage de bois destiné à prévenir un effondrement ruinait l'élégance du matériau. Un escalier étroit faisait le tour de la construction, afin de permettre de se rendre au sommet.

— Nous allons grimper là-dessus ? demanda le gamin.

— Non, et cela me donne l'occasion de t'enseigner quelque chose d'aussi important que le catéchisme. Quand un édifice paraît aussi mal conçu que celui-là, mieux vaut rester prudemment au sol, à l'extérieur.

— Ce n'est pas comme notre magasin.

— Certainement pas. Du fer et de la pierre, cela peut durer toujours.

Les recommandations à la prudence assimilées, la petite famille passa deux bonnes heures à circuler sur cette place en effervescence, envahie d'hommes portant fièrement leur habit de raquetteur, une ceinture fléchée autour de la taille, et de femmes en extase devant leurs prouesses sportives et leur allure virile.

Des sculptures de neige ou de glace représentaient des animaux ou des oiseaux, plus rarement des personnages célèbres. Thomas remarqua tout de même deux ou trois bustes éphémères de Wilfrid Laurier. Lui-même en avait placé un, en plâtre, dans la vitrine de son magasin. Pour quelques dollars, les clients pouvaient acheter leur exemplaire et le placer à la place d'honneur dans leur salon ou leur bureau.

À la fin, cette fois complètement gelés et l'estomac dans les talons, ils retrouvèrent la carriole. Napoléon Grosjean leur jeta un regard peu amène. Lassé et victime du froid, il avait regagné la banquette arrière pour se réfugier sous la peau de buffle. Pour mettre fin à ses souffrances, Thomas décréta avec humeur:

— Laisse-nous au Château Frontenac, puis rentre à la maison. Nous prendrons un fiacre pour revenir.

Le petit jeu de l'homme transi avait fonctionné. Fier de sa représentation, le cocher enleva la couverture du dos du cheval, reprit sa place et fit claquer les rênes avec entrain.

❦

Bien que l'heure du dîner soit passée, la grande salle à manger du Château Frontenac regorgeait toujours de clients. Le carnaval servait exactement à cela, raviver les affaires avant le long carême déprimant. Le maître d'hôtel abandonnait toute velléité de faire respecter le code vestimentaire habituel. Le manteau démodé qu'Élisabeth «empruntait» encore une fois à Alice, les gilets endossés les uns par-dessus les autres, les bas qui se déroulaient par-dessus les jambes des pantalons et même les mocassins n'attiraient qu'un pincement des lèvres et un regard réprobateur. Toutefois, deux ou trois raquetteuses revêtues de pantalons amples, sans doute des Américaines pour s'accoutrer ainsi, furent refoulées à l'entrée.

— Nous sommes déjà venus ici, remarqua Édouard en examinant les lieux.

— Oui, avec ton oncle Alfred, répliqua Élisabeth.

— Il y avait des musiciens noirs, dehors.

Le spectacle avait laissé un souvenir impérissable. Affamés, les membres de la petite famille commandèrent sans tarder. La conversation porta sur les différentes activités au programme du carnaval le lendemain. Entre les compétitions de crosse, de tir à la carabine, de courses de traîneaux à chien, le père et le fils s'entendirent pour assister à la joute de hockey au Pavillon des patineurs. Comme Eugénie exprima un désintérêt total, la préceptrice, guère plus séduite, convint de demeurer avec elle à la maison.

Un peu après trois heures, la famille se retrouva à l'extrémité ouest de la terrasse Dufferin. Un échafaudage de bois créait des glissades plutôt impressionnantes. L'angle aigu permettait aux traînes sauvages de prendre de la vitesse dès le départ. La surface glacée faisait le reste : en riant, les volontaires parcouraient une bonne distance, pour s'arrêter finalement à quelques centaines de pieds de leur point de départ.

Comme il commençait à se faire tard, le froid aidant, l'affluence avait diminué considérablement. Très vite, ils accédèrent au sommet de la construction de bois, puis amorcèrent leur première descente dans deux traînes glissant en parallèle, Élisabeth et le garçon dans l'une, Thomas et sa fille dans l'autre. Au tour suivant, les enfants changèrent de partenaire. Au troisième, parce que les plus jeunes avaient tardé à gravir les escaliers conduisant en haut de l'échafaudage, les adultes décidèrent de descendre ensemble.

L'homme se plaça à l'arrière de la traîne, la jeune femme ramassa ses jupes pour se glisser entre ses jambes. Le froid rougissant déjà son visage, si le caractère plutôt intime de sa nouvelle posture la troublait, rien n'y parut. Un préposé courut quelques pas en poussant dans le dos de Thomas pour leur donner un peu de vitesse au départ. Obligeamment, l'homme glissa les deux mains sous les bras de sa compagne pour la tenir contre lui afin d'éviter une chute malencontreuse. En réalité, Élisabeth parcourut les trois quarts du trajet avec ses deux grandes paumes sur ses seins. Les couches superposées de vêtements empêchaient de sentir vraiment ce contact, mais l'intimité du geste n'échappa ni à l'un ni à l'autre.

Quand la traîne arrêta sa course à peu près au milieu de la longue terrasse, la jeune femme s'échappa de cette étreinte, un peu troublée. Un instant plus tard, Eugénie et Édouard arrivèrent à leur tour dans leur propre bolide. La petite fille bouscula un peu son frère pour qu'il se mette debout au plus vite, puis déclara, boudeuse :

— J'ai froid, je veux rentrer.

— Non, pas tout de suite, plaida le garçon.

— Monsieur Picard, nous pouvons vous attendre dans le café de l'hôtel. Le temps de boire un chocolat chaud, ce jeune homme pourra glisser tout son saoul.

Thomas jeta un regard agacé sur la fillette, qui réussissait cette fois à mettre fin à une promiscuité trop grande à son goût. Puis il donna son accord d'un signe de tête.

À peine une heure plus tard, les deux camarades de jeu vinrent les rejoindre, à la fois gelés et satisfaits de leur après-midi. Au moment de quitter le grand hôtel, les enfants s'arrêtèrent brièvement au petit coin. Édouard défendit farouchement son droit d'y aller seul, Eugénie aurait mal toléré la suggestion d'avoir encore besoin d'aide pour ce genre de choses. Alors qu'ils se trouvaient entre eux dans le couloir, Thomas fit observer :

— L'été dernier, vous avez refusé de danser avec moi. Croyez-vous pouvoir accepter aujourd'hui ?

— … J'aimerais bien, mais ce ne serait pas convenable.

— Personne n'a besoin de savoir. Dans le cadre du carnaval, un bal masqué se tiendra ici ce soir. Nous pourrions passer au magasin au préalable afin de nous rendre méconnaissables.

Après s'être escrimé à déboutonner, puis à reboutonner sa braguette avec un succès approximatif, Édouard revint, ce qui permit à la jeune femme d'ajourner sa réponse. Un moment plus tard, Eugénie les rejoignit avant que le père cherchât un fiacre.

❧

Ce ne fut qu'au moment du souper que la jeune femme trouva l'occasion de répondre en secret à son patron :

— Si votre offre tient toujours, je vous accompagne.

— À neuf heures à la bibliothèque, fit-il avec un plaisir évident.

Les enfants entraient dans la salle à manger, aussi tous les deux enchaînèrent-ils en évoquant les sculptures sur glace qui ornaient la place du marché Jacques-Cartier, convenant qu'ils aimeraient s'y promener un moment le lendemain, après la messe dominicale.

Une longue journée passée au grand air, dans un climat polaire, laissait les enfants exténués. Peu après sept heures, aucun ne protesta à l'idée de se mettre au lit, et la lecture à haute voix de la préceptrice ne dura que quelques minutes.

Fiévreux à l'idée de se livrer ainsi à une activité illicite, à neuf heures ils quittaient la maison en silence et, afin de ne pas passer sous les fenêtres de ses occupants, un peu comme des ombres, ils regagnèrent la rue de la Chapelle. Toujours pour plus de discrétion, Thomas choisit d'entrer dans le grand magasin par la porte dérobée de la rue DesFossés. Ces précautions pouvaient attirer l'attention des voisins : si l'un d'eux poussait le zèle jusqu'à appeler la police, l'escapade se terminerait sur des explications plutôt gênantes.

Le commerçant connaissait son établissement comme le fond de sa poche, de mémoire il aurait pu citer l'inventaire de chacun des rayons. Il guida sa compagne parmi les étals, les mannequins et les comptoirs sans se tromper une seule fois. Au troisième, il alluma l'ampoule éclairant la salle d'essayage de la section des vêtements pour femmes, puis déclara :

— Attendez-moi un instant, je reviens.

Laissée seule, Élisabeth chercha à discerner des présences fantomatiques dans les jeux d'ombres de cet endroit, un peu comme le faisait Marie Buteau quelques semaines plus tôt. Puis l'homme revint avec une jupe de velours d'un bleu profond, une veste assortie et un chemisier blanc dans les bras.

— Enfilez cela. Je crois que ce sera à votre taille. Je vais dénicher des loups pour nous deux, puis nous chercherons une voiture pour aller à la Haute-Ville.

— Ce que j'ai sur le dos...

— Serait aisément reconnaissable. Vous trouverez certainement un sac de papier dans la cabine d'essayage. Nous le déposerons dans mon bureau. Demain, au plus tard lundi, je le ramènerai à la maison.

La petite escapade se compliquait, mais son « uniforme » de préceptrice, porté sans arrêt depuis neuf mois déjà, serait facilement reconnu, si un habitant du quartier Saint-Roch se trouvait ce soir au Château Frontenac. Dans la cabine d'essayage, deux minutes suffirent pour enfiler les nouveaux vêtements. L'œil de Thomas s'était montré infaillible, comme s'il s'occupait quotidiennement du rayon des vêtements féminins. D'un autre côté, la silhouette de la jeune femme ravissait son attention depuis l'été précédent.

Debout devant le grand miroir, comme elle l'avait fait en mai, Élisabeth passa un moment à admirer son reflet. Deux petits coups sur la porte attirèrent son attention.

— C'est bien trop beau, dit-elle quand l'homme entra dans le petit réduit.

Encore une fois, ses yeux la contemplèrent des pieds à la tête, puis il commenta d'une voix changée :

— Au contraire, ces vêtements ne sont pas à la hauteur de votre beauté. Venez.

Dans son sillage, maintenant éclairée par la seule lumière blafarde venue des grandes fenêtres, elle marcha jusqu'aux bureaux de l'administration. De nouveau, l'ancienne secrétaire se manifesta dans son souvenir, tout de suite chassée d'un mouvement vif de la tête. Comme Cendrillon, la jeune femme méritait le droit d'aller au bal de façon un peu inattendue : elle préférait voir dans son compagnon l'émule de la bonne fée, pas celui d'un ogre dangereux.

Au moment de sortir, Thomas posa un loup noir sur son visage puis lui en tendit un autre, bleu celui-là, pour se marier à ses nouveaux vêtements. Un voile descendait sur la partie inférieure de son visage.

— Personne ne vous reconnaîtra, commenta-t-il en ouvrant la porte pour la laisser passer.

— On ne peut en dire autant de vous.

En réalité, si le déguisement de la jeune femme lui garantissait un anonymat relatif, cela tenait surtout au fait que personne en dehors de la paroisse ne la connaissait. Dans le cas d'un homme que deux campagnes électorales poussaient à l'avant-plan, à moins de se déguiser de pied en cap et d'affecter une autre démarche et une autre posture, libéraux et conservateurs devineraient son identité.

— Tant pis, j'assume.

Essayer d'être discret lui avait coûté trop cher, l'automne précédent.

Quelques minutes plus tard, le couple réussissait à intercepter un fiacre dans la rue de la Couronne. Au Château Frontenac, ils laissèrent leur manteau et leur chapeau au vestiaire, et tous les deux entrèrent dans la grande salle de bal, bras dessus, bras dessous, pour une première fois dans cet endroit qui ne manquait pas de chic. Élisabeth admira la multitude de lampes au gaz pendues au plafond à caissons ou accrochées aux murs, les lourds rideaux, le parquet verni. Dans un coin, un orchestre distillait sa musique, essentiellement des valses. Autour d'eux, les conversations se déroulaient surtout en anglais. Cela, bien plus que les masques sur leurs visages, leur assurait une relative discrétion.

Thomas se plaça devant sa compagne en tendant les mains.

— Vous savez, sauf avec Édouard, je n'ai jamais dansé.

— Alors suivez-moi.

Sa confession n'était pas tout à fait exacte. Parfois, chez les ursulines, les élèves les plus âgées se risquaient à quelques pas de danse. Les religieuses feignaient alors de ne rien voir, sachant bien que la partie de leur clientèle venue des bonnes familles de Québec devrait courir les bals afin de dénicher un bon parti. Puis une femme à la silhouette irréprochable, à la chevelure d'un blond foncé somptueux, se voyait toujours pardonner sa gaucherie sur un plancher de danse… au moins par la moitié masculine des personnes présentes.

À la sixième valse, Élisabeth contrôlait suffisamment le mouvement de ses pieds pour pouvoir apprécier de nouveau le décor où elle tournait et tournait, les autres couples élégants autour d'eux, la main ferme posée au bas de son dos, et l'autre main un peu brûlante de fièvre qui tenait la sienne.

Comme pour Cendrillon, les minutes coulaient très vite. Un peu passé onze heures, après avoir bu un punch dont le goût fruité dissimulait celui du rhum, Thomas lui confia :

— Même si je voudrais que cette soirée ne finisse jamais, il faut rentrer.

— Vous avez raison, admit-elle un peu à regret.

C'est avec son bras autour de la taille qu'elle revint vers le vestiaire. Il l'aida à mettre son manteau, laissa ses doigts se mêler un court moment à la masse de ses cheveux. Devant l'hôtel, quelques fiacres attendaient les clients. L'homme préféra indiquer comme destination le couvent des sœurs de la congrégation Notre-Dame, plutôt que sa propre adresse.

La porte refermée sur eux, au moment où le cheval amorça sa course, Thomas saisit le menton de la jeune femme entre son pouce et son index pour lui tourner le visage en sa direction, puis posa ses lèvres sur sa bouche. Languide, elle s'affaissa un peu dans ses bras au moment où sa langue se mit de la partie. Un instant, il simula les gestes de l'accouplement entre ses lèvres, puis la serra contre lui en enfouissant son visage dans la masse de ses cheveux.

Le couple demeura enlacé dans cette posture jusqu'à ce que le cheval interrompît sa marche. Le froid de la nuit leur permit de reprendre un peu leurs sens, le temps de rejoindre la maison du commerçant, encore une fois en faisant un crochet par les rues DesFossés et de la Chapelle. En tentant de ne faire aucun bruit, Thomas fit tourner la clé dans la serrure, entra dans la maison, enleva son manteau et aida sa compagne à faire de même. La main autour de la taille de celle-ci, il la poussa devant lui pour la conduire dans la bibliothèque. Les fenêtres donnant sur la rue laissaient poindre une clarté blafarde, plutôt argentée, qui rendait tout un peu irréel.

Dès que la porte fut close sur eux, se plaçant derrière elle, l'une de ses mains vint se poser sur son ventre, l'autre souleva un peu les cheveux afin de pouvoir poser les lèvres contre la peau douce du cou, juste sous une oreille. Comme si ses jambes se dérobaient sous elle, Élisabeth laissa son corps s'appuyer contre celui de l'homme. Malgré les épaisseurs du tissu, elle sentit le sexe dur juste au-dessus de ses fesses, puis deux mains se poser sur sa poitrine, se fermer sur ses seins.

Le sang en feu après un moment de ce jeu, la jeune femme se retourna bientôt pour offrir sa bouche entrouverte. À la fin, en la portant à demi, son compagnon l'entraîna au-delà du bureau de chêne, vers la porte du petit réduit aveugle qui lui servait de chambre à coucher depuis bientôt six ans.

Dévorant toujours la bouche offerte, Thomas réussit à étendre sa compagne sur la couchette étroite, se plaça à genoux près d'elle. De la main gauche, il troussa à la fois la jupe de velours et le jupon de lin, posa sa paume grande ouverte à la jonction des cuisses ouvertes pour apprécier la chaleur un peu moite à travers le sous-vêtement, amorça un mouvement de va-et-vient des doigts. Élisabeth, comme si elle crevait la surface après un passage sous l'eau, ouvrit sa bouche toute grande pour emplir ses poumons, puis expira dans un grand frisson.

L'homme se releva à demi tout en continuant la caresse de la main gauche, défit quelques boutons de sa braguette de la droite. Un moment après, doucement, il s'empara de la main de la jeune femme pour la poser sur l'extrémité de son sexe. À ce simple contact, à grands jets, il jouit dans la paume ouverte.

Dans les secondes suivant l'orgasme, Thomas laissa reposer sa tête contre la poitrine de la jeune femme. Celle-ci chercha d'abord à essuyer sa main poisseuse sur les draps un peu en désordre de la couchette, puis la posa dans les cheveux de son compagnon pour les caresser.

— Je n'ai pas pu m'en empêcher, murmura-t-il en se relevant un peu. Je m'excuse…

— Non, non… répondit-elle en passant sa main sur sa joue. Mais je dois monter.

— Bien sûr.

Avant de se remettre sur ses pieds, il rangea son sexe toujours à moitié raidi. Puis il tendit la main pour l'aider à se relever. Ce simple mouvement permit au jupon et à la jupe de tomber bien en place. Comme la petite pièce ne comptait aucune fenêtre, seule une clarté diffuse, très faible, entrait par la porte laissée ouverte. Dans la bibliothèque, l'homme se reboutonna, puis chuchota alors qu'ils se trouvaient à proximité de la porte :

— Demeure en bas de l'escalier, je vais monter d'abord, et te faire signe si la voie est libre.

— D'accord.

Avant de sortir, il l'embrassa sur la bouche, puis gravit les marches en essayant de se faire léger. En haut, après s'être assuré qu'aucune lumière ne filtrait sous les portes fermées des chambres, il dit dans un souffle :

— Monte.

Quand elle passa près de lui sur le palier, leurs mains se frôlèrent, puis l'homme retourna dans son antre en silence. Quelques minutes plus tard, Eugénie ouvrit sa porte tout doucement, fit quelques pas dans le couloir, assez pour voir un peu de lumière sous celle de la préceptrice.

Une bonne demi-heure plus tôt, le bruit du pêne dans la serrure avait attiré l'attention de la jeune insomniaque. D'où venaient-ils ? Que s'était-il passé pendant tout ce temps ?

~

Le déjeuner regroupa encore une fois Thomas et ses enfants. Exceptionnellement, Élisabeth se joignit à eux, car elle ne pouvait aller communier. Elle échangea un regard timide avec son employeur. Pendant l'après-midi, elle se rendrait aux vêpres et passerait au confessionnal, en évitant soigneusement celui où se trouverait le vicaire Buteau. Autrement, elle serait morte de honte lors de la prochaine visite de l'ecclésiastique, lorsqu'il questionnerait les enfants sur le catéchisme.

Un peu avant neuf heures, alors que l'homme aidait successivement la préceptrice et Eugénie à revêtir leur manteau, Édouard s'aventura seul dans la bibliothèque.

— Papa, qu'est-ce que c'est ? questionna-t-il en revenant vers eux.

Sur le visage, il portait un loup noir, dans sa main, il en avait un autre de couleur bleue. Les deux masques de velours portés la veille étaient restés sur le fauteuil où ils les avaient jetés en entrant dans la pièce.

— Je voulais vous faire une surprise, je les ai rapportés hier soir du magasin. Mais je vois bien que c'est raté, maintenant. Le carnaval se terminera mardi prochain par un grand feu d'artifice lancé depuis la tour du Palais de glace. Je pensais que nous pourrions y aller ensemble.

— Mais cela ? insista-t-il en tendant le loup bleu.

— Ce sera le Mardi gras !

On désignait de cette façon le jour précédent immédiatement le mercredi des Cendres. C'était la dernière occasion de faire bombance et de prendre un coup avant les quarante-six jours du carême. Dans les campagnes, des garçons déguisés allaient de maison en maison afin de se faire offrir à boire.

— C'est bien trop grand pour moi, décréta Eugénie en s'emparant du masque bleu pour le mettre sur son visage.

— Dans ce cas, laissez-les dans mon bureau. Je repasserai à la boutique pour en trouver de plus petits.

La fillette tournait la pièce de velours entre ses doigts. Une partie du mystère se trouvait résolue, hier soir son père était allé au magasin. Mais pourquoi avoir amené cette femme ?

22

L'hiver n'en finissait plus de finir. Le temps plus clément amollissait la couche de neige accumulée dans les rues, les trottoirs s'encombraient de flaques d'eau qui rendaient la marche désagréable toute la journée, et carrément dangereuse en début de soirée quand le mercure tombait sous le point de congélation.

Comme si cela ne suffisait pas à entraver le commerce, les mises à pied saisonnières interdisaient aux travailleurs de se permettre la moindre largesse. Les propriétaires des grands magasins de la rue Saint-Joseph attendaient les jours meilleurs de mai et juin avant de commander de nouvelles marchandises, les visages des chefs de rayons s'allongeaient en proportion de la réduction de leur chiffre de vente.

Dans la grande maison de la rue Saint-François, le mauvais état de la chaussée rendait impossible la moindre expédition familiale. Le dernier dimanche de mars, Thomas ne trouva rien de mieux à faire que de se pencher sur les plans de l'atelier de confection de manteaux de fourrure qu'il entendait inaugurer au milieu de l'été. Les autres Picard cherchaient à s'occuper grâce à des livres. Au moins, les derniers apprentissages des enfants leur donnaient ce loisir. Si jamais ils s'en lassaient trop vite, la proximité de l'église permettait de les conduire aux vêpres. Pareille possibilité rendait intéressantes même les publications les plus austères.

Vers trois heures, de petits coups contre la porte de la bibliothèque amenèrent Thomas à lever la tête pour inviter la visiteuse à entrer.

— Papa, je voudrais te parler, murmura Eugénie d'un ton hésitant, arborant la mine d'une personne condamnée à une démarche intimidante.

— Assieds-toi dans l'un de ces fauteuils, je te rejoins.

Un moment plus tard, Thomas prit place à son tour près de la fenêtre.

— Nous sommes rendus au printemps, commença-t-elle.

— Depuis une bonne semaine, même si cela ne paraît pas quand nous regardons dehors, constata son père.

— … Il faudrait faire les démarches, au sujet du couvent.

L'homme laissa échapper un long soupir de lassitude. Le caractère plus intime de ses rapports avec Élisabeth, depuis quelques semaines, réduisait encore son enthousiasme à enfermer sa fille dans un pensionnat. Seule la présence de ses deux enfants dans la maison rendait légitime celle de la jeune femme.

— La rentrée scolaire n'aura lieu qu'au mois de septembre.

— Mais j'ai vu dans le journal un encadré invitant à faire les inscriptions.

Apprendre à lire à des enfants ne présentait pas que des avantages. Les institutions d'enseignement commençaient déjà à engranger leur moisson de nouveaux élèves pour la prochaine année. La chose ne pouvait passer inaperçue aux yeux de l'enfant, et surtout pas à ceux de sa mère.

— Cela ne signifie pas que nous devons nous précipiter.

— Tu ne vas pas tenir ta promesse ?

Eugénie présentait un visage buté, un pli vertical au milieu du front, faisant une moue hésitant entre la bouderie et les pleurs.

— Je tiens toujours mes promesses. Si tu n'as pas changé d'idée, tu entreras chez les ursulines en septembre prochain. C'est dans cinq mois. Viendras-tu pleurer comme cela tous les dimanches en attendant ce moment ? Cela signifie plus de vingt dimanches.

Cette fois, les larmes coulaient sur ses joues. D'une voix plaintive, elle déclara encore :

— Maman m'a dit que tu mentais. Que jamais tu ne voudras me laisser partir.

Un peu plus, et elle ajoutait « à cause d'elle ». Thomas réussit à maîtriser le timbre de sa voix pour répondre :

— C'est cruel de sa part de dire des choses semblables, mais nous devons lui pardonner tous les deux, car elle est malade. Cependant, toi, tu ne devrais pas croire de pareilles sottises, encore moins les répéter.

Un long moment de silence suivit l'admonestation, marqué de petits sanglots. À la fin, elle s'esquiva, laissant son père bouillant de colère.

~

Deux jours plus tard, Thomas rentra un peu tard, à cause de la tenue d'une réunion du Parti libéral. Plutôt que de l'accueillir avec le plateau de son souper, Joséphine vint lui dire dans la salle à manger :

— Monsieur, votre femme a demandé à vous voir dès votre arrivée.

— Cela peut certainement attendre après le repas.

— Elle semblait très… excitée.

Cette information lui donnait d'autant plus envie d'ajourner un tête-à-tête susceptible de lui faire perdre l'appétit. C'est en soupirant qu'il monta à l'étage et frappa à la porte de la chambre surchauffée de sa femme, pour l'ouvrir tout de suite et demander :

— Tu veux me voir ? Si c'est pour cette histoire de couvent…

— Ce n'est pas cela. L'un de mes bijoux a disparu.

— … Tu me fais manquer mon souper pour me dire cela ? Cherche-le.

Déjà, il esquissait le geste de sortir, aussi lança-t-elle d'une voix étonnamment forte pour une personne qui se

435

déclarait à l'article de la mort depuis l'expédition dans Charlevoix :

— J'ai cherché, Joséphine aussi. Je te dis qu'il a disparu.

— Que puis-je y faire ? De toute façon, je doute que tu planifies bientôt une sortie dans le monde.

— … Veux-tu dire que je dois me laisser voler ? C'est comme pour le manteau de fourrure que tu lui donnes…

Les yeux de Thomas prirent une teinte mauvaise, au point que la malade s'arrêta, interdite.

— Ce manteau est à sa place habituelle. Que veux-tu insinuer ?

— Avant de prendre totalement ma place, elle s'empare de mes choses.

— Tu deviens folle à lier. Tu ne quittes jamais cette chambre, personne ne peut venir te voler.

Alice savait marcher sur une glace très mince. Un diagnostic de maladie mentale lui pendait au bout du nez.

— Je suis allée prendre un bain hier, avec l'aide de Joséphine. À mon retour dans la chambre, le tiroir de la commode était entrouvert. J'ai regardé, la broche que tu m'as offerte au moment de nos fiançailles avait disparu.

— Où veux-tu en venir, exactement ? demanda-t-il après un haussement d'épaules.

— Allons fouiller sa chambre, tout de suite.

La femme avait crié à tue-tête. Comme elle parlait peu depuis des années, sa voix ressemblait à un croassement. Thomas pensa à ces corbeaux qui hantent les cimetières.

— Il n'en est absolument pas question, répondit Thomas sur le même ton.

— Tu protèges ta putain.

L'homme aspira profondément. Quand il avait utilisé le même qualificatif à propos de Marie Buteau, Alfred le lui avait fait ravaler à coups de poing. Cela ne se produirait pas ce soir, mais il comprit alors très bien la réaction de son frère.

Il retourna vers la porte restée ouverte, Alice quitta son fauteuil pour le suivre. Dans le corridor, Thomas se retrouva devant Eugénie, debout dans l'embrasure de sa chambre, des larmes sur les joues. Édouard se tenait au milieu de l'escalier conduisant au grenier, Élisabeth lui posait une main sur l'épaule.

— Elle a volé l'un de mes bijoux et tu la laisses faire ! cria encore Alice en pointant cette fois un doigt accusateur en direction de la préceptrice.

Celle-ci échangea un regard avec Thomas, descendit les quelques marches pour les rejoindre sur le palier, puis elle s'agenouilla sur le plancher en face de la fillette, de telle façon que celle-ci la dépassait maintenant d'une tête. De sa voix la plus douce, elle expliqua :

— Eugénie, va chercher ce bijou dans ma chambre. Tu le sais bien, la porte n'est jamais fermée à clé.

Un long moment, la gamine fixa ses grands yeux bleus dans les siens. La même couleur que ceux de sa mère, tout comme les cheveux : la ressemblance frappait tous ceux qui avaient connu Alice au même âge.

— Tu sais, je ne t'en veux pas, ce n'est pas ton idée. Je continue de t'aimer tout autant. Mais imagine la peine que tu fais à Jésus. Tu dois communier pour la première fois dans une dizaine de jours. Tu crois que tu pourras, après un pareil mensonge ?

Les yeux de la fillette allèrent vers ceux de sa mère. Celle-ci se mordait les lèvres, tellement rageuse qu'elle avait du mal à se contenir. Puis elle regarda son père, qui donna son assentiment de la tête. Cette scène devenait grotesque.

— Fais-moi confiance, insista Élisabeth d'une voix caressante. Présentement, tu te sens bien malheureuse. Dans un moment, tout le poids disparaîtra.

De la main, la préceptrice désignait l'espace entre ses seins. Thomas le devina, ce petit geste discret lui permit de sentir la présence du camée.

Eugénie sembla arracher ses pieds du sol. Les yeux rivés au plancher pour ne pas croiser ceux de sa mère, elle se dirigea vers l'extrémité du couloir, entra dans la chambre de la jeune femme, revint un moment plus tard. Élisabeth présenta la main pour recevoir le bijou dans sa paume, puis ouvrit les bras. Dans un sanglot, la fillette s'y précipita. Malgré le poids de l'enfant, elle se remit debout, se tourna vers Alice en la fixant des yeux. Elle réussit à tendre un peu la main en disant :

— Madame, je crois que ceci est à vous.

— Je ne savais pas... prétendit la mère. Puis en parlant à sa fille qui essayait de cacher ses larmes dans la chevelure de la préceptrice : Pourquoi m'as-tu joué ce mauvais tour ?

La malade serra la broche dans sa main au point de se faire mal. Un instant plus tard, Élisabeth entra dans la chambre d'Eugénie, réussit à fermer la porte derrière elle du bout du pied.

— Édouard, que dirais-tu de regagner ton lit, proposa le père. De toute façon, il est un peu tard, n'est-ce pas ?

— Tu viendras me faire la bise ?

— Promis, juré, craché.

Pour souligner son engagement, l'homme fit semblant de cracher par terre, ce qui amena un sourire sur le visage de l'enfant. Quand il eut intégré sa chambre, Thomas se tourna enfin vers sa femme en disant d'une voix cassante :

— Nous avons à parler.

— Pas maintenant, je suis lasse.

Elle s'appuyait lourdement sur le cadre de la porte, les yeux vers le sol.

— Tout de suite.

À petit pas, Alice regagna son lit, posa le bijou sur la table de nuit en affectant un épuisement extrême.

— Je ne savais pas. Je me demande ce qui est passé par la tête de la petite... Elle doit vraiment détester cette femme, pour penser à une machination pareille. D'un autre côté, comme tu entraves son désir d'entrer au couvent...

— Je ne peux pas t'en vouloir d'être folle. Mais je te méprise pour cette cruauté gratuite à l'égard de ta propre fille.

— Tu ne vas pas croire que j'ai imaginé cela ?

Elle ouvrait de grands yeux innocents, tout en cherchant à remonter sur elle ses couvertures, comme si cela la protégerait de la tournure un peu menaçante que prenaient les événements.

— Ces jours-ci, la campagne électorale provinciale imminente me permet de rencontrer de nombreux médecins, dont un aliéniste de Saint-Michel-Archange. Je vais lui raconter dès demain ton petit complot. Je pense que le docteur Couture n'est plus en mesure de bien s'occuper de toi. Tu mérites les soins d'un spécialiste. Je ferai tout pour limiter le mal que tu peux faire à Eugénie.

Sur ces mots, l'homme quitta la pièce. Un moment plus tard, il entra dans la chambre d'Édouard.

❧

En regagnant la salle à manger, Thomas retrouva une cuisinière un peu inquiète. Les éclats de voix ne lui avaient pas échappé. Sans doute s'était-elle tenue au pied de l'escalier pour n'en rien manquer, peut-être même avec Napoléon Grosjean à ses côtés.

— Vous connaissiez son petit manège et vous ne m'avez rien dit tout à l'heure, affirma le maître de maison au moment où elle posa son repas devant lui.

— … J'étais là quand elle s'est rendu compte de l'absence de la broche. Je l'ai aidée à la chercher.

— Mais vous ne m'avez rien dit tout à l'heure. Vous saviez ce qu'elle tramait.

Il fixait des yeux sans complaisance sur elle. En ce moment, Joséphine savait que son emploi ne tenait plus à grand-chose. D'un côté, Thomas pouvait craindre ce qu'elle raconterait chez un nouvel employeur. De l'autre, personne ne voudrait des services d'une domestique indiscrète, de peur de devenir bientôt l'enjeu de ses nouveaux commérages.

— Je croyais que vous aviez une certaine affection pour les enfants. Je me rends compte aujourd'hui que vous acceptez de participer aux délires d'Alice, sans vous soucier des conséquences de ses actions sur Eugénie. Peut-être n'avez-vous tout simplement pas assez de discernement pour travailler dans cette maison.

Pendant un moment, la vieille femme chercha ses mots pour se défendre. À la fin, lassé de la voir jouer nerveusement avec les coins de son tablier, l'homme murmura :

— Sortez.

Une heure plus tard, alors qu'il avalait un double cognac à petites gorgées, deux coups sur la porte précédèrent l'entrée d'Élisabeth.

— Comment va-t-elle ?

— Elle s'est calmée un peu. Quand je l'ai quittée, elle feignait de dormir, les yeux fermés. Autant lui laisser un peu d'intimité, pour digérer la trahison qu'elle vient de souffrir.

— Tu ne doutes pas que ce complot vienne de sa mère.

— Toi, en doutes-tu ?

Sous la voix douce de la préceptrice pointait un peu de surprise, et peut-être de la déception. Elle enchaîna bientôt :

— Dans tout cela, elle est un instrument. Désespérée d'obtenir à la fois l'amour de son père et de sa mère, une langue habile suffit à la faire agir.

— ... Mais en réclamant d'aller au couvent, elle sera séparée de sa mère et de moi.

— Mais tu seras aussi séparé de moi. Cela la rendra aimable aux yeux de sa mère, et de toute façon tu ne pourras cesser de l'aimer.

Thomas demeura interdit devant un pareil machiavélisme, puis ajouta :

— Voyons, c'est une enfant. Elle ne peut pas songer à tout cela.

— Justement, c'est une enfant. Elle ne planifie rien dans cette affaire. Tout simplement, elle tente d'avoir le moins mal possible, comme nous tous, y compris ta femme et moi.

L'homme la regarda longuement, franchement admiratif, puis se souvint de ses devoirs d'hôte :

— Tu veux boire quelque chose ?

— Non. De toute façon, tu sembles résolu à boire pour nous deux.

Après une pause, curieux, il demanda encore :

— Tu savais, à propos de la broche ?

— Avec Édouard dans la maison, aucun complot ne peut être totalement discret. Ce soir, alors qu'il devait être au lit, il a insisté pour que nous montions au grenier, me disant que "quelque chose" se préparait.

— Si Eugénie n'avait pas flanché devant tes grands yeux…

Élisabeth éclata franchement de rire, puis expliqua :

— Elle se prépare à sa première communion. C'est moi qui lui enseigne le catéchisme, qui lui ai fait mémoriser : "Faux témoignage ne diras, Ni mentiras aucunement." Surtout, il n'y a pas un atome de méchanceté en elle. Enfin, pas encore.

Un peu déprimé, Thomas tendit la main en disant : « Viens ! » Un instant plus tard, Élisabeth posait les fesses sur ses cuisses.

— Demain, je devrai lui parler, la punir pour ce qu'elle a fait.

— Parle-lui très doucement, surtout ne la punis pas. Cela ne servirait qu'à la blesser encore plus.

Des doigts, la jeune femme jouait dans ses cheveux. De petites privautés valaient mieux que de longues conversations, dans les moments de ce genre.

❦

Toujours vêtue de sa chemise de nuit, son peignoir un peu trop grand noué autour de la taille, Eugénie se présenta devant l'auteur de ses jours, un peu tremblante, épuisée par une nuit blanche. Debout devant lui dans la bibliothèque, la porte close, elle attendait la sentence de son juge.

— Hier soir, je voulais te punir, t'enfermer dans ta chambre pendant des jours. Élisabeth m'a expliqué que ce n'était pas une bonne idée. Au contraire, elle m'a fait comprendre que tu avais fait preuve de beaucoup de courage et de beaucoup de générosité en rendant la broche de cette façon. Je te félicite et je te remercie.

Il ouvrit les bras, elle s'y engouffra en pleurant. Sa tête arrivait à la hauteur de la poitrine de son père. En lui caressant les cheveux, il continua :

— Tu as de la chance de pouvoir compter sur l'amour d'Élisabeth. Mais tu sais, tu peux me faire confiance. Ta mère ne va pas bien du tout. Si elle te propose des plans bizarres, viens me le dire tout de suite. Autrement, tu risques d'avoir mal, et de blesser d'autres personnes.

En lui prenant le visage entre les mains, Thomas regardait les yeux bleus de sa fille. Doucement, il embrassa les deux joues pour effacer ses larmes.

— Maintenant, tu vas aller manger. Mais auparavant, fais-moi un petit sourire, je vais l'apporter avec moi au magasin pour la journée.

Elle obtempéra timidement, le reconduisit à la porte, reçut une dernière bise et se dirigea vers la salle à manger. Déjà semoncé par Élisabeth, Édouard l'accueillit docilement d'un sourire, et il se priva du plaisir de la moindre allusion railleuse à la scène de la veille.

～

Tout un mois s'écoula sans nouveau drame domestique. La neige eut le temps de disparaître des rues de la paroisse Saint-Roch. Afin de satisfaire les demandes printanières, les manufactures de chaussures ou de vêtements allongeaient les heures de travail, rappelaient les employés momentanément mis à pied. La conséquence de tout ce mouvement réjouissait Thomas Picard : les clients revenaient dans le grand magasin avec une rassurante régularité.

Dans une sphère d'activité bien différente, le premier ministre conservateur de la province avait enfin cessé de s'accrocher au pouvoir. La prorogation de l'Assemblée avait précédé le déclenchement des élections. Le notaire écrivain de Saint-Jean-sur-Richelieu, Félix-Gabriel Marchand, l'emporterait avec l'appui du grand frère au fédéral, Wilfrid Laurier. À tout le moins, cet homme entendait moderniser un peu le réseau scolaire, de loin le plus pitoyable de la confédération canadienne.

Cette perspective, en plus des profits immédiats du patronage, rendait moins pénibles les interminables réunions des comités politiques. En conséquence, un soir sur deux, Thomas rentrait tard, après le coucher des enfants, ce qui le condamnait à manger seul. Le samedi 3 avril, après avoir posé le plateau sur la table, Joséphine demeura un moment debout près de la table à se chercher une contenance, tordant un coin de son tablier entre ses doigts.

— Que se passe-t-il ? fit le commerçant, une certaine impatience dans la voix.

— Vous m'avez demandé de vous dire si quelque chose se passait avec votre femme.

— Que trame-t-elle, cette fois ?

Ses visites à la chambre de son épouse devenaient rarissimes, depuis les derniers événements. Au cours des dernières semaines, Alice s'était faite particulièrement discrète. Le fait qu'Eugénie prenait maintenant ses distances réduisait de toute façon considérablement sa capacité de nuire.

— Elle semble résolue à se laisser mourir.

— Que voulez-vous dire ?

— Elle ne mange presque plus. Je dois redescendre le plateau intact au moins une fois sur deux.

La quantité de nourriture nécessaire à une personne dont le plus grand effort était de couvrir la distance entre son lit et son fauteuil, et de parfois se rendre jusqu'à la salle de bain, demeurait difficile à estimer. Elle-même une solide fourchette, la cuisinière exagérait peut-être la situation. Comme si elle suivait le cours de ses pensées, la vieille femme précisa :

— Elle mange vraiment très peu, je vous l'assure. Certains jours, elle ne se lève pas du tout. Elle utilise le pot de chambre…

Donc, les vingt pieds entre son lit et la porte de la salle de bain lui devenaient infranchissables.

— Quand le docteur Couture doit-il venir ?

— Seulement mardi prochain.

— Demandez à ma femme s'il convient de l'appeler plus tôt. Si elle répond par la négative, assurez-vous de répéter au médecin ce que vous venez de me dire. Je lui ai déjà fait observer qu'Alice se trouverait mieux dans un établissement spécialisé, mais alors il ne paraissait pas partager cet avis.

Joséphine acquiesça d'un signe de tête avant de retourner à ses fourneaux.

~

À quelques centaines de verges de là, dans la rue Saint-Dominique, les inquiétudes relatives à la santé de la jeune recluse de ces lieux pesaient beaucoup moins lourd. Depuis qu'elle avait quitté le travail, le tour de taille de Marie Buteau offrait un bel arrondi.

Parce qu'une connaissance avait laissé tomber : « Tu dois attendre des jumeaux, à en juger par ce que je vois », elle préférait maintenant demeurer à l'intérieur du domicile. De toute façon, les semaines glaciales de février, puis celles de mars avec sa neige fondante et son froid humide, ne favorisaient pas les promenades dans les rues. La messe dominicale, qu'elle suivait maintenant depuis le banc d'Alfred, dans une allée latérale, satisfaisait son besoin de mouvement.

Plus tard, dans la chambre attenante au salon, l'homme demanda :

— Je peux toucher ?

La nature particulière de leur relation rendait les moments d'intimité un peu déroutants.

— Cela figure certainement parmi les avantages légitimes du mariage.

Ses grandes mains se posèrent sur le ventre, en firent le tour. Sous la chemise de nuit, la peau se révélait chaude, presque brûlante.

— Tu te souviens de mes projets d'affaires? demanda-t-il en suspendant sa caresse.

— Comment pourrais-je oublier? Tu penses abandonner la sécurité du grand magasin pour te retrouver parmi l'armée des petits marchands de ce quartier.

Avoir connu très intimement la pauvreté retirait tout esprit d'aventure à la jeune femme. Le proverbe: «Un tiens vaut mieux que deux tu l'auras», lui paraissait bien plus fiable que les paroles de tous les Évangiles.

— Tu ne crois pas que ces petits marchands jouissent tout de même d'un grand avantage, celui de ne pas travailler pour mon frère cadet?

En réalité, cet argument se révélait toujours le meilleur pour vaincre les craintes de Marie, tout comme la perspective de quitter la paroisse Saint-Roch. Quand l'enfant naîtrait, six mois après la cérémonie de mariage, les regards amusés de tout ce peuple besogneux deviendraient vite insupportables.

— J'ai enfin localisé un commerce à vendre dans la Haute-Ville. Ça te dirait de le visiter demain, après la messe?

— Ce ne serait pas moins cher dans la Basse-Ville?

— Et peut-être aussi moins rentable. Tu viendras?

— Qui prend mari…

La jeune femme jouait d'autant plus facilement l'épouse soumise qu'Alfred se montrait fort respectueux en lui demandant son opinion. Même dans une union plus conventionnelle que la leur, l'épouse n'avait généralement pas un mot à dire sur des décisions de ce genre.

~

La famille Picard sortit de l'église dans les minutes suivant la fin de l'office religieux. Vêtue de son costume de velours bleu, Élisabeth ressemblait maintenant plus à une épouse qu'à une domestique. En théorie, elle était la débitrice de son employeur pour ces vêtements ; en réalité, elle doutait qu'au moment de régler leurs comptes, lors de son départ de la maison, il lui en retienne le montant sur ses gages.

— Monsieur Picard, demanda la jeune femme, pourrai-je m'absenter, cet après-midi ?

L'homme afficha une certaine surprise, car c'était la première fois que son employée réclamait un moment de liberté. Sachant qu'elle n'avait aucune famille, sa présence ininterrompue lui paraissait aller de soi.

— … Je crois que je pourrai m'occuper seul des enfants pendant quelques heures, dit-il en tendant la main à Eugénie. Vous aurez besoin de la voiture ? Je peux demander à Napoléon de vous conduire.

C'était la façon la plus délicate qui lui venait à l'esprit de savoir où elle comptait aller.

— Non, je prendrai le tramway, ce sera plus simple. Je voudrais me rendre au couvent des ursulines.

L'homme fixa ses yeux dans les siens. L'échéance approchait. Cette fameuse année de réflexion exigée par la mère supérieure avant de l'accepter comme postulante prendrait fin dans six semaines, tout au plus. Si leur nouvelle intimité lui laissait croire que la vie religieuse présentait moins d'attrait pour la jeune femme, d'un autre côté, elle devait se préparer à quitter la maison de la rue Saint-François. Eugénie pensionnaire, sa présence deviendrait injustifiable.

— Je comprends, fit-il enfin. Nous vous attendrons pour souper.

Cette question réglée, la famille quitta le parvis de l'église. Au moment de s'engager dans la rue, ils croisèrent Alfred et son épouse. L'homme aidait Marie Buteau à monter dans un fiacre. Thomas toucha son melon en guise de salut, Élisabeth hocha la tête. Si le chef de rayon répondit à ces marques de civilité, la jeune femme demeura totalement impassible.

Dans la voiture, elle murmura d'une voix impatiente :

— Pour ne plus le voir, j'irais tenir boutique en Chine.

— Un commerce sur la frontière des quartiers Saint-Louis et du Palais me paraît suffisamment exotique.

Le cheval attelé au fiacre gravit la Côte-d'Abraham à petit pas, emprunta le trot dans la rue Saint-Jean, puis bifurqua rue de la Fabrique. Le cocher s'arrêta devant la cathédrale. Marie se souvenait être passée là au début de l'année, étreinte par le désespoir. Maintenant, les auspices paraissaient plus prometteurs.

— Si c'est un garçon, il ira là, décréta Alfred en pointant sa main droite vers l'entrée du Petit Séminaire.

— Je suppose qu'il trouvera rassurant de voir toute sa vie décidée pour lui avant même sa naissance.

Le ton amusé de Marie ramena son compagnon au présent. Il lui offrit son bras, puis la guida comme si elle en était à sa première visite dans le quartier :

— Tu vois, Holt & Renfrew se trouve juste là, sur Buade, de même que la librairie Garneau. De ce côté-ci, nous avons Simon's. Les notables de la ville viennent à la messe à la cathédrale tous les dimanches. L'hôtel de ville sera à côté, de même que le palais de justice. On peut difficilement trouver un emplacement aussi propice au commerce. Tous les gens respectables passent ici : l'endroit rêvé pour vendre des vêtements de qualité.

— Ce que font déjà deux des commerces que tu viens de nommer. Enfin, je suppose qu'ils vendent de la qualité, aux prix qu'ils affichent en vitrine. Si élevés en fait que jamais je n'y suis entrée, et si j'avais osé, ils m'auraient chassée.

— Je me confesse : en réalité, j'entends profiter des faveurs des personnes qui ne parlent pas un mot d'anglais, et qui ne peuvent payer les prix de Holt & Renfrew et de Simon's. Tu sais que français rime souvent avec moins d'argent. Elles regarderont dans les vitrines de ceux-ci et, découragées, marcheront jusqu'ici pour trouver des produits de qualité, élégants et à la mesure de leurs moyens.

Le « ici » désignait un édifice à la façade de pierre grise plutôt étroite, pas tout à fait trente pieds en fait, avec deux vitrines de part et d'autre de la porte. L'enseigne, en lettres d'or sur fond noir, annonçait *Men's Clothing*.

— Tu comptes te lancer dans la vente de vêtements pour homme ?

— Non, cela disparaîtra. Je ne connais que les dentelles et les jupons, je m'en tiendrai à cela.

～

Un dimanche, un peu avant midi, tous les commerces de la rue de la Fabrique étaient fermés. Alfred frappa toutefois à la porte de l'édifice. Un homme vint ouvrir.

— Monsieur le notaire, je suis désolé de retarder ainsi votre repas dominical, mais comme vous le savez, je suis occupé toute la semaine. Je vous présente ma femme.

— Enchanté, madame. Mon repas attendra. Vous pouvez visiter à votre guise, je prendrai l'air sur le trottoir.

— … Nous pouvons aller dans les appartements privés ? questionna Alfred.

— Tout est ouvert, et le propriétaire actuel s'est trouvé des obligations familiales afin de vous laisser le champ libre.

L'homme s'effaça pour les laisser entrer, puis sortit. Le couple s'avança dans la bâtisse un peu sombre, profonde d'au moins cinquante pieds. Des deux côtés d'une allée centrale, des étals et des tréteaux de bois foncé recevaient la marchandise. Le long des murs, des deux côtés, des étagères fournissaient d'autres espaces de rangement.

— Au moins une partie de ces tablettes devra disparaître. On a intérêt à pendre les robes sur des cintres, alors que les pantalons peuvent se contenter d'être soigneusement pliés. Cela permettra d'avoir de grands murs blancs. Ces plafonds rendus gris par le temps profiteraient aussi d'une bonne couche de peinture. L'ensemble deviendra ainsi plus clair.

— Les fenêtres sont tout de même un peu trop étroites pour éclairer jusqu'au fond ce grand espace. Dommage que le mur arrière soit aveugle.

— Nous serons donc condamnés à imiter Thomas, et à changer ces lampes à gaz pour des ampoules électriques.

Ils avaient atteint le fond de la grande pièce. Des espaces de rangement et une salle d'essayage occupaient encore quelques pieds. Une porte s'ouvrait sur une petite cour intérieure, où recevoir les livraisons. Les édifices de la rue de la Fabrique donnaient sur une étroite ruelle un peu boueuse, sans doute peuplée de rats et de déchets.

— Nous allons voir les autres étages?

— Même si j'essayais, je ne pourrais pas t'en empêcher.

À peu près au milieu du rez-de-chaussée, un escalier monumental permettait d'atteindre le premier. À cause de son état, Marie grimpa un peu lourdement les marches. Les fenêtres faisaient en sorte que la lumière jette un éclairage indirect sur des amoncellements de vêtements un peu disparates. Les clients ne devaient pas souvent venir jusque-là.

— Pourquoi ce commerce est-il à vendre?

— Le vieux monsieur Anderson aspire à une retraite bien méritée. Avec ce qu'il demande pour la bâtisse, ne t'inquiète pas pour lui, il pourra couler des jours heureux.

— Je m'inquiète pour nous. Je ne suis pas une spécialiste, mais à en juger par ce bric-à-brac, l'emplacement judicieux ne suffit pas à assurer une bonne fréquentation de cet établissement.

De nouveau, ils parcoururent tout l'étage, des fenêtres du côté de la rue jusqu'aux petites pièces à l'arrière.

— Mais nous serons là pour faire la différence. Imagine les robes au rez-de-chaussée, et quelques accessoires aussi: ombrelles, chapeaux, gants. Des manteaux au fond, un choix limité, mais de qualité, qui séduira les dames de la Haute-Ville. Ici, à l'étage, des jupons, des sous-vêtements, de la dentelle et des rubans, et à l'arrière, nous vendrons du tissu à la verge et des patrons.

— Exactement ce que tu vends présentement dans ton rayon, ou à peu près.

— C'est là l'idée : un domaine que je connais, une qualité juste un peu meilleure, pour des gens qui se considèrent trop bien nés pour aller faire leurs achats dans la Basse-Ville.

Bien sûr, avec en plus le plaisir de mener ses propres affaires plutôt que de dépendre d'un cadet souvent irascible.

— Le patron d'un commerce ne peut pas arriver en retard un jour sur deux, s'absenter en plein après-midi, aller manger au restaurant de la rue voisine à onze heures, énuméra Marie en esquissant un sourire timide.

— Tu exagères, pas un matin sur deux, tout de même.

— J'étais là, je sais tout ce qui se passait.

Alfred fit un tour sur lui-même afin d'apprécier encore une fois ce grand espace encombré, puis il la regarda dans les yeux pour dire :

— D'abord, les pères de famille prennent la vie plus au sérieux que les célibataires. Surtout, je serai prêt à crever au travail pour réussir, juste pour être certain de ne jamais entendre Thomas railler un échec.

Ce seul motif alimenterait sa détermination plus que n'importe quel autre.

— Puis ici, continua-t-il en souriant après une pause, je ne pourrai pas être en retard, puisque je ne quitterai jamais le magasin.

— Qu'est-ce que tu racontes ?

— Il reste encore un étage à visiter.

En prenant le bras de sa compagne, l'homme s'engagea dans un autre escalier, réservé à un usage privé celui-là. Puis il poussa une porte qui conduisait à un petit hall aux murs couverts d'un papier peint d'une horrible couleur bourgogne.

— Anderson vit ici avec sa famille. La décoration date de l'époque où notre digne souveraine, Victoria, jouissait encore des félicités de la vie conjugale. C'est tout simplement ringard. Lentement, nous pourrons tout rafraîchir. Ce sera moins pressé que le magasin, mais tout de même, je ne tarderai pas trop. Je suis las de vivre dans un décor pour vieillard.

L'immeuble, un grand rectangle tout en profondeur, avec des fenêtres seulement sur ses côtés les plus étroits, donnait une organisation étonnante à l'espace destiné à devenir leur cadre de vie. Le hall où aboutissait l'escalier prenait la forme d'un couloir sur lequel s'ouvraient sept portes, trois sur chacun des côtés et une autre au fond, en face de l'entrée, où le propriétaire précédent avait fait installer des sanitaires au moins trois décennies plus tôt.

Toutes les autres portes débouchaient sur des pièces «doubles», avec chacune une seule fenêtre permettant à la lumière d'entrer.

— Cela fait un peu curieux, expliqua Alfred en pénétrant dans la salle à manger, cette pièce n'a aucune ouverture à l'extérieur, si ce n'est cette porte qui donne sur la cuisine. Mais le puits de lumière fait tout de même un effet charmant.

À cause du vitrail au plafond le soleil jetait des taches de couleur sur la table, le buffet et les murs.

— Si nous emménageons ici, Gertrude gagnera une cuisine à peu près équipée comme celle d'Euphrosine, et la chambre de bonnes dimensions qui lui est attenante. Nous pourrons avoir chacun la nôtre, si tel est notre choix, l'enfant à venir aura la sienne, et il en restera encore une pour les visiteurs.

Sur ces derniers mots, Alfred ouvrit l'une après l'autre les portes des pièces donnant sur la rue. En voyant la dernière, Marie observa :

— Le salon n'est pas bien grand.

— Notre réseau de relations ne l'est pas plus.

La jeune femme dut convenir que cet environnement vieillot lui apparaissait comme plus attirant que tout ce qu'elle avait connu jusqu'alors, y compris la maison plutôt lugubre de la rue Saint-Dominique.

— Nous redescendons avant que le notaire se lasse de nous attendre? demanda-t-elle.

— Ne crains rien, il gagne une bonne commission en fournissant un bien petit effort. Ce métier-là m'aurait plu.

Afin de mieux fixer leur souvenir, ils parcoururent de nouveau les étages inférieurs, Alfred répétant quels aménagements seraient nécessaires pour que les lieux conviennent à leur nouvelle vocation. Quand ils sortirent, l'entremetteur demanda:

— Nous donnerez-vous des nouvelles bientôt?

— Avant, je dois calculer le coût des rénovations absolument nécessaires pour rendre ce trou présentable, vérifier le prix de l'installation de l'électricité et celui des taxes municipales. Je suppose que le toit sera aussi à refaire…

— Dans l'éventualité où Anderson recevrait une offre d'ici que vos recherches soient terminées…

L'acheteur potentiel lui adressa son meilleur sourire avant de répondre:

— Si elle est bonne, conseillez-lui de l'accepter. De toute façon, ma femme se demande si nous ne serions pas mieux dans Saint-Jean-Baptiste. Un bel édifice neuf dans un endroit où la population augmente…

— … très lentement, compléta l'autre avec un sourire entendu. Quand vous déciderez-vous?

— Début juin, je serais prêt à prendre possession, pour une ouverture début juillet. Si le prix devient un peu plus raisonnable.

Le notaire lui souhaita une bonne journée, salua Marie de la tête, puis alla rejoindre sa famille.

— Viens de l'autre côté de la rue, pour mieux apprécier.

Plus tard, le couple se promena sur les pelouses du nouvel hôtel de ville.

— Tout de même, c'est un bel emplacement, commença l'homme.

— Crois-tu pouvoir acheter un grand édifice comme celui-là ?

— Avec le prix que j'espère obtenir de la maison de la rue Saint-Dominique et le petit pécule d'Euphrosine, cela donnera un excellent point de départ. La banque fournira le reste.

— Tu comptes appeler le commerce "Chez Picard l'aîné" ?

L'homme secoua la tête, amusé, puis déclara :

— Comme je te l'ai déjà expliqué, simplement "ALFRED". Je me ferai un prénom.

— J'ai peur, confia Marie en se mordant la lèvre inférieure. Si cela échouait…

— Mais si cela réussissait ?

Les années passées n'avaient pas donné à Marie beaucoup de motifs d'être optimiste. Peut-être le moment était-il venu de cultiver une nouvelle attitude.

— Allons manger, conclut-elle enfin. Depuis le temps que tu me parles du Château Frontenac, je me ferai ma propre idée.

La promesse d'un dîner à cet endroit datait du jour de leur mariage. Le temps était venu d'exposer la petite orpheline aux splendeurs de la Haute-Ville.

❧

Au moment où Alfred et Marie cherchaient un fiacre à la sortie du Château Frontenac, Élisabeth Trudel arrivait à son tour à la Haute-Ville. Même après y avoir habité pendant plusieurs années, le chemin pour se rendre au couvent des ursulines ne lui était guère familier. Un passant croisé dans la rue Saint-Jean lui suggéra de remonter Saint-Stanislas jusqu'à Sainte-Anne. Bientôt, les grands murs apparurent sous ses yeux pour la première fois sous leur vrai jour. Il s'agissait d'une immense prison où les femmes choisissaient de s'enfermer pour toujours.

La préceptrice emprunta la rue Desjardins pour accéder à la petite impasse Donaconna. À la sœur converse qui se tenait à la porte, elle expliqua :

— Je voudrais voir la mère supérieure. Je lui ai écrit pour obtenir une entrevue.

— Aujourd'hui, c'est jour de parloir. Je ne peux vous y conduire.

— Je connais très bien le chemin, ma sœur.

L'autre l'examina plus attentivement, avant de murmurer, étonnée :

— La petite Trudel ? Jamais je ne vous aurais reconnue, sans le timbre de votre voix.

La religieuse l'examina des pieds à la tête, surprise de la métamorphose. La jeune femme avait gagné en maturité physique. Surtout, la robe et la veste de velours bleu se révélaient si différentes de l'uniforme élimé qui avait été son lot pendant tout son séjour en ces murs.

— C'est bien moi. Je peux y aller ?

— Personne ne m'a rien dit, mais je suppose que oui.

Élisabeth traversa le parloir, où des élèves tenaient à voix basse des conversations avec leurs parents. Pendant l'année scolaire, les sorties des couventines demeuraient rarissimes. Cependant, elles pouvaient recevoir leur famille une heure ou deux le dimanche. Ces visites n'étaient fréquentes que pour celles qui venaient de la ville. Certaines fillettes ne voyaient aucun de leurs proches entre septembre et juin.

Les longs couloirs lui paraissaient maintenant plus étroits, plus lugubres aussi. Les quelques écolières croisées sur son chemin lui jetaient des regards curieux. Elle reconnaissait certaines d'entre elles, mais ne désirait guère entamer une conversation.

Elle frappa à la porte de la directrice, attendit une invitation avant d'entrer.

— Mademoiselle Trudel, je vous reconnais à peine.

— Pourtant, c'est bien moi, ma mère.

La religieuse demeurait un peu interdite, debout derrière son bureau. Après un long moment, elle ajouta finalement :

— Asseyez-vous. En réalité, je ne pensais plus vous revoir. D'après ce qu'Alice m'a écrit…

Élisabeth aurait dû s'y attendre : les amies de pensionnat correspondaient toujours. Joséphine devait se charger de faire sortir et entrer les missives dans la chambre de la malade.

— Je ne sais pas ce qu'elle peut vous avoir dit à mon sujet, mais il y a un peu plus de dix mois maintenant, vous me donniez votre parole que je pourrais entrer au noviciat dans un an. Aujourd'hui, je viens vous réitérer ma demande.

— … Vous me voyez tellement surprise. Je croyais que… vous aviez changé d'avis, compte tenu de votre nouvelle situation.

— Ma mère, je vous le répète, je ne sais pas ce que madame Picard vous a communiqué comme information. Toutefois, sans manquer à la charité je dois préciser que depuis des mois son état de santé se dégrade sans cesse. Le médecin évoque de plus en plus souvent l'à-propos d'un placement dans une maison… spécialisée.

L'hésitation sur le dernier mot laissait craindre la pire éventualité. La religieuse demeura un moment songeuse, comme si elle repassait dans son esprit certains passages des lettres des derniers mois.

— La vie religieuse continue d'exercer le même attrait sur vous ?

— Si ce n'était pas le cas, je ne serais pas ici. Mes sentiments à ce sujet n'ont pas changé.

— Vous portez si bien vos nouveaux vêtements. Ici, vous n'aurez rien de tout cela. Vous êtes prête à y renoncer ?

— Comme j'ai vécu dans ces murs quelques années, je sais très bien à quoi ressemble la vie religieuse. Comme convenu, pourrai-je revenir en mai ?

D'une certaine façon, la mère supérieure se trouvait prise à son propre jeu. Un an plus tôt, la vocation de la couventine lui paraissait tenir à son opportunisme, au désir de trouver un havre de paix plutôt que d'affronter un monde qu'elle ne connaissait pas. Maintenant, à moins de prêter foi à des accusations d'accrocs à la chasteté, formulés de façon allusive dans les lettres d'Alice Picard, ces motifs ne tenaient plus.

— Vous pourrez revenir ici au terme de votre séjour dans cette famille. Évidemment, le curé de la paroisse Saint-Roch sera en mesure de produire une lettre de recommandation pour vous.

— Évidemment.

La jeune femme ne broncha pas. Peut-être ses confessions des dernières semaines ne pèseraient-elles pas trop lourd dans la balance.

— Au plaisir de vous revoir bientôt, mademoiselle Trudel.

— Au revoir.

Élisabeth quitta sa chaise, sortit en refermant doucement la porte derrière elle. Un moment elle demeura immobile, comme pour reprendre son souffle. Puis elle entreprit de parcourir les interminables corridors jusqu'à la sortie. Rue Donnacona, la jeune femme se retourna pour contempler la lourde porte de chêne, les murs infranchissables.

Cela valait-il mieux que de commencer tout de suite à écrire à diverses commissions scolaires?

23

— Tu es venu seul? demanda Thomas quand Alfred pénétra dans la maison de la rue Saint-François.

— Crois-tu vraiment que Marie acceptera un jour une invitation à souper de son adorable beau-frère?

— Non, bien sûr que non. Excuse-moi, je dois devenir fou, moi aussi.

Cet indice sur la santé mentale devait permettre au chef de rayon de deviner le motif de sa présence dans la maison.

La veille, son frère était venu lui demander de se joindre à lui pour le souper, pour un «conseil de famille». Cela donnerait un conseil bien restreint, puisqu'ils demeuraient les deux seuls survivants de la lignée. Bien sûr, Édouard et Eugénie ne se qualifiaient pas encore pour une discussion sérieuse.

Peu après, Alfred entra dans le salon, échangea quelques mots avec les enfants, présenta ses respects à la préceptrice, puis tous passèrent à table. Tout le repas s'écoula avant que l'hôte n'abordât le sujet. Finalement, les deux hommes se retirèrent dans la bibliothèque afin de pouvoir converser en tête-à-tête.

— Assieds-toi devant mon bureau, je nous verse un cognac et je te rejoins.

— Cet endroit fait moins "famille" que travail.

Tout de même, il prit la chaise qu'on lui avait indiquée. Thomas posa un verre devant lui, puis regagna son siège habituel avant d'en venir à la question qui le préoccupait.

— Alice ne va vraiment pas bien. Elle reste parfois au lit toute la journée, se nourrit à peine.

— Je suppose que le docteur Couture continue de la voir.

— Un mardi sur deux. Cette semaine, il a constaté que les choses se détérioraient, mais n'a rien proposé pour les améliorer. Je pense de plus en plus à faire appel à un aliéniste.

Devant l'étonnement d'Alfred, il jugea bon de raconter avec force détails le petit complot au sujet de la broche volée. À sa grande surprise, son interlocuteur partit d'un grand rire, avant de déclarer :

— Mon Dieu ! Ton existence est passionnante. Cette petite mise en scène ne signifie pas qu'elle soit folle, bien au contraire. Sa rivale vit sous son toit, ce que même nos concitoyens les plus tolérants sur les faiblesses de la chair trouveraient plutôt inadmissible. Dans son état physique, enfin, d'après ce que tu m'en dis, elle ne peut pas rouler des hanches pour aguicher son mari. Peu élégante peut-être, cette stratégie visait à chasser l'intruse.

— Je comprends tout cela. Mais ne penses-tu pas que cette histoire aura un effet malheureux sur Eugénie ?

— À ce sujet, tu as raison. Mais que vient faire l'aliéniste dans cette histoire ?

Thomas avala la moitié de son verre de cognac pour se donner une contenance. Son frère pouvait se montrer particulièrement obtus, parfois.

— Pour protéger les enfants, le mieux serait de placer Alice dans un endroit où l'on sait s'occuper des personnes dans sa condition. Je pense à l'Hôpital général.

— Je vois. Armé d'un diagnostic, avec l'accord du conseil de famille composé de nous deux, tu pourrais obtenir que des infirmiers costauds viennent la chercher pour la mettre à l'écart. Avec un opiacé dans son thé pour la faire dormir, tu pourrais même économiser la présence des infirmiers et ses cris de protestation tout le long du trajet.

— Tu as une de ces façons de présenter les choses... Si tu crois que ce que je vis est facile, tu te trompes.

L'homme se leva pour aller remplir son verre de nouveau. À la fin, Alfred admit :

— Ta situation doit parfois devenir intenable. Commence par faire établir un diagnostic, ensuite nous verrons. Moi aussi, j'avais une communication importante à te faire. Si les choses se déroulent comme je l'espère, dans deux mois tout au plus je compte céder mon tablier de chef de rayon à qui en voudra.

Thomas demeura un moment bouche bée, puis commença :

— La part des profits que tu encaisses suffira sans doute à te faire vivre modestement, si tu es prudent, mais tu vas mourir d'ennui à ne rien faire.

— C'est bien pour cela que je compte m'occuper. Je deviendrai l'un de tes nombreux concurrents. Parmi les petits, mais tout de même, je compte te souffler des clients. Je t'en parle car dans notre petite ville, les rumeurs circulent rapidement.

Le commerçant se perdit un moment dans la contemplation de son verre, puis ajouta, le visage sombre :

— Tu n'y penses pas. Tu risques de te casser la gueule.

— Dans cette éventualité, ce sera la preuve que Théodule a eu raison de laisser les rênes de son entreprise à son cadet. Tu pourras le répéter à tous tes collègues.

— … Tu souhaites monter un magasin à rayons ?

Le ton de l'homme exprimait le plus grand scepticisme. Alfred choisit de ne pas s'en vexer :

— Je me contenterai d'une boutique de vêtements pour femme. Juste assez grande pour faire bien vivre son propriétaire, mais suffisamment petite pour que la gestion de personnel ne devienne pas un enfer.

— Si j'augmentais ton traitement ?

— Cela n'a rien à voir.

Thomas avala son second cognac d'une lampée, puis il fit claquer sa langue. Après un moment de réflexion, il demanda :

— Pour la mise de fonds, je suppose que tu désires que j'achète tes actions?

— Certainement pas. Tu es un homme d'affaires si compétent que je ne doute pas de tes succès futurs. Tu le disais tout à l'heure, ma part des profits peut me faire vivre. Ce sera ma police d'assurance, au cas où les choses tourneraient mal. Mais cela ne se produira pas.

— Il ne me reste plus qu'à te souhaiter bonne chance.

Alfred quitta sa chaise en disant:

— Et moi aussi, pour ta situation conjugale. Laisse, je connais bien le chemin.

L'homme se dirigea vers la porte en lui faisant son habituel petit salut de la main, sans se retourner. Un moment, le maître de la maison contempla le cognac de l'autre côté du bureau, que son invité n'avait pas touché. Seul l'espoir d'une visite proche le fit pencher pour l'abstinence.

∾

Un peu après dix heures, Élisabeth fit irruption à l'entrée de la bibliothèque. Elle prit place dans un des fauteuils près de la fenêtre, où Thomas la rejoignit et commença par lui communiquer les projets commerciaux d'Alfred. La jeune femme ne sut pas dissimuler son désintérêt de la question, au point qu'il demanda:

— Depuis toute une semaine, tu ne m'as pas parlé de ta visite chez les ursulines, mais depuis tu parais très préoccupée. Cela ne s'est pas bien déroulé?

— Pas très bien.

— J'en suis heureux. Je ne veux pas que tu retournes là-bas.

Même si l'échéance approchait, le sujet de son avenir ne se trouvait jamais abordé clairement, autrement que pour dire que le départ au couvent d'Eugénie rendrait sa position intenable. Un enfermement au couvent paraissait être de la pure folie aux yeux de Thomas; la recherche d'un emploi dans une commission scolaire de la campagne guère mieux. Quant à enseigner à Québec, cela se révélait impossible : les religieuses détenaient le monopole de ces emplois.

— Songes-tu à me proposer un poste de secrétaire particulière à ton magasin ?

L'allusion indirecte à Marie Buteau rendait mieux compte de sa situation qu'un interminable discours. Ses perspectives d'avenir se révélaient peu nombreuses.

— Ce ne serait pas une mauvaise idée. Tu saurais certainement effectuer le travail aussi bien que la personne qui occupe ce poste. Si tu habitais les environs, nous pourrions nous voir à peu près tous les soirs.

Depuis la fin du mois de janvier, afin de ne pas se placer encore dans une position difficile, Thomas avait recruté un autre jeune diplômé de l'Académie des frères des écoles chrétiennes.

— Mais il n'est même pas nécessaire que tu travailles. Nous pourrions te dénicher un logement…

— Nous ne vivons pas dans un roman de Balzac ou de Zola, précisa sa compagne, en faisant allusion à ses lectures des derniers mois, des textes tout à fait inaccessibles quand elle était au couvent. À Québec, les jeunes femmes entretenues ne sont certainement pas légion.

— Cet aspect de notre belle ville échappe sans doute aux élèves des ursulines. Je t'assure que la chose n'est pourtant pas aussi rare que tu sembles le croire.

Avant de la rejoindre près de la fenêtre, l'homme avait fermé la lampe au-dessus de son bureau. Personne ne pouvait les apercevoir de la rue. Thomas tendit la main vers elle, pour prendre la sienne. Il tira un peu pour l'amener à se lever et venir sur ses genoux. Ce rapprochement servait habituellement de prélude à un passage dans le cagibi, au fond de la pièce. La jeune femme consentait à des jeux de mains fort coquins, tout en préservant sa virginité. Le souvenir de sa mésaventure avec Marie Buteau incitait son compagnon à s'en satisfaire. Sa réserve de frères aînés susceptibles de voler à son secours se trouvait épuisée.

Ce soir, Élisabeth paraissait plus désireuse de parler que de s'abandonner à des privautés.

— Tu te doutais, toi, que pour retourner chez les ursulines, je devrai présenter un nouveau "certificat de moralité", signé cette fois par le curé de la paroisse Saint-Roch?

— Je ne m'étais jamais posé la question, mais je suppose que cela va de soi. Il faut un papier de ce genre pour entrer dans de nombreuses écoles, demander un passeport, devenir fonctionnaire ou obtenir un emploi d'institutrice. Il arrive souvent que des employeurs exigent un mot du curé au moment de recruter du personnel. Parfois, les prêtres viennent me rencontrer pour me recommander leurs protégés, et même discuter des salaires de ceux-ci. Rien ne leur échappe.

L'homme serra la main de la jeune femme dans la sienne, puis murmura:

— Tu crains que la recommandation soit négative. Cela signifie-t-il que le curé sait... à propos de nous deux?

— Évidemment. Tu ne te confesses jamais?

— Bien sûr, au moins une fois tous les deux mois, sinon les gens commenceraient à jaser. Toutefois, j'essaie de lui dire ce qu'il veut entendre, sans plus.

Les préoccupations de la jeune femme à cet égard suscitaient chez elle un nouvel engouement pour la chasteté. Thomas lâcha sa main.

❧

Le mois d'avril se termina bientôt. Avec le mois de mai, Élisabeth compléterait la première année de son séjour dans la demeure de la famille Picard. Le samedi 8, la jeune femme demanda à son patron une heure de congé afin de se rendre au presbytère. Au moment du souper, sa mine soucieuse témoignait que les choses ne s'étaient pas déroulées comme prévu.

Toutefois, Thomas ne put s'enquérir du résultat de sa démarche avant le coucher des enfants. Vers dix heures, sur le bout des pieds, elle vint le rejoindre dans la bibliothèque. Depuis son bureau, l'homme lui demanda tout bas :

— Le curé a refusé ?

— Non seulement il a refusé, mais il m'a intimé l'ordre de quitter cette maison.

— De quoi se mêle-t-il ?

— Si je m'expose volontairement à pécher encore, je ne peux pas prétendre avoir le ferme propos de ne pas recommencer.

Au moment de la confession, non seulement le pénitent devait admettre ses fautes et les regretter, mais aussi désirer sincèrement se racheter. Cela signifiait bien sûr se retirer des endroits propices à la récidive.

— Je risque de me faire refuser l'absolution, et même la communion, si le curé suspecte que je suis en état de péché mortel.

Pareille éventualité ferait mourir cette jeune femme de honte. Thomas ne trouva rien de bien réconfortant à dire :

— C'est pour cela que mieux vaut concocter une confession sur mesure.

Au moins, il sut ouvrir les bras afin d'y accueillir sa compagne désespérée.

— Si tu m'abandonnes maintenant, je suis perdue.

Elle n'exagérait pas. Les commissions scolaires exigeaient aussi un certificat de moralité à l'embauche. Bien plus, si Thomas décidait de lui offrir une place dans son magasin, le curé de la paroisse pourrait lui faire un tort considérable au nom de la défense des bonnes mœurs, juste en multipliant de petites remarques assassines, ou alors franchement en le condamnant du haut de la chaire. Tous ceux qui côtoyaient une femme impure s'exposaient à des représailles.

— Ne t'inquiète pas. Eugénie ne quittera pas la maison avant la fin du mois d'août. Tout peut survenir, d'ici là.

Involontairement, les yeux de Thomas se portèrent vers le plafond. Depuis près de deux mois maintenant, l'état d'Alice demeurait préoccupant, au point que le maître de maison ajournait d'une semaine à l'autre la décision de lui faire venir un aliéniste. Le docteur Couture évoquait maintenant spontanément son hospitalisation.

Un bruit venu de la rue l'incita à éteindre la lampe. Un moment plus tard, Élisabeth laissait échapper une plainte sous ses baisers.

De l'autre côté de la porte, Eugénie tendait l'oreille. Pour la dixième fois peut-être, le petit craquement d'une marche dans l'escalier lui avait signalé que la préceptrice descendait. Pieds nus, elle l'avait suivie pour s'asseoir sur la dernière marche, et attendre. Deux ou trois fois, elle avait bien failli se faire surprendre, au moment où les amants mettaient fin à leur petit aparté.

Encore cette fois, Eugénie regagna son lit à temps pour éviter d'être découverte. Longtemps, elle demeura immobile, étendue sur le dos, ses yeux grands ouverts fixant l'obscurité. Le craquement de l'une des marches se produisit de nouveau. Sans bruit, la fillette se glissa jusqu'à la porte, posa son œil sur le trou de la serrure.

La clarté blafarde de la lune permettait de voir des ombres se déplacer. Élisabeth regagna sa chambre, repassa bientôt devant son œil grand ouvert, une ombre évanescente dans sa grande chemise de nuit qui balayait le sol, glissant sans bruit sur ses pieds nus. Elle pénétra dans la salle de bain. Après quelques minutes, le bruit étouffé de la chasse d'eau parvint à la fillette. Au moment de sortir, après une brève attente, immobile, plutôt que de tourner à droite pour regagner sa chambre, elle alla à gauche pour pénétrer dans celle d'Alice.

La petite fille posa la main sur la poignée de la porte, comme pour sortir afin de confondre l'intruse, mais ne bougea pas. Ce ne fut que quelques instants plus tard, lorsque la préceptrice regagna enfin sa chambre, qu'Eugénie revint dans son lit, remonta la couverture jusque par-dessus sa tête.

Puis, le visage à quelques pouces du mur, elle chercha le sommeil.

～

Le lendemain matin, comme les deux enfants tenaient à communier, ils ne descendirent pas au déjeuner. Les adultes mangèrent en tête-à-tête, échangeant seulement quelques mots. Un peu après huit heures, comme à son habitude, Joséphine plaça une théière, une tasse, deux tranches de pain grillé et de la confiture sur un plateau. Pestant car elle aurait à redescendre tous ces aliments intacts, elle se dirigea à l'étage.

Un moment plus tard, dans la salle à manger, ils entendirent «mon Dieu, mon Dieu!» étouffés d'abord, puis plus forts, car la cuisinière criait maintenant depuis la dernière marche de l'escalier:

— Monsieur, montez vite. Un grand malheur!

Thomas se leva d'un coup, renversant sa chaise, puis se précipita à l'étage, Élisabeth sur les talons. Dans la chambre trop chauffée, il aperçut Alice un peu en travers de son lit, sur le dos, les yeux vides. Une mousse rosâtre marquait la commissure de ses lèvres. Une faible odeur d'excréments flottait dans la pièce.

— Monsieur, oh monsieur, gémissait Joséphine depuis l'embrasure de la porte.

Eugénie, attirée par les cris, se tenait près des jupes de la domestique, les yeux écarquillés par l'effroi, alors qu'Édouard avait instinctivement rejoint la préceptrice. L'homme saisit un coin d'une couverture pour le rabattre sur le visage de son épouse, ramassa machinalement un oreiller tombé par terre près du lit pour le déposer sur le fauteuil. Puis il sortit de la chambre en fermant la porte derrière lui.

— Joséphine, allez tout de suite demander à Napoléon de quérir le médecin. Si l'homme hésite, qu'il le ramène en le portant sur son dos.

La domestique hésita un moment, puis descendit. L'homme continua :

— Les enfants, montez au grenier avec Élisabeth.

— Non, je ne veux pas.

La voix d'Eugénie ne fit pas plus de bruit qu'un soupir, alors que ses yeux agrandis se fixaient sur la préceptrice. Son père s'assit sur ses talons, la prit dans ses bras pour dire :

— Tu comprends ce qui se passe. Monte avec Élisabeth. Vous direz une prière pour maman.

En pleurs, elle planta ses yeux dans les siens, puis obéit sans rien ajouter.

~

Sans doute parce qu'il considérait ce dénouement comme imminent, le docteur Couture ne se fit pas prier pour venir chez les Picard. Au moment où il passa la porte, Thomas sortit de la bibliothèque pour l'accueillir.

— Napoléon, va m'attendre dans la cuisine, déclara-t-il à l'intention du cocher, puis pour le médecin : je monte avec vous, Docteur.

— Quand est-ce arrivé ? questionna celui-ci en gravissant les marches.

— Cette nuit. La cuisinière l'a trouvée en montant son déjeuner.

Dans la chambre, Couture souleva le coin de la couverture, regarda les yeux déjà glauques, puis posa le bout de ses doigts sur le cou, à l'endroit de la carotide. Ensuite, il souleva l'un de ses bras pour en apprécier la légèreté.

— Évidemment ce n'est pas une surprise. Regardez sa maigreur. Cela aurait pu durer des années, mais comme son cœur se trouvait déjà affaibli… Mes condoléances.

— Merci.

Thomas chercha l'ironie dans la voix du praticien, n'en trouva pas trace. Celui-ci continua après un moment :

— C'est terrible pour les enfants. Ils sont assez vieux pour avoir pleine conscience de ce qui se passe, mais pas assez pour savoir faire face à des événements de ce genre. Redescendons, je vais remplir les papiers dans votre bureau.

Le médecin faisait allusion au certificat de décès. Le document porterait les mots « des suites d'une longue maladie ». Cette question réglée, il serra la main du veuf, puis sortit sa montre de son gousset pour constater que mieux valait rejoindre sa famille directement à l'église.

Thomas regagna la cuisine pour trouver Joséphine affalée dans sa vieille chaise berçante, pleurant bruyamment en s'essuyant les yeux avec son tablier.

— C'est si triste, monsieur, gémit-elle en faisant mine de se lever.

— Restez assise…

Il porta son attention sur Napoléon, assis à la vieille table de chêne, qui prenait les choses à la fois avec philosophie et un verre de bière Boswell.

— Je comprends que vous ayez besoin de réconfort, fit remarquer le patron avec un certain agacement, mais vous noierez votre peine plus tard. Pour le moment, vous devez avertir Lépine et mon frère de ce qui vient d'arriver. Si vous bougez votre postérieur assez vite, vous pourrez leur parler sur le parvis de l'église. Dites à Alfred de se débrouiller pour faire connaître la nouvelle au curé, ou au vicaire.

De mauvaise grâce, en sifflant entre ses dents « mes condoléances », le domestique s'exécuta. Le maître de maison dit encore à la cuisinière :

— Vous préparerez un dîner léger. Quelque chose de froid. Je ne sais pas si quelqu'un aura le goût de manger aujourd'hui, mais à tout hasard…

Sur ces mots, il regagna la bibliothèque pour attendre l'entrepreneur de pompes funèbres.

Un peu avant midi, le glas sonna au clocher de l'église de l'autre côté de la rue. Pâles et tremblants, les enfants descendirent à la salle à manger. Autant Édouard tentait de rester toujours très proche des jupes d'Élisabeth, autant Eugénie s'en tenait éloignée. Des larmes coulaient en permanence de ses yeux rougis.

Les employés de la maison Lépine s'affairaient dans le salon. Déjà, certains meubles avaient été transférés dans la bibliothèque. Le décès de l'épouse du commerçant le plus important de la paroisse attirerait une foule nombreuse de collègues, d'employés et de curieux.

Après avoir reconduit sa femme à son domicile, Alfred se présenta à la maison de la rue Saint-François au moment où les cloches de la paroisse signalèrent midi. Si la présentation de ses condoléances à son frère demeura un peu empruntée, en revanche il sut trouver les mots avec les enfants. Au moment où il quittait les lieux, Thomas lui demanda :

— Je n'ose pas m'absenter. Accepterais-tu de te rendre chez Lépine pour choisir un cercueil, et ensuite chez le curé pour régler les détails des funérailles ?

Le chef de rayon comprenait la volonté de son frère de demeurer près de ses enfants dans les circonstances, aussi il donna son assentiment.

— À quelle date penses-tu ?

— Mercredi. N'épargne rien, toute la paroisse sera à l'affût du moindre manque de goût et du plus petit accroc aux convenances.

— Tu connais mon tact légendaire.

À sept heures, Thomas Picard accueillit les premiers visiteurs, des collègues qui tenaient commerce rue Saint-Joseph, de même que tous les candidats libéraux de la région de Québec. Après avoir reçu l'expression de leurs plus sincères sympathies, au moment du départ, en les reconduisant à la porte, il leur souhaita la meilleure des chances. Les élections provinciales se tiendraient le mardi suivant, le 11 mai. Cette fois, l'organisateur ne pourrait se rendre dans un hôtel afin d'attendre avec eux les résultats des divers bureaux de scrutin.

Le corps d'Alice Picard se trouvait au fond du grand salon, dans un cercueil de chêne blanchi du plus bel effet. Le visage émacié encadré de cheveux blonds secs et ternes retenait les regards. À trente ans à peine, elle aurait tout aussi bien pu en avoir le triple. Les mêmes mots revenaient sur les lèvres des visiteurs : « Cela vaut mieux ainsi. » Des années de maladie paraissaient en effet pires que la mort. Leur pitié se portait sur les enfants. Vêtue de noir des pieds à la tête, Eugénie s'accrochait à un prie-Dieu placé près de la tombe, refusant de s'éloigner du cadavre. Édouard affichait un air grave, sanglé dans un costume tout neuf.

Quand les derniers visiteurs quittèrent enfin les lieux, vers dix heures, Thomas verrouilla la porte, puis s'appuya le dos au mur pour reprendre son souffle. Quand elle descendit de l'étage pour le rejoindre, Élisabeth lui chuchota :

— Passe à côté, je vais te servir un cognac.

— Je ne sais pas comment je vais passer à travers deux journées complètes de ce genre. Tous les habitants de la paroisse vont passer ici, la plupart du temps sans autre motif que de jeter un coup d'œil aux meubles.

— Sans compter tes multiples amis de la Haute-Ville et les membres du Parti libéral. Viens.

Un peu plus tard, alors qu'il s'enfonçait dans un fauteuil déplacé du salon, elle lui tendit un verre. Au moment de s'asseoir près de lui, elle déclara :

— Eugénie m'inquiète. Tu as vu son attitude à mon égard ?

— Cela lui passera certainement. De toute façon, maintenant notre situation va se normaliser.

L'homme tendit la main pour prendre la sienne. Élisabeth attendait ces mots depuis des heures, une promesse de mariage en quelque sorte. Bien sûr, l'homme devrait se faire plus explicite, en plus de proposer une stratégie et un calendrier de ses projets. Si sa présence dans la demeure des

Picard avait fait jaser jusque-là, dès ce jour la promiscuité avec un veuf serait unanimement condamnée.

— Je ne pensais pas que sa mort pouvait venir si vite, murmura la jeune femme.

— Selon le docteur, son agonie aurait pu s'étaler sur des années encore.

La perspective fit frissonner Élisabeth. Pour se donner une contenance, elle demanda en étirant la main :

— Je peux goûter ?

Il lui tendit son verre. La toute petite gorgée la fit grimacer et tousser brièvement.

— Je n'en prendrai pas l'habitude. Je monte me coucher.

Puisque la lampe demeurait allumée, les souhaits de bonne nuit ne furent soulignés que par une pression réciproque des doigts entrelacés.

⌒

Pour Émile Buteau, monter en chaire pour prononcer l'éloge funèbre d'Alice Picard représentait en quelque sorte l'apothéose de sa jeune carrière. Après avoir visité la malade deux fois par mois, depuis l'été précédent, il pouvait témoigner éloquemment des vertus de celle-ci. Bien sûr, la tentation d'user de tous les artifices oratoires le tenaillait, afin de se présenter comme le digne successeur du vieux curé :

— Alice, notre sœur, était une âme d'élite, qui offrait à Dieu la somme de ses immenses souffrances. Nul doute qu'aujourd'hui, au paradis, elle penche ses yeux angéliques sur ses pauvres petits enfants.

Avec un parfait à-propos, Eugénie y alla d'un sanglot déchirant, Thomas passa son bras autour de ses épaules pour la presser contre lui, assumant parfaitement le rôle qui lui était dévolu dans cette représentation de la douleur domestique. La scène arracha une larme à toutes les femmes présentes, et quelques hommes firent mine d'avoir une poussière dans l'œil pour dissimuler leur émotion.

Sur le banc situé dans une allée latérale, un peu à l'arrière de la nef, Marie Buteau offrait son gros ventre aux commentaires amusés. Sa situation se révélait bien inconfortable. Ou elle restait à la maison en invoquant son état, ce qui permettrait de supputer que sa grossesse était anormalement avancée, ou elle venait en offrir la preuve tangible en se présentant dans ce temple. Quant à Alfred, il affichait sans vergogne sa fierté de futur père.

Au terme de la longue cérémonie, dans une église abondamment décorée de crêpes noirs et violets, la foule recueillie forma un cortège derrière la petite famille. Autant Eugénie s'accrochait à son père, autant Édouard demeurait sagement dans la corolle des jupes d'Élisabeth.

— Tu es certaine que tu ne veux pas rentrer à la maison? demanda Thomas à sa fille au moment de monter dans le fiacre conduit par Napoléon Grosjean.

— Je préfère accompagner maman.

Thomas échangea un regard déçu avec la préceptrice, puis aida la fillette à monter. La jeune femme se dirigea vers le domicile de la rue Saint-Joseph avec le garçon. Le cadre de la porte, comme celui des deux fenêtres en façade, s'ornait de bandes de tissu noir. Afin de ramener ses enfants le plus vite possible à une vie normale, le commerçant avait demandé aux employés de chez Lépine de tout remettre en ordre dans la demeure avant la fin des funérailles.

— Si tu le veux bien, nous allons nous asseoir dans le salon pour les attendre, proposa Élisabeth.

— Tu veux me lire quelque chose?

— Ce que tu voudras.

Un moment plus tard, lové contre la jeune femme, Édouard écoutait la voix douce évoquer les sorcières de la forêt allemande. Les craintes lointaines, insaisissables, lui semblaient moins troublantes que la mort d'une mère.

— Mademoiselle Trudel, commença Joséphine depuis le couloir, croyez-vous que quelqu'un voudra manger?

La cuisinière avait assisté aux funérailles, mais elle préférait ne pas voir le cercueil glisser au fond d'un trou. Depuis trois jours, la conscience de ses propres intérêts l'amenait à s'adresser à la préceptrice avec une déférence nouvelle.

— Le mieux serait de préparer quelques sandwichs.

Elle ne faisait plus que cela, préparer des sandwichs ! « Pourtant, un véritable repas revigorerait tout le monde », songea la domestique.

Un peu après midi, Thomas Picard rentra à la maison, tenant en remorque une petite fille plus malheureuse que jamais. Tout le long du chemin, depuis le cimetière Saint-Charles, elle avait réclamé son admission immédiate chez les ursulines. Son père s'en était tenu à réitérer sa promesse, pour septembre prochain.

Il les invita au salon, dont il referma soigneusement la porte après avoir demandé à Eugénie de prendre place près de lui dans un fauteuil et déclara :

— Les enfants, je comprends combien la mort de votre mère vous fait de la peine. Ne vous inquiétez pas, la vie se poursuivra comme autrefois.

L'homme fixa ses yeux dans ceux de la préceptrice avant d'ajouter :

— Aussitôt que la période du grand deuil sera terminée, je compte épouser Élisabeth.

Si ce genre de planification transparente séduisait des chefs de rayons soucieux de connaître l'avenir de leur entreprise, ou des candidats libéraux heureux de se familiariser avec un programme électoral, pour des enfants qui avaient vu une boîte de chêne se refermer sur le cadavre de leur mère le matin, le tact faisait complètement défaut.

Édouard surmonta très vite sa surprise et leva un visage presque souriant vers la jeune femme en demandant :

— Pour de vrai et pour toujours ?

— Évidemment, répondit son père.

— Mais elle a tué maman !

Trois paires d'yeux désemparés se portèrent sur la petite fille. Le premier, Thomas trouva les moyens de formuler :

— Ce que tu dis est monstrueux.

— Je l'ai vue !

Ces mots vinrent dans un sanglot. L'homme regarda Élisabeth, dont le visage exprimait un complet désarroi. Quant au petit garçon, il ouvrit des yeux ronds de surprise sur sa sœur.

— Sortez un moment, je veux parler avec elle en tête-à-tête, dit le père.

Quand ils furent seuls, il regarda la gamine fixement pour déclarer :

— Lancer des accusations comme cela est horrible.

— Cette nuit-là, je l'ai vue entrer dans la chambre de maman.

— … Voyons, tu as dû rêver.

Thomas cherchait à lire le mensonge dans ses yeux, sans succès. Mieux valait changer de stratégie. Il reprit :

— Pendant la dernière année, as-tu vu Élisabeth faire preuve de méchanceté ?

— … Non.

La fillette avait marqué une hésitation, ne sachant trop si l'impureté devait être rangée sous ce vocable.

— Comment peux-tu prétendre qu'elle a fait une chose pareille ?

— Je l'ai vue entrer dans la chambre. Comme je ne dormais pas, je n'ai pas rêvé.

Elle lui présenta un visage buté. Son père demanda encore :

— Mais même si elle est allée dans la chambre, cela ne signifie pas qu'elle lui voulait du mal. Ce matin-là, le médecin a dit que maman est morte de sa maladie. Pourquoi mentirait-il ? Le sais-tu ?

Eugénie fit un signe de dénégation, un peu désespérée. L'homme insista encore :

473

— Tu crois vraiment que si Élisabeth avait fait quelque chose d'aussi laid, aujourd'hui je voudrais l'épouser?

— … Non, je suppose que non.

— Ici, insista son père en désignant son propre cœur, je sais qu'Élisabeth serait incapable de commettre un acte aussi mauvais.

Eugénie ferma les yeux un instant, faisant couler les larmes qui lui grossissaient les paupières.

— Jamais tu ne répéteras une accusation aussi horrible.

La fillette acquiesça d'un mouvement de tête, puis murmura :

— S'il te plaît, laisse-moi aller au couvent. Je ne peux pas rester ici… Elle est là.

Peut-être faisait-elle allusion à la préceptrice, mais Thomas choisit de croire qu'elle désignait sa mère. Lui-même sentait la présence de la morte dans toutes les pièces de cette grande demeure. Encore vivante, elle la hantait déjà. Cette impression désagréable n'avait fait que croître avec son départ.

— Samedi prochain, nous irons ensemble au couvent. Mais je ne peux pas te promettre que la mère supérieure voudra t'admettre. L'année scolaire se terminera bientôt.

Elle jeta ses bras autour de son cou et lui chuchota « merci » à l'oreille.

~

Sauf la petite fille, chacun finit par passer dans la salle à manger afin de prendre un sandwich. Vers six heures, ils y revinrent pour manger tous ensemble une omelette. Eugénie choisit de se placer à proximité de son père d'un côté de la table, Édouard s'installa en face d'elle, près de la préceptrice. Au moment du coucher, la gamine préféra faire carême de la lecture à haute voix, le garçon se délecta plus longuement que d'habitude des sorcières.

Au moment où Élisabeth quitta sa chambre, il demanda depuis le fond de son lit :

— Tu seras ma nouvelle maman?

— Si ton père veut toujours m'épouser après ce qui s'est passé, oui.

— Je lui parlerai demain. Il ne changera pas d'idée.

Elle lui répondit d'un sourire attristé, éteignit la lampe en lui souhaitant bonne nuit. Dans la bibliothèque, Thomas fixait le plafond, calé dans son fauteuil près de la fenêtre, les jambes allongées devant lui.

— Comment va-t-elle? interrogea-t-il en tournant la tête.

— Silencieuse comme une pierre. Comme ces dernières semaines elle évitait sa mère, je suppose qu'elle se sent un peu coupable de l'avoir abandonnée.

— Elle affirme t'avoir vue entrer dans la chambre.

La jeune femme porta sa main sur son cœur, sembla tituber un peu en se dirigeant vers le siège près du sien.

— Tu es montée… commença l'homme.

— Un peu après minuit. En sortant de la salle de bain, j'ai entendu une plainte. Je suis entrée un bref moment, le temps de replacer les couvertures sur elle.

Thomas redressa la tête pour la regarder dans les yeux. Une certaine terreur dans la voix, elle souffla entre ses lèvres:

— Mais elle était vivante. J'entendais clairement sa respiration un peu sifflante.

Des larmes coulaient maintenant sur ses joues. Elle ajouta encore:

— Je le jure.

L'homme se leva, ferma l'arrivée du gaz dans la lampe, puis l'aida à se lever de son siège pour la serrer contre son corps.

— Ne jure pas. Ce n'est pas nécessaire entre nous. Je crois, et je croirai toujours, chacun des mots qui sort de ta bouche.

— Je ne lui ai jamais fait de mal.

— Je sais.

— Eugénie me détestera toujours.

Thomas enfouit son visage au creux de l'épaule de la jeune femme, cherchant à se perdre dans la masse de ses cheveux. Il murmura tout près de son oreille :

— Je ne pense pas. Samedi, j'irai avec elle chez les ursulines. Si les bonnes mères acceptent de la recevoir, ces quelques semaines hors de la maison lui feront le plus grand bien.

— À la fin de l'année scolaire…

— Avec un peu de chance, j'aurai vendu cette grande boîte, pour acheter quelque chose dans la Haute-Ville. Sans les fantômes qui hantent ces lieux, les choses iront mieux.

Élisabeth ne partageait pas cet optimisme, même si elle avait désespérément besoin d'y croire.

— Et nous ?

Elle avait failli dire : « Et moi ? » Thomas se recula un peu pour regarder le visage blafard dans la lumière lunaire, joua dans ses cheveux de ses deux mains, puis il décréta :

— Samedi, je verrai la mère supérieure pour la plus jeune des femmes de ma vie. Dimanche, ce sera le curé pour la plus âgée.

Sur ces mots, il l'entraîna dans le cagibi, au-delà de son lourd bureau. Dès le moment où Thomas avait vu sa femme morte, une résolution inéluctable était née en lui : jamais il ne réintégrerait la chambre conjugale. Cet endroit recelait trop de mauvais souvenirs pour s'endormir facilement s'il y couchait.

Ce soir-là, Élisabeth céda ce petit bijou entre ses cuisses que, depuis l'enfance, tout le monde lui décrivait comme son unique trésor. Les jeux de mains n'étaient plus de mise.

24

Un an exactement après sa première visite, Thomas se retrouvait dans le bureau de la supérieure des ursulines.

— Vous comprenez, dans les circonstances, s'éloigner de la maison lui fera le plus grand bien.

Assise sur la chaise près de lui, Eugénie ouvrait de grands yeux rougis. La majesté de l'endroit, les planches jaunies d'avoir été trop souvent frottées, l'odeur d'encaustique, les fillettes toutes revêtues du même uniforme, tout cela la laissait un peu étourdie.

— Je comprends. Quand j'ai appris la nouvelle, cela m'a touché droit au cœur.

— Je sais que l'année scolaire tire à sa fin...

— Pour l'amour d'Alice, cela peut s'arranger. C'est bien ce que tu désires, Eugénie ?

La petite fille rougit un peu, puis répondit :

— Oui, ma mère.

— Je vais te montrer la classe des petites, puis le dortoir. Viens avec moi.

La religieuse quitta son siège derrière le bureau et ajouta « Vous aussi, monsieur », puis s'engagea dans les longs couloirs. Elle s'arrêta d'abord dans une classe plutôt exiguë où s'entassaient une trentaine de pupitres, des planches de pin montées sur des pieds de fonte.

— Tu seras un peu âgée, comparée aux autres élèves, mais si jamais nous constatons que tes connaissances le permettent, tu passeras dans le groupe suivant. Alice m'a écrit que tu apprenais très vite.

Ils arrivèrent bientôt dans un petit dortoir sous les combles. Une quarantaine de lits en rangs serrés devaient recevoir autant de fillettes. Le caractère spartiate des lieux ne rebuta pas Eugénie. La promiscuité, dont elle n'avait aucune expérience, lui paraissait préférable à la solitude de sa chambre, à deux pas de la pièce où sa mère était morte.

— Penses-tu que cet endroit te conviendra ? demanda la supérieure.

— Oui, ma mère.

— Alors tu pourras te joindre à nous demain.

— … J'ai toutes mes choses dans la voiture.

Son père avait même eu du mal à la convaincre de laisser sa petite valise dans le fiacre, avant d'en descendre quelques minutes plus tôt. La supérieure, surprise, la contempla un moment, interdite, puis elle acquiesça :

— Si c'est ce que tu préfères, soit. Je vais demander à l'une de nos postulantes de t'accompagner pour te guider.

Quelques minutes plus tard, une fille de dix-huit ans peut-être, vêtue d'une robe de bure, se trouva recrutée pour se rendre jusqu'au fiacre stationné dans la rue Donaconna avec Eugénie.

— Attendez-nous dans le parloir, indiqua-t-elle avant d'enchaîner, quand ils furent seuls : je ne savais pas la situation à ce point pressante.

— Ma femme a été malade pendant des années, expliqua Thomas. Les derniers mois ont été très éprouvants. Je m'inquiète même un peu pour l'équilibre de ma fille. Elle en vient à imaginer des scénarios… terribles.

L'homme jugeait préférable d'avertir la supérieure à mots couverts que la gamine risquait de revenir à la charge avec ses inquiétantes accusations. Toutefois, elle lui avait fait la promesse que jamais elle ne les répéterait. En quelque sorte, elle troquait son admission immédiate au couvent contre son silence.

— Ici, elle trouvera beaucoup de calme, une routine apaisante. Je demanderai à la religieuse responsable de sa classe et à la maîtresse de salle, la jeune novice que vous venez de voir, de rester très attentives à son état.

— Je pourrai la voir régulièrement?

— Les rencontres avec les parents ont lieu les dimanches après-midi.

La femme s'était mise à marcher vers la sortie du monastère, Thomas lui emboîta le pas. Au moment d'arriver dans le parloir, il aperçut la fillette, sa petite valise à la main.

— Eugénie, commença la supérieure, c'est le moment de dire au revoir à ton papa.

— Je croyais pouvoir la reconduire...

— Non, monsieur. Croyez-moi, nous avons l'habitude des situations de ce genre. Plusieurs enfants nous arrivent après avoir perdu l'un ou l'autre de leur parent, parfois les deux.

Un peu plus, et elle ajoutait: « Et même des enfants souffrant des projets de remariage très pressant du survivant. » Thomas fit un signe de la tête, autant en guise de salutation que pour signifier son assentiment, puis il rejoignit Eugénie, s'assit sur ses talons pour lui dire:

— Tu es bien certaine que c'est ce que tu veux?

Elle acquiesça de la tête, les paupières grosses de larmes contenues.

— Si tu changes d'avis, tu n'as qu'un mot à dire.

Elle hocha encore la tête.

— Alors embrasse-moi.

Elle se précipita dans ses bras, commença par lui murmurer un « merci » à l'oreille, puis se recula juste un peu pour dire encore:

— Je ne le dirai plus, car cela te fait de la peine.

Ce fut à son tour d'acquiescer, étreint par l'émotion. En se relevant, il lui dit:

— Je viendrai te voir dans une semaine, c'est promis.

Avec courage, sans se retourner, tenant sa petite valise à deux mains devant elle, la fillette alla rejoindre la mère supérieure et la novice qui attendaient dans un coin.

Si, pour sa mère, Thomas avait porté le grand deuil pendant quelques semaines, pour une épouse, il en aurait au moins pour six mois. Le dimanche 16 mai, exactement une semaine après le décès d'Alice, sa grande silhouette noire se dressait dans le banc à l'avant de la nef. À ses côtés, Édouard présentait une mine renfrognée. Curieusement, l'absence de sa sœur, longue de 24 heures, lui pesait déjà. Élisabeth, dans son costume de velours bleu, posait sa main gantée de dentelles à la base de son cou, à la fois pour le rassurer et l'amener à se tenir tranquille.

Après dîner, le commerçant quitta la maison, expliquant à la jeune femme venue le reconduire à la porte :

— J'ai accumulé beaucoup de retard, je vais aller au magasin une petite heure. Ensuite, je me rendrai voir le curé.

— Dois-je y aller aussi ?

— Pas cette fois. Cependant, je crois que ce sera nécessaire, éventuellement.

D'un signe de la tête, il la salua, puis traversa la rue en diagonale. Le grand magasin portait encore les crêpes du deuil. Dans trois jours, il conviendrait de tout enlever. Les rapports des chefs de rayons lui permirent d'oublier toutes ses préoccupations domestiques jusque vers trois heures. Deux minutes suffirent ensuite pour arriver au presbytère.

— Monsieur le curé vous attend, dit la religieuse en ouvrant la porte.

Le corridor poussiéreux ne retint guère son attention, ni le décor lugubre du bureau. La mise en scène du pouvoir le laissait indifférent.

— Monsieur Picard, je n'ai pas eu l'occasion de vous exprimer personnellement ma plus profonde sympathie, commença le vieux prêtre en tendant la main.

— Je vous remercie.

En le ramenant à son récent veuvage, l'ecclésiastique le désarçonna un peu. Il prit place sur la chaise devant le lourd bureau, son interlocuteur regagna son siège.

— La démarche que j'entreprends aujourd'hui vous surprendra peut-être, commença Thomas en fixant son vis-à-vis dans les yeux. Je veux me remarier.

— … Vous n'y pensez pas! Votre épouse a été mise en terre il y a quatre jours.

— Mais vous savez pertinemment que mon veuvage a commencé il y a des années.

Les impératifs de la chair paraissaient bien futiles au vieil ecclésiastique, qui tentait de donner l'impression qu'il les muselait depuis bientôt quarante ans.

— En plus, je dois tenir compte des besoins de mes enfants. Vous savez que je suis accaparé par mon travail. Ils ont besoin d'une mère.

— Votre fille ne se trouve-t-elle pas déjà chez les ursulines?

— Depuis hier. Cela ne remplace pas une présence maternelle. Et je me rends compte que les nouvelles voyagent rapidement.

L'ecclésiastique cligna des yeux, comme pour reconnaître l'efficacité des moyens de communication de l'au-delà. Il continua:

— Votre garçon pourrait suivre le même chemin. Vers le pensionnat, je veux dire.

— Je ne suis pas certain qu'enfermer des garçons avec des hommes vêtus d'une robe, incapables de faire face aux vicissitudes de l'existence, les prépare tellement bien au commerce.

Ces idées, que des journalistes osaient parfois mettre par écrit, demeuraient bien marginales encore. Pour les deux générations à venir, il paraîtrait tout naturel aux Canadiens français d'abandonner leurs garçons à des eunuques vêtus d'une robe noire.

— Au-delà des convenances un peu bousculées, je crois que rien n'empêche le remariage rapide d'un homme.

— En vertu du droit canon, vous avez raison.

— J'ai ici l'acte de baptême de la jeune personne. Elle est née à Sant-Prosper-de-Champlain.

Thomas tendit l'enveloppe qu'Élisabeth lui avait remise quelques jours plus tôt. Le curé l'ouvrit pour examiner le document.

— Dans les circonstances, continua le paroissien, peut-être conviendrait-il de procéder discrètement. Les bans…

— Cette personne est enceinte ?

— Non, bien sûr que non. Qu'allez-vous penser ?

— Elle habite sous votre toit.

Thomas pensa protester, mais il se rappela juste à temps que la préceptrice, en bonne chrétienne, confessait ses turpitudes à ce vieillard usé. Tout mensonge de sa part deviendrait ridicule.

— Elle s'occupe de mes enfants. Vous la voyez à l'église tous les dimanches.

— Maintenant que vous êtes veuf, cette situation pourrait porter à scandale. Elle devra habiter ailleurs d'ici à la cérémonie.

Le curé venait d'accepter de les marier. Mieux valait ne rien faire, ou dire, qui serait susceptible de l'amener à changer d'avis. Aussitôt, il consentit :

— Cela peut s'arranger. Elle viendra à la maison alors que je serai au travail, pour continuer ses leçons à mon fils.

— Pour ne pas prêter flanc aux remarques peu charitables, nous publierons les trois bans habituels. Quand pensez-vous vous marier ?

— Le 25 juin prochain. C'est un samedi.

Le prêtre fit un signe d'approbation. Thomas préférait ne pas terminer cette rencontre sur une négociation où le meilleur rôle lui échappait. Aussi enchaîna-t-il en disant :

— Pourrai-je compter sur vous pour bénir ma nouvelle manufacture ?

— Vous voulez dire votre atelier de confection de manteaux de fourrure. Il se trouvera aussi à la Pointe-aux-Lièvres ?

L'homme répondit de nouveau d'un mouvement de tête. Décidément, le réseau d'informateurs de ce prêtre ne se limitait pas aux couvents et aux collèges.

— Je pensais à une cérémonie en juillet, précisa-t-il.

— Vous pouvez compter sur moi.

Un moment plus tard, le marchand retrouvait la fraîcheur de la rue avec plaisir.

❧

— Aller vivre ailleurs ! s'écria Élisabeth en marchant de long en large dans le salon.

Désormais, ils n'avaient plus de raison de limiter leurs tête-à-tête à la bibliothèque.

— Je crois aussi que cela vaut mieux. Maintenant, les gens doivent s'en donner à cœur joie : la jolie femme dans la maison du veuf.

— Je n'ai pas les moyens…

— Voyons, sois un peu sérieuse.

Bien sûr, Thomas prendrait le coût de la pension à son compte. Élisabeth s'habituait lentement à l'idée de sa future prospérité.

— Il y a un endroit très bien rue Grant. Tu viendras tous les matins pour t'occuper d'Édouard, comme d'habitude.

— Tu as déjà tout arrangé ?

— J'y suis passé tout à l'heure.

Devant la figure dépitée de sa compagne, l'homme précisa :

— Cela ne me plaît pas plus qu'à toi, mais le curé paraît y tenir. Si cela peut nous valoir un mariage rapide, et ensuite la paix… Cela durera tout juste cinq semaines.

Dans la soirée, Élisabeth Trudel prit possession d'une petite chambre dans la pension de madame Giguère. Le dimanche suivant, au moment de la lecture du premier ban, celle-ci trouverait amusant d'avoir abrité successivement et à quelques mois d'intervalle, les promises des deux frères Picard.

~

Le soleil des premiers jours de juin chauffait les pavés. Élisabeth avait interrompu les exercices d'écriture d'Édouard pour se livrer à une petite promenade dans la ville. Depuis que le garçon profitait seul de toute son attention, ses progrès devenaient rapides. Bientôt, tous les livres de contes lui seraient accessibles sans aide… ce qui ne signifiait nullement qu'il se priverait du plaisir de les entendre à haute voix.

Quand ils arrivèrent rue de la Couronne main dans la main, le garçon lui demanda encore :

— Tu es certaine qu'il n'y a pas de chevaux ?

— Bien certaine. Tu as vu les fils tendus au-dessus de la rue ? C'est pour l'électricité.

Depuis une semaine, les tramways de la ville de Québec roulaient sans la traction animale. Bientôt, depuis le trottoir, Édouard regarda la voiture de bois s'approcher, silencieuse, puis s'arrêter dans un crissement de métal. Une tige de fer sortait du toit, pour entrer en contact avec un fil.

— Nous montons ?

Le garçon demeurait bouche bée devant cette merveille. À la fin, il gravit les deux marches donnant accès à la plate-forme du véhicule. Alors que la jeune femme payait le passage, il demanda au conducteur :

— Où est le moteur ?

— Juste sous tes pieds.

Édouard regarda les planches soigneusement jointes, songeur. Ensuite, il s'installa près de la fenêtre sur une banquette de bois, Élisabeth près de lui. Si le moteur électrique n'émettait qu'un faible bruit, cela ne présentait pas qu'un avantage. Privés du claquement des sabots pour les prévenir, des passants traversaient la rue sans prendre garde. Aussi le conducteur donnait des coups de pieds sur une petite pédale afin de faire entendre une cloche. Avant que les gens ne prennent l'habitude de ces étranges machines, le « ding ding » résonnerait de façon quasi ininterrompue.

Ce jour-là, ils parcoururent de nouveau le chemin jusqu'à la librairie Garneau. Le tramway grimpa la Côte-d'Abraham sans trop de difficultés. Ils montèrent dans une seconde voiture rue Saint-Jean, puis convinrent de continuer à pied dans la rue de la Fabrique. À mi-pente, Élisabeth remarqua les travaux effectués dans un commerce. Quelqu'un traçait le mot « ALFRED » en grandes capitales dorées sur fond bleu, au-dessus de la porte et des vitrines.

— Regarde, c'est le magasin de ton oncle.

— Il ne travaille plus pour papa ?

— Je crois qu'il quittera son emploi à la fin de la semaine.

Des débris d'étagères et de vieux papiers peints arrachés aux murs s'entassaient dans des charrettes. L'endroit prenait lentement de nouveaux airs de jeunesse. Arrivé rue Buade, Édouard connut le plus grand moment d'exaltation de sa jeune existence. Une autre voiture sans chevaux passait devant ses yeux, bien plus petite qu'un tramway, considérablement plus bruyante et malodorante aussi. Elle laissait derrière elle une odeur répugnante d'essence à moitié brûlée.

— C'est une… fit-il, à court de mots.

— Une automobile, si je me souviens bien des magazines que j'ai lus.

— Je ne savais pas qu'il y en avait à Québec.

Dans une pétarade qui rendait les chevaux terriblement nerveux, le docteur Henri-Edmond Casgrain tourna le coin de la rue pour se perdre derrière l'hôtel de ville.

— Moi non plus, je ne savais pas. Le vingtième siècle se trouve déjà là, avec trois ans d'avance. Mais je préfère le tramway.

— Moi, l'auto : on n'a pas besoin de rails. Tu crois qu'il y aura des livres sur le sujet, maman ?

Quand elle lui disait que c'était trop tôt pour l'appeler ainsi, il répondait invariablement qu'il se « pratiquait ».

— Allons nous informer.

Élisabeth tendit la main au garçon. Ensemble, ils pénétrèrent dans le commerce.

∾

Quand Marie Buteau quitta la vieille maison de la rue Saint-Dominique pour la dernière fois, en fin de journée du 25 juin 1897, elle se trouvait à quelques jours d'accoucher. La plupart des meubles restaient sur place. Le nouveau propriétaire de la demeure en profiterait. Gertrude porta l'une de ses petites valises jusqu'au fiacre, elle s'occupa de l'autre.

— Cette demeure vous manquera-t-elle ?

La jeune femme ne pouvait se convaincre de tutoyer une personne plus âgée qu'elle, fût-elle domestique. Sa réticence était d'autant plus grande que Gertrude l'appelait « madame ».

— Pourquoi ? Cela n'a jamais été chez moi.

— Vous y avez habité pendant vingt ans.

— Croyez-vous que ce furent des années heureuses ?

Au fil des mois, Marie en avait appris assez pour savoir que servir une maîtresse comme Euphrosine Picard réservait peu de moments de bonheur. Mais à ce compte-là, le service domestique, quel que soit l'endroit, ne devait jamais amener à de bien grandes félicités.

— La difficulté avec moi, confessa la jeune femme, c'est que je crains toujours que le nouvel endroit soit pire que le précédent.

— Peut-être serait-il temps que vous appreniez que les choses peuvent aussi s'améliorer.

— Je m'y efforce.

Le fiacre emprunta la Côte-à-Coton pour accéder à la Haute-Ville. Après quelques minutes, le cocher arrêta son cheval dans la rue de la Fabrique. Alfred s'empressa d'aider sa femme à descendre, prit l'une des valises, la domestique insistant pour porter l'autre. Un charretier vint se faire payer ses services juste à ce moment : plus tôt dans la journée, il avait amené les livres, les vêtements, la literie et quelques meubles dans le nouveau logis.

Puis le futur commerçant ouvrit la porte du magasin pour faire entrer les deux femmes et verrouilla derrière elles. Malgré les mots « Ouverture prochaine » écrits avec de la peinture blanche sur les vitrines, des passants testaient régulièrement la poignée. Les plus curieux collaient leur front contre les grandes vitres afin de voir à l'intérieur.

— C'est magnifique, n'est-ce pas ?

Les comptoirs, les étagères et les étals demeuraient très sombres, mais les murs et le plafond offraient de grandes surfaces blanches, soulignées par des moulures dorées.

— Et regarde les ampoules.

Il joua un moment avec les commutateurs. L'éclairage au gaz reculait partout devant l'électricité, mieux avait valu faire ce passage tout de suite.

— Il faut traverser tout le magasin pour se rendre au logement ? demanda Gertrude, plutôt horrifiée à cette perspective. Ce sera joli, quand je reviendrai du marché avec un poisson, ou mieux encore, une volaille vivante.

— Mais non, il y a un escalier à l'arrière qui donne sur la ruelle.

Elle renifla pour exprimer son dépit de devoir bientôt monter jusqu'au second étage en claudiquant, un panier rempli de provisions à la main, mais n'ajouta pas un mot.

Dans le grand espace du rez-de-chaussée, Alfred consacrait depuis plusieurs jours ses efforts à placer des vêtements féminins sur les étagères, les cintres et les présentoirs. Un peu partout, des cartons ouverts débordaient de marchandises. En quittant le grand magasin Picard, il avait débauché pour l'aider deux jeunes vendeuses d'une quinzaine d'années, parmi les plus délurées.

— Je visiterai une autre fois, décréta Gertrude en s'engageant dans l'escalier. Quelqu'un doit préparer le repas.

— C'est vrai que c'est un peu haut pour elle, fit remarquer Marie en faisant allusion à la claudication de la domestique.

— Et encore plus pour une femme enceinte de quatre-vingt-dix-huit mois, rétorqua son mari en riant.

La jeune femme posait une main sous son ventre, comme pour alléger un peu le poids, et elle marchait en se dandinant. Pourtant, elle tint à parcourir tout le rez-de-chaussée, puis le premier étage. Au moment de monter au logement, la fatigue lui coupait les jambes. Dans le hall, elle apprécia les petites fleurs du nouveau papier peint, l'éclairage électrique partout, les sanitaires neufs. Un instant, elle entra dans la cuisine pour demander :

— Tout cela vous convient, Gertrude ?

— Cela ira, grommela celle-ci.

Dans une heure, un repas léger serait prêt. Avant de sortir de la pièce, Marie regarda par la fenêtre. Ses yeux se posèrent un moment sur une grande bâtisse de brique rouge, dont les fenêtres à cadre de pierre blanche affichaient un style vaguement gothique : la maison Béthanie.

— Oh ! murmura-t-elle. Je n'avais pas réalisé que c'était si proche.

Alfred prit sur lui de refermer la porte de la cuisine, puis la conduisit vers une pièce donnant sur la rue de la Fabrique, un salon aux proportions un peu étonnantes. Il se révélait large de moins de dix pieds, mais profond d'une vingtaine.

— Tu n'iras pas de l'autre côté, de toute façon, expliqua-t-il. Ta vie se déroulera dans ce salon et dans la chambre à côté. Cette usine à malheurs ne te concerne plus.

— Au contraire, chaque fois que je te trouverai insupportable, je me planterai devant la fenêtre à l'arrière pour me souvenir de ton bon cœur.

En s'appuyant sur les bras pour soutenir son poids, elle se cala dans un vieux fauteuil démodé. L'homme se pencha sur elle pour l'embrasser, puis chuchota :

— Je tenterai de rester dans les limites du supportable. Je vais chercher du thé glacé, les dernières minutes t'ont mise en nage. C'est difficile de transporter deux personnes.

Pendant son absence, Marie se perdit dans la contemplation du bout de la rue visible depuis son siège. Sur la droite, elle apercevait le dernier étage et les toits du nouvel hôtel de ville, à gauche, rue Buade, la librairie Garneau. En se collant le front à la vitre, en diagonale, elle aurait aperçu la cathédrale.

En recevant la boisson froide, la jeune femme demanda :

— Tu as joué ton rôle de père, ce matin ?

— Le registre des mariages de la paroisse Saint-Roch porte ma signature.

— Comment a été la cérémonie ?

Jamais Marie ne se serait astreinte à se rendre au mariage de Thomas Picard, mais sa curiosité demeurait vive.

— Exactement comme la nôtre : rapide et ennuyante. Si tu ajoutes les habits de deuil pour l'époux et ses deux enfants, le vicaire Buteau et son visage de geôlier, toutes les funérailles auxquelles j'ai assisté dans ma vie paraissaient joyeuses, en comparaison.

Pour un veuf qui venait d'enterrer sa première épouse, la plus grande discrétion s'imposait. Aucune cérémonie un peu ostentatoire n'aurait passé la censure paroissiale. Alfred ne jugea pas utile de commenter le faciès déprimé de la fillette. Au moins, elle n'avait pas dit un mot. Si elle avait encore formulé ses accusations, cela aurait fait avorter les épousailles.

— Qui a servi de témoin à Élisabeth ?

— Tu ne devineras jamais…

L'homme présentait un visage amusé. Comme Marie demeura silencieuse, peu désireuse de jouer aux devinettes, il répondit après une pause :

— Napoléon Grosjean. Plus seule au monde que cela…

— … Et tu as eu droit au vicaire Émile Buteau pour signer le registre.

La morosité de la jeune femme ne dura pas. Bientôt, elle déclara en changeant de posture sur le fauteuil, pour soulager un peu la douleur vive qui lui vrillait les reins :

— Tu sais, je commence à penser que ce petit commerce nous rendra heureux. Quand le bébé sera là, je reprendrai ma place derrière le comptoir. Et toi, à deux pas, tu seras en train de vendre un costume complet à une dame venue s'acheter un petit mouchoir.

Alfred quitta son siège pour venir poser ses lèvres sur son front.

❧

Le matin du 5 juillet, le nouveau magasin de la rue de la Fabrique recevait ses premiers clients. Des encarts dans *L'Événement* et *Le Soleil* clamaient que la marchandise serait écoulée au prix coûtant toute la semaine. Au bout du compte, cela signifiait vendre à perte, une fois les frais courants de l'établissement couverts.

— Mais nous créons une habitude, expliqua Alfred en justifiant une nouvelle fois sa stratégie devant son déjeuner. Tout le monde saura où nous sommes.

— Tu es le spécialiste, abdiqua Marie après un moment. Nous verrons cela au moment de faire le bilan, le 31 décembre.

Résolue à incarner la raison auprès d'un époux volontiers fantaisiste, la jeune femme ne s'en faisait toutefois pas outre mesure. Le « prix coûtant » avait tout de même été un peu majoré. Quand le nouveau commerçant revêtit sa veste vers huit heures trente, afin d'aller ouvrir à ses jeunes vendeuses, il la regarda attentivement et demanda, un peu inquiet :

— Tu es certaine que tu veux descendre ?

490

— Parcourir ces escaliers me prendra du temps, mais si je pars dans trois minutes, je serai derrière la caisse un peu avant la fermeture.

— Je sais bien qu'accoucher le jour de l'ouverture, au milieu des clientes, ferait une excellente publicité, mais tout de même...

La jeune femme se leva en prenant appui sur la table, lui adressa un sourire avant de déclarer :

— Je ne manquerai pas l'ouverture. Sans doute que je ne resterai pas toute la journée, et que tu ne me reverras pas du reste de la semaine, mais je serai avec toi à neuf heures.

Une chance pour elle, Alfred comptait parmi les boutiquiers convaincus que les employées pouvaient poser les fesses sur un tabouret en l'absence de clients, et même parfois en leur présence, avec ces circonstances atténuantes. À l'heure fatidique, quelques femmes faisaient la queue devant la porte. Pendant des heures, l'affluence ne diminua pas. Pour se distinguer de ses réputés voisins Holt & Renfrew et Simon's, qui offraient des laines anglaises, la publicité insistait sur les vêtements importés de France. Surtout peut-être, le chef de rayon qui séduisait la clientèle du magasin Picard avec ses allures d'esthète et son humour acide avait cultivé des fidélités dont certaines voulaient bien le suivre rue de la Fabrique.

Derrière la caisse, assise, Marie recevait l'argent avec le sourire et répondait invariablement aux personnes qui lui demandaient la date de l'heureux événement :

— En théorie dans quelques semaines, mais l'enfant du grand escogriffe que vous voyez là semble vouloir nous aider bien vite.

Si certaines comptaient mentalement le nombre de mois, personne ne formula la moindre remarque.

Un peu après onze heures, Marie déclara forfait et demanda à une vendeuse de lui offrir son bras afin de monter l'escalier jusqu'à l'appartement. Vers six heures, Alfred la trouva étendue sur le canapé du salon, face à la fenêtre. Il posa une fesse près d'elle pour lui caresser le ventre :

— Alors, sommes-nous riches? demanda-t-elle, un peu taquine.

— Il faudra faire livrer de la marchandise mercredi, au plus tard jeudi. Ce bébé-là devrait profiter d'une petite aisance.

— À s'agiter comme il le fait, sans doute compte-t-il en profiter très vite.

L'homme lui fit la bise, puis alla chercher de quoi boire.

～

— Maman, tu as vu comme c'est joli?

Chaque fois qu'Édouard utilisait ce mot, et le gamin ne s'en privait pas, Eugénie semblait sur le point de vomir.

— Magnifique. Ton papa nous a réservé une belle surprise.

La famille Picard se tenait sur le trottoir de la rue Scott, perpendiculaire à la Grande Allée, dans le quartier Montcalm. Napoléon Grosjean était venu les chercher à la gare en fin d'après-midi. Au cours des semaines précédant son mariage, Thomas avait multiplié les efforts afin de vendre la demeure de la rue Saint-François et d'en dénicher une nouvelle. Pendant la douzaine de jours de son voyage de noces à Montréal et sur la côte du Maine, des employés s'étaient occupés du déménagement.

— Tu n'as pas fait construire ce petit château? questionna Élisabeth en prenant son bras.

— Non. Au moment de l'élection provinciale, quelqu'un m'a parlé d'un manufacturier qui avait surestimé ses moyens. Je lui ai rendu service.

En d'autres mots, cet industriel aux abois s'était départi de cette demeure à un prix avantageux sans avoir eu l'occasion de l'habiter. D'un autre côté, pour vendre rapidement, le commerçant avait fait une faveur à un médecin désireux de s'établir dans la Basse-Ville en lui cédant sa propre maison à prix modique, à condition que la transaction se fasse tout de suite.

— Elle est impressionnante, murmura-t-elle.

La demeure se montrait digne des aspirations du roi du commerce de détail. En brique rouge, elle s'ornait d'une tourelle à gauche. Une longue galerie courait devant et sur une partie du côté droit.

Quant à la nouvelle madame Picard, elle ne déparerait pas ce cadre magnifique. Le temps des jupes de serge et des chemisiers modestes était révolu. Elle portait une jolie robe de mousseline bleu pâle, affichait des cheveux bouclés, coiffés savamment, sous un chapeau de paille incliné sur l'œil gauche.

— Nous entrons? demanda l'homme.

Les enfants se trouvaient déjà sur la galerie pour regarder à l'intérieur par les fenêtres. Le couple monta les quelques marches donnant accès à la porte principale, alors que derrière eux Napoléon Grosjean pestait en silence : le cocher venait de comprendre que la corvée d'entrer toutes les valises lui incombait.

⌇

«Notes sociales

Nous apprenions hier la naissance du premier garçon d'Alfred Picard. Cet homme inaugurait, il y a tout juste une semaine, un commerce de vêtements féminins rue de la Fabrique, dont le succès paraît assuré. La mère et l'enfant se portent bien.

Le Soleil, mardi 13 juillet 1897.»

Épilogue

Septembre 1898 offrait encore de belles journées. Des estrades avaient été montées sur la terrasse Dufferin afin d'offrir des places assises à une centaine de notables. Quatre ou cinq fois plus de personnes se tenaient debout entre les murs du Château Frontenac et la balustrade de fonte donnant sur la Basse-Ville.

— Il y a maintenant deux cent quatre-vingt-dix ans, Samuel de Champlain fondait un poste de traite au pied de cette falaise, expliquait Wilfrid Laurier de sa voix forte. Son Habitation pouvait tout au plus abriter quelques dizaines de personnes de la menace des tribus hostiles. Regardez où nous en sommes aujourd'hui !

D'un geste ample, le politicien entendait désigner les soixante mille habitants de Québec. Son chapeau haut-de-forme tenu de sa main gauche, il célébra pendant quelques minutes les réalisations des Canadiens français au cours des derniers siècles. Tout de suite après lui, vêtu de pourpre et une chasuble brodée de fils d'or chatoyant sous le soleil sur les épaules, monseigneur Louis-Nazaire Bégin s'efforça de démontrer qu'aucune de ces réalisations n'aurait été possible sans la constante protection de la divine Providence, et la présence d'un clergé des plus dévoués.

L'ecclésiastique donna enfin le signal de tirer sur un jeu complexe de câbles. Des poulies accrochées à un mât oblique permirent de lever une immense toile. Lentement, le voile en se retirant révéla sur une grande statue de Samuel de Champlain. Avec son socle de pierre, elle s'élevait à près de cinquante pieds.

Dans les estrades, comme les autres membres de la Société Saint-Jean-Baptiste, Thomas Picard applaudissait à tout rompre. Son enthousiasme se révélait d'autant plus grand que sa propre contribution financière au projet de l'association nationaliste lui paraissait encore nettement exagérée. Certes, la statue du Français Paul Chevré paraissait majestueuse, mais après tout elle ne servirait qu'à accumuler la merde des pigeons pendant des décennies.

— Tu es fier de ton travail ? lui murmura Élisabeth à l'oreille au moment où tout le monde s'asseyait pour entendre d'autres discours ennuyeux.

— Il me coûte assez cher pour cela.

Quand les derniers orateurs se turent enfin, la foule se dispersa lentement. Thomas rejoignit Wilfrid Laurier au premier rang de l'assistance, se tint un peu à l'écart alors que le grand homme discutait avec le premier ministre provincial Marchand et le maire Parent. Une dame à l'allure un peu maladive, des cheveux gris visibles sous son grand chapeau, patientait aussi un peu en retrait.

— Lady Laurier, commença Élisabeth en lui adressant son meilleur sourire, ces cérémonies s'allongent parfois un peu.

— Surtout que vous et moi ne sommes là que pour servir de décoration auprès de ces messieurs. Marchez avec moi vers la voiture, cela donnera peut-être à sir Wilfrid envie de nous suivre.

Thomas esquissa un sourire en entendant l'ironie dans la voix de la première dame. L'année précédente, Laurier avait reçu le titre de chevalier lors de sa participation aux festivités entourant le soixantième anniversaire de l'accession au trône de la reine Victoria. Personne, dans la province de Québec, n'évoquait la chose sans un sourire narquois.

— Messieurs, fit le premier ministre à l'intention de ses collègues, Zoé s'est lassée d'attendre. Ce que femme veut… De toute façon, nous nous reverrons tout à l'heure chez les Picard.

Il inclina la tête pour saluer, s'éloigna de quelques pas pour se retourner vers la grande statue de l'explorateur. Le sculpteur avait choisi de le représenter la main droite levée, en train de faire le point avec un astrolabe.

~

— Je vous remercie encore d'avoir accepté mon invitation, insista Thomas à voix basse. Mes voisins sont un peu snobs. Ils nous traitent de haut, ma femme et moi.

— Bien prétentieuses, ces supposées "grandes familles" de Québec toutes un peu consanguines, commenta Wilfrid Laurier. Pourtant, elles ne devraient pas : ce qui gâche la race d'un cheval ne vaut pas mieux pour les hommes. Surtout, si vous grattez un peu, la plupart sentent encore le fumier. Tous les Canadiens français ont cultivé la terre.

Le politicien, calé dans un fauteuil de cuir, buvait son whisky à petites gorgées. Mieux valait en profiter, dans dix jours se tiendrait un référendum sur un projet de prohibition de la vente d'alcool dans tout le Canada. Heureusement, la victoire du oui serait si courte que le politicien se sentirait autorisé à ne pas adopter la loi.

Les deux hommes se trouvaient dans la bibliothèque de la grande maison des Picard, rue Scott. Lassé de se faire interpeller par la douzaine d'invités, le premier ministre avait plaidé des affaires urgentes à traiter pour se retirer un moment avec son hôte.

— Les Taschereau semblent avoir oublié leur passé de cultivateurs, remarqua le commerçant avec un sourire en coin.

— C'est à cause du cardinal dans la famille. L'encens leur monte à la tête.

Thomas but une gorgée pour cacher son agacement, puis commenta encore :

497

— Le croirez-vous, ma femme a laissé sa carte chez une vingtaine de voisines l'été dernier, lors de notre arrivée dans cette rue. Personne n'a donné suite.

Dans son précieux opuscule, la baronne de Staffe recommandait aux nouveaux venus dans un milieu de laisser leur carte aux voisins, pour signifier à la fois leur désir de les recevoir, et d'être reçus. Dans un pays de tradition anglaise comme le Canada, cela permettait, dans un premier temps, de prendre le thé ensemble.

— Pourtant, remarqua le politicien, elle a été élevée chez les ursulines, tout comme ces femmes.

— En tant que boursière. Cela fait toute la différence du monde.

Laurier secoua la tête devant une manifestation d'esprit de caste aussi obtuse.

— Mais votre présence ici ce soir devrait nous rendre un peu plus fréquentables, conclut le marchand en posant son verre vide sur le guéridon.

— Alors rejoignons les *kshatriyas*, déclara son interlocuteur en faisant de même.

L'homme montrait ainsi sa connaissance du système des castes de l'empire des Indes. Les *kshatriyas* qui se trouvaient dans le grand salon étaient les détenteurs du pouvoir politique. Le *vaisyas*, ou marchand, le suivit.

En sortant de la bibliothèque, ils traversèrent le corridor pour passer au salon. Cette pièce donnait aussi rue Scott. De grandes portes françaises s'ouvraient sur un second salon, plus féminin celui-là. En utilisant ainsi les deux pièces, il devenait possible de recevoir une nombreuse compagnie.

Quelques minutes plus tard, Wilfrid Laurier offrit son bras à Élisabeth pour passer à la salle à manger, de l'autre côté du couloir. Thomas fit de même avec lady Zoé. Au cours du premier service, le politicien évoqua les charmes respectifs des paroisses de Saint-Lin, le lieu de sa naissance, et de Saint-Prosper. Quelle façon charmante de faire un pied de nez aux snobs assis autour de la table ! Le maire de Québec, Simon-

Napoléon Parent, profita d'une pause de leur conversation pour déclarer :

— Dans dix ans, ce sera le trois centième anniversaire de la fondation de Québec. Il conviendrait de se préparer déjà à célébrer l'événement avec panache.

— Dans dix ans, j'aurai eu trois occasions de perdre des élections. Discuter de cela aujourd'hui me paraît tout à fait prématuré.

— Voyons, vous battrez Macdonald, quant à la longévité politique.

Un peu pour éviter à son époux de devoir exprimer plus clairement encore son désintérêt pour une fête qui aurait lieu dans dix ans, lady Laurier attira l'attention sur des questions plus intimes :

— Monsieur Picard, je suis allée ce matin dans un très joli commerce de vêtements rue de la Fabrique. Le propriétaire se prénomme Alfred. C'est un parent à vous ?

— Mon aîné.

— J'en étais certaine. Non seulement il vous ressemble un peu, mais son fils aussi. Vous ne pourriez pas les renier.

Thomas choisit ce moment pour porter son verre de vin à ses lèvres, le temps de retrouver sa contenance. Aussi ce fut Élisabeth qui commenta :

— La lignée de Théodule se reconnaît entre toutes. Édouard aussi a ces traits.

— Votre belle-sœur est tout à fait charmante, ajouta Wilfrid. Ses yeux sont exceptionnels.

— … Oui, très charmante, admit l'hôte d'une voix un peu changée.

Le rose aux joues, il échangea un regard avec sa femme, de l'autre côté de la table.

FIN DU PREMIER TOME

HURTUBISE COMPACT

Dans la même collection :